貓頭鷹書房 456

歐亞帝國的邊境（上）

衝突、融合與崩潰，16-20 世紀大國興亡的關鍵

里博◎著

李易安◎譯

貓頭鷹

THE STRUGGLE FOR THE EURASIAN BORDERLANDS: FROM THE RISE OF EARLY MODERN EMPIRES TO THE END OF THE FIRST WORLD WAR by ALFRED RIEBER

貓頭鷹書房 456

歐亞帝國的邊境：衝突、融合與崩潰，16-20世紀大國興亡的關鍵（上）

作　　者　里博（Alfred J. Rieber）
譯　　者　李易安
審　　定　杜子信、陳立樵、廖敏淑、趙竹成
選書責編　張瑞芳
協力編輯　劉慧麗
校　　對　魏秋綢、張瑞芳
版面構成　張靜怡
封面設計　陳文德
行銷企畫　陳昱甄

總 編 輯　謝宜英
出 版 者　貓頭鷹出版
發 行 人　凃玉雲
發　　行　英屬蓋曼群島商家庭傳媒股份有限公司城邦分公司
104 台北市中山區民生東路二段 141 號 11 樓
劃撥帳號：19863813；戶名：書虫股份有限公司
城邦讀書花園：www.cite.com.tw　購書服務信箱：service@readingclub.com.tw
購書服務專線：02-2500-7718~9（周一至周五上午 09:30-12:00；下午 13:30-17:00）
24 小時傳真專線：02-2500-1990；25001991
香港發行所　城邦（香港）出版集團／電話：852-2508-6231 ／傳真：852-2578-9337
馬新發行所　城邦（馬新）出版集團／電話：603-9057-8822 ／傳真：603-9057-6622
印 製 廠　中原造像股份有限公司
初　　版　2020 年 6 月
定　　價　新台幣 1600 元／港幣 533 元（上下冊不分售）
I S B N　978-986-262-425-8

讀者意見信箱　owl@cph.com.tw
投稿信箱　owl.book@gmail.com
貓頭鷹臉書　facebook.com/owlpublishing

【大量採購，請洽專線】(02) 2500-1919

城邦讀書花園
www.cite.com.tw

國家圖書館出版品預行編目資料

歐亞帝國的邊境：衝突、融合與崩潰，16-20 世紀大國興亡的關鍵／里博（Alfred J. Rieber）著；李易安譯 . -- 初版 . -- 臺北市：貓頭鷹出版：家庭傳媒城邦分公司發行 , 2020.06
面；　公分 .
譯自：The struggle for the Eurasian borderlands: from the rise of early modern empires to the end of the First World War
ISBN 978-986-262-425-8（上冊：平裝）. --
ISBN 978-986-262-428-9（下冊：平裝）. --
ISBN 978-986-262-429-6（全套：平裝）

1. 世界史　2. 近代史　3. 帝國主義

712.4　　109006914

國際好評

作者以比較性的寬廣視野進行爬梳，不只對國際衝突的起因提供了洞見，對於那些為了更有效掌控邊境地區而實施的內部改革動態，也給出了非常深刻的見解。

——沃特曼，哥倫比亞大學歐洲法律史榮譽教授

里博採用他稱為「地緣文化」的分析模式，在詮釋歐亞大陸的政治和社會史時，認為特定幾個邊境地區扮演了非常重要的角色，能為我們提供不少資訊。完全可以說，讀過這本書的人，絕對不會再用原本的方式看待邊境。

——文科維茨基，西門菲莎大學歷史系副教授

任何讀過這本書的人，都能以新的視角看待近代史，更不用說今日在歐洲和亞洲不斷發生的危機。

——《泰晤士報文學增刊》

邊境回來了。從波羅的海到巴爾幹地區，從烏克蘭、高加索再到中亞，舊帝國遺留下來的斷層線，再次於世界政治中變得至關重要。

——《美國歷史評論》

里博所寫出的是一本百科全書式的政治史。書中充滿令人驚艷的史料和比較分析，而大量的腳注裡則有來自各種語言的二手文獻，幾乎涵蓋了和帝國崛起與衰亡有關的一切重要問題。

——《Ab Imperio》期刊

本書創新之處在於，作者採取全觀式的視角，探看那些由複合、交織而流動的邊界所決定的衝突模式……它將成為一本權威著作，對學術專家和歷史專業的學生而言都同樣受用。

——《英國歷史評論》

這是一本令人印象深刻、相當複雜，也非常全面的著作，反映出一個學者畢生的學術研究成果，聚焦於大陸型帝國之間的邊境地帶。本書對於帝國和邊境地區這個主題來說，提供了一個嶄新的取徑。

——《近代史雜誌》

■譯者序

邊境的哀愁與魅力

人類對於世界的想像，經常是鑲嵌在語言之中的。

比如我們說起「邊境」時，腦海裡會浮現的畫面，往往是「邊陲」、「偏僻」而「荒蕪」的意象，總的來說，便是「核心地區」的對立面。然而事實上，在現代國界的作用之下，邊境也經常是商貿活動熱絡、人員往來頻繁的「核心」熱點。如果翻開地圖，我們也能發現，本書中提到的「邊境地帶」，其實就地理位置而言，也都稱得上是整個歐亞大陸的「核心腹地」。

由此而論，「邊陲－核心」這組二元對立的概念，其實是互為表裡，經常充滿辯證意味的。對於譯者來說，這種「邊陲－核心」在意象上的張力和罅隙，也體現在某些詞彙的翻譯過程之中。就以本書最核心的概念「borderlands」為例，該詞彙可以有「邊界地帶」、「邊疆地帶」、「交界地帶」或「邊境地帶」等譯法。

然而由於「borderlands」前面被冠上了「Eurasian」這個形容詞，因此如果譯作「歐亞邊界地帶」、「歐亞邊疆地帶」，似乎便容易被理解為「歐亞大陸的外圍」（也就是冰島、堪察加半島這類外圍區域），但這明顯和作者想談的「歐亞大陸上，位於各個帝國之間的地帶」不同。

類似地，如果譯成「歐亞交界地帶」，則似乎又容易被誤解成「歐洲和亞洲的地理交界」（也就是烏拉山、高加索山、土耳其海峽這些地方），但作者指涉的地區並不僅止於此，其實還包括亞洲境內的中亞地區，以及歐洲境內的多瑙河流域、東歐大草原等地。

在不論怎麼選都難以避免歧義的情況下，我決定選用「歐亞邊境地帶」，原因是「邊界」、「交界」都有介面和界線的意思，但實際上這些帝國之間，不見得真的都有明確而穩固的「界線」。但比較可惜的是，「邊境」一詞，似乎仍帶有單一國家的視角，因而較難體現出「交界」那種「兩個以上行為者互動」的動態意象。

就本書的視角而言，「邊陲－核心」的二元張力，其實也本就是作者的核心關懷之一。不論是學界或是坊間，較常見的歷史寫作一般都是以單一國家為主角的「國別史」。然而本書不只橫向地針對不同帝國進行了比較，同時也將各個帝國之間的邊境地區放到舞台的正中央，為讀者展示了邊境地區，是如何在各個歐亞帝國崛起、相互角力，以及逐漸衰敗的過程中，扮演了關鍵性的角色，而不再只是「國別史」裡被征服的「邊陲配角」而已。

然而這種書寫取徑和視野，就實務上而言，似乎仍然避免不了以帝國作為敘事主體的囿限，但這恐怕不是歷史書寫的方法論可以解決的問題。畢竟直到今日，我們對於伊斯蘭世界、非洲、中亞等「邊陲地區」的想像和理解，經常仍要依賴西方學者的轉譯，或者至少仍需以西方的知識體系為框架來進行理解。

我在中亞地區旅行時，偶爾也能體會到類似的感受。

前往中亞之前，我曾讀過一些西方學者關於中亞地區的著作，主題包括文化、歷史和地緣政治。儘管那些著作以中亞為主題，但它們在我腦海中建構出的中亞圖像，依然是個「介於……之間」的意象——北邊是俄羅斯，西邊有土耳其（以及距離更遠，但無形勢力更加龐大的歐美西方世界）、南邊是伊朗（以及廣義的整個伊斯蘭世界），東邊則有已經崛起的中國。

在這個圖像中，中亞依舊像個十字路口，夾在強權之間，活像邏輯學的范氏圖（Venn diagram）裡，各個大圓圈共同交集的那塊形狀——每個稜角都被削掉，但又不是真正的圓，因此「四不像」，難以歸類。

但實際上，我在中亞遇到的許多人，卻不見得喜歡這種「介於之間」的想像（儘管許多人都會說，就外貌而言，中亞人長得「就像東方人和西方人的混血」），也不喜歡「絲路」這個包袱過重的刻板敘事，更不喜歡被視為歐亞各個帝國之間的「過渡帶」、「緩衝區」或「勢力範圍」。

但這並不妨礙本書的貢獻，因為作者本就無意以各個邊境地帶為主體，他關注的依然是邊境地帶對歐亞帝國的作用，並以長時段的縱深、宏觀的比較視野，少見地拉出了寬闊的討論空間。

在這個過程中，你會發現歷史驚人的延續性——過去總要在草原上建立附庸國、製造「緩衝區」，藉此獲得「安全感」的俄羅斯人，至今仍在克里米亞、烏克蘭東部和中亞地區試圖鞏固勢力範圍；因為天朝制度崩解和屈辱感而推動改革的清帝國菁英，其後代今日也在將類似的恥辱感化為「復興中國」的動力，並為境內的少數民族和周邊地區帶來壓力；夾在伊斯蘭文化圈與歐陸之間，因而在伊斯蘭教和西方文明之間躊躇猶疑的土耳其，今日依然在為了「該不該強制女性脫下頭巾」、「如何加入歐盟」而爭論不休；身為伊斯蘭教第二大派系根據地，與伊斯蘭文明息息相關、卻又保有自身認同的伊朗，今日也依然在中東、中亞和其他強權之間努力維持自主。

由此，位於帝國之間的「邊境」，命運似乎不可避免總會帶點悲情——夾在俄羅斯和德意志人之間的波蘭，在歷史上曾被三度瓜分；中亞國家從蘇聯獨立之後，久久無法擺脫對俄羅斯的依賴，至今仍在進行撤換西里爾字母的文化工程；位於俄羅斯、土耳其、伊朗之間的高加索地區，儘管已有種族大屠殺和國界爭端等歷史問題懸而未決，卻又在二〇〇八年遇上俄羅斯和喬治亞的戰爭，近期又有中國的一帶一路擾動均勢，至今依然是個火藥庫。

旅遊作家簡．莫里斯（Jane Morris）在為義大利城市第里雅斯特（Trieste）進行書寫時，曾指出該城市雖然今日為義大利領土，卻曾是哈布斯堡王朝最重要的海港，因而城市裡仍有一絲絲德意志文化遺緒，加上周邊又被克羅埃西亞、斯洛文尼亞包圍，因此又有大量斯拉夫裔人口和斯拉夫飲食文化，儼然就是歐洲三大文化區的交界處。然而「Trieste」這個地名，卻和法文、英文裡的「哀傷」（triste）一詞相似——若從邊境地帶的歷史來看，這似乎倒也是個頗為適切的巧合。

不過邊境的犬牙交錯、帝國的來回壓境，在歷經時光洗鍊之後，有時卻也能釀造出精采的文化成果——比如鄂圖曼帝國在巴爾幹半島的經營，便在東南歐演化出各種帶有土耳其風味的烤肉和烤餅，將歷史的苦澀化為日常的美味。對我來說，這些邊境地帶總歸都是迷人的：它們作為一種「偏離主流敘事」的存在，總在為我提供另類視角，因而也經常是靈感的豐富泉源。

我衷心希望這本關於「邊境」的書，也能帶給所有讀者類似的收穫。

■導讀

帝國浮沉

趙竹成／國立政治大學民族系教授

本書選定五個表面上差異極大，甚至彼此衝突的帝國：俄羅斯、清、鄂圖曼、伊朗、哈布斯堡王朝。並且在特定的時間、空間放進波蘭立陶宛王國。

在架構上，本書先將前述幾個政治體放進數個設定的框架中進行比較分析。這些框架包括：空間（第一章）、意識形態（第二章）與制度（第三章）。但在第四章，作者將這些帝國的邊疆進行交錯。這些帝國邊疆分別是波羅的海地區、巴爾幹半島西部、多瑙河邊境地帶、東歐大草原、高加索地峽和外裏海地區。由一、二、三章帝國內部的結構性透視，到第四章帝國之間在邊疆的競合，導引出第五章，每個帝國在其邊疆地區的深層政治、社會、文化和經濟危機。這種危機造成帝國的崩解，而留下歷史的遺緒（第六章）。

本書作者對於歐亞大陸上各個帝國的解構，類似外科醫生，將這些對人類歷史進程中有重要意義的帝國進行一場精密的手術。但是也由於這種企圖，使得《歐亞帝國的邊境》不是一部以編年體為本的歷史書，也不是一本具有明顯色彩的政治史、社會史、經濟史或是文化史的歷史書，更不是一部單獨聚焦於某個歐亞帝國的專史。這樣的安排，讓讀者跳脫出由個別帝國歷史出發所出現的主位、客位對應，而是將所有帝國放在歷史進程下的客位位置上。但是也由於這種安排，誠如作者自己在「緒論」所言，由於作者「試圖以多重視角對各個事件和議題進行分析，因此書中的章節，有時是依據主題，有時則是依據時序來進行安排。這也意味著有些東西將會重複出現」，這種情形對於初次接觸相關帝國歷史的讀者而言，會引起閱讀過程中思考上的跳躍。

俄羅斯帝國無疑地在本書中占有一定的比重，每一章每一個主題，俄羅斯帝國都占有二十頁至三十頁的篇幅。因為以俄羅斯帝國的角度出發，波羅的海地區、巴爾幹半島西部、多瑙河邊境地帶、東歐大草原、高加索地峽和外裏海地區，這些地區無一不是俄羅斯帝國國家利益所在。這些地區構成由帝國時代，歷經布爾什維克革命創立的蘇聯，再到今日俄羅斯聯邦不可分割的地緣政治投射地區。而其周邊的波蘭、土耳其、伊朗、中國更與俄羅斯有著綿延不絕的外交、經濟、軍事、社會、文化互動。由這個角度出發，閱讀本書反而可以脫離因為編年體政治史敘述下出現的時空分散性。

本書第一章以移墾為空間變化的動力，利用俄羅斯人的內部遷移為核心，代替以往常見所謂領土擴張的說法。由於要將時間、空間放在有限的篇幅中，所以在第一章中會看到較大步伐的跨越式前進：由五、六世紀開始，直接進入十二世紀的西伯利亞，然後將重點放到南邊和歐亞大草原上，稍微觸及到外裏海地區。由作者的論述，俄羅斯人向東、西、南三個方向的移動中，導引著國家力量的跟隨及介入。東正教會、哥薩克的角色在這種內部拓殖的過程中和國家之間形成一種共利共生的關係。

第二章談到國家的意識形態的主角是東正教會。作者以一四五三年君士坦丁堡陷落於鄂圖曼土耳其人之手為切入點，輔以「第三羅馬」意識的出現，勾勒出東正教會在俄羅斯帝國意識形態建構中的角色。然而隨著帝國的擴張，宗教、民族多元性的不可避免，如何面對境內增加的穆斯林和猶太人成為國家治理中的重要環節。這經凱薩琳二世、尼古拉一世、亞歷山大二世，直至尼古拉二世，在這個以東正教為中心卻有著多元信仰的帝國而言，如何鞏固這個複雜的國家成為每個沙皇最重要的任務。

第三章提到國家制度，則是以軍隊、官僚體系和菁英這三個制度堡壘為核心。本書對於帝國的本質和統治性格終於有了較客觀的說法。長久以來，對於帝國的本質都側重於征服擴張的表面現象，而忽略了國家治理的實質面。帝國因為地域之廣大，社會複雜以及資訊傳遞速度緩慢，一個以獨裁君主為中樞的金字塔組織形式不足以管理一個龐大的帝國。因此，有效能的官僚體制，具能力的菁英以及一定程度的中央授權才能建構出一套有用的管理系統。而帝國的多樣性和複雜性，又使得帝國必須通過一次又一次的改革和調整，才能適應新的變化。俄羅斯帝國有著有名的大規模的改革，如彼得大帝的西化，亞歷山大二世的農奴解放。但是衡諸俄國歷史，無論是基輔時期或是莫斯科時期的大公，聖彼得堡時期的沙皇，改革一直都是國家變革中不間斷的工作。這種變革由軍隊建制、行政組織、經濟生產、教育制度、宗教管理、社會風俗貫穿整個帝國。本書對這部分有著點睛的作用。

歐亞大陸各帝國之間在其邊緣地帶的競爭，成為人類歷史上的焦點。本書第四章正回應了本書的命題「歐亞大陸的邊疆競爭（The Struggle for the Eurasian Borderlands）」，也就是透過交鋒才成就歷史上的俄羅斯帝國、蘇聯以及今日的俄羅斯的基本格局。與瑞典在波羅的海，與鄂圖曼帝國與哈布斯堡王朝在巴爾幹半島、多瑙河邊境地區，與波蘭在東歐大草原和烏克蘭邊境。高加索地峽則是與鄂圖曼帝國，伊朗的三邊角力。在外裏海地區、突厥斯坦則是遇到清帝國。所有我們在個別帝國歷史事件中的故事，在第四章形成層層交疊的舞台場景，讓人目不暇給。在這章中卻又讓人思考一個問題：在帝國交鋒的場域，個人國家身分的歸屬又是由誰決定？

帝國在這些邊境地區的交鋒成就了帝國，但是也種下帝國變動的種子。帝國邊境作為帝國的第一道防線，農民、少數民族的騷動，像浪潮一樣一波波沖向岸邊，重擊帝國統治的正當性。本書在第五章特別花很多篇幅談到一九〇五年革命的意義，而且加入了傳統俄國始終不太會提及的議題：猶太人在俄國革命與帝國瓦解中的角色以及猶太人內部的道路選擇。這一章將俄羅斯帝國的傾覆，社會地瓦解奏起了哀樂，而這個哀樂不單是由於布爾什維克革命黨人之力，而是更深層的帝國之路。

第六章則是對一九一七年革命做了另一種詮釋：革命的樂章不是以聖彼得堡為主旋律，而是帝國的邊境地區：波羅的海三國的獨立；波蘭的復國；烏克蘭國家的建立；高加索地峽喬治亞、亞美尼亞、亞塞拜然當時在俄羅斯、土耳其及伊朗之間的轉折。這些故事跳脫首都政治菁英的鬥爭，而是循著地區運動領袖和一般群眾的腳步，逐漸地勾勒出帝國最後的圖像。

本書不是一般的歷史教科書，雖然沒有列出參考書目，但是豐富多樣的資料來源可以提供讀者按圖索驥，尋找出立論出處。尤其重要的是，資料來源的注釋與本文之間形成的對話，也成為閱讀本書的另一把鑰匙，開啟另一扇俄羅斯帝國歷史之門。

■導讀

以邊疆視角看近代歐亞帝國史

陳立樵／輔仁大學歷史系副教授

本書《歐亞帝國的邊境》（*The Struggle for the Eurasian Borderlands*）是俄國近現代史學者里博（Alfred J. Rieber）於二〇一四年出版的著作，著重在第一次世界大戰結束之前，如哈布斯堡帝國、奧匈帝國、俄國、鄂圖曼帝國、伊朗、中國等歐亞大陸（Eurasia）帝國之間的邊疆史。歐亞大陸的歷史發展，其實是世界歷史的重心（至少以北半球的角度來說是合理的），以今日歷史研究盡可能去突破國家邊界框架的趨勢之下，本書鉅細靡遺描述歐亞各大帝國之間中央政府與邊疆社群的複雜關係，有助於擴大讀者對於歷史理解的視野。以下分幾個部分來談，歐亞帝國邊疆史裡，具有意識形態爭執的特色、族群流動與認同的特色，以及帝國瓦解後舊問題與新局勢糾纏的特色。

意識形態之爭

筆者較為熟稔的西亞歷史也有跨國界、跨區域方面的研究浪潮，如二〇一九年的期刊《伊朗研究》（*Iranian Studies*）便特立一期專刊，討論十六到十八世紀以來伊朗與鄂圖曼之間的邊界問題。該專刊主編也提到近年來跨區域史學的研究逐漸盛行，即強調跨越與突破現代民族國家（nation-state）邊界限制的視角。

在十六世紀初期，伊朗地區的薩法維王朝（Safavid Dynasty）建立之際，正值西方的鄂圖曼（Ottomans）勢力的東擴，北起高加索（Caucasus）南至波斯灣（Persian Gulf）口，成了雙方勢力對抗的地帶。學者薩里內巴夫（Fariba Zarinebaf）的文章稱，伊朗與鄂圖曼在十六世紀初期衝突是為了爭奪勢力範圍，但由於薩法維為伊斯蘭（Islam）的什葉派（Shiite）勢力，而鄂圖曼為遜尼派（Sunni），兩者正好分屬不同派別，故必須要強調自身的意識形態，區分你我，在這過程中雙方形成「國教國家」（confessional states），直到無法消滅對方、必須承認對方的存在為止。*

其實伊朗與鄂圖曼之間的勢力爭奪、邊界劃分，也是里博本書描述的重點之一。里博在釐清這廣泛的區域問題之中，指出各方勢力都為了強調自己在某些區域的優勢與正當性，一再有「真實和想像的權力再現」的企圖。各勢力交界之處的衝突，提升為彼此之間意識形態的對決。一旦戰爭爆發，邊疆社會面貌往往會被撕裂而支離破碎。里博認為，鄂圖曼與伊朗之間長久以來受爭議的邊疆地帶，「本身就是文化碎片區的完美例子」。而這些「碎片」，或許會重新接合，但會在新的面貌上一再呈現出舊問題的陰影。一九二三年鄂圖曼瓦解之後，對伊朗劃分邊界的問題，就成為土耳其與伊朗、伊拉克與伊朗的問題了。於是，伊朗與鄂圖曼的邊界問題等於沒有解決就加入了新的變數，即使到了一九八〇年代，舊問題仍然有其影響力，成了伊朗與伊拉克的兩伊戰爭（Iran-Iraq War）爆發的其中一個因素。

里博也提到，俄國與鄂圖曼在巴爾幹（Balkan）地區、黑海（Black Sea）的勢力爭奪之中，兩方交界處有不少穆斯林，也有不少東正教徒，若有任何風吹草動，都有發起「全面聖戰」（total holy war）的風險。邊疆地區並非隨時都會有衝突，但衍生出來的意識形態對立問題，成為帝國之間關係穩定與否的不定時炸彈。這樣的情況，歷史上屢見不鮮。

內陸族群的移動與認同

歐亞內陸有眾多族群遷徙的情況，可能是因為戰爭而遷徙，也可能是為了生計而遷徙，各族群每到了新的地方定居之後，或繼續維持自身的生活慣性，或融入新居住地的習性，當然也會有新文化之衍生。這些族群便是人們熟知的游牧民族，他們四處流動與互動，都讓廣泛的歐亞大陸有了密切的連結。游牧民族就是連接歐亞大陸的重要「媒介」，帶動了區域之間的交流與動盪。他以絲路形成的原因為例，源自於邊境有許多交換的活動，然後逐漸發展出對距離更遠的交換活動。

日本學者杉山正明的著作《游牧民的世界史》，便是闡釋了游牧民族創造歐亞世界的概念。† 歐

* Fariba Zarinebaf, "Azerbaijan between Two Empires: A Contested Borderland in the Early Modern Period (Sixteenth-Eighteenth Centuries)," *Iranian Studies*, Vol. 52, No. 3-4, 2019, pp. 299-337.

* 杉山正明著、黃美蓉譯，《游牧民的世界史》（新北市：廣場出版，二〇一八）。

亞內陸游牧民族的流離與遷徙，無論是成為帝國中央勢力或者成為某帝國的邊疆社群，都會衍生出帝國中央與邊疆對自身認同的問題，反映在語言、文化、身分等多元且複雜的面向。「認同」類似臺灣今日流行用語的「同溫層」，也就是人們都會試圖尋找自己可以接受，或自己讓他人接受的群體，人們也因為認同而結合、因為認同而爭執不休，其實都是一種意識形態作祟。

以清朝的情況為例，許多學者認為滿人漢化的程度極高，但如美國「新清史學派」（New Qing History）強調滿人自身的認同並沒有減損，呈現兩方說法兩極的情況。*然而，這些說法並沒有誰對誰錯，畢竟各群體之間的移動與接觸，總會出現認同或不認同對方的情況，如同光譜的兩端，如同不會交集的平行線，但肯定也會有處於模糊地帶的「中間選民」。里博也提到：夾在大勢力之間那些所謂邊疆居民，有人適應、有人抵抗，當周邊強權介入與干涉、一再強自自己在這些所謂的邊疆擁有管轄與統治權時，有人固守家園、也會有人叛逃。某些所謂弱小的勢力，也會依附或者併入周遭強權，邊疆族群間的交流都是多方向的，不會是單由特定一方影響另外一方。

由於上述的複雜性，使得各帝國的中央政府也得靠不同的方式來管理邊疆居民，又會因為內部與外部因素而使得邊疆狀態有所變化，導致邊疆地區與中央始終有不融洽的問題。邊疆局勢是流動的，也成為很多時候國家之間、邊界人民之間難以達成共識的局面。里博提到：「不論國家的政體是什麼形式，移墾者和原居民之間的張力，都為內部穩定和外部安全製造了許多問題，並對國家資源帶來的沉重負擔。」有如中國對於內亞邊境可以維持貿易與朝貢關係，可以有交戰的模式，可以對外族挑撥離間，或者直接興建城牆防禦他族入侵。

一九九〇年代以來美國政治學者杭廷頓（Samuel Huntington）的「文明衝突論」（Clash of Civilisations），將世界切割成幾個文明，而且認定不同文明會相互衝突的說法，這其實也是意識形態、是認同、是同溫層的競爭。不過，有很多人不同意單純以文明就能夠把世界劃分成幾個特定區塊，也不認為世界上的衝突會與文明有關。以歐亞內陸（其實全世界各地都是）的情況來看，幾乎沒有語言、文化、身分「純粹且單一」的帝國，其權力核心和邊界地區的關係都是「動態的、互動的」，都是呈現「多元」且「複雜」的狀態。

從里博這本書可突破「文明衝突論」的盲點，即這世界固然各勢力之間的邊疆存有不少的衝突，但人們更應該了解的是邊疆社會彼此之間的接觸與認識。多數時期歐亞內陸的人群移動，帶來的是豐富的交流與互動。無論是意識形態、認同、同溫層，雖然區隔你我，但也透過人群的移動而有流動狀態的呈現，並不是始終像鐵板一塊靜止不變。

延續不斷的糾紛

到了二十世紀初期，歐亞的帝國面臨歐洲民族主義（nationalism）思潮的挑戰，也就是所謂單一

＊汪榮祖，〈以公新評新清史〉，收入汪榮祖主編，《清帝國性質的再商榷：回應新清史》（桃園：中央大學出版社中心，二〇一四），頁二三－五六。

民族的國家建立。問題是，前文提到歐亞大陸的多元與複雜性，以特定條件來建立單一勢力相當不容易，導致舊問題與新局勢層層疊起，還是有很多語言、文化或領土範圍重疊、認知模糊的狀況。

民族主義怎麼來的？有很多學者都認為是刻意的人為產物。學者葛爾納（Ernest Gellner）的《國族與國族主義》（*Nations and Nationalism*），特指「國族主義」是任人捏造的。[*]而學者安德森（Benedict Anderson）所說民族主義創造的國家，是「想像的共同體」（Imagined Communities）。[†]左派史家霍布斯邦（Eric Hobsbawm）也強調，許多的國家、身分、語言都在民族主義的影響下「人工建構」出來的。[‡]霍布斯邦所說的「創造傳統」（The Invention of Tradition），也是這樣的概念，所謂的傳統、習慣、歷史意涵之間的關聯是人工接合的，社會凝聚與認同也都是刻意、策略性的創建。[§]

這些民族創建以區分你我的概念，仍是一種意識型態的表現，而且本質都仍是源自於歷史上各勢力的衝突問題，只是在不同時代有不同角色參與，以不同的面貌來呈現。例如在七世紀穆斯林勢力拓展的過程之中，強調的世界觀分有「伊斯蘭之地」（dar-Islam）與「戰爭之地」（dar-harb），那雖然不是現代所稱的民族主義，但其本質就是區隔你我的意識型態，是想像的共同體，是人工的傳統創造，也是認同，也是同溫層。於是，葛爾納、安德森、霍布斯邦的論述，呈現的是近現代的情勢，可是其實這是人類歷史上不斷發生的事情，並不是近代特有的。

因此，歷史的發展固然有些新舊面貌，可是很多糾紛卻是一再延續下來，而且還沒有任何解決方案。第一次世界大戰摧毀了歐亞帝國，但帝國解體卻不代表一切就重新開始。像是今日在亞美尼亞共和國（Republic of Armenia）西南部的納希契凡自治共和國（Nakhchivan Autonomous Republic），持認同亞塞拜然共和國（Republic of Azerbaijan）的立場，便跟歷史上這區域連綿不斷的領土爭奪、切割、劃分歸屬有極大的關係。里博也有提到，「有些課題總不斷浮現」，有些事情在二十世紀的兩次世界大戰與冷戰（Cold War）期間，本質都沒有變化。

回溯一戰結束之後，鄂圖曼領土範圍內陸續出現了伊拉克、約旦、敘利亞、黎巴嫩、埃及、沙烏地阿拉伯、土耳其等國家，各國之間都有邊界劃分的問題，另外還有一九四八年以色列「空降」至巴勒斯坦（Palestine）對阿拉伯人、穆斯林所帶來的威脅。里博所說：「新成立的國家邊界都是經過重新劃定的，但其實都充滿爭議，甚至是停火線就直接當作彼此之間的國界。」這說法很適合描述今日的西亞世界仍紛亂不堪的情況。即使第一次世界大戰是個歐亞（或者世界）歷史的分水嶺，但許多問題仍然延續下去，至今都沒有任何解決方案。某些事件固然改變了某些局勢，但我們也得注意看似嶄新的面貌，其中都具有延續性的成分，不見得都與過去全然割離。

* * *

＊葛爾納著、李金梅譯，《國族與國族主義》（臺北：聯經，二〇〇一）。

†安德森著、吳叡人譯，《想像的共同體》（臺北：時報文化，二〇一二）。

‡霍布斯邦著、李金梅譯，《民族與民族主義》（臺北：麥田出版社，一九九八）。

§霍布斯邦等著、陳思仁等譯，《被發明的傳統》（臺北：貓頭鷹出版社，二〇〇二），頁一一—二六。

近年來臺灣已有些學者關注中亞與內亞的發展，出版界也有多本翻譯作品，但在中亞與內亞觀點之外，我們也應該再多一些有關西亞，甚至到巴爾幹地區的認識，本書就是個很好的選擇。本書每一章的模式固定，都會在描述各帝國的情況之後，再做綜合的比較與討論。全書章節的安排也有架構，例如先談意識形態，再談具體制度，再進入衝突與危機，以及描述帝國瓦解的過程。全書每一章節夾雜談論了各大帝國，不過每一個角色都有平均分量的篇幅，讓讀者得以理解事情的全貌。

儘管作者里博沒有使用一手資料，畢竟這麼大範圍的歷史實在是不可能有誰能夠掌握多語言的一手資料，但他大量運用近人研究，其實也把這一段歷史的重要脈絡整理出來，把學術性質的議題以較為大眾化的方式來呈現，可使讀者理解大面向的歐亞歷史，也可做為大學歷史學門的教科書。感謝里博把歐亞大陸這樣非主流的歷史呈現給讀者，也感謝貓頭鷹出版社願意投入心力引進這方面的著作。

■導讀

帝國之異同

廖敏淑／國立政治大學歷史學系副教授

近三、四十年來，隨著學界對主要以近代西歐歷史進程積累而成的「歐洲中心史觀」的逐步修正，並通過多元語種史料，跳脫一百多年來占據學界話語權優勢的「歐洲近代化」單一視角，試圖從不同面向、多元視角來詮釋歷史的發展，使得原來不容易納入「歐洲近代化」後框架內來討論的多民族「帝國」之歷史得到更多重新研究與詮釋的機會。作為美國知名俄羅斯史教授的本書作者，以「地緣文化取徑」對在歐亞大陸的邊境地帶上長期糾葛的哈布斯堡王朝、鄂圖曼帝國、俄羅斯帝國、薩法維王朝以及大清帝國做了綜合探討，認為這些帝國在歐亞大陸第一階段的帝國建構過程中，都參加了「歐亞邊境地帶角力」，在戰爭、外交以及文化實踐中彼此交手，而居住在邊境地帶、受帝國統治的人民，則是透過抵抗或適應帝國統治等方式，努力維繫自身文化、捍衛自主權，試圖重獲或取得獨立地位。在這樣既有橫向的上層帝國之間的折衝、下層各邊境居民群體之間彼此對生計與文化空間的競奪，又有著各帝國對於各個邊境居民群體在管治方式與上下階層圍繞管治互動的縱向歷史發展，長久以來形塑了複雜的邊境糾葛結構，本書認為正是這個複雜的歷史結構奠下了兩次世界大戰乃至於冷戰的淵源。

歷史是過去所有人事物堆積而成的事實，由於能動因子過多，因此形塑過往事實的動力及由這些動力彼此不斷交織而成的各種扭力過於繁雜、龐大，如果想用全景視角來描述，就連目前最先進的超級電腦也束手無策。但用一切所能用上的方法、無止境地去迫近歷史實像的全景敘述，卻是每個受過科學訓練的史學家的畢生追求。本書也是這樣試圖不斷迫近歷史全景敘述的嘗試之一。俄羅斯帝國正好是歐亞大陸上與其他帝國長期折衝的主角之一，於是鑽研俄羅斯史的本書作者企圖以宏大、長期、多元的視角來重新描述圍繞歐亞大陸在「歐洲近代化」前後種種糾葛的歷史，勢必能比「歐洲近代化」後的單一視角更加豐富、更有說服力，在書中，這些優點俯拾皆是，自不待筆者贅言。

但術業有專攻，本書在獨擅勝場的俄羅斯史和與其相關的東歐史之外，對於其他帝國的敘述，多半依靠其他專家的既有研究，原亦無可厚非，只是本書對於中國史的論述也僅基於歐美學界的既有研究，則未免有所失焦。至於對俄羅斯以外帝國的論述是否也存在提及清朝歷史時的類似問題，則有賴於其他專家的評價。筆者研究中國清朝對外關係史多年，僅從個人認識指出以下諸點，以供讀者閱讀本書時的思辨參考。

正如本書也認為的，與其他帝國相較，中國在好多地方都是「特例」，加上或許不甚諳悉中國史的緣故，所以本書內文裡提及中國的篇幅均較其他帝國短少；每一章的各項討論也未必都提及中國，但即便提及了，甚至每章結論用來概括所有帝國的通用論述，就筆者看來也經常不太適用於中國。

例如，本書在第一章「抵抗」的部分，提到以農民為核心的民族解放運動，在多元文化帝國邊境地帶各個地方發生的時間點、社會組成以及領導階層都大不相同時，說道「清帝國在十九世紀遭遇的幾次大型起義，就不是典型的農民叛變了；那些起義主要發生在邊疆地區，比如新疆這種『最叛逆』的外圍省分、省和省之間的交界，以及少數族裔或少數宗教群體勢力強大的地區。北方邊疆地區持續存在的威脅，也導致了中國社會的『軍事化』和自衛團體的出現，但這些團體卻也成為了叛亂行動的火藥庫。」但事實上，十九世紀北方邊疆的威脅，並非導致中國社會「軍事化」和自衛團體出現的主因。至遲在十八世紀中葉，中國內地諸省因商業流通和治安需要，各地的商紳陸續組成官府認可的團練等自衛團體，以彌縫綠營失能和官府治安力量的不足；而若本書所謂中國社會「軍事化」係指十九世紀中葉太平天國之亂以後的督撫軍鎮擁兵自重現象，則發源於廣西、席捲華南華中多數省分的太平天國當然不是「北方邊疆地區持續存在的威脅」；在辛亥革命以前，清朝官府認可的團練自衛團體以及督撫兵力也經常是鎮壓叛亂的力量，而非「叛亂行動的火藥庫」。

又如，在第四章前言的部分，提及「清帝國在國勢攀上顛峰之後，於內亞地區的影響力便開始下降，將自己在內亞的地位拱手讓給了俄國。儘管曾經出現過幾次短暫的波動，但俄國仍逐漸占了上風，並且一直將優勢維持到了一九一〇年代。」但就清朝中國的視角來看，清朝在十八世紀二十年代以後控制天山南北路，不僅國勢達到顛峰，也鞏固了蒙古地帶，和俄羅斯之間依照《恰克圖條約》在恰克圖貿易，貿易秩序均按中國固有的互市精神，俄羅斯並未占上風，反而是中國屢屢能以關閉市場等方式，迫使需要中國商品的俄羅斯屈服。俄羅斯直到十九世紀上半葉，才把注視著歐洲的眼光，又重新轉移了一部分來關注與中國交鄰的歐亞大陸邊境，此時受到歐洲近代化影響的俄國在軍力上才占了優勢。清朝至少穩固控制歐亞邊境地區一百年左右，並非拱手讓給俄國。

第五章提及鄂圖曼帝國的危機與改革時，寫道「針對中學教育和高等教育，阿布杜拉哈密德二世也實施了帶有世俗色彩的改革計畫，但這也和他希望復興伊斯蘭教義、成為哈里發的計畫相互牴觸。因此，就像在中國、伊朗和俄國那樣，他們都以傳統的道德或宗教規範重振帝國意識形態，而世俗化教育又注定會創造出一個高效率的官僚體系與軍官階級。」筆者不認為這段敘述適用於清朝中國，因為中國不像其他帝國那樣存在宗教規範能與政治體制抗衡或能嚴重影響文化、教育的情況，因此也不存在宗教化教育與世俗化教育的對立或區別，也不會有所謂的「世俗化教育」來創造「一個高效率的官僚體系與軍官階級」的情況。

在第五章的結論與比較部分，本書論述了「邊境地區對帝國統治的反抗行動，也開始從社會主義和民族主義這兩種主要的意識形態中汲取靈感，但事實證明，這兩種意識形態在解決多元文化社會的治理問題時彼此難以相容。」以及「鄂圖曼帝國、伊朗和清帝國的軍隊裡都出現了一群專業軍官，認為自己可以比統治菁英更有效率、更有力地進行統治。由於帝國成立了不少新的世俗化學校和大學，所有多文化帝國的邊境地區都有愈來愈多的知識分子，在社會主義、民族主義和民主主義的旗幟下熱切探尋各種變革模式。社會主義者在兩個相互關聯的問題之間拉鋸：第一個是對帝國主義的批判，探討的是國際競爭的根源；第二個則是民族問題，處理的是國家內部發生的衝突。」但這些論點，也不適用於清朝中國。本章討論清朝時完全沒寫到社會主義和新式大學，也沒提到中國邊境地區出現的知識分子，因此不適合把清朝也歸納進此段內容；況且，清朝時期中國尚未出現明顯的社會主義思潮；

又，中國一直存在「好男不當兵」的觀念，即便到了更加「近代化」的民國時期，軍人也很難自視或被視為社會菁英，但本書此處卻認為「鄂圖曼帝國、伊朗和清帝國的軍隊裡都出現了一群專業軍官，認為自己可以比統治菁英更有效率、更有力地進行統治」；清朝的崩潰也並非來自邊境地區的威脅，而主要是因為大多數內部省分的社會菁英不再支持清朝政府，選擇了共和國政體。

第六章把本書所有提到的國家都一起歸納了，但「第三，邊境地區往往居住著不同族裔的居民，經過人口變動之後更是猶如重新洗牌了一般。第四，繼承國的國界和內部行政區邊界的劃定過程幾乎毫無原則可言，而且經常將相同族裔的群體分割開來（這點也跟過去的帝國一樣，幾乎都是軍事行動造成的結果），因而引發了新的一波以歷史和民族論述為基礎的領土收復訴求（irredentist claims）。第五，上述的問題也意味著族裔政治開始滲入了文化政策的各個面向，尤其是教育面向。」這幾點歸納，也不完全適用清朝及其繼承國。

筆者認為清朝中國之所以迥異於其他本書討論的參與歐亞邊境角力之帝國的主要理由如下：

第一，關於封建世襲。中國在周王朝後，除了歷朝皇室能以單朝世襲方式存在之外，基本上幾乎不存在其他能壟斷或影響政經發展的世襲貴族，這一點與其他帝國共通的封建貴族世襲社會截然不同，沒有世襲貴族專擅政經的中國必須及早確立一套穩定的官僚體系，而其他帝國卻要到了近代化前後才陸續組建了較有系統的官僚制度；其他帝國的世襲貴族，既能出任文官又能出任武官，還往往是莊園主或特許產業（甚至包括宗教和教育、文化）壟斷者，他們是這些帝國歷史上的國家社會菁英，因此在近代化前後，無論是否貴族出身，歷來由菁英擔任的文武官員仍屬國家社會的菁英層級，自然能主導改革或擔起國政的重責，但中國長期存在「好男不當兵」的觀念，即便在所謂的「軍閥割據」或後來的軍政時代，軍人也不容易被理所當然地視為國家社會菁英，必須要經過更長時間的「近代化」之後，中國軍人的社會地位才能提升，而那不會發生在本書探討的民國前期以前；由於中國比起其他帝國早早就脫離了封建貴族世襲社會，基本上也不存在其他國家解放「農奴」的過程，以及在近代化前後才能明顯出現階級流動的現象，中國人一直能透過教育、入仕、財富等方式來形成社會階層的流動，而其他帝國在近代化之前的教育、入仕、財富等機會幾乎都壟斷於世襲貴族階級。

第二，關於宗教比重。中國之外的其他帝國，縱使有著教派的區別，但他們都分別信奉基督教或伊斯蘭教，他們的軍政組織、經濟結構、法律制度、教育文化等框架大多都源自宗教思想，宗教人士也往往是國家菁英甚至參與國家治理；而中國歷史上，宗教甚少能與政治相抗衡，宗教人士很少直接參與政事，甚至很多選擇出世生活，而不會是國家菁英或統治階層。

第三，關於擴張動因。清朝中國和其他中國王朝一樣，基本上屬於「內省」的政權，其目光專注於內視己身，因此只要邊境安穩、不至於干擾內地和政權正統，則甚少主動侵略或擴張到不屬於中國的邊疆地區，即便康雍乾三朝征服天山南北路，其初衷也是受喀爾喀蒙古汗王請託，為了使喀爾喀牧地不被準噶爾併吞，以周全作為「中國」該負有的協調周邊民族之職責，並鞏固邊境，維持清朝皇帝作為帝國內部蒙古民族及其他民族共主的權威。而其他帝國經常以將「宗教治權擴展到境外的做法」來「保護」他國境內的同教派社群，甚至侵略那些社群所在的地區，而企圖將之收歸本國管治；或是自認己身的宗教文化為高等文明，以此作為侵略異教地區的藉口。即便都是帝制、都管治著多元民族的「帝國」，但本書討論的其他帝國具有的侵略、擴張等動因的特質，都與清朝中國不同。

基於上述理由，筆者認為，本書論述奠基於封建貴族世襲以及基督教或伊斯蘭教社會的其他帝國之歷史變遷與特質，在很多情況下都不太適用於清朝中國，如何妥適地詮釋清朝與其他參與歐亞大陸角力帝國之間的互動，甚或中國在歷史變遷與特質上與其他國家之間的異同，仍然是史學界的重大課題。無論如何，本書在圍繞歐亞大陸邊境角力的課題上，將清朝與其他帝國放在一起討論的努力是值得大加讚許的，因為唯有通過不斷地討論、思辨，才能逐步向更完善的歷史實像敘述推進。以上拙見，謹供讀者參考。

■導讀

複合邊境在歐亞大帝國鬥爭及近現代國際衝突中的關鍵角色

杜子信／國立中正大學歷史學系助理教授

傳統上一部通史、斷代史、區域史或國別史所呈現的主要內容，大抵上著重於幾個重要文明體、主體國家，或是區域強權的政治、社會、經濟及文化的發展為其著墨重點。至於這些文明體或主要國度的邊陲地帶，普遍被化約為其所從屬的次級文化圈或民族單位而幾乎總在三言兩語中被簡單帶過。然而上述的觀察視野，卻時常難以解釋，何以看似扮演著次要角色的邊陲地帶，自近現代以來對區域甚至於國際衝突的過程中，常常成為爭端事件的主角，甚至成為傾覆某些歐亞大帝國的關鍵要素。其他以國際關係及區域研究的角度而出發的專著，雖試圖以地緣政治或戰略因子來解釋這些發生在各文明體或強權間邊陲地帶的衝突事件，卻總是無法以同一套模式來合理解釋這些種類紛雜且頻繁上演的邊陲單位與強權中央衝突的本質。另外尚有一類曾經蔚為一時風潮的文明理論及文明衝突的研究途徑，則試圖以包裝著天意命定論的歐亞主義，以及過去歷史上的宗教衝突所導致的敵對因子，來剖析近現代以來頻繁爆發於歐亞大陸各大文明體交壤的邊陲地帶之衝突事端，以及由其所引爆的全面性戰爭，然而似乎也無法合理及全方位地詮釋邊陲地帶複雜且多樣化衝突的成因與現象。

《歐亞帝國的邊境》一書則試圖以一種全新的視野，來解釋上述所提之歐亞大陸邊陲地帶的多樣化衝突之所由。本書作者里博係專研俄國近現代史的知名美籍學者，他在本書中首度提出了地緣文化及複合邊境的說法，以之歸納出這些邊陲地帶頻繁衝突事端發生的類似本質及始末。里博教授的論點甚具說明力，他提出從近古時期（或稱近代早期 Early Modern Age，十六至十八世紀）以來，歐亞大陸上逐步浮現的五大主要強權：奧地利哈布斯堡王朝、鄂圖曼土耳其帝國、俄羅斯帝國、伊朗帝國、大清帝國，以及兩個次要列強：波蘭－立陶宛王政共和國及瑞典王國，探討這幾個列強透過強化中央集權措施而逐步崛興晉升成為大陸強權的歷程中，為了進一步建構其大帝國之夢進而不斷將其統治權限延伸帝國的邊陲地帶，處於這些歐亞大陸列強邊緣地帶的文化或民族單位則不斷地透過有形的抗爭或隱忍的隸屬，來應對源自不同方向的大帝國之威逼，為了維繫其原有生活方式及捍衛其自主權於不墜，他們也不時地藉力打力，採取聯合某一威脅性較低的強權來打擊另一主要威脅強權的拉此以制彼之策，以之作為因應外來侵略與威逼的手段，其終極目標則在維續其原有的生活模式，甚或重新贏得其自主乃至於獨立地位。

從上述的內容實不難觀察出，自近古以來的歐亞大陸各大強權透過持續不斷向周遭四域擴張而建立起來的幅員遼闊大帝國，其向遙遠邊陲地帶延伸而至的國界，在實質上往往是這類帝國統治集團所想像出來並繪製成圖的形貌，而非真實體現於邊陲地帶的實際情形。其因在於這些被某列強劃入國界的邊陲地帶，同樣可能亦見之於其他列強所劃入自身版圖上的邊境地區，這種同時被雙方甚或多方所聲索並將之納入版圖的邊陲地帶即是里博教授在書中所提到的複合邊境地帶。按照里博教授的觀點，在歐亞大陸上的複合邊境地帶為波羅的海東岸及南岸地區、巴爾幹半島西北部、多瑙河中下游地帶、東歐大平原、高加索地峽、外裏海地區及內亞草原等七處地域。上述七個複合邊境地帶自近古以來向為歐亞大陸上各大列強視為建構其大帝國及維繫帝國安全之不可或缺的邊陲要地，與此同時，這七個複合邊境地帶在過去歷史的進程中，早已有不同的文化及民族單位群聚於此，係因其地在早期皆與歐亞大陸上的各大文明體的核心地域有著相當遙遠的距離，因而在不同的歷史時期一再地發展出不同的民族單位及族群社會，並普遍擁有其獨立自主權。但誠如先前所言，隨著歐亞各大列強中央集權化之後而進一步向邊陲地帶的擴張，致使這七個複合邊境成為各方覬覦染指的要地，於是圍繞在這些複合邊境爭奪上的在地與中央、列強與列強間，以及在地聯手一方抗拒另一方的戰爭，就成為了近古、近代，乃至於現代以來，頻繁上演於歐亞大陸上的諸多軍事衝突，其結果不僅造成五大主要強權的先後瓦解，其餘緒甚至在冷戰結束後的當代，仍不斷有軍事衝突及區域性戰爭在這類過去被視為複合邊境地帶上演。

自近古以來作為歐亞大陸上各列強競逐的複合邊境地帶，其族群及文化面貌甚為多元，甚至可用錯綜複雜形容之，此種風貌的出現實係經由漫漫歷史長河的演變而逐步形塑的結果。今日研究歐亞大陸各大文明史的歷史學者普遍皆認知到，呈東西走向的歐亞大陸，介於北方森林帶與南方的山脈群之間是一片廣袤綿延的大草原地帶，自史前至上古時期人類文明發展以來，其上向來是游牧部族賴以為生的牧場之所在。隨畜牧而移轉，逐水草而居的生活形態、作為東西不同文明體之間商品需求的仲介商角色，以及強大草原部族之間不斷地興起兼併及遷徙的歷程中，使得上述所提的各個邊境地帶一再成為歷史上各支游牧部族落腳之所，然而隨著不同時期這些疾勁飄忽且游移不定的游牧部族對周遭農業社會的屢屢侵襲與破壞，因而自中古時期以來，各地統治者常為了維繫邊疆地區的穩定，不乏有源自其他地區的農業民族因而受邀而被動或自動地移民拓殖於這些邊境地帶。進入近古之後，移民實邊的做法持續被推動，不同的是此際拓荒墾殖政策的推動者，一轉而成為逐步完成中央集權化後而積極向邊陲地帶擴張的歐亞大陸各大主要列強。當這類發展成強權的農業定居民族在征服邊陲地帶的民族組織或族群單位，或是使之生存受威脅下而迫其他遷之後，旋即推動大規模移民實邊之舉，意圖將邊陲地帶恒久納入帝國掌控之下。於是經歷從上古至近古時期的數波自發或被動式的移民拓殖行動，遂使邊界地帶呈現族群紛雜及文化多元的形貌。

里博教授在書中列舉出的知名案例，尤以蒙古大汗國及鄂圖曼土耳其帝國兩大游牧國度對於從中古以來的歐亞大陸上各地政權的衝擊為烈。就中歐、中東歐、東歐，乃至於東南歐等地而言，尤可看到經過蒙古人及土耳其人的擴張、征服及長期的統治之後，對於這些日後被稱為複合邊境地帶的族群複雜性及文化多元性面貌的形塑歷程。首先蒙古風暴在十三世紀前期至中葉之際席捲了中歐的波蘭諸公國、摩拉維亞，以及匈牙利王國的潘諾尼亞平原及外西凡尼亞後，面對凋零殘破且人口劇減的慘況下，各邦統治者遂大力召徠大批外來移民的入境墾殖與重建，此際德意志人尤其扮演移民的主力，這段歷史即是德意志歷史上從中古一直延續至近古及近代的「德意志人東向移民拓殖運動」（Die deutsche Ostsiedlung），當時大批德意志人應各地統治者之邀而橫越易北河，逐步移向中東歐至東歐各地，包括今德國東部、奧地利、波蘭西部南部、波希米亞、摩拉維亞、外西凡尼亞，以及波羅的海南岸及東岸等地。隨著數百年後的十九世紀民族主義的浪潮席捲全歐後，涉及於這些複合邊境地帶的各民族敵對爭奪中，這些東移德人就扮演了極為關鍵的角色，例如里博教授在書中曾舉證出的十九世紀後期的波希米亞德意志民族與捷克民族間的鬥爭、波蘭西部的德意志民族與波蘭民族間的不睦，以及波羅的海德意志土地貴族身陷於俄羅斯帝國俄化政策與當地愛沙尼亞人及拉脫維亞人反抗的困境，在在說明複雜的歷史發展對複合邊境上糾結難解的民族問題形成之所由。

類似的情形亦可見之於鄂圖曼土耳其帝國對東南歐巴爾幹地區的擴張及統治後，在該地所形塑的族群混居及文化暨宗教紛繁現象。從十四至十七世紀間的先後兩波歐陸大攻勢下，鄂圖曼土耳其帝國兵鋒所及，不僅將巴爾幹半島全域納入轄下，甚至數度進逼了奧地利哈布斯堡王朝的首都維也納，至此哈布斯堡王朝被迫展開了一段歷時長達數百年之久的抗土戰爭。在這段兩強勢力於東南歐地區的僵持拉扯歷程中，不同民族或因應哈布斯堡王朝的移民實邊之策而移入巴爾幹北部，或因鄂圖曼土耳其帝國的免稅及徵兵之故而吸引許多當地民族改宗伊斯蘭教，並成為鄂圖曼土耳其帝國在巴爾幹北部對抗奧地利的邊防前哨部隊。此一歷史進程中，首先大規模的德意志人東移浪潮在此際又再次開展，在哈布斯堡王朝官方政策的積極推動下，多瑙河中下游地帶逐步出現了德意志人群集的「語言島嶼」（Sprachinsel / Island of Language），此類德人（即本書中所提到的「多瑙徐瓦本人」）移殖地帶在日後哈布斯堡王朝推動中央集權化時，扮演著將中央政令向地方推行的關鍵性角色，隨著後來十九世紀民族主義風暴席捲哈布斯堡帝國全域，他們卻也成為其他民族在抗拒哈布斯堡王朝統治的代罪羔羊。

在奧土邊界地帶的長久對峙攻防而產生的複雜族群宗教面貌及從中埋下未來的民族及宗教衝突之源的案例，同樣也見之於其他各支斯拉夫人及大批皈依伊斯蘭教的當地居民身上，這可由巴爾幹西北部地區同屬於南斯拉夫語族的塞爾維亞人、克羅埃西亞人及波士尼亞克人的互動關係上得到印證。從十六至十七世紀奧土長期鬥爭並對峙於多瑙河中游地帶期間，大批原本世居於巴爾幹南部的東正教徒塞爾維亞人，因不願淪為土耳其人臣屬而紛紛北逃至哈布斯堡王朝的邊界地區，哈布斯堡中央乃將這些塞爾維亞難民安置於邊境地帶，推動兵農合一的邊防政策，於是駐紮著大批塞爾維亞邊防農民並直屬中央政府所轄的「軍事邊區」（Militärgrenze / Vojna Krajina / Military Frontier）於焉出現，於是這片在中古初期本屬於克羅埃西亞三合一王國的舊域，至此逐步發展成為塞爾維亞的民族聚居區，對天主教徒克羅埃西亞人而言，在抗土戰爭尚激烈進行之餘勉可忍受居處於故土上的塞爾維亞人，俟十八世紀初土耳其人被盡數逐出巴爾幹北部之後，愈形無法忍受大片民族傳統領域為塞人據為所有的現況，尤其自十九世紀民族主義思想滲入廣大的克羅埃西亞人心中之後，奪回民族聖土就成為克羅埃西亞民族主義者首要目標。至於塞爾維亞人則堅稱該地當初作為無人之土係塞人胼手胝足開墾後才成樂土，以此賦予自身統治該地合法性的論證。

此一涉及到克塞傳統領域之爭的問題尤有嚴重者，厥在於「軍事邊區」上與克塞兩族混居在一起的波士尼亞克人，由於波士尼亞克人係昔日鄂圖曼土耳其帝國大舉向巴爾幹半島進軍時皈依伊斯蘭教的南斯拉夫裔穆斯林，他們長期作為捍衛鄂圖曼土耳其帝國在巴爾幹西北疆的邊防民族，隨著十七至十八世紀哈布斯堡王朝抗土戰爭的勝利而逐步將「軍事邊區」擴及於波士尼亞克人所群集的區域之後，使得在「軍事邊區」上就形成了塞爾維亞人、克羅埃西亞人及波士尼亞克人三族混融的民族雜燴區。三族在涉及於所謂民族聖土及宗教問題的歧見，同樣在十九世紀民族主義浪潮的衝擊下，成了棘手難解的爭端，塞爾維亞人視居處於「軍事邊區」上的波士尼亞克人是誤皈伊斯蘭教的塞爾維亞人，因而力主其重皈東正教陣營而回歸大塞爾維亞民族之列。克羅埃西亞人則認為波士尼亞克人為誤皈伊斯蘭教的克羅埃西亞人，亦要求其悔悟並重拾天主教信仰而以身為大克羅埃西亞家庭一員自豪。波士尼亞克人則在兩者威逼利誘之下堅決捍衛其自身宗教信仰及民族文化而不移。由上觀之，可說三者之間的族群宗教緊張關係早從哈布斯堡王朝「軍事邊區」的建立及擴張的過程中即已肇端，日後並衍生成為十九世紀後期至二十世紀前期的巴爾幹地區諸多民族與宗教衝突之重要一環，甚至至二十世紀末期的冷戰結束之後，塞爾維亞人、克羅埃西亞人及波士尼亞人之間長期涉及於民族聖土與宗教歧見上的宿怨敵對，竟在一九九〇年代的前南斯拉夫解體戰爭中，透過彼此間的血腥屠殺及種族淨化的暴行而赤裸裸展現出來。

上述例子真可謂是複雜難解的諸多複合邊境地帶中最為極端者，從中亦可窺見出里博教授在本書中一再指陳的，複合邊陲地帶的各種衝突對於二十世紀初歐亞大陸各大帝國瓦解所扮演的關鍵性因素，事實上，深入觀察之後絕不難明瞭，巴爾幹半島西北部這片複合邊境地帶衝突的衝擊又何嘗只涉及二十世紀初的哈布斯堡帝國及鄂圖曼土耳其帝國的瓦解而已，甚至一路波及至二十世紀末狄托所建立的第二南斯拉夫*的全面裂解。

本書針對歐亞大陸上的五大強權中央政府與邊陲民族單位或社會組織間的互動、對立、衝突，亦或是臣屬上錯綜複雜的關係，進行廣泛性的分析與探討，從中歸結出一項共同的因子，即各大列強的邊陲地帶——被不同列強間同時視其所轄的「複合邊境地帶」，實扮演著從十九世紀中期至冷戰時期的百餘年間的各項國際衝突之主角，此種突破過去普遍以各國國家邊界觀點的角度而出發的嶄新論點，可謂在當今研究全球史及國際關係史的一大突破，對於歷史研究視野的擴大與觀察角度的多元化，無論如何都帶來了革命性的創舉，實在非常值得提供從事歷史研究工作者的參考及省思，咸信也能帶給對歷史類書籍抱持高度興趣的讀者極大的閱讀樂趣。

*即狄托元帥在二戰結束後所建立的南斯拉夫社會主義聯邦共和國。

獻給瑪爾莎：「……宛如黃金鍛展成韌箔輕飄……」

歐亞帝國的邊境

目次

（上冊）

致謝詞

每本書都有自己的歷史；大部頭的書，當然就會有非常漫長的歷史。回想從前，記憶的碎片四散在我人生長河的各處：祖父拜訪某個古老帝國遺址的故事；大學時發現知名的漢學家拉鐵摩爾，以及我那篇將克里米亞、阿富汗、蒙古、「滿洲國」和蘇聯的遠東地區視為一個地區體系的報告；土耳其歷史學家伊納爾齊克（Halil Inalcik）在美國講授的第一堂課；那場受美國歷史學家本森（Lee Benson）啟發，而在賓州大學舉辦的關於多文化社會的跨領域研討會；我和沃爾夫（Martin Wolfe）以及哈特維爾（Robert Hartwell）一起參與的「官僚體系的比較歷史」研討會；以及在中歐大學指導來自許多邊境地帶的研究生，從克羅埃西亞到布里亞特共和國都有。所有這些經驗片段在我於中歐大學擔任研究教授期間，多虧有紐約索羅斯開放基金會的慷慨支持，才終於拼湊到了一起。此外，我也承蒙威爾斯的葛拉摩爾根大學比較帝國歷史獎助金的幫助，而在賓州大學與馬里蘭大學短暫授課，在牛津大學聖安東尼學院擔任資深研究員，以及在俄羅斯作為國際研究與交流理事會資深交換研究員的經歷，也都讓我受益良多。我也要感謝中歐大學的圖書館員，他們在購書以及館際調閱這些事情上，給了我非常多寶貴的協助。

本書的幾個部分，曾在不同時期由阿德尼爾（Fikret Adenir）、阿克桑（Virginia Aksan）、英格勞（Charles Ingrao）、卡普勒（Andreas Kappeler）、霍達爾科夫斯基（Michael Khodarkovsky）、米勒（Alexei Miller）、費利歐（Christine Philliou）、羅斯基（Evelyn Rawski），以及沃特曼（Richard Wortman）閱讀過，對於他們所給予的評論和建議，我由衷致謝。劍橋大學出版社的兩位匿名審查，則促使我對本書做了大幅修改。非常感謝吉歐莉（Emily Gioelli）和芙萊特（Lyn Flight）幫忙準備原稿。劍橋大學出版社的華生（Michael Watson）尤其對本計畫最為支持。本書若有任何錯誤，一切文責由我承擔。

我對瑪爾莎·希芙特（Marsha Siefert，亦即我在書首將本研究獻予的對象）的感謝，則包含我們攜手走過的學術生涯的各個面向。她耐心聆聽我往往未臻成熟的想法、幫助那些概念成形，還解決了關於電腦的疑難雜症，並且忍受我沉浸於長期寫作時的個人習性，在旁陪伴。

我非常感謝在芝加哥大學、卡內基美隆大學、芝加哥羅耀拉大學、密西根大學、哥倫比亞大學哈里曼學院、劍橋大學、牛津大學聖安東尼學院，以及薩格勒布大學（University of Zagreb）的同事，是他們邀請了我對這些主題進行探索。同時也要感謝柯克斯（David Cox），他將我粗略的草圖繪成了精美的地圖。

緒論

本研究主張，二十世紀發生的重大危機——兩次世界大戰與冷戰，都起源於被我稱作「歐亞邊境地帶角力」的這個複雜歷史過程之中。我認為這場角力發生在兩個層次之中：在上層，角力行動發生在國家建構的進程中；在下層，則發生在人民對統治的回應之中。在歐亞大陸第一階段的帝國建構過程裡，參與其中的主角有哈布斯堡王朝、鄂圖曼帝國、俄羅斯帝國、伊朗帝國（薩法維王朝和卡加王朝），以及清朝等多文化帝國。在競逐領土和資源的過程中，這些帝國為了對邊境地帶取得支配權，於是從早期的政權中心，不斷沿著變動的軍事邊境擴張，並在戰爭、外交以及文化實踐中彼此交手。而那些居住在邊境地帶、受帝國統治的人民，則是透過抵抗或適應帝國統治等方式，努力維繫自身文化、捍衛他們的自主權，試圖重獲或取得獨立地位。

本研究的動機和靈感，來自於教授歐洲、俄國與比較歷史的多年經驗。在這個過程中，幾個極富挑戰性、而且每個國際關係和全球史領域的學生都很熟悉的問題總是不斷出現。要如何解釋，為何除了義大利與德意志民族統一運動的戰役之外，從一八一五年維也納會議到二十世紀中葉之間，發生在歐洲和亞洲的所有主要戰爭和一些次要戰爭，都爆發於歐亞大陸的邊境地帶？這裡指的邊境地帶，就是那些位於多民族大陸型帝國邊緣的地區，而這些帝國在一九一八年至一九二〇年間的內戰和外來干預之後，也都各自被其繼承國所取代。這些衝突的名單頗為可觀：克里米亞戰爭（一八五三至一八五六年）、俄土戰爭*（一八七七至一八七八年）、第二次阿富汗戰爭（一八七九年）、中日甲午戰爭（一八九四至一八九五年）、日俄戰爭（一九〇四至一九〇五年）、兩次巴爾幹戰爭（一九一三至一九一四年）、第一次（一九一四至一九一八年）與第二次（一九三九至一九四五年）世界大戰、中國國共內戰（一九四六至一九四九年）、韓戰（一九五〇至一九五三年）。如何進一步解釋，為何哈布斯堡、鄂圖曼、羅曼諾夫、薩法維－卡加，以及大清國這些大陸型帝國，為了相同的領土能捱過好幾世紀的相互對抗，卻在一九一一年和一九二三年間，這個只略多於十年的時間之內因革命和戰爭而瓦解？最後，為什麼這些衝突裡，大多數都有俄羅斯帝國的直接或間接涉入？藉由在「長時段」（la longue durée）的脈絡中提出這些問題並尋求解答，「邊境地帶的角力」這個概念，或許也可以幫助我們在二十世紀的重大衝突中置入一個新的視角。歐亞大陸上的邊境地帶，正好坐落著幾個冷戰開啟和落幕的地點；而冷戰作為幸好未曾開打的第三次世界大戰前奏曲，最終是在東歐集團瓦解、蘇聯邊境地帶脫離聯盟，以及捷克斯洛伐克和南斯拉夫的分裂之中結束的。然而，上述這些是這場角力需要其他研究另外探討的面向。光是從近世到二十世紀的帝國階段期間，角力的過程就已經非常複雜，因此需要廣泛的比較取徑和跨國取徑來進行檢視。這點說明了這本書的主題架構，我希望這也解釋了這本大部頭書如此厚重的原因。

本書的第一章闡述何謂「地緣文化取徑」，接著將其應用於三個空間概念之上：歐亞大陸、邊境地帶，以及在時間長流中由複雜歷史過程所形塑的邊疆。這些概念分別被詮釋為地方、過程以及符號，反映了從近世到二十世紀，政治、戰爭和文化實踐等概念，在不同實體地景之中不斷變動的本質。本章也概述了帝國擴張策略（包含征服、殖民以及改宗），和人民回應帝國擴張的策略（比如適應和抵抗）之間，存在著哪些動態互動。

第二章處理的課題則是，作為政治神學的帝國意識形態和文化實踐究竟是如何演變的。多文化帝國的君主和統治菁英設計出了這些政治神學，藉此對帝國統治賦予正當性，同時也為政權提供了最高原則，並將帝國治下的多元民族統合在一起。第三章檢視帝國統治的制度基礎，特別聚焦在軍隊、官僚體系，以及對菁英的收編上；這些都是調動人力和物質資源的手段，而在帝國爭霸中若要維持優勢，這些資源便不可或缺。

第四章沿著歐亞大陸上的七個邊疆地區，分析發生在邊境地帶上的冗長角力。這些地區包括：波羅的海沿岸、多瑙河流域、東歐大草原、高加索地峽、外裏海地區以及內亞地區，這些地區有許多後來也在兩次世界大戰和冷戰期間成為「熱點」。直到十八世紀的最後二十五年，哈布斯堡王朝、鄂圖曼帝國、俄羅斯帝國、薩法維王朝以及大清帝國的實力都仍旗鼓相當，而一些次要的競爭者（瑞典和

＊編按：俄土戰爭（Russo-Turkish War），西方學者習慣將俄羅斯與鄂圖曼帝國的戰爭，直接寫成俄國與土耳其戰爭。但鄂圖曼帝國雖是突厥人創建的國家，但帝國內有多種族群混居。此外，現代土耳其人雖然自詡為突厥人後代，但其族群血統也已和多族群混和。本書中，會將鄂圖曼帝國崩解前的「Turk」翻譯成突厥（人），鄂圖曼帝國崩解後的現在土耳其「Turkey」翻譯成土耳其（人）。

準噶爾汗國），以及一個主要競爭者（波蘭立陶宛聯邦）則已經宣告出局。在此期間，人民對於帝國統治的抵抗，開啟了即將全面爆發的國族主義運動和階級衝突，而俄羅斯帝國也開始崛起，在歐亞大陸上成為霸權。然而在拿破崙法國、英國以及普魯士／德意志的行動下，俄國的擴張也首次受到來自歐亞大陸之外的嚴峻挑戰。儘管俄國在克里米亞戰爭中短暫受挫，但直到二十世紀初都仍能保持優勢。最後，鄂圖曼帝國、卡加王朝以及清帝國內部，此時也開始漸進而片段地採納了西方憲政思想和文化實踐，經濟也不斷受到西方的滲透，導致他們自身的統治意識形態和制度不斷受到侵蝕，在帝國內部製造緊張，因而減弱了他們抵抗俄國和哈布斯堡王朝入侵的能力（雖然後者帶來的威脅較少）。

第五章則分析所有多文化帝國內部不斷加劇的矛盾。統治菁英曾試圖在教育、軍事訓練和行政制度等方面借鑑國外經驗，而這些嘗試後來也在引入憲政實驗時達到顛峰。然而這些措施用在處理邊境地帶人民漸增的抵抗時所帶來的結果，卻很難清楚明說是好或壞。此外，這些嘗試同時也是俄國、哈布斯堡王朝、伊朗、鄂圖曼帝國以及清帝國幾乎同時爆發憲政危機的主因，動搖了帝國的政權基礎。最後一章則描繪邊境地帶角力過程中帝國遺留下來的要素，是如何在一九一四年至一九二〇年間發生的戰爭、革命和內戰中存續了下來。

本書並非想激起讀者對於帝國的懷念，更不是在歌頌國族主義這個自從冷戰結束後便在歷史書寫中蔚為主流的情感。在這張由個別事件和結構背景交織而成的網絡之中，有些課題總不斷浮現，比如：歐亞大陸國家建構過程的複雜性有增無減；對懷抱不同想望的統治者和被統治者而言，地理和文化多樣性所造成的問題也一直存在；而用來解決這些問題的各種回應方式也一直重複出現（包括改革、壓迫以及革命）。這三個課題為上述的敘事提供了某種連續性，使得敘事儘管看似斷裂，實際上卻仍是一個連續的整體，彷彿經過不同雙手重新接合一般。

在此，我想依序針對兩點表達歉意。藉由比較與演示那些交流和跨國（或者毋寧說跨文化）影響，本研究試圖以多重視角對各個事件和議題進行分析，因此書中的章節，有時是依據主題、有時則是依據時序來進行安排。這也意味著有些東西將會重複出現，但我希望這麼做能幫助讀者理解，而非為讀者帶來困擾。譬如說，「移墾」在第一章被視作定義歐亞邊疆的關鍵要素，但在第四章卻被重新定義為國家在邊境地帶角力過程中的政策工具。類似的情形還有，宗教制度在不同脈絡中可能是推動改宗的力量、可能是支撐帝國的意識形態，也可能是帝國體制危機中的元素。

本書不在最末附上參考書目，而是以附注方式標明資料來源，同時，我也在附注中，為那些持續在史學界中引發激烈辯論，而且與本研究相關的議題提供注解。像本書這樣複雜的綜合體，無可避免要仰賴二手資料，而那終究也並非壞事。過去幾十年來，學者發現、探索了許多新的史料和檔案，也發展出了一些新的理論取徑，而我們原本抱持的歐洲中心視角，也出現了相對溫和、但依舊十分重要的轉變；這些變化，都大大地豐富了關於帝國的研究。如果沒有這些前人的努力，本研究便絕無可能完成。儘管附注的數量可能有點多，但我仍未能完全列出所有資料來源。如有任何重大遺漏，我也要謹此致上我的歉意。

第一章

帝國空間

在學術界裡，空間的概念已成為一個高度爭議的主題。在一個極端上，「空間轉向」以象徵意義取代了地理學的物質基礎，其中一項結果，便是出現了一種地圖概念，使得空間的獨立存有被心理地圖給取代，而舉凡邊疆、國界、邊界和地方這些詞彙，則被廣泛用來描繪文化的幾乎所有面向。另一個沒這麼激進的結果，則是藉由重新引入文化要素的概念，修補了地理和歷史之間緊張已久的聯結。這便是本章所採用的取徑，用以指稱歐亞大陸、邊境地帶以及邊界這些在帝國空間中的關鍵要素。

我的談法，與地緣政治以及文明理論這兩個主流的取徑不同。這兩者皆強調國際政治由單一要素決定，不論這個要素是實體地理特性或意識形態。實際上，這兩種取徑都帶有決定論色彩，也都以靜態的線性邊界劃分空間。相較之下，本研究將歐亞大陸、其邊疆，以及其邊境地帶，視為由複雜歷史過程所形塑而成的空間；這個歷史過程為二十世紀的幾場重大衝突，構成了衝突背後的地緣文化背景（geocultural context）。我之所以偏好採用地緣文化取徑，而非地緣政治和文明理論，部分也是因為就意識形態來說，套用在歐亞大陸上的地緣政治和文明理論，本來就是和冷戰共構的。

三種取徑

地緣政治這個說法，在學術上源於十九世紀的德意志地理學家。[1]（注釋請參本冊末）隨後，英美學派的政論家和學者將這些概念帶入國際關係的新理論之中，這些新理論當時的焦點是，俄國為了成為全球霸權，對於可以提供天然資源和戰略優勢的歐亞大陸，是如何試圖取得控制的。他們的觀點，以今日已經大幅修正、但仍可辨的形式，在二十世紀早期、以及在二戰後對蘇聯外交政策的辯論上被許多人接受，尤其是在如斯皮克曼、鮑曼、凱南、傅爾布萊特等重要學者、高階顧問以及一些政治家的論述之中。這些概念，後來常見於圍堵政策之中。[2]

與此同時，另一群政論家於十九世紀晚期和二十世紀初，則以特納關於邊疆的重要文章為基礎，主張美國應該在海外擴張為帝國。他們的倡議融合了地緣政治、社會達爾文主義、昭昭天命（一譯天定命運論）以及門戶開放政策。[3]這些觀念，也因為反俄立場而呈現強烈的偏頗色彩，並在一九一九年的巴黎和會以及兩次世界大戰期間的爭論中獲取了重要位置。[4]俄國支配歐亞大陸在認知上造成的地緣威脅，逐漸捲入美國使命這個意識形態之中，為美國在冷戰初期的外交政策奠下了基礎。這些都持續影響著關於俄國和歐亞大陸的歷史論述。

至於文明理論取徑，其根源也來自十九世紀學者的著作。其中一個分支，以俄國的泛斯拉夫哲學家和政論家（例如達尼列夫斯基以及杜斯妥也夫斯基）為代表，他們讚頌橫跨歐亞大陸的俄羅斯文明擁有彌賽亞式的天命，卻又自成一格，既非歐洲、也非亞洲。雖然泛斯拉夫主義未曾成為官方的意識形態，但其準則卻在俄國向東擴張的過程中，對一整代的俄國軍官和地理學家影響甚鉅。這種泛斯拉夫式的怪物主義，甚至在西方更受政治家和政論家嚴肅看待，在俄國革命前的數十年期間，不斷強化了地緣政治版本的俄羅斯威脅。

沙俄政府垮台後，俄國出現了兩種文明概念的化身，但這兩種概念似乎是彼此完全牴觸的。一小群流亡海外的俄國知識分子，自封為歐亞主義分子，將俄國的歷史角色詮釋為融合歐洲和亞洲文化，因此注定要為世界帶來精神上的統一。雖然這種歐亞主義在當時經常受到忽視，在蘇聯時期又受到壓迫，但蘇聯瓦解之後，一種新的歐亞主義再次開始躍上檯面，並在俄羅斯聯邦內成為重建新國族神話的強大聲音。[5]

文明理論的第二個支脈，則是史達林的一國社會主義學說。他的學說是一種對馬克思－列寧主義的激進詮釋，其核心主張是，世界革命能否成功，端看能否先在落後的俄國建立社會主義制度，而非反過來。由於沒人發現一國社會主義其實是歐亞主義的一種版本，其在一九二〇年代蘇聯內部的政爭之中，並沒有受到太多攻擊。[6]西方的時事觀察家很快就為我們展示了，在他們看來，這種俄國獨特的普世使命概念在革命前後的根本連結，便是俄國與生俱來就將自己當作救世主的證據。這種無限制的俄國擴張主義神話，後來也成為冷戰知識體系的一部分。[7]

雖然「地緣文化」這個詞彙，不如地緣政治那樣風行，但其在年鑑學派的先驅與早期學者的著作中，也有自成一格的學術血脈。[8]支撐地緣文化觀點的基本假設是：氣候、土壤、領土的形狀、可航行河道的有無、距海的遠近，所有這些都對人類的行為創造了可能性，但也設下了限制。然而它們並不是決定歷史發展、權力的分配與集中，或如何選擇政策的唯一因素。地緣文化要素可能形塑了費夫賀所稱的「能讓生機蓬勃的政治實體誕生的幸運之地，亦即那些有利於國家發展的地區」。[9]然而，即使是幸運之地，也並非只受天然疆界這個因素決定，他們同時也是由文化互動、集體社群演進，以及統治者和統治菁英理性化行為所共同形塑而成的結果。好幾個世紀以來，許多社會和政體都在試圖鞏固其外部疆界，以求滿足對集體認同、穩定和安全的基本需求。[10]然而，就其本質而言，在真實或想像的界線彼端定位「他者」的這個過程，其實也構成了一個潛在的威脅。因此，界線的維持成了一種模糊的過程。[11]有鑑於這些洞見，本研究將歐亞大陸的邊界和邊境地帶視為流動而非固定或不可改變的概念，會隨著時間改變，不是一個完整想像出來的概念，而知識分子和政治家又對這些賦予了意識形態上的意義，以便為國家的目標服務，不論這裡的國家指的是多民族帝國，或是單一國族的民族國家。[12]如果我們將歐亞大陸視為一個各方競逐的地緣文化空間，便可以將俄羅斯的擴張行為放在另一個脈絡中，看成是好幾世紀以來，彼此敵對的帝國之間的角力結果。

從地緣文化的觀點來看，有四個不同但彼此相關的過程形塑了歐亞大陸的空間。第一，從十六世紀到二十世紀初期的這段漫長時間裡，大規模的人口移動（包括遷徙、流放、逃亡以及移墾），使得德意志人、斯拉夫人、突厥人、蒙古人和漢語語族群體，以及基督教徒（包括羅馬天主教徒、東正教徒、新教徒）、猶太教徒、穆斯林和佛教徒等各式各樣的文化群體，散布於廣袤的空間裡。如果要打個比方，這種族裔混雜的情況光用馬賽克畫來形容恐怕不夠，根本可以稱作人口萬花筒，複雜多樣的程度前所未見。在人口移動的過程中，有些地區出現人類學家所稱的「碎片區」（shatter zones）的特徵，各種族裔宗教團體在這些區域毗鄰混居，為潛在的衝突創造了諸多條件。[13]第二，從十六世紀開始，一些主要的政治權力中心（瑞典、波蘭立陶宛聯邦、莫斯科大公國、哈布斯堡王朝、鄂圖曼帝國、薩法維王朝，以及十七世紀後期的清帝國）為了追求自身安全、穩定性和各種資源基礎，逐漸向各自核心腹地的邊緣擴張，進入那些將各個帝國分隔開來的地區，在此我們稱這些地區為「複合邊境」（complex frontiers），有著不斷變動、受爭奪、而且經常是模糊的邊界，反映著軍事、人口和文化競逐的多變結果。第三，在文化上愈來愈多元的國家系統，試圖征服那些有爭議的領土，並將那些領土納為自己的邊境地帶，在歐亞大陸上也成了一種外部角力行為，深刻影響著國家建構的過程。第四，受統治的屬民不斷尋找方法抵抗語言同化和宗教改宗，試圖保留地方自主權或重獲獨立，從而在這些邊境地帶展開了內部角力。他們採取的策略五花八門，從暴力革命到和平合作都有，而國家的權力中心則以同樣多元的策略回應他們，有時妥協忍讓、有時強力壓迫。由於一個國家可以在敵國內部煽動造反，而敵國內部受統治的人民可能尋求外部支援，因此邊境地帶的外部角力與內部角力經常交纏在一起，從而模糊了對外政策和國內政策在帝國空間中的傳統界線。

這四個過程並非平均分布在歷史之中，而且牽涉各種組合的多元文化國家，但大致上可以分為三個階段。從歷史記載的最早期，到大約十六世紀至十七世紀中葉，游牧社會和定居社會之間的關係，可以用循環模式來闡述。到了第二個階段，相對中央集權的多元文化國家逐漸崛起，開始在邊疆地區擴展領土，並將受征服的人口納入邊境地區。第三個階段則起自十八世紀晚期，此時期的俄羅斯帝國在攫取、鞏固新邊境地帶的角力之中，逐漸勝過了其主要敵手。第四個，也是歷時最短的階段，只有數十年，以第一次世界大戰為終點，該時期出現了一系列帝國危機，並在俄國、哈布斯堡、鄂圖曼、卡加以及清帝國這幾個主要的多元文化帝國瓦解時達到頂點。

歐亞大陸的地緣文化多樣性

從遠古開始，歐亞大陸的空間便由各種游牧社會和定居社會的接觸過程所形塑；靠放牧為生的游牧社會實行各種經濟策略，而定居社會則從事種類同樣繁複的農業體系和小型製造業。這些游牧民族分布的範圍十分廣闊，從北方的凍原到針葉林帶，到南方的混合林帶和無樹的草場，再到半乾旱的大草原、沙漠以及東邊的高原，甚至延伸到多瑙河三角洲形狀不一的寬廣地帶和日本海沿岸。游牧民族的出現，或許是森林、綠洲以及擁有農耕地帶的大草原邊緣之間長期相互影響的結果。[14]拉鐵摩爾將「草原社會主體的側面」描述為「一個包含草原游牧、狩獵、農業和城鎮生活，幾近無窮的組合系列」。[15]類似地，研究鄂圖曼帝國的史學家，則指出了將游牧民族和定居農民，區分為兩個界線分明的獨立類別，是一種錯誤的做法。他們之間的互動，受到自然地理、土壤的肥沃程度、氣候因素、農作收成的高度影響。[16]

早期歐亞大陸的物質環境比較適合游牧生活，而非定居生活。冬季漫長而夏季乾熱的大陸型氣候，由於水源供應不足，生長季又十分短促，直到近期，都讓居民難以在零星的綠洲之外或邊緣地帶進行農耕活動。對於游牧民族來說，東西向的地形分布障礙較少，有利於自由遷徙，而降雨量也通常足以維持他們的放牧活動。山脈則在大草原和沙漠南緣形成一條斷裂的弧線，在地表上平緩爬升，讓放牧活動可以延伸至高海拔地區。這些山脈主要由西南向西北綿延，因而不至於將整片草原切割成幾個破碎的生態區。[17]

在這些歐亞大陸上的邊境，戰爭與和平交流以不規則、難以預料的節奏交替著。兩千年來，由於草原游牧民族擁有馴馬文化，因而在軍事上比草原邊緣的定居民族更有優勢。美國歷史學家濮德培曾說：「馬是游牧民族經濟的支柱，同時也是戰爭中的重要元素，而定居文明卻無法繁殖出他們所需的馬匹數量。」複合式反射弓、馬鐙以及射箭手專用的馬鞍發明出來之後，騎兵也讓草原上的游牧生活維持了很長一段時間的優勢。[18]直到定居民族創造出更厲害的武器技術之前，他們都無法打破游牧民族的支配地位。這種情況，一直要到火藥革命，以及在文化多元的農耕帝國集權式領導下發展成熟的槍砲武器出現之後，才有突破性的轉變。

然而，如果只有世上最好的騎兵部隊，也無法保障游牧民族的優勢。牛羊對游牧民族的士兵來說也不可或缺，因為牠們是可移動的食物來源，讓游牧民族在軍事技術上的優勢如虎添翼。[19]因此，直到勇敢的定居民族終於征服、移居草原地區之前（通常是在中央集權的官僚國家保護之下，但也不全然都是如此），在長距離的大規模軍事行動中，游牧民族都一直在資源補給這方面占上風。

歐亞大陸上穩定的邊境商業活動，則有賴於游牧民族和定居民族的相互需求：後者希望獲取草原所放養的馬匹，也希望從北方針葉林中的獵人和捕獸者那邊得到動物的毛皮，而前者則想要從定居民族那邊獲得茶葉和工業製品。除了貿易之外，還有很多交換的形式，比如贈禮和進貢，也都在調節定居和游牧生活方式這兩個系統之間的互動。活躍的交換活動不只發生在邊界地區；在好幾個世紀的時間裡，這兩個系統的邊緣也發展出了距離更長的貿易模式。今日新疆的塔里木盆地南北兩側，分別出現了兩條路線，在穿過河中地區（外裏海地區）的綠洲之後，通向伊朗、安納托利亞，以及巴爾幹地區。被美國歷史學家格魯塞稱作「兩條纖細的線」的絲路（在伊斯蘭教興起後，這條路又被稱作朝聖之路），蜿蜒地經過了沙漠，在綠洲歇腳，又越過了高聳的山口，沿著伊朗和安納托利亞高原，最後抵達地中海。[20]打從難以追溯的時間起，絲路便在中國、伊朗、印度以及羅馬文明之間提供連結。佛教就是沿著這條路從印度傳往中國，而穆罕默德過世後不到一百年，阿拉伯士兵也是沿著同一條路，聲勢更浩大地帶著伊斯蘭的綠旗挺進中國西部。在他們的保護之下，聶斯脫留的基督徒進入了蒙古。在這些信仰擴張的新邊疆之中，伊斯蘭教的遜尼派和什葉派之間出現了重大的分裂，進而為歐亞大陸的文化多樣性增添了一個新的面向。

在這條路線上，商隊貿易的節奏雖然隨著時間波動，但至少直到十七世紀，這些貿易依舊在邊境的經濟體中充滿活力。當地方上的政治中介無法提供適當保護時，商人也會透過蘇非兄弟會（尤其是納各胥班迪道團的網絡），越過競爭國的國界繼續進行貿易。[21]針對絲路後來衰退的原因，學者進行了許多爭論；其中，英國學者艾茲赫德提出了一個巧妙的解答。他認為，十七世紀世界性的經濟衰退，使這條中央陸路交通動線上基本的奢侈品貿易嚴重萎縮，但這個現象卻在生活方式非常不同的游牧社會和定居社會之間，促進了生活必需品的南北向貿易。東西向的貿易接著於十八世紀出現短暫而低迷的復甦；到了此時，主要的南北向貿易路線，已經在俄羅斯的保護之下穩固建立。這個事實，對於理解接下來俄羅斯人向草原地區的擴張行動極為重要。[22]

另一個對邊境和平更嚴重的威脅，則是游牧民族的大規模遷徙，他們或者因為不利的氣候因素，或者因為鄰近的強勢部族正在尋找更好的草場，對他們造成了人口壓力，而不得不進行遷徙。每一次的遷徙潮，都會吸收前次遷徙過程中留下來的人，因此也會增加文化的多樣性。這些人口流動的過程不時從東向西席捲，對原本取決於牧草量的季節性南北向遷徙模式造成了干擾。一旦遷徙者耗盡力氣，而將他們團結在一起的同盟又不復存在，游牧民族便會回復到南北向移動的放牧模式。和貿易行為一樣，這種循環的模式不斷重複，直到擴張型國家發動攻擊打破了這個循環，才逐漸為游牧社會的優勢劃下句點。

在所有讓草原邊緣的定居民族聞之色變的大規模人口遷徙之中，司基泰人和匈人（匈奴人）是最早被記入史書的民族，希臘羅馬和中國的史家都提到了他們，分別在歐亞大陸的兩端留下了對他們的印象。中國人對北方的游牧民族通常不做區分，將他們通稱為胡或狄，後者尤其帶有貶義，意思是「像動物一般」。[23]游牧民族對西歐的侵略，使得游牧民族的恐怖形象，逐漸深深鑲嵌在斯拉夫和日耳曼部族的口傳文化之中，其中又以史詩般的《伊戈爾遠征記》和《尼伯龍根之歌》為典型。[24]在形塑邊界的過程中，古羅馬、波斯和中國的偉大古文明，則將「文明人」和「蠻族」區隔開來，藉此在象徵意義和軍事上界定自己的角色。[25]有些自詡「文明」的帝國，曾在不同時期、出於不同原因建造了城牆。薩珊王朝便建造了城牆抵禦匈人、可薩人以及其他從高加索地區遷來的人。專精中國和中亞史的狄宇宙認為，在戰國時代初期（公元前四〇三年至公元前二二一年）的中國，「長城整體而言是中國北方國家擴張策略的一部分，讓他們侵略那些無法相容於周朝天下的地區時，可以獲得支持與保護」。相較之下，古羅馬（石灰材質）的城牆，則是既用來將文明人留在內部，也用來將蠻族隔絕在外。[26]

游牧民族國家的形成則再次顯示了，游牧社會有能力改變和草原邊緣農業社會之間的關係。將聯盟轉變成一個游牧民族國家的過程，需要一個相對高層級運作的政治組織，以便統治廣闊的領土，同時將游牧民族和農業族群整併在一個強大的軍事領袖之下；儘管持續的時間不長，但這個政治領袖往往能成功建立一個王朝。然而領袖離世或是內部出現分裂之後，卻會導致聯盟分崩離析，重新回復到舊時四分五裂的狀態。阿拉伯學者赫勒敦，便是首先對這種循環過程進行分析的人。除非游牧民族國家依循清帝國、薩法維王朝與鄂圖曼帝國的道路進行改革，否則它們不太可能延續太久。游牧民族的生產活動是對畜群進行管理，這種行為需要能夠顛覆上級權威的自由，而這正是「游牧政治不穩而無常」的主要原因。[27]此外，在建構定居式的帝國時，如果殘餘的游牧習俗影響力愈強，對中央集權制度的抗拒程度也會愈強，在歐亞大陸邊境地帶的角力中與別國競爭的能力也就愈弱。

蒙古人治下的政治統一

就克服生態和文化多樣性的障礙這件事而言，蒙古人是游牧民族中最成功的，他們在歐亞大陸上創造了廣闊的陸地帝國，領土範圍足足橫跨一萬公里。在擁有多元文化和官僚體系的帝國崛起後，先後只有沙俄和布爾什維克俄國能夠與之匹敵。或許正因為如此，這兩個帝國才被會混淆成一個過度簡化的歐亞大陸概念，誇大了他們之間的根本關聯。「蒙古之軛」這個意象，一直貫穿在俄羅斯歷史的書寫之中。十六世紀期間，所謂的莫斯科讀書人*為了在宮廷裡削弱韃靼人†的影響力，努力宣傳

*譯按：book men，亦即能讀書寫字的人，大部分都在宮廷和教會裡服務，而且多為東正教教士。

†編按：韃靼人（Tata）可以指蒙古高原中的一個部落，俄羅斯人以韃靼來稱呼蒙古人或蒙古帝國，拜占庭則用來指涉突厥語族。此處用法等同於蒙古人。

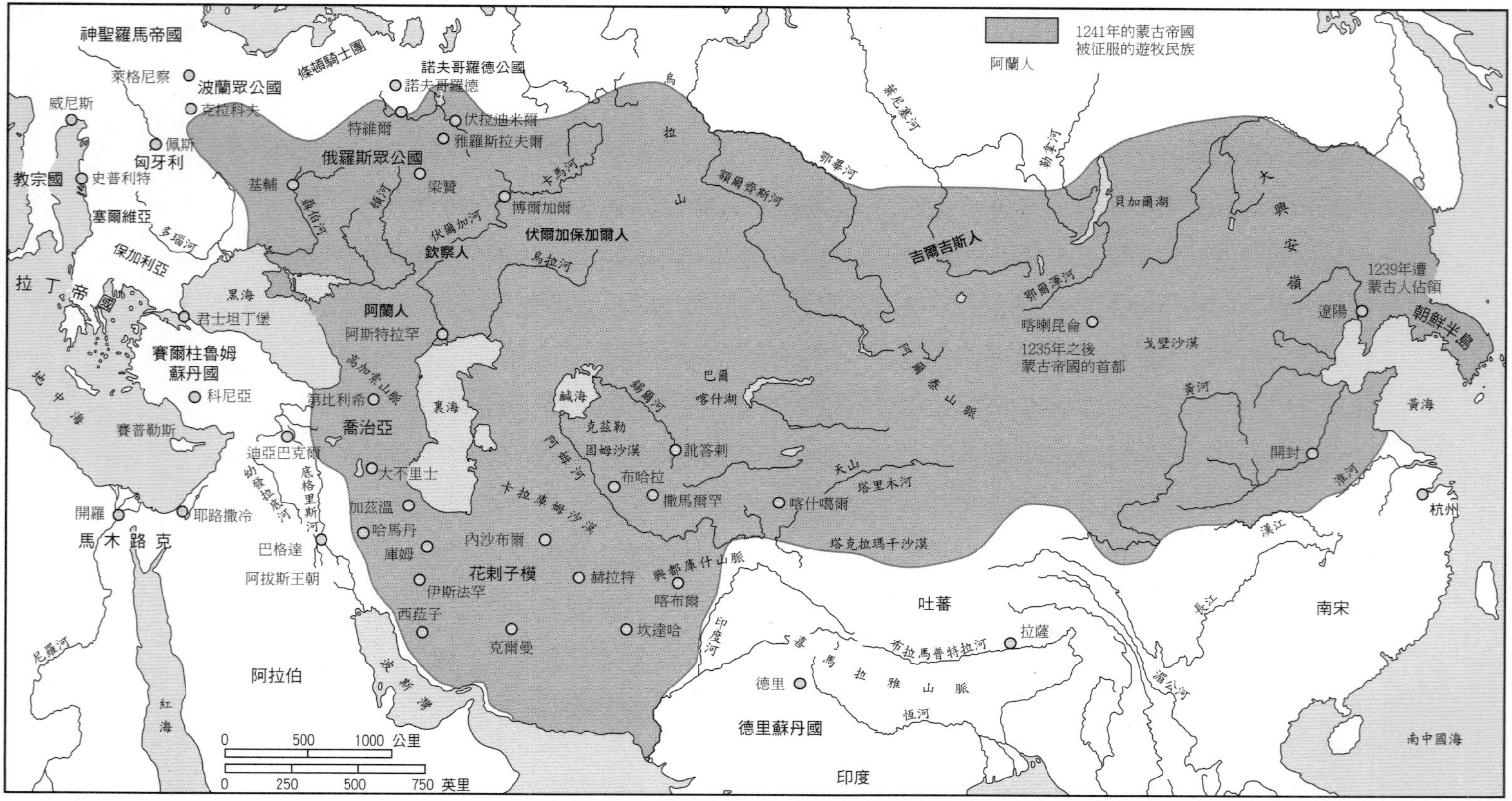

地圖 1.1　蒙古帝國，一二四一年

蒙古人能帶來全面毀滅的形象。這個形象後來被抱持民族主義立場的俄國史學家美化，在俄羅斯歷史的大敘事中成為主流[28]，並啟發了俄羅斯的第一批歐亞主義者。蒙古人的這個形象後來也被布爾什維克延續下來，並在史達林譴責俄國愚昧落後的知名演說中被奉為一尊，又在中蘇因為邊界問題而交惡時重新浮現。[29]不論蒙古人在行政、財政措施甚至是統治權的概念上為俄國帶來了什麼樣的影響，其強大的形象和衍生的神話，無疑都在接下來的邊境地帶角力過程中扮演了一定的角色。[30]

歷史學者巴菲爾德指出，蒙古帝國的獨特之處在於其高度集權的政治制度，但這種現象「並非草原傳統在長期演化之後達成的結果，而是對於草原傳統的偏離」。[31]蒙古之所以能成功擴張，要歸功於三大要素：軍隊優異的領導架構和戰術；從中國學來的武器和技術讓他們可以進行攻城戰；以及混合了突厥式和中國式的治國之道，和藉由意識形態將政權合法化的行為。蒙古人在治理上的成功，也反映了他們對兩個迥異的社會體系有多了解。「在北方，蒙古人重拾並延續了草原和森林地區之間舊有的朝貢關係，而間接且間歇的控制手法，則是這種關係一直以來的特點。」在南方，蒙古人則是將新的政治架構強加在他們所征服的農耕社會中。他們最重要的創新，也許是在伊斯蘭和中國文明之間進行「統治技術人員的交流」（transfer of technicians of governance）。[32]他們在各地的征服行動，或者被視為「替人們套上了蒙古的枷鎖」，或者被視為「建立一個受蒙古人統治的大同世界（Pax Mongolica）」，而這些不同的詮釋方式，也彰顯出了蒙古人帶來的影響有多複雜。[33]但不論是哪一種詮釋方式，都承認蒙古人沿著草原邊緣繞出了一條寬廣的弧線，起初的確為中國北部、基輔羅斯、伊朗、高加索地區以及匈牙利的社會，帶來了災難般的衝擊。從一二一三年至一二三四年期間，蒙古人在一連串的戰役中征服了中國北部的主要城鎮，對城鎮和鄉村人口橫徵苛役，對他們造成了重大損失。蒙古人對於在地方層級進行重建不感興趣，但他們採用了一種多元文化的行政體制，由漢人、女真人、契丹人、維吾爾人和蒙古人組成，而「自從漢朝滅亡之後，這種體制就是誕生於中國草原邊境上的混種政治常見的典型」。[34]在接下來的一個世紀裡，元朝的蒙古人統治者幾乎沒有適應任何漢人的習俗。但當蒙古人於一三六八年離開中國時，他們許多來自內亞地區的盟友卻留了下來，見證了漢文化同化異族的強大能力。[35]

蒙古人在向西移動時，也摧毀了俄羅斯城鎮商業活動的兩大中心，亦即分別散布在上窩瓦河、奧卡河、西德維納河沿岸，以及聶伯河和其支流西南沿岸的幾個城鎮。只有波羅的海沿岸地區的諾夫哥羅德得以倖免。森林草原地區遭摧毀的城鎮中心如庫斯克和沃羅涅日，在整整三百年內都無法重建；基輔則幾乎成了一座鬼城，而其原本熱絡的經濟活動也癱瘓了約兩百年。[36]蒙古人儘管只是間接支配著俄羅斯的各個公國，但也的確讓那些公國喪失了主權，並為他們帶來了沉重的財政負擔。這使得俄羅斯人的政治中心，開始從草原移往森林地區，因而促成了莫斯科的崛起，為歐亞歷史鑄下深刻的影響。

波蘭遭蒙古人入侵的期間較為短暫，不像匈牙利遭到占領，也不像俄羅斯的公國被兼併進蒙古（欽察）帝國，甚至也不曾系統性地被蒙古人劫掠過。雖然蒙古人在萊格尼察戰役中打敗了波蘭人，但波蘭人卻將這場失敗轉化為精神上的勝利。波蘭驍勇善戰的重騎兵，讓波蘭貴族認為自己是在抵禦野蠻東方，繼承了歐洲文明捍衛者的衣缽，而這種想法也在波蘭歷史中不時浮現，成為一個歷久不衰的歷史神話。波蘭還採取了更實際的行動，和隔壁的立陶宛聯手趁著基輔深陷浩劫，占領了原本由各個俄羅斯西部親王統治的領土，將這些領土併入他們不斷擴張的多元文化帝國。[37]

蒙古人對匈牙利於一二四一年至一二四二年以及一二八五年的兩次侵略，以及一直持續到十四世紀中葉的幾次突襲，都在物質上和心理上帶來了許多長期的破壞性影響。[38]在受到大面積破壞之後，有些地方甚至已杳無人煙，加上通往東方的跨國貿易路線出現變化，這個地區一直難以復甦，而皇室和貴族統治者之間無止境的鬥爭，又進一步拖累了復原的進程。為了讓人口回流，國王甚至邀請另一個游牧民族，亦即庫曼人*前來匈牙利的大平原定居，卻也推遲了司法權和財產權的發展。此外，匈牙利也在北部的王室莊園領地對源自德境的「來客」†賦予許多特權，導致匈牙利的城鎮地區後來遭到馬札爾人以外的民族所掌控。人數更多的斯拉夫人和弗拉赫人移民，則從北方和東南方湧入。雖然他們當中的許多人被同化了，但也有不少人維持著原有的認同。[39]

十三世紀初，南高加索地區遭遇了三次蒙古人的入侵，當地人的抵抗遭到無情鎮壓，導致喬治亞國王的權力大受打擊，並讓該地區的政權四分五裂。蒙古人不時突襲南高加索地區，藉此趕走當地居民，並讓該地區原本就非常多元的族裔組成變得更加混雜。該地區作為戰略性的陸橋，同時也是躲避

---

*審定注：庫曼人係屬突厥語系部族，約在十二至十三世紀活動於黑海北端大草原地帶，後因蒙古人西侵而使得一部分的庫曼人遭蒙古人征服並同化，另有一部分則向西遷入匈牙利，後亦被馬札爾化而融入馬札爾人之一部。

†審定注：在當時文獻是記載為「齊普斯薩克森人」（Zipser Sachsen）及「七堡薩克森人」（Siebenbürger Sachsen），因中古初期時薩克森地區是位於德意志的最東端，因而中古時期的馬札爾人遂因地緣之故而稱呼德意志人為薩克森人。

游牧民族襲擊的山區，歷來是羅馬拜占庭帝國和波斯帝國之間的交界，也是早期基督教王國和伊斯蘭領地交鋒的位置。此外，由於敵人不斷入侵，移民和逃難者又帶來動盪，因此該地區也出現了文化碎片區的典型樣貌，擁有複雜多元的人口，居民的認同變動不居，邊界也不斷快速變動著。[40]一如俄羅斯人，蒙古人也使用間接的方法控制該地區，比如徵收貢物，或是施計離間當地的王儲。就像在其他地方那樣，蒙古人對於臣服者採取寬容態度。亞美尼亞人作為附庸於蒙古人的盟友，則在蒙古人打敗穆斯林幾個侯國之後，因為少了穆斯林的抵抗，而得以將他們的山中王國擴張到美索不達米亞和敘利亞的平原上。[41]韃靼蒙古人*另外於十四世紀進行的一連串侵略，則由帖木兒領軍，為喬治亞王朝的短暫復興劃下了句點，並帶來了大規模破壞，讓城鎮地區一蹶不振。由於喬治亞眾親王的實力被嚴重削弱，內部又分裂成好幾個彼此敵對的派系，因此當鄂圖曼人和伊朗人於十五世紀初對喬治亞的西南側和東南側發動攻擊時，喬治亞人根本無力招架。[42]

在外裏海地區，蒙古人則是征服了花剌子模這個奠基於河中地區綠洲城鎮的穆斯林王國，夷平了幾個繁榮的區域中心，例如巴爾赫、內沙布爾、赫拉特等。根據穆斯林史官記載，布哈拉城在遭遇敵軍短暫的圍城之後，僅存的人口甚至不夠塞滿城裡的一小塊街區，景況淒慘。[43]蒙古征服者的第二代，也就是成吉思汗的繼承者則入侵了伊朗，對巴格達和其他城鎮中心造成嚴重破壞†；廣大的灌溉系統遭破壞後，伊朗的經濟從未完整復原過。[44]

在南高加索地區、俄羅斯南部以及匈牙利，除了少數例外，蒙古人在短期之內帶來的影響，是弱化、摧毀了既有的制度與社會經濟生活模式。但在其他地區，又是另外一番局面，而讓學者以及塑造神話的人，至今仍在持續爭辯到底發生了什麼事。正面來看，在蒙古治下，諸親王保留並擴展了古代的貿易路線，和各國的商人形成了緊密的聯盟，不只促進了交易，也有助於蒐集情報。[45]在他們的庇蔭之下，突厥－波斯文化在外裏海地區和內亞部分地區大行其道，雖然這個文化是否為內部同質的一個整體非常值得質疑。蒙古諸親王在皈依伊斯蘭教之後，對其他宗教採取了寬容政策，而蒙古的藝術和工藝品，則對歐亞大陸所發展出的精緻風格貢獻良多。[46]但蒙古人對歐亞大陸的一統天下，只維持了一百年。他們試圖藉由強而有力的中央政府創造單一帝國，然而將領土和軍隊分封給成吉思汗不同子嗣的政策卻帶來了反效果；該政策雖然能讓各族群和部族保持忠誠，卻也加深了許多繼承國的突厥化程度。結果，蒙古帝國出現了文化倒退的現象，境內的內亞草原和綠洲等精華地區，則恢復了游牧生活方式。[47]蒙古帝國分裂後，一些蒙古人和突厥－蒙古人的繼承國就地成立：中國出現了元朝，伊朗有伊兒汗國，而西伯利亞汗國、喀山汗國、阿斯特拉罕汗國，以及在外裏海和南高加索綠洲地區的一些小汗國也相繼出現。然而上述這些國家卻沒有一個想要重新統一歐亞大陸，而且存續的時間都不長。到了十五世紀末和十六世紀初，幾個新的主要政權中心開始出現，它們在接下來的四百年間，將會在歐亞史以及邊境地帶的角力過程中占有主導地位。雖然這些政權中心有三個是由游牧民族建立的（鄂圖曼帝國、薩法維王朝以及清帝國）‡，但他們都快速進行了調適，將各自的權力核心遷往草原

＊編按：帖木兒是突厥化的蒙古人，對歐洲人來說，「韃靼人」可以是使用突厥語的各部落族群。
†審定注：指旭烈兀參與的第三次西征，但旭烈兀是成吉思汗的孫子，應是第三代。
‡審定注：滿族是定居的民族，不是游牧民族。

南邊的農業地帶，並採納了帝國統治的官僚架構和文化裝飾（cultural trapping）。和莫斯科大公國、波蘭立陶宛聯邦以及奧地利哈布斯堡王朝這些農業國家一樣，它們在蒙古帝國的邊緣建立政權，並沿著各自的外圍邊界進行軍事擴張，藉由結盟、征服、移墾殖民和改宗等各種策略，將新領土納入它們的帝國邊境。這個過程深刻影響了國家建構的過程。接下來的部分將會探討各帝國的邊疆政策，以便為後面兩章所要探討的帝國意識形態與制度演變作背景介紹。

鄂圖曼帝國

鄂圖曼帝國起源自外裏海地區的突厥部族和部族聯盟的大遷徙。十世紀和十一世紀期間，已經在外裏海的定居民族地區占有優勢的突厥部落，開始向西、向南移動。在一個世紀之內，他們便已在安納托利亞東部對拜占庭帝國的邊境造成壓迫。在這場遷徙之中受到最大衝擊的拜占庭人，並不把這些突厥人視為一個單一民族，而是以各種名字稱呼他們，並誤把各種相異、甚至是不知名的宗教儀式，都當作是他們的習俗。但突厥人倒是認為自己是一個民族。[48]在安納托利亞、亞美尼亞、庫德斯坦以及敘利亞北部，他們的部族王朝建立了幾個半獨立的侯國，並由塞爾柱王朝（一〇四〇年至一一一八年）統一在一起。突厥人的游牧騎兵組成了塞爾柱王朝軍隊的一部分，統一了從地中海到外裏海地區的伊斯蘭地區。蒙古人擊敗塞爾柱帝國之後，定居在原本拜占庭和塞爾柱王朝之間邊境上的穆斯林突厥部族，便加入了他們的部隊。在這些小型的穆斯林侯國之中，由奧斯曼領導的突厥侯國並非最強大的。但在他高超的領導之下，他們吸收了其他部落，進而形成了鄂圖曼帝國的基礎。從十四世紀開始，鄂圖曼人便逐漸橫越安納托利亞進入巴爾幹地區，並在接下來的兩個世紀之內攻入多瑙河流域、東歐大草原、高加索地區以及外裏海地區，並在那裡遇上哈布斯堡、俄羅斯人和伊朗人正在擴張的政權。

鄂圖曼帝國對拜占庭帝國，以及巴爾幹地區的小王國和公國的征戰，在一四五三年攻下君士坦丁堡時攀上顛峰。為了鞏固帝國統治，鄂圖曼人採用了移墾殖民、宗教改宗和菁英收編等方式。鄂圖曼帝國對巴爾幹地區的征服則分兩階段進行，分別在一三五二年到一四〇二年，以及一四一五年到一四六七年漸進發生；起初他們先進行了一系列的攻擊行動，強迫當地統治者接受鄂圖曼帝國作為宗主並繳納貢金。情況允許時，統治菁英也會被鄂圖曼的行政官員和士兵所取代。[49]歷史學家今日在討論鄂圖曼帝國施加的控制時，對於殖民統治和宗教改宗在其中所扮演的角色比重仍未有定論。認為鄂圖曼帝國為了壓制當地人口，因而鼓勵、主導突厥人進行大規模移墾的這種說法，今日已遭到了駁斥；取而代之的說法，是一個更複雜的過程，而游牧民和半游牧民在這個過程中，是自發地逐漸移入巴爾幹地區的。[50]無庸置疑的，這個過程生產出了一大片文化碎片區。

鄂圖曼帝國擴張初期，素檀*保留（有時甚至還擴充）了游牧部族的角色，套用土耳其學者卡薩巴巧妙的說法，這讓他們創造了「一個會移動的帝國」。[51]統治者制定了特別規則，用來管理部族事務，區分部族，並指派部族官員進行管理和收稅工作。他們管控著游牧民族和定居族群之間的關係，並保護遷徙的路線。游牧部族在整個帝國內扮演的角色非常重要，他們提供了貿易和溝通網絡，而這

＊審定注：sultan，君主的意思，過去常見翻譯成蘇丹。

些事務在帝國不斷擴張的邊疆尤其重要。他們習於占據那些政治結構不穩，而當地社群又瓦解四散的地區。在早期騎兵還是軍隊最主要的組成部分時，他們還是一支實力堅強的軍隊。到了十四世紀，有一萬名游牧民自發遷往巴爾幹地區，將弗拉赫人和阿爾巴尼亞人連結在一起，為接下來正規軍隊入侵歐洲鋪好了路。十五世紀，契比尼突厥人從黑海地區遷至阿爾巴尼亞北部落腳。政府同時也採用強迫移民的方式來懲罰頑強的反抗者：一五〇二年，安納托利亞東部邊疆地區的地主家庭，便因為支持該地區的薩法維伊朗人，而被強迫遷往希臘伯羅奔尼撒半島上的摩里亞；到了一五七〇年代，在安納托利亞東部發起叛亂的部族成員，則是被送去了賽普勒斯。[52]

在鄂圖曼帝國從游牧部族組織發展成一個定居帝國的過程中，人口移轉也成了強化城鎮經濟的手段，尤其在攻下君士坦丁堡之後更是如此。君士坦丁堡被征服且原本的希臘裔人口銳減之後，穆罕默德二世下令將大批農民從塞爾維亞和摩里亞這些剛征服的領地，遷往被他重新命名為伊斯坦堡的新首都附近。一四五五年，他將巴爾幹地區的猶太人全部送往伊斯坦堡，以便促進伊斯坦堡的經濟發展。他在位期間，不斷將其他族裔群體、亞美尼亞人、希臘人以及穆斯林移往伊斯坦堡，藉此增加首都的人口數。[53]

和移墾相比，對遜尼派的皈依行為，似乎對於巴爾幹地區的伊斯蘭化起到了更大的作用，雖然皈依的明確人數我們今日難以得知。改宗的過程，同樣在歷史學家之間引起激烈爭論，有些學者強調那是自發的「社會性改宗行為」，有些則認為那是強迫改宗，兩派說法都有證據支持。從十五世紀初開始，為了填補耶尼切里菁英軍團的職缺，鄂圖曼帝國徵用了許多非穆斯林男性（主要是農民），導致約有二十萬人被迫皈依伊斯蘭教，雖然該制度也被一些基督教家庭視作在社會階級向上流動的途徑。

根據加拿大學者敏科夫的說法，除了「耶尼切里軍團」（意為「新軍」）這個例外，改宗現象進行得相當緩慢，一共可以分為三個時期：「開創者」和「早期皈依者」時期，大約結束於一五三〇年代；「早期多數」時期，於一六四〇年代加速進展，並於一七二五年至一七五〇年間到達高峰，當時巴爾幹地區的穆斯林當中，估計有半數都是改宗而來的信徒。到了十八世紀，改宗現象卻戛然而止，而這有部分是因為基本教義主義的興起，使得對改宗者設下的要求更多，部分則是因為社會和經濟變遷，削弱了改宗能帶來的實際利益。到了一八三一年，巴爾幹地區的穆斯林比例降到了百分之三十七。但穆斯林比例在巴爾幹境內各地的差異頗大。在和哈布斯堡帝國接壤的邊境地帶，穆斯林比例就顯得特別高：阿爾巴尼亞和科索沃的比例超過百分之七十，在馬其頓則接近百分之四十，而在波士尼亞與赫塞哥維納也有百分之五十。[54]

波士尼亞貴族和農民階級廣泛出現的自願改宗現象，在基督教和伊斯蘭教勢力範圍的漫長邊界上，是極為罕見的案例。至於為何會發生這樣的事情，存在著幾個論點。有幾個因素似乎在其中扮演了角色，然而這些因素全部都與「波士尼亞作為鄂圖曼帝國重要的邊疆省分，在十六世紀就已取得特權地位」有關。一方面，皈依伊斯蘭教的決定，反映了波士尼亞社會經濟生活獨有的特徵。鄂圖曼帝國設立了「提馬爾制度」（由於為國家服務而獲得的土地），將土地賞賜予地方上願意改宗的基督徒菁英，在這之後，附屬於地方菁英之下的農民也跟著開始改信伊斯蘭教。同時，有些農民為了免除基督徒地主加在他們身上的沉重勞役，也皈依了伊斯蘭教。[55]就某個程度上來說，該地區之所以會發生改宗現象，也是因為缺乏明確的信仰邊界。根據美國歷史學家法伊恩的說法，分立已久的希臘正教和羅馬天主教，不論是哪一個，在其各自影響所及的邊陲地區「都沒有足夠強大的組織，可以透過信仰或社群感，將它們各自的信眾和教會緊密結合在一起，因此改宗便成了一個普遍的現象，不管是皈依哪個宗教都很常見」。[56]在基督教和伊斯蘭教之中都很常見的地方民俗傳統，在此揉雜並存，因此它們之間的界線很容易便可以跨越。

在達爾馬提亞和斯拉沃尼亞地區，宗教角力的主要界線倒不在於穆斯林和基督徒之間，而是在基督教的各個教會之間。從十六世紀到十七世紀期間，東正教和天主教的僧侶集團為了爭取基督徒人口的信仰服務和收稅權，出現了激烈的競爭。[57]相形之下，鄂圖曼帝國則對於這些既存的基督教會一視同仁。鄂圖曼帝國征服波士尼亞沒多久後，穆罕默德二世允許方濟各會成立修道院，這些修道院後來成為該地區的知識重鎮。到了十七世紀，波士尼亞的方濟會成員即使生來便是鄂圖曼素檀的屬民，但在傳教活動上，卻比他們主要的天主教競爭對手耶穌會享有更多自由，因為後者被鄂圖曼帝國看作是哈布斯堡王朝的代理人，因而也是敵人。方濟會的語言能力，也讓他們在主要通行南斯拉夫語或羅馬尼亞語的巴納特地區擁有優勢，因為來自達爾馬提亞的方濟會所講的義大利語，和羅馬尼亞語十分接近。在匈牙利，方濟會則可以使用拉丁語傳教，因為在猶如語言巴別塔的地區，拉丁語仍舊是通用語。到了十九世紀，方濟會修道院的僧侶是該省（顯然也是整個帝國裡）第一個編纂出現代土耳其語字典的人，並發展了土耳其學的中心。[58]

在國家建構的過程中，鄂圖曼帝國邊疆的角色源於三個不同的文化脈絡：伊斯蘭救世主義、突厥的勇士精神，以及拜占庭的帝國傳統。鄂圖曼邊疆學說的創立者偉特克和穆罕默德．柯普呂律，根據社會結構和文化特徵，將鄂圖曼帝國擴張初期的核心地區和邊疆地區區分開來。在年鑑學派的影響下，穆罕默德．柯普呂律從更宏觀角度看邊境地區，接納其獨特的宗教、法律、經濟和藝術制度。偉特克則強調源於伊斯蘭宗教熱情的「加齊戰士」（穆斯林拓邊戰士）社會氣氛；這種戰士文化，於十三世紀便已出現在突厥和拜占庭之間不斷變動的邊界兩側。這些戰士原由伊斯蘭教的加齊戰士和希臘邊防軍組成，逐漸被從邊境另一側徵召來的土庫曼部落成員取代。在這中間地帶，戰爭和貿易通常依照類似古羅馬和中國邊境的模式交替出現，並促進鄂圖曼人對拜占庭帝國的滲透與征服。[59]

今日學者對於邊境敘事和後來伊斯蘭宗教典籍的研究，已經證明了在鄂圖曼帝國早期，「加齊戰士」的概念對於不同的人來說意義並不一樣，反映出的是由統治者、邊境戰士、烏拉瑪*各自努力推動的各種利益。歷史學家今日已經採用一種伊斯蘭和基督教的融合主義來取代「加齊戰士學說」。[60]雖然早期的鄂圖曼帝國不再等同於吉哈德或聖戰的概念，但我們也無法否認鄂圖曼帝國代表了征服的精神，而這個精神也正是鄂圖曼帝國得以進行國家建構的基礎。

「吉哈德」這個詞出自伊斯蘭教的教義，同時具有軍事和精神面向的含義；鄂圖曼帝國的統治菁英則使用這個詞，來表達將世界區分為兩種文化範圍的劃分方式：一種是伊斯蘭之地（dar ul-Islam）；另一種則是戰爭之地（dar ul-harb）。介於這兩種文化範圍之地，便是可供爭奪的空間，戰士則在這些地區從事被伊斯蘭教奉為神聖的正義之戰，也為統治菁英提供了向四方擴張的正當理由。然而這種

*譯按：伊斯蘭學者的總稱，一譯烏理瑪。

堅固的二元對立觀念無法被維持下去。鄂圖曼帝國的統治者創立了邊疆部隊，由享有高度自主權的邊疆領主來領導。為了回報素檀賦予的自主權，那些領主必須提供士兵作為邊疆軍隊，其中有穆斯林、也有基督徒。[61]伊斯蘭戰士的形象在接下來的幾個世紀裡逐漸褪色，也改變了國家建構的過程和合理性。

一四五三年征服君士坦丁堡，是鄂圖曼帝國的第一個主要轉捩點，終結了鄂圖曼邊境將不斷擴張的概念，並開啟帝國國家體系。[62]攻下君士坦丁堡後沒多久，鄂圖曼帝國的素檀便開始和基督教國家進行劃界工作，首先從威尼斯共和國開始。從十五世紀到十七世紀，鄂圖曼帝國和匈牙利、波蘭以及哈布斯堡王朝簽署了一系列和平協議，表示他們之間至少曾短暫出現過權力均衡。因為不想承擔進行軍事遠征的代價和不確定性，他們還務實地承認了複合邊界上各個邊境諸侯國的自治權，比如克里米亞汗國以及摩爾達維亞和瓦拉幾亞聯合公國。

第二個改變鄂圖曼帝國對邊疆看法的主要轉捩點，則是一六九九年的《卡洛維茨條約》。該條約為突厥人和哈布斯堡王朝的長年戰爭劃下句點，代表突厥人不再抱持由聖戰所合理化的邊界擴張概念，也代表他們改採更加防禦性的姿態，更加仰賴調停模式，以及被國際條約和基督教國家所承認的固定邊界。研究鄂圖曼帝國史的學者亞克珊曾經寫道：「對於摒棄伊斯蘭教『不斷擴張的邊界』這個概念所能帶來的心理影響，我們不應低估。」[63]然而，若要說該條約就代表「鄂圖曼帝國邊界的正式底定」，也是容易讓人誤會的。[64]鄂圖曼加齊戰士的擴張運動一被制止，帝國的內部勢力便開始弱化邊疆防衛，扭轉原有的擴張進程，因而創造出新的邊境，也讓內部局勢變得更加不穩。

《卡洛維茨條約》簽訂之後，素檀開始限制游牧民的移動，並試圖讓他們定居在無人居住或人口不足的地區。中央政府已經開始關切，在內部省分四處流動的人口將可能帶來哪些效應。大約十七世紀到十九世紀中葉之間，帝國境內人口移動的整體趨勢是從平原遷往山區，這麼做主要是為了逃避邊疆戰爭帶來的不定期徵稅。游牧民的持續出現，也為人增添了不安感受。[65]納稅人口逃往不易抵達的地區，既製造了財政問題，也帶來了安全隱憂。稅賦的重擔於是落在愈來愈少的人口肩上，使得他們日益不滿，開始進行抵抗；而山區不只提供了避難處，也為武裝集團提供了適當的地形掩護。十六世紀與十七世紀對抗哈布斯堡王朝的戰爭結束後，先前加入輔助軍*的穆斯林農民遭到了解編，並開始在鄉間四處流竄、組成幫派，鄉村地區一時人人自危。

到了十八世紀，鄂圖曼帝國領土進一步萎縮，導致保留「加齊戰士」傳統，以掠劫維生的游牧民士兵被迫撤退，喪失了生計來源。不屑於農耕生活的他們於是四處打劫，不時煽動民眾叛亂。有些農民為了抗議不斷高漲的稅賦，也選擇加入了他們。這些便是「俠盜集團」運動的濫觴†。甚至早在十九世紀初期的民族解放運動出現之前，這些武裝團體在廣大文化碎片區內的暴力程度就已經升高到了全新境界。

在維護伊斯蘭邊疆這件事上，鄂圖曼帝國也面臨到了類似的問題。十七世紀初期，土庫曼移民不斷在鄂圖曼帝國和伊朗人之間製造摩擦。鄂圖曼帝國和薩法維王朝之間長久以來備受爭議的邊疆地

＊編按：非正規軍的軍事組織。

†審定注：這是當時在巴爾幹半島上與土邊區地帶的一個特殊社會現象，他們是一群不堪土耳其人長期迫害而外逃並落草為寇的群眾，專門劫掠鄂圖曼官方組織，轉而接濟底層貧苦百姓。

帶，本身就是文化碎片區的完美例子。該地區居住著阿拉伯人、庫德人、喬治亞穆斯林（阿查拉人）以及拉茲人，卻沒有一條清晰明確的界線，將遜尼派和什葉派人口區隔開來。當地人口主要是游牧民族，因為那裡的氣候並不適合定居式的生活。不論是鄂圖曼帝國或是薩法維王朝，在超過一個半世紀的彼此征戰期間，都試圖號召地方部族加入自己的陣營。伊朗人在長期抵抗中反擊鄂圖曼帝國時，一群被稱作「博茲烏魯斯」的游牧民幾乎癱瘓了鄂圖曼帝國政府。[66] 一六三九年雙方簽訂了祖哈布和約之後，兩國邊界維持著一定程度的穩定，不過伊拉克和伊朗之間，卻是一直到二十世紀都沒有進行明確劃界。[67]

穆罕默德二世打敗了特拉比松帝國（繼承拜占庭帝國的最後一個希臘人政權）之後，大多數的基督教人口都改宗成為遜尼派的穆斯林，僅少數仍舊維持東正教信仰。在鄂圖曼帝國治下，土庫曼部族占領了適合耕作的谷地，迫使遺留下來的希臘人遷往高地，他們在高地上繁衍生息，直到第一次世界大戰之後的人口移轉才又被遷走，而土庫曼牧民向安納托利亞東部的遷徙行動，則持續到了十八世紀。契比尼突厥人於十八世紀抵達這裡，呼應了谷地裡由地方望族（土耳其語稱為「代雷貝伊」）建立的大型王朝的崛起過程。這些望族長久以來享有近乎完全的地方自治，不受鄂圖曼帝國的權力中心掌控，延續著可以上溯至拜占庭時代的古老傳統。[68] 曾身處帝國擴張最前線的土庫曼牧民，不只愈來愈常為邊境地區的社會帶來混亂，甚至在帝國的權力中心也是如此。[69]

鄂圖曼帝國的邊疆政策在南高加索地區和黑海沿岸，倒是比在亞美尼亞和庫德斯坦的山區還要成功。熱絡的商業活動，使得切爾克斯人和喬治亞人被吸引到受突厥人支配的黑海地區，從而為素檀的軍隊和後宮供應了許多價值不菲的奴隸。但如果突厥人想要將伊朗人逐出高地，便會遇到山區部落的強硬抵抗。頗為不幸的是，後來俄羅斯人也繼承了這種抵抗傳統，在俄國南部建立了牢固的邊界線。[70]

改變鄂圖曼帝國對邊疆的看法的第三個主要轉捩點，則發生在十八世紀末。一七三九年，從哈布斯堡王朝手中奪回貝爾格勒的戰役，是鄂圖曼帝國最後一次嘗試擴張；在此之後，巴爾幹西部地區和多瑙河流域的邊疆地區，便進入了假性和平（deceptive calm）時期，最後在俄羅斯大規模侵擾邊疆地區後才結束。這個在邊境地帶的角力中的戲劇性轉折，將會留待第四章討論。

伊朗帝國

在薩法維王朝的統治下，伊朗早期的國家建構過程和鄂圖曼帝國一樣，是由游牧軍事行動在邊境環境中的運作所開啟的。和後續的卡加王朝一樣，薩法維王朝的創立者是突厥裔的部族成員，他們的故鄉位於伊朗高加索地區的邊境省分，是亞塞拜然省的富庶牧地。他們依舊保有自己的游牧民族傳統，並保留了帶有什葉派色彩的激進千禧年主義信仰。和前朝一樣，薩法維王朝在邊境地區面臨到的游牧民族威脅，同樣來自三個方向：除了高加索地峽，北邊還有土庫曼人，東北邊則是阿富汗人。其邊界的防衛和擴張，仰賴充滿領袖魅力的突厥部族首領（比如伊斯瑪儀國王和阿拔斯國王）結合軍事技巧和什葉派救世主義的普世主張，藉此征服外國領土的能力。部族對國王的效忠，也會隨著邊境狀況而有所變動，其中，庫德人尤其以不斷改變效忠對象而聞名於世。一八〇四到一九八二年間，俄羅斯與伊朗爆發兩次戰爭之後，沙赫賽凡人的傳統生活方式受到了威脅，放牧的領地也遭到了瓜分，其部族聯盟於是成了跨國的強盜集團。到了二十世紀初，他們已經成為伊朗境內最不穩固的社會群體之一[71]，而此時仍有四分之一的伊朗人口過著游牧生活。就像某個統治高層說的，「部族集團占據了伊朗邊境好幾個世紀，因為國家權力未逮的邊陲地區，正是那些部族得以形成和存續的地方。」[72]

除了部族界線之外，還存在著幾條宗教界線：就什葉派和遜尼派的界線來說，什葉派的伊朗，在西邊和遜尼派的鄂圖曼帝國對峙著，在外裏海地區則有烏茲別克人這個敵對勢力；伊斯蘭教和基督教的界線則落在高加索地區，界線對面居住著喬治亞的基督徒。然而這裡的宗教界線也並不是僵固的，雖然薩法維王朝早期曾嘗試讓非什葉派教徒改宗。神祕的蘇非主義則屬於遜尼派，其存在也讓伊朗的宗教界線變得更加複雜。他們雖然遭到迫害，卻也在邊境地帶的各個部族之間存續了下來，並開始頻繁地投入叛變行動，反抗中央集權國家的統治。[73]伊朗的邊境穿過文化碎片帶，是整個歐亞大陸所有伊斯蘭國家中，最難界定，防守最鬆，也是最常變動的一條邊界。

雖然「伊朗本土」*的概念同樣模糊，而且經常變遷，但這個概念依舊從薩珊王朝陷落之後存留至今，而且含義也一直難以捉摸，沒有考慮到族裔或宗教的邊界。一如鄂圖曼帝國，邊界必須不斷擴張的這個觀念，直到十九世紀也一直普遍存在於伊朗統治者的意識之中。「伊朗本土」於一六六〇年代達到顛峰，領土東起河中地區的謀夫以及阿富汗的坎達哈，西至達吉斯坦、亞美尼亞以及庫德斯坦。有時，「伊朗本土」的概念充斥著輝煌的幻象：「對於成為帝國的渴望，在卡加的敘事中活靈活現。」卡加王朝的創始者阿迦．穆罕默德汗，便承認自己想要重建伊朗的「天然邊界」，從高加索山區一直綿延到旁遮普地區。法拉漢尼身為王儲阿拔斯的總理大臣，也極力主張把握俄國沙皇亞歷山大一世於一八二五年駕崩的機會，「一舉奪下克里米亞和莫斯科，甚至進一步征服整個俄羅斯和羅姆地區。」即使伊朗人在十九世紀中葉被迫收回對阿富汗領土的主張，許多伊朗人依舊將赫拉特視為他們的祖產。[74]很多伊朗知識分子和官員依然頑固地堅信，兼併、保衛領土，就是帝國統治的象徵性手段。[75]

如同鄂圖曼帝國，伊朗於十八世紀和十九世紀也喪失了大片領土，國界亦不斷退縮，關於這點，我們將會在第四章繼續討論。國勢走下坡之後，政教分離的現象也變得更為明顯。在鄂圖曼帝國和伊朗，政教分離的現象也都意味著救世主義最後一股殘存力量終於凋零，也為「伊朗本土」不斷擴張的邊界，正式劃下了休止符。

中華帝國

依照美國學者江憶恩的說法，在大清王朝（一六四四年至一九一一年）建立之前，中國人就已採取兩種交替出現的「戰略性文化」來處理對外關係，尤其是處理和內亞邊境的關係。他把第一種文化稱之為「儒家式」，亦即在面對蠻族時，強調採取守勢，而且偏好藉由協商解決爭端。第二種文化則被他稱為「隨時備戰」（parabellum），認為暴力衝突終究無可避免。[76]就戰術層次而言，中國人則

＊審定注：波斯人則從薩珊王朝時期起開始稱呼自己的國家為「伊朗本土」（Erânshahr or Iranshahr），意為「中古雅利安人帝國」。

採取四種手段，它們分別是：維持貿易和朝貢關係；對游牧民族領地發起懲罰性突襲或全面性戰爭；施計讓蠻夷各族彼此內鬥；以及興建防禦性的城牆。在現代通訊和交通尚未出現的年代裡，要找到可以一勞永逸解決游牧民族問題的方法，縱使並非不可能，卻也相當困難。漢人對邊疆施展武力時，游牧民族永遠可以選擇往草原地帶的深處撤退，而漢人則難以跟進追擊，因為補給運輸在那裡並不容易。

從唐末到蒙古征服中國的整整四個世紀裡，這兩種戰略和四種戰術之所以奏效，是因為黃河以北地區的幾個半游牧國家彷彿為漢人提供了防護罩，使漢人免於遭受草原游牧民族入侵。然而在成吉思汗的領導下，蒙古人強而有力的聯盟組織卻戲劇性地改變了戰略平衡。蒙古人的元朝極具企圖心，試圖將漢人文化和草原文化融合在一起，最後卻失敗了。漢人雖然是被征服者，但蒙古人卻仿效漢人既有的典章習俗來鞏固自身權力，並採用了漢人的文化和帝國架構；然而此舉不但沒有讓漢人領情，還讓蒙古人失去了其他部族首領的效忠。對此，美國漢學家牟復禮曾說：「蒙古人的失敗，正是草原上常見的失敗模式。」[77]蒙古人（元朝）因內部叛亂而被推翻後，黃河以北的地區便回復到了原本的狀態，成為一個複雜的邊疆地帶，而完全由漢人組成的明朝政權（一三六八年至一六四四年）則在此和蒙古人、女真人（即後來的滿人）進行爭霸。和歐亞大陸其他地方的國家建構計畫不同，族裔和宗教之間的敵意在這裡並不重要，一部分是因為儒家的倫理體系中並沒有這兩種偏見。[78]

從中國歷史的最早期開始，黃河以南地區的大河文明，便以緊密村莊組織之下的集約農耕生活著稱，而與北方由游牧文化支配的乾燥、半乾燥草原地帶非常不同。但也正如同拉鐵摩爾主張的，這兩種文化之間，並沒有一條清晰可辨的界線。他的中心學說主張，邊界是在社會經濟體系的邊緣形成，而他們的社會經濟體系則由各體系的「最適成長極限」（optimal limit of growth）所界定。在漢人與游牧民族的關係中，他強調邊境交流的動力，藉此發明了「邊境封建制度」這個說法。這個體制的關鍵在於，邊疆的游牧民族開始從一個以血緣為基礎的組織，轉變為一個以地域性為基礎的組織，而這也是漢人對游牧民族創造的一種恩庇侍從關係的政策結果。雖然拉鐵摩爾相信，游牧民族只要有需要便會往草原地帶撤退，但他知名的格言：「純游牧民族就是貧困的游牧民族」，卻也清楚地說明了，邊疆地帶其實更加偏好共生關係。[79]他認為在中國的邊境中，滿洲擁有獨特的地位：這個地區是一個面向內部的邊境人力儲備庫。在清朝治下，居住在長城之外的人口由各游牧部族組成，他們「住在剛被滿人征服的領土之外，但又和長城內的外來王朝被視為同屬游牧民族。」在蠻族和漢人不斷輪流掌權的時代，滿洲被當作官員和士兵的儲備來源，因此住在該地區的本地人以及來自南方的開墾者，其視線總是回望著中國關內，而不是為了開拓領土而向外看。[80]從十九世紀晚期開始，滿洲又被當作掌控中國的關鍵，成為俄羅斯人和日本人爭相奪取，企圖控制的目標。

拉鐵摩爾的學說，一直到一九七〇年代都和主流觀點顯得非常不同；在此之前，西方學者都習慣強調，來自西方的挑戰才是形塑中國邊疆政策的關鍵要素。[81]修正後的觀點認為，定居民族和游牧民族在內亞邊界上的長期互動，為後來中國在處理和西方海洋強權的關係時建立了先例。這個過程由「為了共同利益而協商」這個原則所主導，其主要特色為貿易管制以及建立朝貢制度。清帝國的內亞政策也顯示出對宗教的高度寬容（尤其是對藏傳佛教），對外部省分則施行不同的行政體系，同時也鼓勵各種移墾計畫，儘管這些計畫有時帶有脅迫成分。[82]在傅禮初、巴菲爾德以及札奇斯欽等一眾學者的啟發之下，游牧民族和農耕民族在內亞邊境地區相互依存的複雜圖像於焉浮現。[83]根據這些研究，游牧民族比帝國政權更加依賴，因此也更加投入於維持邊疆地帶的貿易文化。毫無疑問地，他們更喜歡的是貿易，而非戰役；游牧民族只要接受中華帝國的文化優越性以及身為進貢者的位階，就能確保和平。然而草原地帶的穩定局勢並非永遠不變。氣候變遷、中華帝國關閉或限制市集，或者「流動而經常混亂不堪的邊疆地帶」的秩序崩解，都有可能導致戰爭。[84]

長久以來的經驗，已經讓中國的統治菁英學到備戰的重要性。傳統上來說，中國的軍事政策總是主動防衛和靜態防衛的混合體。軍事行動總會搭配人口強制遷徙，是對內亞邊境維持控制的最後手段。但這種策略所費不貲，而且由於補給運輸問題，入侵草原地帶的做法也難以長期維持。另一個比較靜態的防衛模式，則是興建城牆。從最早期開始，興建土夯城牆便有兩個目標：保護邊疆免於外來攻擊，同時在核心省分促進中央集權和一體化。在十六世紀末興建長城，則標誌著明朝不再採取主動防衛政策來對抗草原游牧民族，而這種轉變正是明朝政治衰退的預兆。到了一六四四年，明朝終於再也無法遏止滿洲「蠻族」的侵略。

征服，是滿人建構國家的基礎。滿人征服了明朝的統治核心之後，開始向蒙古和東突厥斯坦*擴張，也導致自從七世紀的唐代以來，首次有中國的王朝將這些邊境地帶收歸控制。改宗行為在此完全沒有扮演任何角色，但滿人對蒙古人和漢人菁英的收編，卻對清帝國的成功至關重要，而移墾行動則問題叢生。

滿人決定徹底改變草原邊疆政策的舊有模式，好確認和他們同屬游牧族群的人不會前來征服中國。為了打破來自草原的週期性侵略，他們採取了兩種策略。滿人在征服中原後至少一個世紀內，對東北的故鄉實施了嚴格的隔離政策，藉此防止漢人的文化滲透和經濟影響，會從漢人過去的政權中心傳播過去。這麼做的目的，是為了保留他們的戰士傳統，因為滿人相信，正是這種戰士傳統讓他們比漢人的定居文化更為優越。[85]他們同時也創建了八旗體制，由滿人、蒙古人和漢人組成邊疆武力，抵禦來自草原的入侵。藉由收編軍事菁英，清朝得以實行對中國的統治，同時也分化並削弱了蒙古部族；那些蒙古人在清朝初期，是滿人在爭奪內亞邊疆地區時的主要對手。

滿人在內亞地區的稱霸地位，可以從他們控制遼河谷地開始算起，並在他們占據了從西北到東北剩餘的主要邊疆據點之後更加鞏固。[86]套用拉鐵摩爾的說法，蒙古「成了中國邊疆省分的最佳案例」，而清政府則在當地試圖將蒙古人依照階級和部族界線進行分割，同時也允許那些較獨立的部族擁有自主空間。雖然偶爾還是有蒙古人嘗試恢復一個統一的蒙古帝國，但自從他們的草原帝國在十三、十四世紀攀上顛峰之後，他們就再也沒有實現過政治上的統一。[87]然而就在滿人進逼明朝北疆的一六三〇和一六四〇年代，幾個西蒙古部族的集團（在俄文裡他們被稱作衛拉特，中文則是瓦剌或厄魯特†），倒是成功將東突厥斯坦的北部（亦即準噶爾汗國）納入他們的麾下。起初，他們否認有重建成吉思汗帝國的意圖。他們接受了大蒙古議會於一六四〇年做出的決議，繼續維持部族聯盟，採用蒙古人的律法，為了組成共同陣線抵禦外侮，他們也協議不再內鬥。準噶爾汗國不只是一個游牧民族

---

*譯按：本書原文幾乎皆使用「西突厥斯坦」稱呼新疆，應為作者筆誤，下文皆同。

†審定注：明朝稱瓦剌，清朝一般稱厄魯特，此處明清交替之際，故兩者並用，後文提及的清朝時代，均改用厄魯特。

的聯盟而已，它還帶有一些現代國家早期的特徵。整頓過的灌溉系統為牧民和農民提供了生計來源，手工業則在幾個城鎮中心蓬勃發展，而多虧了從俄羅斯逃亡而來的人，槍砲彈藥也開始在此生產。由此，準噶爾地區逐漸成為蒙古人的中心，吸引各地的蒙古人前來。到了一六五〇和一六六〇年代，一連串由權位繼承問題引發的衝突，以及部族之間的對抗，讓整個準噶爾汗國陷入了內戰。就在此時，噶爾丹這位強而有力的領袖出現了；他厲行擴張政策，試圖將突厥斯坦和蒙古北部（喀爾喀部族）的蒙古人統一在一起，卻也讓清帝國決定介入。[88]到了這個時期，滿人早已征服了內蒙古。他們在一六七〇年代趁著部族之間的內戰，將蒙古北部（喀爾喀地區）收歸他們的保護之下。眼見厄魯特人決意將準噶爾汗國擴張成一個泛蒙古的帝國，清朝於是派遣了強大的軍力前往西北地區，並在斷斷續續進行了五十年的戰役之後終於打敗他們。這些戰爭的交戰方是滿人和蒙古人，而俄羅斯人則在上空盤旋，顯示出了東突厥斯坦地區角力的複雜性。喀爾喀部族在中國和厄魯特之間來回倒戈，甚至還一度尋求俄羅斯人前來支援。喀爾喀使用典型的游牧民族戰術，宣稱他們對清帝國的效忠誓詞，以及他們所接受的清朝爵位冊封，並不構成臣屬關係，而只是一種聯盟而已，但清朝官員並不這麼認為。[89]清朝的策略，則是先分化蒙古人的部族，再對準噶爾汗國發起最後的攻擊。到了一六九〇年代，康熙皇帝本人主導了協商和威嚇行動，終於說服喀爾喀汗王承認清朝擁有準噶爾地區的主權。[90]

清朝在鞏固了側面之後，隨即展開了另一項軍事行動，並成功在十八世紀中葉之前，將他們在內亞的版圖拓展到顛峰。[91]厄魯特人於是向北方和西方撤退，並將維吾爾人和吉爾吉斯人收歸自己的控制之下。厄魯特人這次的擴張，是蒙古人在俄羅斯和中國之間建立帝國的最後一次嘗試，其版圖北起下額爾濟斯地區，南至西藏邊界，從塔什干（從一七二三年開始被厄魯特人占領）延伸到西突厥斯坦。為了消滅準噶爾汗國，清朝輪流使用了兩種策略，而這兩種政策長期以來便是中國和「蠻夷」之間關係的特色：他們和厄魯特人貿易，但同時也在草原地區興建堡壘並設置軍屯以備戰。整個十八世紀的最初幾十年間，他們不斷對突厥斯坦的主要綠洲城鎮發動軍事遠征；到了十八世紀中葉，清政府則發起了一系列強勢的進攻。一七五五至一七五九年，乾隆的軍隊在喀爾喀蒙古人的幫助之下消滅了準噶爾汗國，使得厄魯特人只能流落至歐亞大陸四處。屢屢傳來捷報的清軍，甚至還深入了阿爾泰山區攻打哈薩克人，將中國版圖拓展到千年來的顛峰。

由於學者對於滿人西征過程的興趣漸增，使得內亞邊境的概念開始出現了變化。城鎮在邊疆防衛工作中的重要性，首先由美國漢學家施堅雅提出，他認為在面對如此脆弱而多元的地區時，西部邊疆地區的城鎮必須承擔更多的軍事責任和統治責任。[92]他的分析，針對的是複雜的宏觀區域經濟體，其核心位於河谷低地的城鎮。而這些分析，不只是他以循環模式詮釋中國歷史的基礎，也為內部邊界的劃定提供了組織架構。核心區域的城鎮群，被人口稀少的邊陲地帶包圍著。[93]在行政上將中國劃分為好幾個省分的做法，也複製了宏觀經濟體系中一些核心與邊陲關係的特徵。在那些位於宏觀區域周邊或省分交界的地區裡，核心城鎮區域在行政上的控制最為孱弱，而農村也愈有可能反抗控制。十九世紀發生的內部叛亂，也通常都爆發於幾個省分交界的邊陲處，或是在這些地方快速擴散。[94]二十世紀，中國共產黨在發起他們最成功的組織行動——長征之後，其根據地就建立於這些內部交界地區。

一如其他歐亞帝國，清朝的邊境也幾乎被文化碎片區包圍著。對於中國邊疆政策的下一次重新概

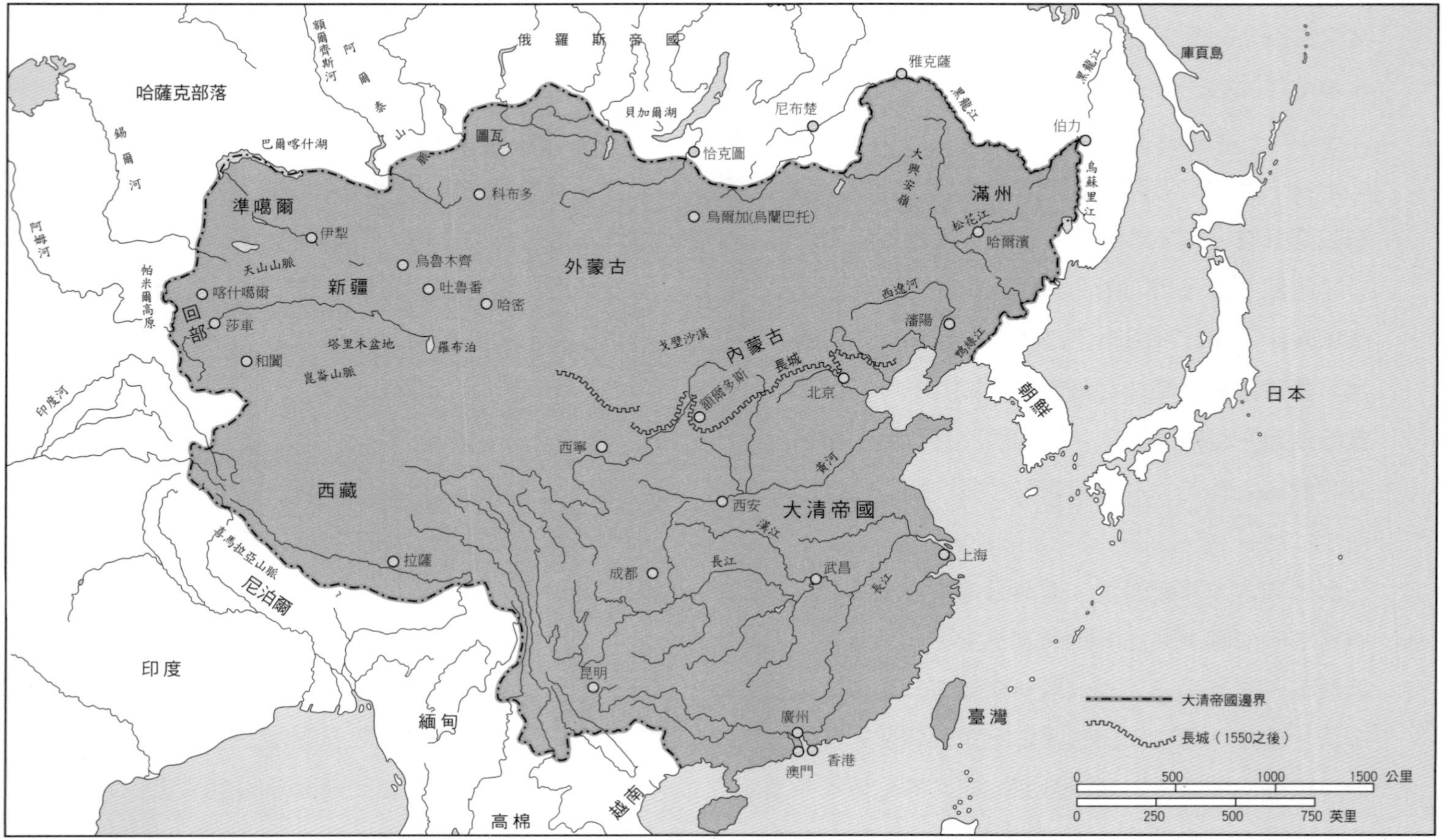

地圖 1.2　顛峰時期的清帝國，大約一八五〇年

念化，則發生在一九九〇年代，由柯嬌燕、羅友枝、米華健等美國史學家發起。他們堅稱，與其說清朝是中國的王朝，不如說是一個內亞的帝國，還認為滿人的族裔認同不只沒有減損，甚至還因為新的統治菁英在整個十九世紀保留了原鄉和中國之間的邊界，而變得更為強盛。對於這些學者來說，之所以有漢化這個說法，是因為錯把漢人視為一個內部均質的族裔團體。[95]他們修正了中國歷史上的邊疆概念，使得中國核心省分和內亞邊疆之間的複雜互動，被賦予了嶄新而前所未有的重要性。[96]美國新清史代表學者濮德培的研究，便反映了這些修正：他對清帝國和鄂圖曼帝國在邊疆經歷的類似效應，做了成果豐碩的比較研究——相較於傳統上強調中央集權制度如何作為國家建構的基礎，他特別討論了這兩個帝國對邊境地帶人民的需求是如何回應的。[97]

英國學者艾茲赫德在分析中國邊疆的種類時，曾形容中國邊疆「在黃河和長江下游的漢人核心腹地外圍，構成了一個廣大的四分之三圓」。在甘肅、青海以及新疆部分地區，中國的邊境是牧區；在吉林、廣西和臺灣，邊境則是礦區；在新疆和西京（即今日的西安），邊境則是軍區。他贊同拉鐵摩爾和施堅雅的觀點，並進一步指出這些邊疆地區動盪不穩，視野也朝向關內：「最好將十九世紀中葉的叛亂事件，理解為邊疆地區的逆襲，是偏遠地區試圖征服核心腹地。」[98]這些地區也混居著不同族裔，通行各種語言，直到清代晚期才被漢人移墾滲透。這些新的詮釋視角，激發了對漢化概念的爭論。[99]關於滿人和漢人之間的關係，觀點也相當分歧，而其中一個企圖融合各家觀點的說法則認為，八旗體系收編軍事菁英的政策其實導致了反效果，讓滿人逐漸吸收了漢人的生活方式。[100]這些詮釋觀點，有助於闡明中國的移墾殖民，是如何對內亞邊境地帶的文化碎片區造成人口變動的。

清朝統治初期，滿人的中央政府曾企圖防止漢人遷往滿人的原鄉。但一來中國北部有著不小的人口壓力，二來當地官員也不願放棄移居者可能帶來的生產力和稅收，防止漢人移居的政策於是大打了折扣。就連清政府自己也破了禁令，將好幾萬人流放至東北省分。到了十九世紀晚期，滿人早已不再禁止漢人湧入其原鄉。當地流放人口，因不少人前去伐木、淘金、挖人參和採珍珠，土匪和非法的農業移民而激增。到了二十世紀初期，當地漢人的人口數已經大幅超過了滿人。[101]類似的變化也發生在內蒙古。義和團叛亂之後的「新政」，則開始在當地發展經濟，對漢人移墾者開放牧地，試圖藉此保護東北和西部邊疆地區不受外國（主要是俄國）的干預。[102]

前往新疆的移墾行動，甚至早在完成征服之前便已經展開。清廷試著讓新的邊境地帶自給自足，以便在哈薩克人和俄羅斯入侵時提供緩衝，並創造效忠清朝的漢人聚居地，藉此平衡該地區的多元文化。移墾聚落集中在天山北側，因為那裡擁有充足的耕地，而清帝國和準噶爾汗國之間的長年征戰也造成部分人口減少，為新來的移民提供了有利的條件。清廷在邊疆戍守的駐軍，則由滿人和蒙古人、來自蒙古和滿洲的其他部族團體，以及漢人部隊共同組成，為這片邊境地帶多元的族裔組成，增添了不少複雜性。除了平民和軍隊的移墾之外，還有一些「麻煩製造者」和罪犯被流放到新疆來，就像有些罪犯被流放到滿洲一樣。[103]至於天山南側，那裡住著更多突厥系的穆斯林社群，但清政府直到十九世紀之前，都不願在那裡主動實施移墾政策。一八三〇年代，清廷為了回應嚴重的地區叛變事件，總算在天山南側開啟軍隊屯墾與平民移墾的政策，但他們無意對該地區進行漢化。[104]政府允許鄰近甘肅諸省的漢族回民商人在綠洲城鎮設立商鋪，但和在蒙古一樣，當地居民認為這些漢族中間人在剝削他們，因而導致了內部動亂。[105]到了十九世紀末，清廷已經開始鼓勵漢人移居至此，將牧地變成定居的殖民地。但這些政策沒有完全成功，漢化現象也出現得太遲。「新邊疆」的融合，有賴於帝國權力中樞的穩定和力量，因此當清帝國於十九世紀中開始衰退之後，新疆和蒙古這些邊境地區幾乎就要脫離清帝國的掌控，而俄羅斯則在一旁虎視眈眈。

歐亞大陸西部

在歐亞大陸西端，蒙古人帶來的影響雖然短暫，卻仍極具破壞性，導致德意志裔的移墾者加速從西向東移動。條頓騎士團*起初被十字軍運動†初期在聖地取得的勝利所激勵，後來又為了奪取土地，於十三世紀征服並殖民了組織不周、人口稀少的波羅的海地區。直到遭遇立陶宛人的抵抗之前，他們吸收了波羅的海普魯士地區的異教徒，甚至成功讓他們改宗。[106]接下來的幾個世紀裡，德意志人

---

*編按：條頓騎士團（The Teutonic Order of Knight），或依德文而譯為德意志騎士團（Der Deutsche Ritterorden），係中古高峰期十字軍運動狂潮下締建於巴勒斯坦的三大武裝修會之一。然而相較於另兩支武裝修會：醫院騎士團(聖約翰騎士團)及聖殿騎士團而言，在一一九〇年才正式成立的條頓騎士團在巴勒斯坦幾無發展空間。隨著整個十二世紀的進程中，十字軍及武裝修會在巴勒斯坦軍事行動上的一再受挫於穆斯林之手後，德意志騎士團於是從十三世紀初開始，逐步將其經營重心逐步移往歐陸地區，最後在一二二六年正式受波蘭北部諸侯馬佐維亞公爵之邀而進抵普魯士，乃開啟條頓騎士團經略普魯士及立夫尼亞（Livland / Livonia）之始。

†審定注：歐洲中古時期的十字軍行動並不只有東征，也有北征（波羅的海地區）與南征（伊比利半島、亞平寧半島南部及西西里），例如條頓騎士團向波羅的海進軍就是十字軍北征或稱北方十字軍。

持續以較為平和的方式前往斯拉夫地區進行移墾。然而，早在十九世紀中葉開始，捷克、波蘭和俄羅斯的歷史學家卻扭轉了這個說法，將這些德意志裔的移墾者描繪成德意志人向東擴張的先驅。[107]實際上，這條自中古初期即已浮現並延續近千年之久的「德意志人和斯拉夫人」之間的古老邊界，牽涉到的是更為複雜的過程，其中征服行動只占其間一小部分，更多的是和平移墾的型態。[108]

有些人認為德意志人和斯拉夫人之間的互動，是由蓄意而直接的族裔或民族主義原型*對抗所造成的結果，但這種想法可能是錯誤的。前往東邊移墾的過程橫跨好幾個世紀，而且並非「德意志人」的專利，許多其他民族也參與其中。這種移墾行動通常是和平、非暴力的，也通常是因為有人邀請，而不是為了征服什麼地方†；再說，移墾造成的結果，也往往是讓這些移墾者融合進當地的政體之中，甚至讓他們遭到同化。[109]然而同樣重要的是，我們也不能忽略主要分布在城鎮地區的德意志人，以及主要分布在鄉間的波蘭人之間的對立關係。此外，德意志東疆（布蘭登堡邊區及波美拉尼亞）和波羅的海條頓騎士團，與波蘭人之間對邊境地區長久以來的爭端也方興未艾。普魯士國王腓特烈二世‡作為十八世紀　蒙運動時期開明專制的明君，是率先宣揚將普魯士東邊邊界視作文明和野蠻之間界線的人之一。在波蘭遭瓜分前夕，他將他極具粗魯諷刺意味且針對波蘭的詩寄給伏爾泰；他譏諷道，波蘭人是「歐洲最落後的民族」。[110]

從十二世紀到十四世紀晚期，波希米亞、波蘭和匈牙利的中世紀統治者，都將德意志移墾者視為技術高超的耕種者、採礦工程師和工匠。在波蘭，最早的幾批拓墾者根據一個正式的拓墾計畫前來西利西亞，估計約有二十五萬名德意志拓墾者，在這個原居民不超過一百五十萬人的波蘭領土境內落腳。這些拓墾者在經濟和文化上為波蘭帶來的貢獻，直到二次世界大戰之前，針對這項中古時期的德人東移拓殖史，德國及波蘭史學家在民族主義觀點的影響下而將之政治工具化，遂使該史實衍生成為雙方針鋒相對的高度爭議性課題。[111]主要爭議，聚焦在德意志城市法中的《馬格德堡法》§的重要性。《馬格德堡法》集合了各種法律工具，處理民事糾紛、公共行政和社會關係，由義大利城邦的法

＊編按：民族主義原型（proto-national）是霍布斯邦提出，指的是跨地域或跨政權的民族構成要素，尚未與政治組織產生必然關係。當擁有此要素時，政府或建國運動要推動民族主義、鼓動人民愛國熱忱將更形方便。

† 審定注：這項出現在中古時期的大規模德意志人移向今德境東疆、中東歐、東歐及波羅的海地區的移民拓殖行動，在當代德國及歐美學界被稱之為「德意志人東向移民拓殖史」。參與這項東移的群體除了德意志人之外，尚有尼德蘭人、佛拉芒人及瓦隆人等，其中德意志人占總數的八成以上，遂以德意志人作為這項移民行動的總稱。由於中古高峰時期德意志及歐陸西部正承受著人口過剩的壓力，因而人群在原鄉發展受困下而被迫朝向人口較稀少的東部遷徙。同時這批東移的德人也因其所具有的農礦工商長才，乃被視為技術專才而大受波蘭各諸侯國、波希米亞及匈牙利統治者的歡迎並大力延攬其入境，俾利境內疆域開發活動的進行。此外尚有德境教會欲拓展基督教義於殘存的異教徒世界，因此也就出現十字軍及武裝修會在波羅的海地帶對若干異教徒的征服行動。總體而言，德人東移拓殖史絕大部分係以和平面貌問世，軍事征伐行動在其中僅佔少許比重。然而到十九世紀之時，因為民族主義浪潮的澎湃洶湧，遂使此一中古德人東移史沾染政治意識形態而被德意志及斯拉夫雙方的民族主義者充當政治鬥爭工具而使用，一方歌頌其為英勇無雙的德人東進的先鋒，另一方則醜詆其為惡魔般之千年德人東侵之惡行。直到冷戰後期，尤其是中東歐東歐非共化之後，中古德人東移拓殖史才在雙方學政界的努力下，得以以較為客觀的角度而呈現其史實原貌。

‡ 審定注：又被尊稱為腓特烈大王。

§ 審定注：當時不同的波蘭城市所使用的城市法不一，絕大部分為馬格德堡法，此外尚有少數使用呂北克法及紐倫堡法，這三種城市法被稱為中古時期的三大德意志（城市）法，或三大條頓法。

典演變而來，並首先由德意志皇帝鄂圖一世（鄂圖大帝）於薩克森及易北河以東諸邊區地帶施行，後來又從這些地方引進波蘭。此外，易北河地區以外的拓墾是否主要由外國人進行，以及被賦予西利西亞「德意志法特許權」的波蘭人人數有多少，至今也都未有定論。但不論如何，加利西亞與俄羅斯的邊境地帶東部，在被兼併入波蘭立陶宛聯邦後，《馬格德堡法》又於十四世紀晚期引入該地區，被波蘭統治者視為促進波蘭化的工具。當地的鎮議會（拉達）成了天主教波蘭人和東正教俄羅斯人之間在宗教問題上的角力場，不時造成議會分裂成兩個獨立機構。[112]因此諷刺的是，德意志法（條頓法）的引入，卻為波蘭和俄國對邊境地帶的長期文化角力製造了競爭舞台。

中世紀期間，德意志人和波蘭人之間的互動混合了合作、友好、憤慨甚至是仇恨等元素，但並不暴力。波蘭地主階級的貴族，在躲過了蒙古人毀滅性的衝擊後，對於大規模前來拓墾的德意志人、佛拉芒人和瓦隆人移民都非常歡迎。因為他們有助於重振農業，發展新的城鎮中心，促進了波蘭歷史學者所稱的「十三世紀的大躍進」[113]。

到了十四世紀末，波蘭王國和立陶宛大公國結為共主聯邦，形成了波蘭立陶宛聯邦。波蘭人阻擋了條頓騎士團的進攻（但沒有將他們從波羅的海地區驅逐出去），並深入今日位於白俄羅斯境內的森林地區，持續向西南的東歐大草原挺進。在加利西亞地區，他們將古老俄羅斯人公國境內的東正教徒納入麾下，並兼併了聶伯河右岸地區，其中還包含基輔這個「俄羅斯城鎮之母」。當時生活在蒙古治下的俄羅斯人，將這些領土視為他們丟失的領土。到了十六世紀後期，波蘭貴族和天主教會則開始和鄂圖曼帝國的穆斯林以及俄羅斯的東正教徒較勁，企圖成為整個東歐大草原上的政治和文化霸權。接下來的兩百年裡，這些地區將成為一片廣大的碎片區，上演著波蘭人、俄羅斯人、克里米亞韃靼人以及哥薩克人之間的多邊角力：邊界不斷重劃，關鍵的戰略據點亦在不同陣營之間來回易手，而發生在愈來愈混雜的人口之中的拓墾、移民和驅逐流放，則將會一直持續到二十世紀中葉。

在匈牙利，早在蒙古人入侵的浩劫發生之前，源自德境西疆萊茵區的德意志農民（當時馬札爾人稱呼德人為薩克森人）便已開始在外西凡尼亞以及匈牙利平原北部落腳，而德意志裔的礦工，則在外西凡尼亞和喀爾巴阡地區的銀礦和銅礦坑裡工作。在外西凡尼亞，這些德意志人成了第三民族，除了擁有固定的領地，還享有公民權；接下來的幾個世紀內，他們也將持續守護他們擁有的這些公民權。十三世紀初期，為了讓人口重新回到遭蒙古人洗劫過的地區，匈牙利的統治者對德意志人賦予了一些特權，讓他們定居於北方的皇家領地。德意志地區南部的貿易商和企業主，則開始在外貿上占有主導地位，和義大利人、馬札爾人相互競爭。此後的幾個世紀裡，匈牙利王國的首都布達城，以及匈牙利平原上的大多數城鎮，都「在強大的德意志人支配之下」。[114]然而，德意志人並未在匈牙利發展出激烈的分離主義（當時仍算不上是民族主義）運動，而梅特涅伯爵儘管對後拿破崙時代高漲的馬札爾民族主義有些憂心，也未曾鼓勵匈牙利的德意志人這麼做；不論是哪種的民族主義，對他來說都是不可饒恕的。然而布達佩斯的德意志人依然試圖架接起兩個文化，將自己描繪成雖講德語但十分愛國的馬札爾人。但到了一八四八年，這種德意志人對馬札爾文化的認同卻再也無法見容於匈牙利革命分子。在革命運動遭鎮壓之後，維也納當局便將德語定為行政語言。儘管在馬札爾人強力的反對之下，德意志人在匈牙利維繫德語這個帝國語言的嘗試不斷式微，但一直到第二次世界大戰結束時，德語都依然是首都布達佩斯的第二語言。[115]

一如波蘭和匈牙利，德意志人在波希米亞的拓墾行動起源於十二世紀，並在十三世紀開始遷往波希米亞的邊境地區。從捷克人和德意志人早期的互動來看，兩者之間似乎有望發展出融合或至少是共生的關係。然而就在波希米亞教會於胡斯派改革運動中開始敵視德意志裔的神職人員和市民時，捷克人和德意志人原本在社會和經濟上的緊張關係，卻逐漸轉變成為文化衝突，後來又演變成毀滅性的武裝衝突。對於胡斯派改革運動戰爭的責任歸屬，捷克和德國雙方帶有民族主義立場的史學家，於十九世紀和二十世紀初則抱持著相反的看法。不過在一九三〇年代，歷史學界本來就傾向將這些緊張關係以民族主義的詞彙來詮釋，而這種史觀在今日看來已經過時。十五世紀末，新一波德意志移民開始於人去樓空的鄉村地區落腳；由於德意志人成了新教徒，他們和捷克人的關係曾經短暫好轉。但就在一位支持專制統治、無法容忍異教徒的王室成員哈布斯堡王朝皇帝馬提阿斯（一六一二至一六一九在位）即將繼承哈布斯堡皇位之際，捷克和德意志的新教寡頭掌權者卻拒絕接受其登基，衝突終究還是在一六一八年爆發了*。後來捷克人與德意志人遭到擊敗，領地也被沒收，讓其堂弟腓迪南二世（一六一九至一六三七在位）得以從奧地利、巴伐利亞和徐瓦本地區召來更多德意志拓墾者，授封爵位給新的貴族。然而，新來乍到的拓墾者與當地依然效忠君主的貴族之間的融合過程，似乎仍是和平地持續進行。[116]在十七世紀接下來的時間裡，講德語的人逐漸沿著邊緣地帶擴張，劃定了接下來兩百年的語言界線。[117]

至於在巴爾幹西部和多瑙河流域的邊境地帶，德意志人的拓墾活動，則是哈布斯堡王朝†邊疆政策的工具，目的是為了阻止鄂圖曼帝國的擴張。哈布斯堡大公腓迪南一世於一五二一年建立了軍事邊區，以此作為抵禦伊斯蘭教的緩衝區。該地區逐漸有了不同的樣貌。維也納當局鼓勵拓墾，同時還建立了隔離區防堵疾病擴散，並實施經濟壁壘，讓貿易活動免於來自鄂圖曼帝國的競爭。[118]他們還利用了一六九一年塞爾維亞人大遷徙所帶來的機會，允許效忠維也納的農民在軍事邊區進行拓墾。維也納賦予拉西亞人（這是當時對塞爾維亞人的稱呼，以塞爾維亞人在中世紀的拉西卡王國命名）許多特權，讓他們豁免許多必須上繳莊園領主的稅賦；更重要的是，維也納政府還讓他們直接接受莊園領主或當地的奧地利軍事當局的管轄。一六九九年《卡洛維茨條約》簽訂後，維也納將軍事邊區從今日塞爾維亞、匈牙利和羅馬尼亞的三國交界地帶，向東擴展到斯拉沃尼亞地區，以及沿著蒂薩河和穆列什河劃設的新邊界上。曾上過戰場的士兵（主要是塞爾維亞人）成為了邊疆的拓墾者，他們獲得了免除

---

* 編按：原為反抗神聖羅馬帝國皇帝馬提亞斯（一五五七至一六一九）的內戰，後演變為三十年戰爭。

† 編按：哈布斯堡王朝，又稱哈普斯堡家族，是歐洲歷史上最為顯赫、統治地域最廣的王室之一。家族成員曾出任德意志國王和神聖羅馬帝國皇帝，奧地利公爵、大公、奧地利帝國皇帝，匈牙利國王，波希米亞國王，西班牙國王，葡萄牙國王等等。十六世紀中葉查理五世退位後，哈布斯堡家族分為奧地利與西班牙兩個分支，前者占據神聖羅馬帝國的帝位，稱奧地利哈布斯堡皇朝，後者則為西班牙國王，稱西班牙哈布斯堡王朝。西班牙分支在十八世紀絕嗣。西班牙王位落入法國皇室波旁家族之手；而奧地利分支由皇帝查理六世之女瑪麗亞·特蕾西亞與洛林公爵、托斯卡納大公法蘭茨共掌朝政，開啟了哈布斯堡－洛林皇朝。此後，歷經一八〇六年德意志神聖羅馬帝國的瓦解，一八〇六年奧地利帝國的成立、一八一五至一八六六年的德意志領邦同盟、一八六七年奧地利帝國的改組為奧地利－匈牙利雙元帝國，至一九一八年的雙元帝國橫遭肢解，成為共和國，王室被迫舉家流亡海外。

稅賦的農地。這些拓墾者擁有雙重功能：他們一方面保護邊境不被突厥人入侵，一方面也可以將馬札爾人包圍起來。十八世紀初期，奧地利的邊境官員和匈牙利總理大臣以及塞爾維亞人之間，逐漸因為管轄權和稅收問題產生摩擦。就像波蘭人和俄羅斯人會對哥薩克人進行管控那樣，奧地利人也試圖將塞爾維亞人的平民（必須賦稅）和軍事人員（免於賦稅）區隔開來，並獲得了類似的結果。為此，許多遭解除武裝的塞爾維亞人對維也納當局失望透頂，紛紛動身前往俄羅斯。不消幾十年後，札波羅結哥薩克人的自主權也開始遭到了俄羅斯人的剝奪，而他們的回應方式也非常類似：離開俄羅斯，並接受哈布斯堡王朝對他們的徵召，在軍事邊區內服役。[119]

哈布斯堡對塞匈羅三國交界和多瑙河流域邊疆的最後一次大出征結束後，便開啟了前所未有的移墾計畫。透過一七一八年簽訂的《帕薩羅維茨條約》，他們取得了多瑙河左岸、蒂米什瓦巴納特、小瓦拉幾亞（或西瓦拉幾亞），以及被鄂圖曼人稱為「鎖鑰」的戰利品——貝爾格勒，標誌著哈布斯堡成功統一西巴爾幹地區和多瑙河流域的邊境地帶的顛峰時期。這個新政策的核心，便是將貝爾格勒打造成一個德意志人的城市。一七二〇年訂定的一條法令規定，住在剛解放的貝爾格勒城裡的居民，在血緣上必須是德意志人*，而且必須是羅馬天主教徒。塞爾維亞人和東正教徒居民因此遭到了圍捕，並被強迫遷往城外；至於德意志人，則可以選舉自己的市政官員，自行徵稅，並掌握整座城市的文化準則。哈布斯堡王朝也重建了貝爾格勒的城牆，將整座城市變成抵禦突厥人的前線堡壘。[120]儘管困難重重，但維也納當局在經過一番猶豫之後，仍然決定採取極為複雜的邊境政策，目的是為了繼續圍堵馬札爾人，滿足塞爾維亞人的需要，並防範鄂圖曼帝國再次進犯。在此，他們眼前擺著兩把鑰匙和兩扇門：往南的那扇門通往鄂圖曼帝國，往北的則通往匈牙利；第一把鑰匙，可以開啟對巴納特地區的拓墾，將其納入帝國控制之下，而第二把鑰匙，則將蒂薩河與穆列什河的舊有邊境制度牢牢鎖緊。[121]

為了將巴納特地區整合進帝國體系，維也納當局試圖將原本用來在鄂圖曼帝國新邊界上安置塞爾維亞屯墾者的策略，和新的方法結合在一起。在梅爾西亞將軍開明的統治之下，他們公布了一項經濟發展政策，亦即藉由填土造陸和計畫性移民等措施，將該地以哺養牲畜為主的半游牧經濟型態，轉變成為集約的農耕經濟。他們制定了一個方案，希望能吸引農民和工匠前來；截至一七二〇年代為止，他們從遠至萊茵區，一共招來了約一萬五千名德意志屯墾者。其他族裔的拓墾者也開始跟進，其中包括保加利亞人、亞美尼亞人在內的其他人，以及在一七四〇年首次出現的馬札爾人。他們的新村莊以哈布斯堡的王室成員命名，以此作為融入帝國統治的象徵。到了一七四八年至一七五三年之間，另一波德意志人也開始在該地區落腳。一七六三年發布的《拓墾詔令》以及一七六六年成立的拓墾委員會，皆鞏固了保障特權的國家體制，而在財政上對拓墾者的支持，受益的不只是德意志的拓墾者而已，還包括其他來自西歐的外國人，僅馬札爾人被排除在外。[122]過沒多久，許多羅馬尼亞移民為了逃離鄂圖曼帝國的壓迫，便從鄰近的奧爾紹瓦地區移入，再一次攪動了該地複雜的族群狀況。截至一七八〇年為止，羅馬尼亞人在巴納特地區的人口就占了半數以上。[123]

貝爾格勒和巴納特地區的解放，使得哈布斯堡王朝將絕大多數的塞爾維亞人都納入了帝國治下。

＊審定注：這些應哈布斯堡皇室之招徠而遷往並屯居於多瑙河中下游地帶的德意志人，因其絕大部分係源出德境西南疆的徐瓦本地區，因而就被稱為「多瑙徐瓦本人」。

二十年過後，重新振作的鄂圖曼帝國讓哈布斯堡的領土退回到薩瓦河以北，同時收復了貝爾格勒，許多塞爾維亞人只好再次遷往哈布斯堡帝國。整個十八世紀，移民潮一直在持續，在鄂圖曼邊境愈來愈多的塞爾維亞人，引發哈布斯堡王朝領導層的擔憂。哈布斯堡當局陷入了躊躇，不知道是要安撫馬札爾人好，還是要支持塞爾維亞人好。一七四一年至一七四九年間，在哈布斯堡女皇瑪麗亞．特蕾西亞的統治之下，儘管塞爾維亞人持續反抗，蒂薩河與穆列什河的軍事邊境地帶仍被逐漸棄守，而該領地則交由匈牙利統治，大約三千名塞爾維亞人隨後則遷往俄羅斯。特蕾西亞對塞爾維亞東正教會自主權的侵犯，也激怒了她所統治的塞爾維亞人。然而約瑟夫二世＊決定延緩將巴納特地區轉交由匈牙利統治的措施，並公布了《寬容詔令》，而塞爾維亞人則對這個決定額手稱慶。塞爾維亞人對於獲得完整領土自治權的希望，卻在約瑟夫二世死後，以及大部分巴納特地區被納入匈牙利行政區劃體系時化為泡影。由於許多拓墾者的經濟特權失去了效力，匈牙利的權貴階級於是得以在土地上施行莊園領主制度。[124]再一次地，有些塞爾維亞輕騎兵和拓墾者決定遷往俄羅斯，以此作為回應。拓墾政策原本是為了完全同化邊疆地區，而該政策的失敗，也成了奧地利「東方使命」前途未卜的主要原因之一。

到了十八世紀，哈布斯堡王朝和俄羅斯帝國的開明君主，又發起了另一波德意志移民潮；到了十八世紀末，波羅的海地區、沃里尼亞、外西凡尼亞地區、多瑙河流域、多布羅加、比薩拉比亞、哈布斯堡與鄂圖曼帝國之間的軍事邊區地帶、佛伊弗迪納以及窩瓦河地區中部，也都出現了說德語的聚落。德意志人這種散布各地的拓墾模式所帶來的後果，將會為他們在接下來的一百年裡持續帶來困擾。在整個十九世紀裡，德意志人都在試圖定義自身文化，建立一個統一的國家；對他們來說，如何定義德意志人的國家，在一系列更大的課題之中，成了一個歷久不衰的問題。他們的目標，到底是要以法國（雅各賓）模式創造一個在族裔上同質的民族國家†，還是要盡可能地將更多德意志人都聚攏到同一面旗幟之下呢？一八四八年，法蘭克福議會對德意志人的統一問題進行了首次公開辯論，而該會議確認了一件事情，那就是沒有任何一個方案是完美的。然而到了一八四八年，不只是民主派和天主教徒，包括自由派在內的大多數人，也都贊同將說德語的哈布斯堡領土併入一個更大的帝國之中。這種想法除了出自對權力的野心，也是源於對斯拉夫人的恐懼。就像會議上某個發言人所說的：「奧地利透過自由憲法教育斯拉夫人，並讓斯拉夫人被德意志的自由與教育所吸引，因此唯有當我們擁有奧地利的時候，我們才有可能抵銷泛斯拉夫主義帶來的威脅。」[125]一八四八年，民族主義者之間最廣為傳誦的文句，是德意志民族詩人阿恩特的抒情詩歌《德意志祖國》，寫於一八一三年反拿破崙的德意志解放戰爭戰況最激烈的時期。這首詩的每個小節，都提到了未來的德意志領土從普魯士往奧地利的方向擴張，而終章則收在祖國應該延伸至「所有講德語的地方」。[126]一個小德意志方案，會讓太多德意志人遺落在這個民族國家之外，而大德意志方案卻會把太多的非德意志人，比如波蘭人、丹麥人，甚至捷克人，都包納進這個即將形成的多民族帝國裡。俾斯麥式的折衷方案，則介於這兩者之間。[127]

＊編按：約瑟夫二世（Josef II，一七四一至一七九〇）是哈布斯堡王朝的奧地利大公，一七六五年加冕為神聖羅馬帝國皇帝。特蕾西亞女皇之子，母子兩人曾以共治方式統治帝國。

†編按：雅各賓黨被視為法國大革命後短暫統治過法國。一般認為法國大革命後，法國才建立起單一法律、行政制度、固有領土的民族國家。

和德意志人的大遷徙一樣，東斯拉夫民族的遷徙也始於歐亞史的非常早期，大約是在五世紀和六世紀，他們分別往北、南、東這三個方向移動。沼澤、森林之類的天然障礙，將歐亞大陸西側的土地分割成幾個不同的生態區位，而這意味著拓墾的過程並非由大規模的人口完成的，而是以分散的方式進行的。這些斯拉夫民族來自西德維納河、聶斯特河和聶伯河上游流經的地區，在北方的森林地區與芬蘭的部族和平共存。草原上的可薩汗國，則為斯拉夫民族提供了掩護，讓他們得以向南遷徙。當這個掩護在波羅維茨游牧民族，以及阿拉伯伊斯蘭教擴張的壓力之下瓦解時，拓墾者便被迫遷回到草原邊緣的森林地帶，不過仍有勇敢的獵人和漁夫留在了南方的河岸地區，成了哥薩克人的前身。這種前進和撤退模式的建立，也反映出了草原政治的波動。逃離蒙古人的拓墾者向北遷入茂密的森林地區，或者遷入喀爾巴阡山麓，而後者也是加利西亞和沃里尼亞兩個公國形成的位置；這是斯拉夫語和斯拉夫民族一個獨特分支的起源，而這個分支就是後來的小俄羅斯人和烏克蘭人。然而俄羅斯人並沒有從草原的邊緣上消失。[128]

對土地的大規模耕作以及逃離農奴義務的欲望，都激發了農民進行拓墾。統治菁英對這些人口流動抱持著矛盾的態度：一方面，莫斯科這種核心省分的地主，會阻止農民為了躲避繁重賦稅而逃跑；另一方面，戍守邊疆的軍人則渴望在他們的莊園中增加勞動力。當一六四九年的法典將農奴身分強加於早就在經濟上離不開地主的農民時，導致戰爭的誘因在法律上獲得了解決，但核心省分人力流失的問題卻依然持續著。長期來看，政府的政策也讓農民得以強化俄羅斯人對東歐大草原和南高加索地區的控制。和鄂圖曼帝國與伊朗對待游牧民族的方式相比，莫斯科徵收了他們的許多牧地，並將那些土地分封給邊疆的軍人，於是這些軍人便可以將拓墾的農民安置在東歐大草原的肥沃黑土地上。[129]

在俄羅斯人的遷徙過程中，總存在著一系列未解的緊張關係，這存在於由國家主導的移墾與人民自發的遷徙之間，存在於移墾者和原居民之間，也存在於游牧民族和定居民族想像主權和財產等概念的差異之間。但俄羅斯人的移墾都有兩個共通而獨特的特徵。第一，移墾殖民（colonization, *kolonizatsiia*）和移居（resettlement, *pereselenie*）這兩個詞彙在俄文裡是相通的，而這反應了一個社會現實，亦即這兩件事情幾乎沒有什麼不同。俄羅斯人在內部遷徙，而西歐人則是遷往海外。[130]第二，俄羅斯人的移墾殖民行動是以不規律的節奏，斷斷續續進行的，而且集中在特定的幾個邊疆地帶，導致整個帝國內的俄羅斯人和烏克蘭人移民，在地理上的分布非常不平均。第三，移墾殖民行動為帝國提供了彈性的框架，可以在內部叛亂和外

各地區殖民拓墾者人數（單位：千人）

地區	1687-1740	1740-1782	1782-1858	1870-1896	1897-1915	總計
核心地區	260	370	–			630
西伯利亞	90	–	517	926	3,520	5,053
新俄羅斯	–	135	1,510	1,045	333	3,023
窩瓦河烏拉山地區	–	270	968	358	80	1,676
北高加索地區	–	–	565	1,687	296	2,448
總計	350	775	3,560	4,016	4,229	12,830

部戰爭的壓力之下支撐整個國家，直到蘇聯瓦解為止。但光是靠人數優勢壓過各地原居民這種做法，是永遠不夠的，而這也解釋了當局將非俄裔人口融合進帝國秩序所做的零星努力為何會失敗。就長期而言，不論國家的政體形式是什麼，移墾者和原居民之間的緊張都為內部穩定和外部安全製造了許多問題，並對國家資源帶來了沉重負擔。[131]

俄羅斯人於十二世紀開始遷入西伯利亞，當時來自商業城市諾夫哥羅德的皮草貿易商，沿著卡馬河及其流域，橫越被稱作「石頭」的烏拉山脈。蒙古人在橫掃了諾夫哥羅德以南的幾個俄羅斯公國之後，諾夫哥羅德的商人便開始對北邊的殖民地進行擴張，襲擊之處遠達窩瓦河地區。至於對西伯利亞廣袤森林地區的征服，則還要再花費一個世紀才能完成。莫斯科大公國逐漸崛起之後，成了諾夫哥羅德在皮草貿易上的主要競爭對手，並且派出了許多傳教士讓各地的原居民部族改信東正教，同時鞏固自己的利益。到了十五世紀末，莫斯科已經成功收服了散布在窩瓦河、聶伯河和西德維納河源頭附近的俄羅斯領土，並且打破了諾夫哥羅德的勢力。莫斯科兼併了諾夫哥羅德的殖民地，其中包括廣大的維亞特卡省，讓他們取得了通往西伯利亞的門戶。但移墾殖民的進程卻受阻於嚴峻的氣候，以及莫斯科對於進口穀物的需求，而殖民者和各地原居民部族的關係，則在貿易和襲擊等模式之間來回交替，與歐亞大陸邊陲地帶的半游牧民族、游牧民族以及定居民族的關係十分類似。[132]

在接下來的一個世紀裡，哥薩克人和靠設陷阱捕獵動物的人，一群接著一群深入西伯利亞地區，逐漸將這片廣大的地區在名義上收歸莫斯科大公國的統治。十七世紀中葉，皮草占莫斯科的收入約百分之十，為俄羅斯人向西伯利亞東部的擴張行動提供了誘因。俄羅斯人以各種不同的方法獲得皮草，除了從西伯利亞的地方部族和俄羅斯商人那裡獲得貢品之外，也會在受管控的市場中購買。私營的企業主也和政府公務員一起競爭獲利，而這也為他們在與清帝國建立商貿關係，接觸清帝國代表初期提供了不少方便。[133]

東正教會持續在擴張過程中扮演重要角色。在西伯利亞西部地區，新的托博爾斯克教區的第一位大主教居普良便創造了征服西伯利亞的神話。居普良是個活躍的人物，早期曾是諾夫哥羅德的修士，他在「混亂時期」（Time of Troubles）支持莫斯科對抗瑞典人，並投身於許多計畫之中，其中包括傳教改宗，土地兼併，興建修道院，以及改善哥薩克邊疆士兵的物質生活等。他意圖在精神上賦予自己的教區一種獨到之處，好配得上拓墾之地的精神，因此擷取了當地哥薩克人的歷史——一五九〇年代，許多哥薩克士兵曾在葉爾馬克的西伯利亞遠征之中陣亡——居普良便將烈士光環加到了那些士兵頭上，幾乎將他們封為聖徒。

如果俄羅斯移墾者在西伯利亞發生了族裔衝突，政府倒不一定會站在他們這邊；俄羅斯人和游牧民族會彼此競爭交涉，藉此獲得政府官員的支持。[134]征服西伯利亞初期，政府和貿易商之間的利益經常有衝突。莫斯科的官員對於擴張行動非常謹慎，並希望擔任地方部族的保護者，藉此換取他們的進貢。然而貿易商就沒這麼謹慎了。莫斯科的士兵則跟著貿易商的腳步，以西班牙征服者在美洲大陸的方式，和貿易商競爭，甚至起衝突。面向南邊的城堡和防禦工事線，則是從森林地區向西伯利亞草原進軍的前哨站。但移墾工作進展得相當緩慢，而拓墾者的人數也不多。[135]

一八二二年，改革家斯佩蘭斯基起草了新的法條，目的在於管控西伯利亞的移墾進程，並限制只有經國家授權在國有土地上耕作的農民團體才被許可。但這條法律卻導致人民大規模出逃，「讓奧倫堡省的當地官員束手無策」。政府擔憂，不受管控的移民可能會與吉爾吉斯游牧民發生衝突，但他們卻從未能夠完全掌控移民潮。等到二十年期的臨時契約到期，農奴也解放了之後，一八八〇年代與一八九〇年代的新法終於開啟了前往西伯利亞的大規模移民潮。截至一九一四年，西伯利亞增加的人口達總人口數的百分之十，而且幾乎全都是俄羅斯人和烏克蘭人。136

在此，有四個地緣文化因素，可以幫助我們解釋為何是俄羅斯人征服了西伯利亞，而非中國人或土庫曼人。第一，居住在森林地區的俄羅斯人，可以直接進入西伯利亞的針葉林區，而不用先克服草原上強大的游牧聯盟。第二，複雜的南北向河流系統，提供了比橫越草原地區更為安全的交通模式，讓規模較小的軍隊（而非大規模的軍事遠征）可以深入針葉林區。第三，在森林地區，以及在那些實行畜牧和火耕，因而必須不斷擴張移墾的草原邊緣地帶，俄羅斯人的社會組織和經濟活動也更有利於拓墾行動；相較之下，哥薩克人和土匪則隔著一大段距離獨自運作，不受國家控制主導。第四，整個征服過程依然需要一個能逐漸掌控局面的中央集權國家在背後支撐。

俄裔美國學者考達科夫斯基在對塞爾維亞以及俄羅斯南部的不同邊界進行比較時指出，俄羅斯對南方草原的征服過程相對漸進而緩慢，花費更為高昂，同時也遭遇到更多游牧民族的抵抗，必須透過軍事手段才能鞏固。然而俄羅斯人由於持續都在進行移墾，因此征服過程也比鄂圖曼帝國或伊朗帝國更有條理、更持久，也更成功。由國家主導劃界的俄羅斯，在西側與波蘭立陶宛聯邦接壤的邊界也有不太一樣的樣貌；那裡的邊界，是透過和南邊與東邊的游牧民族進行協商和確認，並依據成文條約和實質上的邊界協定所劃定的；但對於那些游牧民族而言，他們對於邊界如何劃定，卻「很少有共通的參照來源或固定的定義」。[137]

一五五二年伊凡四世征服了喀山汗國之後，南征行動終於得到了突破性的進展。俄羅斯的士兵開始對城鎮和城鎮周遭的土地進行殖民開墾。士兵和波雅爾（boiars，貴族）及其農民受到窩瓦河兩岸豐饒的土壤和漁獲所吸引，而政府興建的城堡和城牆又提供掩護，讓他們得以繼續向南挺進。[138]在阿斯特拉罕，由於該地區容易遭到游牧民族的襲擊，殖民移墾的進程因而較為緩慢。再往西邊一點，穿越草原通往聶伯河口的征途則是一個漫長的過程，直到十八世紀末凱薩琳大帝在位時才完成。這個三方的競賽，在草原地區強大的游牧聯盟出現之後變得更為棘手，起先有諾蓋人，後來到了一六三〇年代，則出現了更難對付的卡爾梅克人。為了控制諾蓋人，莫斯科當局採取了許多策略，比如：他們對諾蓋人進貢，在游牧部族之間挑撥離間，要求游牧民族交出人質和效忠誓詞，甚至在諾蓋人和更好戰的卡爾梅克人發生糾紛時，在他們之間擔任仲裁者；然而上述的方法沒有一個真的奏效。但直到十七世紀，俄羅斯政府都沒有承諾當東邊游牧民族入侵時，會對諾蓋人提供保護。諾蓋人是善於駕馭政治權術的草原民族，他們不只同時接受波蘭人和俄羅斯人的進貢，還先後和周遭的不同政權結盟，比如莫斯科大公國、波蘭立陶宛聯邦，以及克里米亞的韃靼人。但他們逐漸無法招架來自西邊敵人的優勢火力，也沒辦法抵擋卡爾梅克人騎兵來自東邊的攻擊。他們和很多草原民族的命運一樣，敵人來自四面八方。一六三〇年代，部族同盟瓦解，一部分部族則沿著鄂圖曼帝國和波蘭的邊界，向西流竄至布賈克（比薩拉比亞）地區。他們在東歐大草原上逐漸被卡爾梅克人取代，而俄羅斯人則在接下來的一個半世紀裡，被迫要在類似的條件下對付這些卡爾梅克人。[139]

諾蓋人在新的根據地上，仍在持續為邊疆地區帶來動盪。皈依伊斯蘭教的諾蓋人，和隔壁的克里米亞韃靼人盟友一樣，仍舊保有「加齊」這個邊境傳統，不斷襲擊基督徒居住的地區。儘管《卡洛維茨條約》簽訂後鄂圖曼帝國和基督教政權之間首次出現了永久邊界線，但他們仍然背離了鄂圖曼帝國，並在一七〇二年和克里米亞韃靼人成為盟友，希望藉此廢除《卡洛維茨條約》，繼續保持「加齊」傳統。鄂圖曼帝國的素檀拒絕接受他們的叛變，強迫他們就範。但邊疆可不是這麼容易就能馴服的。在伊斯坦堡，支持「加齊」傳統的軍官和宗教人士推翻了素檀，並指控他背叛了信仰和國家。[140]這個事件再一次演示了，帝國如果將自身意志強加在當地的部族身上，並不一定能夠解決邊疆地帶的問題。

在東歐大草原上，就像俄羅斯邊境的其他地方，移墾殖民行動既是國家主導，也是人民自發進行的。一七五二年，一位在俄羅斯服役的塞爾維亞軍官提出了構想，希望在波蘭和俄羅斯的邊界上建立軍事屯墾區，對此，伊莉莎白女皇也表達了支持；由此，俄羅斯帝國踏出了最有創意的一步。根據哈布斯堡的軍事邊區模式*，為俄羅斯服務而享有特權的塞爾維亞拓墾者，在新塞爾維亞省和斯拉瓦諾沃塞爾維亞落腳定居；後來的聖彼得堡也歡迎保加利亞人和瓦拉幾亞人逃離鄂圖曼帝國的統治。塞爾維亞拓墾者占據了哥薩克自治區、札波羅結哥薩克，以及頓河哥薩克之間的土地，成功地將這三個經常兵戎相見的政權隔絕開來。由於他們和克里米亞韃靼人的關係不錯，他們很快就承擔了邊境民族的角色：昇平時期他們從事貿易；戰時，他們則充當俄羅斯軍隊的先鋒。

對聶伯河和聶斯特河流域草原的殖民活動，則沒這麼有條理，反而更像是人民自發的行為。來自波蘭和哥薩克自治區的拓墾者，不願前往專為他們保留的土地，反而選擇在塞爾維亞人建立的村莊裡落腳。札波羅結哥薩克人一被重新允許進入俄羅斯領土，便兵分三路，分別前往亞速地區、東南邊的聶伯河流域，以及東邊的斯沃博達烏克蘭進行開墾，為鄰近的居民帶來了不少麻煩。在十八世紀接下來的時間裡，正當俄羅斯將勢力擴及整個東歐大草原的邊境時，移墾行動開展的方式愈來愈不規則。例如，布格河和聶斯特河流域的拓墾者，就不理會政府為他們擬定好的最佳計畫，而是隨心所欲，不斷四處遊蕩。[141]

由於有奧爾洛夫和波坦金這兩位凱薩琳大帝的寵臣積極主導，再加上強健人口政策的啟蒙思想，東歐大草原上系統性的殖民活動，終於在凱薩琳大帝統治期間快速開展。凱薩琳大帝認為殖民活動不只是占領土地的工具，還是以啟蒙精神創造一個模範社會的途徑；而在所有俄國統治者之中，她是第一個這麼想的人。她還認為，領土擴張和人口增長就代表著權力和財富，因此，她還引進外國人為俄國農民做示範，教導他們社會自律的美德以及現代的農業技術。由此，殖民計畫與行政改革、社會改革都結合在一起。許多湧入的外國人被免費的土地和特權吸引而來，定居在窩瓦河流域，以及位於布格河和聶斯特河之間邊界南部的新俄羅斯地區。俄羅斯貴族被授予大片莊園，農民獲得了人身自由，而逃跑的農奴則獲得大赦。當克里米亞在一七八三年被兼併時，別處的地主階級和官員便快速趕來，

＊審定注：Military Frontier，這是哈布斯堡在抗土前緣地帶的邊境區所設置的一個特殊軍政機構名詞。

因為當地的韃靼穆斯林人口紛紛前往了鄂圖曼帝國。波坦金再次吸引到各種拓墾者，主要是在國有土地上耕作的農民、退伍士兵，以及東正教的舊教徒派。[142]

凱薩琳大帝在位期間，有將近五十萬人移入了草原地區，但這種遷徙愈來愈像是一種在高度組織之下進行的拓墾活動；出於「效益」的概念（亦即對國家以及對拓墾者的效用），他們大多在「無人的空地」上落腳。[143]為了快速鞏固新領土，凱薩琳大帝推廣了幾個政策，為那些持有土地且在本質上和核心省分的農民非常不同的農民提供了一個新的社會架構。[144]拓墾活動導致草原地區的生態大幅改變：原本用來哺養畜群的原始草場地，被犁翻成了肥沃的黑土農地，而這也意味著社會將變得更加穩定。長期而言，這些社會特徵強化了地域特殊性，而這種特殊性也是二十世紀烏克蘭分離主義崛起的主因之一；短期而言，殖民活動則依然是一種混亂的過程，儘管政府仍在不斷努力控制並主導草原地區的遷徙活動。[145]發生於一八〇六年至一八一二年間的第七次俄土戰爭，初期有大量非法移民開始移入聶斯特河和普魯特河之間的土地，而在當時，土耳其軍隊甚至都還沒被俄軍驅逐出去。俄羅斯在一八一五年兼併比薩拉比亞之後，便開始面臨一個類似的困境，而且也以相似的方法解決。他們雖不鼓勵移民，但也沒有真正禁絕移民活動。比薩拉比亞的農民為了逃離貴族地主的苛捐雜稅而紛紛出逃，而大約九千名羅馬尼亞人則越界進入比薩拉比亞，填補了該地區因為農民逃亡而銳減的人口。與此同時，還有更多的保加利亞人為了逃離鄂圖曼帝國的統治，加上亞歷山大一世又答應給予他們許多特權，因此也越界而來。當地的貴族階級非常厭惡這樣的政策，但保加利亞人移墾者依舊非常普遍。到了克里米亞戰爭期間，移民的總數已經達到七萬五千人，讓這裡很快就會變成另一個廣大的文化碎片區。[146]

在北高加索地區，來自俄羅斯核心省分的農民拓墾者，和哥薩克人與軍隊相比，則扮演著相對次要的角色。早在一七一一年和一七一二年間，彼得大帝便已下令要對俄羅斯和鄂圖曼帝國以及克里米亞韃靼人的邊境進行拓墾，並將哥薩克人和軍隊遷往捷列克河的左岸。整個十八世紀裡，他們不時增派哥薩克移民，並在凱薩琳大帝的指示下興建了軍事要塞和高加索防禦線，而大約十萬名小俄羅斯哥薩克人則在十九世紀，開始移居黑海哥薩克人的土地。《古屈克卡伊納加和約》簽訂之後，農民移墾的行動曾經短暫加速，而凱薩琳大帝原本也想在這裡複製新俄羅斯的模式，後來卻遭遇到山區居民的抵抗，以失敗告終。[147]

在外裏海地區，中央政府晚期的拓墾政策卻無法連貫。[148]俄羅斯農民不顧政府反對，仍於一八六〇年代開始進入草原地區，被迫向哥薩克人租地。直到一八九九年為止，聖彼得堡都在不斷改變農民移墾的政策，並不斷讓不同的行政區輪流管轄草原地區。錫爾河地區並沒有哥薩克人的移民聚落，而且政府保護吉爾吉斯人牧地，農民移墾者必須想辦法生存下來。在突厥斯坦，拓墾行動同時牽涉到了本地人與俄裔勞工聚落的灌溉系統。一八九一年爆發饑荒之後，大批農民遷往突厥斯坦，為飢餓草原帶來了各種宗教的教徒和門諾教徒，期待在灌溉工程之中找到工作，然而這些計畫最終卻因規劃不周而失敗。整體而言，這些拓墾行動的過程缺乏組織，對於交通或新房舍所需的建材也沒有妥善安排。貧農的湧入，也為政府帶來了新的麻煩。大多數農民都湧向了塔什干；一八九二年，塔什干爆發了霍亂，當地官員則把疫情歸咎於這些缺乏基本衛生觀念的農民。一八九七年，福列夫斯基總督禁止了一切移墾活動。然而戰爭大臣庫羅帕特金說服沙皇修建一條鐵路由莫斯科直通塔什干，以防範中國或英國影響力的滲透。這個計畫帶來了超過五千名俄羅斯鐵路工，他們後來成了許多起勞工運動的成員。在鄉村地區，俄羅斯移民也導致了許多暴力衝突，但中央政府並不畏懼，依舊鼓勵移民拓墾。到了一九一一年，俄羅斯人在整個東部大草原中，占總人口數的百分之四十，人數超過兩百萬，後來在俄羅斯內戰，以及第一次世界大戰協約國介入俄國內戰期間，為俄羅斯（布爾什維克）提供了相當穩固的基礎，因而得以持續控制西伯利亞的東部。

邊境地帶

和邊疆一樣，「邊境地帶」這個詞彙也表明了地理概念在歐亞大陸帝國空間之中的流動性。在接下來的篇幅之中，這個詞彙將被用來描述那些位於多元文化帝國邊陲地區的領土，這些領土由不斷變動的邊界所塑造，並以自成一格的行政單位被兼併入帝國體系之中，有時甚至擁有自己的自治體制，反映出了它們各自的政治特色與文化特徵。它們的地位以及與帝國權力中樞之間的關係，也會隨著時間改變。這種邊境地帶在歷史上不同時期的例子有：清帝國的滿洲、蒙古和新疆；卡加帝國的亞塞拜然；在鄂圖曼帝國有克里米亞汗國、波士尼亞，以及位於多瑙河流域的幾個公國；在哈布斯堡王朝有加利西亞、匈牙利王國和巴納特；而在俄羅斯帝國則有芬蘭大公國和波蘭王國。

將一個邊境地帶兼併入文化多元的帝國之中，並不代表該邊境地帶在政治和文化認同上的鬥爭就結束了，而是代表該邊境地區，將會在兩個層次上持續作為角力的對象：對外時，角力就是各個帝國之間的競爭；對內，角力行為則存在於帝國權力中樞與邊境地帶被征服的人民之間。因此，邊境地帶往往會朝兩個方向面對邊界：內部文化邊界，朝向的是帝國權力中樞；而外部的軍事邊界，則內蘊不穩定性，朝向的是各個強權爭相奪取的地區。[149]邊境地帶和帝國核心之間的關係網絡非常複雜，隨著時間經歷了非常大的變動。若說西方人是用東方主義的觀點在凝視歐亞大陸上的帝國，那麼這些歐亞大陸上的帝國也是在使用一種東方主義式（或者說，看待「野蠻人」）的概念來看待他們自己的邊境地帶；他們認為這些邊境地帶在文化上較為低等，或者沒有能力管理自己。[150]

就邏輯上來說，邊境地帶一詞，也隱含了一件事，那就是存在著一個核心。但矛盾的是，要在空間中完美地界定出核心，卻比界定出邊境地帶還要困難。本研究採用地緣文化取徑，將核心界定為一個由權力行使以及權力的象徵性展示所形塑而成的地方。其主要組成要素為：統治者、皇室、軍事司令部、行政機構，以及統治菁英的主要官邸。首都，是帝國統治最可見的象徵物，因而沒有什麼比首都可以遷移的現象，更能說明界定帝國核心有多困難。哈布斯堡的首都早期從布拉格遷往維也納；而鄂圖曼帝國兩次對維也納進行的圍城如果成功的話，哈布斯堡王朝恐怕也只能再次遷都。中國首都之所以從南京遷往北京（到了二十世紀，中國仍舊在這兩個城市之間不斷來回遷都），則是為了防禦並回應來自北方邊疆地區的威脅。俄羅斯帝國將首都從莫斯科遷往聖彼得堡（並於二十世紀再次遷回），同樣是為了回應邊疆問題，只不過兩次遷都的方向和目的都不盡相同。就鄂圖曼帝國而言，他們則將首都從布爾薩和阿德里安堡（埃迪爾內）遷往君士坦丁堡，並於穆罕默德四世在位期間，再次遷回埃迪爾內這個被視作對歐洲發起聖戰的「加齊」根據地。在伊朗，由於外部敵人和地方部族對中央所造成的巨大威脅，一直到二十世紀為止，遷都則是發生得比任何其他地方都要更為頻繁。在所有這些案例之中，首都的位置及其防禦工事，多少都反映出了外部威脅的本質以及邊疆的距離。[151]

在帝國形成的早期階段，就文化和語族而言，帝國的權力中心通常幾乎都是同質的。但隨著帝國擴張、文化組成愈來愈多元，包括維也納、聖彼得堡、君士坦丁堡（伊斯坦堡）、德黑蘭和北京在內的各個帝國首都，也都逐漸成為了不同民族文化的薈萃之地。此外，隨著帝國首都喪失了些許象徵性的中樞地位，或不再壟斷權力之後，便會開始出現異狀。一八六七年的一份協議，將哈布斯堡王朝的權力中樞分開為西部的奧地利帝國（內萊塔尼亞，或「萊塔河此岸」）和東部的匈牙利王國（外萊塔尼亞，或「萊塔河彼岸」），而布達佩斯也可以和維也納一樣，宣稱自己是帝國權力的中樞。儘管從十五世紀起，伊斯坦堡就毫無疑問地成為鄂圖曼帝國的權力中心，但它在敗戰之後也割讓了巴爾幹地區，導致帝國的主要腹地從魯米利亞地區，移往了安納托利亞地區。而俄羅斯帝國將首都由莫斯科遷往聖彼得堡的決定，則在兩座城市之間引發了文化論爭，雙方為了誰擁有真正的俄羅斯精神而爭執不下。至於伊朗，則有突厥語系的亞塞拜然（大不里士）以及波斯高原（伊斯法罕，然後是德黑蘭）兩大中心，而這兩個中心在文化上也一直存在著緊張關係。在清朝治下，滿人則試圖維持兩個不同的權力中心，一個位於他們在滿洲的故鄉，一個則位於漢人的傳統領地，以北京城為樞紐。

在首都以及邊陲地區，族群認同也是流動不居的。對於首要效忠對象的塑造和再造過程（不論是社會、文化或政治上的），都一直持續到了十九世紀，甚至在很多地方至今都仍在持續著。民族（nation）認同——甚至還談不上是民族國家（nation-state）的認同，在歐亞大陸上出現的時間比西歐還要晚，而且在很多案例之中，甚至到了二十一世紀初都仍未建立完成。如何對這些社會集合體（social collectivities）進行命名，學界至今仍舊未有定論。儘管仍然沒有任何一個字彙能被廣泛接受，但語族群體（ethnolinguistic communities）這個詞（雖然有些生硬），比起「前現代民族」（pre-modern nations）這個稱呼還是更為恰當一些。[152]這些語族群體在歷史階段上的出現（亦即民族集團的形成），已在人類學家之間引起了許多爭論。在這場爭論的每個階段之中，對於民族出現過程的理論性分析也都變得愈來愈複雜。[153]

在歐亞大陸史這個範疇之中，希望為族群認同這個爭議提供指引的歷史學家，最後總會遇上三種取徑：情境式（situational）取徑，強調生活在不同生態區位之中的群體之間的互動；原始式（primordial）取徑，處理文化在本質上的特徵；以及經驗式（experiential）取徑，探究共同經驗的普遍性（commonality）。[154]這些取徑無法窮盡涵蓋所有認同問題，也並非互斥（exclusive）。有些群體經歷了消溶或融合的過程。（不過這樣還能被稱作語族嗎？）不論是群體本身或是外人，通常都會使用變動、多重的用語來指涉族裔群體，而這些都可能隨著時間改變。例如，在外裏海地區，不論是部落成員自己或是外來的觀察者，他們對於各部族群體的命名很少能一直保持一致。同樣的現象，也發生在歐亞大陸上的許多定居農耕地區。拿近期的極端案例來看，在歐亞大陸一端的白俄羅斯和另一端的新疆，當世居於當地的農耕者被問及對自己的認同時，他們都回答自己是「當地人」。再比如馬其頓，一如當代觀察者所指出的，如果馬其頓人有被併入其他族裔相對穩固的核心領地，長期在那些族裔的直接控制之下的話，直到十九世紀，他們其實原本都有可能會成為保加利亞人或塞爾維亞人，甚至是希臘人的。最後，就算認為自己是一個族裔社群的團體，也未必就能成為民族，而能否成為民族的關鍵，很大一部分取決於他們是否被使用在知識核心和族群間的溝通中，或者是否經歷過知識分子和大眾教育的影響。這些條件直到二十世紀中葉，在很多地方都仍不存在，不過截至當時，許多族裔群體早就已經消失了。[155]

邊境地帶的種類繁多，人口組成又十分複雜，這些都迫使多元文化帝國的統治菁英使用各種不同的行政手法來管治他們，而這些手法也通常會將歷史和文化因素考慮進來。但這些統治菁英和被征服的屬民，不見得會以同樣的方法來理解這些因素。此外，帝國經常會因為在內部穩定或外部安全上的急迫需要，對邊境地帶的組織或狀態進行更動。[156]帝國統治菁英在試圖加強邊境地帶和權力中樞的連結時，會不時引入一些改革，而這些改革也會對整個帝國的統治帶來影響。這些改革，最常出現在邊境戰役失利，喪失領土，或是在菁英感覺到國家統一受到威脅時。

如何界定邊境地帶不只是一個學術上的問題，這個問題也早已捲入了各個主要的政治衝突之中，其中比較重要的一個便是冷戰。當有些歷史學家發現自己所處的社會正在從一個獨立的國家變成一個邊境地帶，並被許多相互競爭的多元文化帝國所瓜分時，他們便會以文明的術語來詮釋自己的歷史傳統。這種做法由來已久，並在冷戰期間再次流行了起來；箇中代表，莫過於波蘭和匈牙利的歷史學家。[157]波蘭歷史學家哈萊茨基在總結波蘭歷史書寫的傳統時，將中東歐（Eastern Central Europe）定義為「西方文明的邊境地帶」*，他們的宿命便是阻擋德意志人和俄羅斯人的帝國擴張。他拋棄了地理決定論和種族決定論，轉而強調歷史過程；這些歷史過程為那些缺乏「永久邊界」的土地賦予了特徵，而這些特徵則將他們和東歐與西歐區隔了開來。[158]類似地，匈牙利歷史學家畢波與蘇斯兩人則辨識出了三種歐洲歷史區。蘇斯也使用「中東歐」一詞，並將這個概念最明確的特徵總結為各種「在東歐條件下形成的西方架構」。他所謂的「西方架構」，指的是一系列讓封建體系演變成專制國家的制度，比如：教會和國家並存的雙元社會，採行羅馬法，城鎮自治興起，以及對人性尊嚴的認可。畢波將這些制度稱為「大量的小範圍自由」。而東歐的條件，則是兩個獨裁帝國政權，亦即俄羅斯和鄂圖曼帝國的擴張，以及在哈布斯堡治下形成的東方和西方的混合變體。這些外部力量，結合了在匈牙利和波蘭境內仍然孱弱的「西方架構」，於是產生了下面這樣的社會：貴族努力在其中維持他們中世紀莊園的自由權，支持體制，捍衛農奴制度，並將城鎮地區的莊園排除於政治上的國族之外。[159]相形之下，蘇聯的歷史學家則試圖將俄羅斯帝國對這些邊境地帶的兼併合理化，並聲稱這些邊境地帶如果落入其他多元文化帝國之中，命運將會不堪設想；相較之下，俄羅斯至少「沒那麼邪惡」。[160]不過前蘇聯、捷克斯洛伐克和南斯拉夫解體後，這些地方的繼承國在他們的國族歷史之中，卻以恰好相反的立場進行詮釋。

邊境地帶被併入多文化的帝國之後，對於掌控權的爭奪，便落到了邊境屬民和帝國政權中心間的關係之中。地理學家史雷特稱這種關係為「地緣政治和社會運動的鱗狀交疊」，而我則對這個稱呼稍

＊審定注：中東歐為中歐的東半部之意，一個相對於中歐西半部德意志及奧地利的地理區塊的專有詞彙，其地介於中歐與東歐之間，也是西方文化的邊陲地帶，波蘭人及馬札爾人向來即認定他們是中歐國家的最東緣，負有捍衛歐洲文明對抗野蠻斯拉夫—亞細亞文化的任務。

作修改，將地緣政治換成地緣文化，以便縮小這兩者之間的差異，同時保留他所稱的張力，亦即「政治的領土性……以及各種權力的跨國流動和滲透」之間的張力。[161]在寬闊的光譜上，帝國屬民的各種反應從適應到抵抗都有，但不論對這些反應如何指稱，我們都不能用本質論來看待它們，也不能將它們看成是固定不變的。在社會現實的複雜世界之中，這些指稱是彈性的，要拆解它們也絕非易事。此外，屬民的回應也是在各個相異的脈絡之中形成的，而且無可避免要與帝國統治的本質交纏在一起。[162]

至於屬民對帝國統治的反應，邊境地帶之內並不存在清晰可辨的模式。從征服行動開啟，一直到二十世紀中葉為止，不論是個人或整個社會群體，都在適應和抵抗這兩端之間來回擺盪，心理上的感受則從放棄到頑抗都曾有過，而社會條件和政治壓力也在不斷改變。由於適應和抵抗的語言與實踐方式，在各個相異的文化之中有不同的輪廓，它們通常會被征服者和被征服者以錯誤的方式詮釋或理解，在心理上充滿模糊性，在社會上也充滿複雜性。這兩個極端之間的界線，就像各帝國之間的界線一樣模糊，而且經常會被跨越。[163]

分析這些關係，必須將幾個歷史情境考慮進去。至關重要的幾個點有：征服的性質與耗時長短；族裔群體被軍事邊界隔開的程度；就語言、族裔、宗教和社會結構而言，帝國核心和邊陲地區之間的文化距離；外部勢力干預或壓力的性質；就被征服的族裔而言，其離散海外的成員的影響力；由前一個極權帝國傳統所引起的集體意識是否夠高；以及統治菁英的文化政策。

適應

適應作為一種回應方式，其實包含許多種行為，從被動接受外部權威，到主動在政治上進行合作，再到完全認同帝國中心的支配權，都可以算是適應的一種。適應作為一種複雜的現象，不只是因為其形式多變。一如很多學者指出的，在特定情況之下，適應可能只是表面上而非實質上的行為，也可能不利於統治權力結構，而非有益。[164]伊斯蘭教便使用一種技術性的術語，將這種適應行為稱為「塔基亞」，亦即宗教偽裝之意。適應也可能是出於自願或被迫進行的；其流動易變的本質，很難以僵固的類型來進行歸類。但為了刺激討論，我們還是可以將他們的信念和實踐方式大略置入幾個不同等級之中，比如從遵從帝國統治下的法律、規章和義務，到在商業、地方政府、邊疆防衛之中擔當特定職責，但同時又保留自己獨特的文化認同。涵化指的可以是：適應帝國所支持的外來文化規範，講帝國的語言（至少在公眾場合如此），改信奉國教，或者接受國家的意識形態（就算只是漠不關心地奉行而已），以及遵行社會習慣。完成同化的最後一步，則意味著將優勢文化的所有面向進行內化，或者與之融合。在邊境地帶，由於移民聚落的族裔和地域分布模式，以及（特別是在二十世紀）以種族或階級對人進行分類的原始理論，完全轉換認同的現象非常少見。統治菁英和社會群體雙方都必須具有能接受外來文化的環境，同化才能發生。[165]對於優勢政治秩序的基本忠誠，不論是發自內心、或是出於機會主義的，都十分常見。此外，不管是哪種適應，也都需要統治者和臣民的默許：國家必須為試圖適應的人提供機會和獎勵，而臣民則必須不斷履行其義務，順從無悔。

在帝國統治之下，適應現象最常見的實踐方式，同時也是對大家都有好處的形式，便是透過冊封貴族，承認舊有頭銜勛位的方式來收編菁英，消滅可能領導抵抗行動的人。哈布斯堡王朝曾將馬札爾人、波蘭人、克羅埃西亞人，以及其他族群的人冊封為貴族。俄羅斯人曾特別將皇家貴族的資格，對波羅的海的貴族、烏克蘭的首領、穆斯林貴族穆爾札、波蘭的土地貴族（szlachta）、喬治亞王儲，以及外裏海地區的部族領袖這些群體開放。[166]鄂圖曼帝國承認基督教社群和猶太教社群領袖的職權，並對改信伊斯蘭教的基督徒授予銜位，他們之中有些人會進入帝國體系服務，而且通常會爬到最高的軍階或行政職階。清帝國的滿人統治菁英則試圖和漢人、蒙古屬民保持一定程度的文化距離，但同時又保留了漢人的儒家傳統和科舉制度，為他們開啟了一條躋身統治菁英的道路（不論這條路有多窄）。伊朗帝國也對地方部族的領袖賦予貴族地位，尤其是北部邊疆地區的突厥部族。

帝國邊境地帶中被征服的菁英之所以願意配合，不只是因為政府承諾給予特權和仕途升遷，也是因為他們相信，如果不在體制之內合作，他們就會成為一個弱國，而這樣一來只會更容易落入另一個可能更為嚴酷的統治者手中。這也許有助我們解釋為何到了第一次世界大戰前夕，這些多元文化帝國邊境地帶上的地方菁英，多數都沒有積極追求完全獨立。

對於和帝國政權合作的人來說，第二個吸引人之處，則是軍隊和官僚體系之中的官職。舉例而言，在哈布斯堡王朝和俄羅斯帝國，由克羅埃西亞人和哥薩克人組成的邊境衛兵，分別都是這兩個帝國裡最受信賴的部隊之一。在伊朗，喬治亞奴隸兵加入了菁英階層；而在中國，滿洲和蒙古的旗人也扮演了類似的角色。鄂圖曼帝國的禁衛軍則是個獨特的案例：雖然政府徵召了庫德人這個好幫手，但他們也從帝國邊陲徵募基督徒的孩童，讓他們皈依伊斯蘭教。鄂圖曼帝國也廣泛利用改宗後的基督徒，尤其是亞美尼亞人和希臘人，在行政和改革之中扮演重要的角色，而阿爾巴尼亞人則擔任軍官和士兵。邊境地帶的族群代表通常在官僚體系之中工作。一直到一八六三年，俄羅斯都有大量的波蘭人口，以及人數總是不多，卻非常顯眼的波羅的海德意志人、喬治亞人和亞美尼亞人；一些地方部族，比如巴什基爾人，則組成了皇家騎兵隊。清帝國早期也大量起用蒙古人擔任官員。在伊朗，中央政府由波斯人把持，但地方政府則主要掌握在地方部族菁英手中。

然而收編菁英的行動不一定奏效。位於社會團結和政治意識光譜另外一端的各種文化，使收編行動遇到了許多障礙。在俄羅斯帝國的極端案例之中，波蘭貴族培養出了相對於俄羅斯人的優越感，同時對被征服之前的光榮國家傳統，也仍然保有集體記憶；他們的獨立精神不時會在公開叛亂中呈現出來，而那些集體記憶也滋養了他們的獨立精神。[167]另一個極端則位於高加索山區，當地的社會和政治分裂讓收編的進程難以持續，也讓帝國政策難以一體適用。[168]俄羅斯諸多用來同化東部邊境地帶民族的政策之中，最具野心且直到近期也都是最常被忽略的面向之一，便是引入公民身分的概念，藉此改變當地習俗、社會和法律規範。但再一次地，俄羅斯官員發現「這樣一來，他們便必須和地方的領導體系分享權力，還要應付蔓延各地的反抗行為。」[169]

當新興的本地菁英試圖以他們的方式來適應帝國統治時，便出現了另一個問題：俄羅斯帝國的伊斯蘭邊境地帶，開始出現了扎吉德運動。該運動的主要目的，「是試圖讓穆斯林進入俄羅斯人的社會階層之中，藉此消除俄羅斯人和本地人之間的差異。」[170]對於邊境地帶的經濟菁英而言，適應帝國統治通常可以帶來物質上的回報，這些回報包括某些特權，尤其是和外國人建立商業往來的特權。舉例來說，俄羅斯帝國邊境地帶的地方官員常常認為，本地商人比俄羅斯商人還要更善於經商，因而會主動支持本地商人的利益，而這種現象尤其常見於聖彼得堡，以及像里加、奧德薩這樣的港口城市。在鄂圖曼帝國，非穆斯林商人則受益於政府對外國商人的優惠政策，逐漸成為出口貿易的中間人，接著更取代了他們之前的外國客戶。到了十九世紀晚期，鄂圖曼帝國與歐洲的貿易，都由邊陲地區的猶太人、亞美尼亞人和希臘人所主導。清帝國政府則對北方的蒙古貿易商和西部地區的穆斯林賦予了許多特權，並允許漢人越過封閉的邊界，在滿洲地區經商。這些優惠措施，常在優勢族裔和弱勢族裔之間造成緊張，甚至是暴力衝突，但這些緊張和衝突的矛頭，一般卻不會指向帝國政府。但也有例外：伊朗曾經發生過一場叛變，當地的商人反對菸草專賣制度，還認為政府給予外國人太多優惠。不過一般而言，邊境地帶少數族裔商人都積累了不少利益，因此被描繪為多元文化帝國之中最順從、最忠誠的臣民。[171]

就宗教事務來說，適應策略常常是一條雙向道。在民族主義出現之前的時代裡，自願改宗，以及流利使用優勢語言的能力，是融入多文化帝國的最高表現——至少在羅曼諾夫、哈布斯堡王朝、鄂圖曼帝國是這樣沒錯，但我們沒有證據能證明伊朗存在著這個現象，而中國也沒有理由讓我們相信也是如此。在這些現象出現的地方，其背後的動機似乎是為了改善生存機會，尤其是在商業、藝術或是高階公職等領域。一直到了十九世紀末，帝國政府都歡迎人民改宗，並將此當作一種規則，認為這樣可以消除一切族裔差異所造成的汙點。他們在邊境地帶也強制人民改宗，或者試圖贏取宗教弱勢族群支持，然而這些政策並沒有貫徹始終，尤其在把宗教信仰，當作政治對抗手段的地方更是如此。

有些教派和宗教領袖願意接受或宣揚服從、效忠統治階級的概念，而有時候，哈布斯堡和羅曼諾夫王朝則會願意對這些教派或領袖授予特權。[172]有時俄羅斯政府會採取寬容策略來對待穆斯林人口。不過一八六三年波蘭人起義之後，俄羅斯對羅馬天主教便充滿了敵意。對猶太人的政策就複雜得多，在未經涵化就直接同化*的做法，以及歧視和壓迫之間來回擺盪。[173]

反宗教改革期間，波蘭立陶宛聯邦曾嘗試創造一個過渡機構，讓東正教會透過東儀天主教會的中介與羅馬教會和解。這個做法雖然起初是成功的，但在俄羅斯帝國統治期間，卻成了官方東正教會和天主教會激烈角力的對象，前者由俄羅斯帝國支持，後者則由羅馬聖座支持。鄂圖曼帝國早期對基督徒和猶太教徒非常寬容大度，但當教會開始和民族解放運動畫上等號之後，帝國便改變了態度。[174]哈布斯堡王朝對待猶太人最為開明，但出於和鄂圖曼帝國一樣的原因，他們對東正教徒就沒這麼好了。清帝國對所有宗教都頗為寬容，直到宗教被連結上叛亂之後才有所改變，那些叛亂有基督教的太平天國政權，或者穆斯林在新疆發動的起義等。相較之下，伊朗的遜尼派少數族群則受到不少迫害，還被強迫改信什葉派，因為他們和邊界對面的鄂圖曼人和烏茲別克人屬於同個教派，被視作敵國的盟友。

＊編按：涵化（acculturation）是不同文化透過接觸彼此互相影響，這可以是單向或是雙向。同化（assimilation）是兩個群體相遇後，一個群體漸漸變得與另一群體相似。涵化可以視為同化的初步階段。

抵抗

一如前述的適應現象，對邊境地帶遭征服和兼併的抵抗現象，隨著時間也在不同地區出現了許多形式。微觀來看，多數日常抵抗的細微動作，都是美國政治學家斯科特所稱的「不成文的文本」（unwritten texts），在帝國征服和支配初期都沒有被記錄下來。[175]然而光是保留獨特的文化認同，本身就可以作為一種抵抗的形式，亦即挪威人類學家巴特所稱的「邊界維護」（boundary maintenance）；這讓被征服的民族儘管在帝國體系之中地位較低，也仍然可以存續下去。[176]邊境地帶的民族，則通常會考量反抗行動可能激起政府多激烈的鎮壓，來決定要選擇哪種形式的反抗運動。[177]

以叛亂為形式的武裝抵抗，是所有反抗運動之中最極端的形式，而且和西方同時期的多數叛亂相比，存在著一個重要的相異之處。除了塞爾特外圍地區（布列塔尼和愛爾蘭）之外，西歐的革命都是建國的過程；然而在歐亞大陸的邊境地帶，導致革命發生的動力卻恰恰相反，通常都是在抵抗併入一個多文化的帝國，或是企圖從帝國之中分離出去。然而有時候，邊境地區發生的叛亂，也會為帝國帶來近似於戰敗的效果，在帝國權力中心激發改革行動。[178]

有些邊境地帶，像是波蘭、匈牙利和喬治亞，都曾經擁有過一個集權的中央政權，也擁有強大的地主權貴階級；在這些地方，反帝國統治的密謀和叛亂便是由舊菁英主導的，比如匈牙利人反抗哈布斯堡王朝的三次主要起義（十七世紀初的博赤卡伊叛亂、一六七〇年代的特克利叛亂，以及一七〇三年至一七一一年的拉科齊叛亂），再比如波蘭人反抗俄羅斯的三次叛亂（一七九一年由柯斯丘什科領導的叛亂、以及分別發生於一八三〇年和一八六三年的叛亂事件）。喬治亞的貴族則在十九世紀的前三十年內，參與了幾次反俄的起義事件，並在波蘭起義的鼓舞之下，於一八三二年發起大叛亂，成為起義事件的顛峰。在這三個地區，叛變的貴族都將自身視為民族的化身，卻不顧農民的利益。匈牙利和波蘭叛亂的特別之處，在於他們都發明了一種抵抗的傳統，並以新的政治語言來表達。匈牙利發明的傳統起源於金璽詔書的「反抗條款」，該詔書原本是由匈牙利國王安德烈二世於一二二二年頒布的*，而國王相對於封建莊園的二元性，則一如源於一二八〇年代早期的《馬札爾人記事》中所呈現的，其對軍事貴族的定義與上古時期的游牧部族匈奴人的社會傳統有關。[179]這個傳統於十五、十六世紀由人文學家以及宗教改革的支持者進一步發展；對於後者來說，在宗教迫害之下更能高舉自己的抵抗權。鄂圖曼帝國入侵後，原先的多元文化國家匈牙利王國分裂為三個邊境地帶：（哈布斯堡皇家所屬）皇家匈牙利，包括殘餘的潘諾尼亞，克羅埃西亞及斯洛伐克直接併入哈布斯堡王朝，匈牙利南部地區併入鄂圖曼帝國，而外西凡尼亞公國則試圖在幾個彼此競爭的帝國強權之間，努力維持岌岌可危的獨立性。他們以舊時的自由以及國王和封建莊園的二元性為由，繼續反抗鄂圖曼帝國和哈布斯堡王朝。[180]

波蘭領土遭到瓜分之後，抵抗行動出現了幾種不同的類型。到了一八三一年起義時，抵抗行動已經開始帶有彌賽亞式的調性。在俄羅斯支配下的波蘭王國，關於抵抗的修辭有兩種路線，分別是薩爾馬提亞主義路線以及啟蒙路線，前者代表舊的波蘭土地貴族的生活模式，後者則代表法國傳來的新潮

---

*編按：西元一二二二年匈牙利國王安德烈二世，迫於貴族們的壓力，發布詔書確立的匈牙利貴族的權力，特別是在國王違法時反抗國王的權力，類似於英國大憲章的匈牙利版本。（周力行著，《匈牙利史》，三民書局）

思想，兩種無法完全相容。然而，要說這兩條路線有著明確的差異，或者把兩者類比為俄羅斯的「斯拉夫主義」與「西化主義」，可能也言過其實了。這兩種路線在十九世紀早期都是新近的產物，雖然他們也算是古老神話的回音。波蘭的薩爾馬提亞主義很有可能影響了另一個傳統神話，將烏克蘭哥薩克人和可薩人串聯在一起（可薩人是在蒙古人到來之前，在歐亞大陸上生活的草原民族）。流亡在外的哥薩克軍官後來選出了一位「蓋特曼」*，希望帶領烏克蘭人從俄羅斯獨立出來，他們也將這個神話寫入了一七一〇年的《烏克蘭憲章》中，因而創造了一種新的血統，讓一個不屬於波蘭、俄羅斯的哥薩克國家得以誕生。[181]這個哥薩克神話和馬札爾人以及波蘭人發明的傳統一樣，也頌揚戰士文化和傳統自由；對於在西部邊境地區腹背受敵的上層階級而言，戰士文化和傳統自由的組合，就是他們抵抗外國統治，以及建立、重建獨立國家的歷史基礎。但啟蒙思想的滲透將會顛覆傳統，而傳統自由也將因此被等同於西方的自由，而非東方的自由。

至於游牧民族，他們的抵抗理由和政治論述，雖然沒這麼清晰，但也並非完全不存在，只是以別種形式表達而已。草原民族對於何為「歸順」的定義，和莫斯科當局並不一樣：莫斯科會要求望族進行效忠誓詞、交出人質和進貢納稅（通常以皮草為主），然而游牧民族卻不認為這些誓詞具有約束力，也不喜歡莫斯科要求他們交出人質，並將俄羅斯人送來的禮物當作皮草交易的一部分。如果將這些誤會造成的爭端，放在游牧民族傳統邊疆戰鬥文化的脈絡中來看，那麼我們便很難抗拒歷史學家考達科夫斯基所下的結論：定居民族和草原游牧民族之間「是不可能存在和平的」。[182]從一六六二年到一七七四年期間，由巴什基爾人發起的四次起義都是這個說法的例證。其中，頭三次起義的起因儘管仍有疑義，但似乎都和拒絕支付稅賦（包括皮毛稅）、俄羅斯代表的作為，以及巴什基爾人自發劫掠俄羅斯村莊等事件有關（不過最後一項的關係沒這麼明顯）。在十八世紀的普加喬夫起義中，有些游牧民族加入了哥薩克人和農民的隊伍，但有些起義分子想要登上羅曼諾夫王位，因此這些游牧民族的首領拒絕接受他們的領導，選擇獨立行動。183

傳統上缺乏國家組織的民族，對於帝國統治的武裝抵抗，在邊境地帶角力的第一個階段裡，主要以土匪劫掠和農民起義的形式進行。讓邊境地帶受統治族群在經濟上心生不滿、起身抵抗的原因，主要是苛稅重賦和歧視性的土地政策，而這些問題，也經常和帝國核心地帶的農民所面臨到的問題並無二致。在巴爾幹的邊境地帶，從亞得里亞海到北高加索地區，從多瑙河流域到愛琴海，從高加索地峽到東歐大草原，抵抗行動都根源於某些社會現象，比如：土匪、軍事同盟，以及用來進行自衛的地方民兵等。這些人在帝國外圍的邊疆或山區非常活躍。在巴爾幹地區，他們被稱為烏斯科克、阿爾瑪托拉、俠盜集團或是克萊夫泰；在東歐大草原上的河谷，從聶伯河上的札波羅結地區，到頓河、庫班地區以及亞伊克河（烏拉河）地區，他們被稱作哥薩克人；在北高加索地區，他們則被稱為山民（車臣人）。在建構帝國的過程中，他們常會被僱為傭兵，然而軍隊一旦解散，他們便經常會轉而四處劫掠。為了抵抗突厥人，威尼斯人僱用了烏斯科克海盜，並重新起用拜占庭帝國期間出現過的希臘民兵「阿爾瑪托拉」。塞里姆一世（一五一二年至一五二〇年在位）曾為內部維安部隊取了這個名字，用他們

＊審定注：蓋特曼就是哥薩克的「首領」之意，原字源自德語。

來對抗希臘的盜匪（克萊夫泰）。但這些民兵常常跑去邊界的另外一邊，在十九世紀早期的希臘革命之中扮演積極角色。「俠盜集團」這個稱呼，最初在十六世紀是用來稱呼馬札爾人、塞爾維亞人和弗拉赫人等牧民族群，他們從鄂圖曼帝國占領區逃向森林和山區，並在那些地方和壓迫者進行游擊戰。在他們之中，有些人也加入了哈布斯堡王朝的非正規軍。其他人則被博赤卡伊收編；博赤卡伊是一位喀爾文教派的重要人物，後來他和突厥人攜手反抗哈布斯堡王朝時，則被選為外西凡尼亞的王儲。

在十七世紀期間的多瑙河流域省分和希臘群島，俠盜集團、克萊夫泰、阿爾瑪托拉這些稱呼，於歷史文獻中出現得更為頻繁。他們的活動之所以日益頻繁，主要是因為戰爭不斷發生，而公共秩序又遭到瓦解。不論是基督徒或穆斯林，當地的農民都非常痛恨他們的強盜行為。[184]然而俠盜集團卻逐漸被賦予一種綠林好漢的形象，帶有神話色彩，而且在南斯拉夫地區尤為如此。他們在民俗的敘事詩之中被傳頌，詩中詳細描述了他們的事蹟、穿著和舉止。十九世紀期間，在塞爾維亞人、蒙特內哥羅人、保加利亞人與希臘人之中，俠盜集團和克萊夫泰則扮演了某種民族主義原型的角色，奮力對抗突厥人的統治。[185]這些傳統後來在二十世紀以現代的形式重現，並在第二次世界大戰期間希臘人和南斯拉夫人的抵抗運動之中特別強盛。

哥薩克人原本是一群劫掠者，他們源於不受帝國控制的邊境地帶。雖然他們在名義上是東正教徒，但在進行劫掠時，卻對土耳其穆斯林、俄羅斯人和波蘭基督徒都一視同仁。十七世紀期間，波蘭國王像俄國沙皇那樣，偶爾會僱用一定人數「登記在籍」的哥薩克人作為手下；但這些安排通常都不甚成功，甚至會引發叛亂。在十七世紀的農民叛亂中，札波羅結哥薩克人和頓河哥薩克人掌握了主要的領導權。雖然哥薩克人的自主性，以及由此而生的反抗行為，最後遭到凱薩琳大帝的破壞，但他們的開拓事蹟卻被銘記入史書和文學作品之中，成了烏克蘭民族主義的開國神話。俄羅斯人進軍高加索地區、外裏海地區以及內亞地區時，則將哥薩克人遷往防守鬆散的國界附近，以確保拓墾者的安全。在北高加索的邊疆地區，哥薩克人也在征服山區居民的過程中，扮演重要的角色。然而同樣地，他們有時會像烏斯科克人一樣臨時倒戈，和穆斯林幫派集團結盟。長期來看，哈布斯堡和俄羅斯帝國，都比鄂圖曼帝國還要更擅長將叛亂分子控制於帝國治下（雖然不盡然都是如此）。在歐亞大陸伊斯蘭地區的邊緣地帶，從高加索地峽到內亞地區的外圍，蘇非主義（尤其是十九世紀的納各胥班迪道團）通常都是反抗勢力的來源。「對鄂圖曼帝國來說，當這些運動穿越鬆散的邊界擴散到另一邊、並和鄰近地區相似的勢力結合在一起時，他們就成了特別嚴重的麻煩。」[186]在鄂圖曼帝國和薩法維王朝對邊境地帶的角力之中，有些阿列維土庫曼人的什葉派團體就倒戈投向了伊朗，讓整個部族被冠上了造反者和叛徒的臭名。

逃亡和遷徙，也是歐亞大陸邊境地帶上的另一種抵抗形式，例子多不勝數，比如：十七世紀末為了躲避鄂圖曼占領而發生的塞爾維亞大遷徙；十八世紀末，札波羅結哥薩克人曾從俄羅斯逃往哈布斯堡的領土；一七八三年，克里米亞韃靼人的故土遭俄羅斯占領之後，他們也踏上了逃亡一途；十八世紀哈薩克人的大遷徙行動；十八世紀瓦剌蒙古人逃離清帝國；一八五九年山區的穆斯林部族從俄羅斯遷往鄂圖曼帝國。一八六三年曾參與叛變的波蘭人遷往國外後，成為了海外流亡抵抗運動的重要核心。至於十九世紀末逃離土耳其統治的亞美尼亞人，則主要是為了存活下來，但他們在流亡國外期間仍積極從事抵抗，於西歐和美國對反鄂圖曼帝國的事業帶來了廣泛的影響力。

起義失敗而流亡海外的人，在邊境地帶的民族之中，以波蘭人、馬札爾人和亞美尼亞人為主，他們在海外策劃叛變，出版非法宣傳品，甚至加入和他們有著共同敵人的軍隊裡，其中又以波蘭軍團最為活躍、存續最久。第一次和第二次世界大戰期間的邊境地帶角力之中，有各種流亡在外的政府、議會和政黨在抵抗運動中擔任要角，而歷史悠久的波蘭軍團，便是這些流亡組織的效法對象。戰爭期間，帝國中央權力當局通常都預期邊境地帶的人民會發起叛變，因此也會以強制性的人口遷徙作為應對。像種族清洗這種極端手段，便瞄準了那些被認為對帝國政權抱持敵意、難以同化的人口，是一種由國家推動的內戰，目的是在抵抗發生之前就先發制人。[187]

由於受到地方穆斯林菁英（阿揚）的剝削，加上中央政府權力衰退，鄂圖曼帝國統治下的基督徒，在整個十八世紀裡也愈來愈常發起抵抗行動。[188]在清帝國的邊疆地帶，由於經濟和宗教上的衝突，使得西北的甘肅地區爆發了回亂，而東突厥斯坦（新疆）也出現了由維吾爾人、蒙古人和漢人發起的叛亂事件。然而我們也不能輕易就將這些事件，和今日帶有族裔或民族訴求的叛亂運動劃上等號。[189]

在伊朗，地方部族的叛變不只發生在邊境地帶。早在非常久遠以前，類似的叛變就已經在庫德地區以及亞塞拜然非常盛行；尤其是亞塞拜然，其在伊朗史上作為一個經常叛變的省分早就惡名昭彰，和後來中國的新疆非常類似。[190]在不同情況下，這兩個省分在第二次世界大戰期間以及戰後，都成了叛亂運動的中心，進而導致蘇聯插手干預，也讓蘇聯跟伊朗、中國的國民黨政權和共產黨政權，以及美國和英國等國政府相繼交惡。

到了十九世紀，邊境地區人民不斷茁壯的民族情緒，逐漸改變了土匪幫派和農民戰爭的型態。[191]如果說造成十七和十八世紀農民起義的主因，是農民對自身經濟處境感到不滿的話，那麼十九和二十世紀初期的起義行動，就帶有更多的民族主義色彩。長期存在於鄉村地區的經濟、族裔和宗教衝突，開始轉由民間和軍隊中的知識分子主導，有時還有神職人員的支持，甚至和隱含國族、階級意識的罷工或學運結合在一起。以農民為核心的民族解放運動，在多元文化帝國邊境地帶各個地方發生的時間點、社會組成以及領導階層都大不相同，也反映出了各地不同的地緣文化條件。這類解放運動最早爆發於巴爾幹地區的西部；鄂圖曼帝國的勢力在東南歐逐漸衰退之後，邊境的農村地區便一再出現叛亂。[192]到了二十世紀初，不斷興起的農民騷亂，結合了城鎮地區的抗議行動，為俄國帶來不少社會動盪，最後在一九〇五年的革命期間達到顛峰，而當時最激烈的戰役，不少都發生在帝國的邊疆地區。[193]讓卡加王朝步入衰退、終至瓦解的叛亂活動，則起於伊朗境內的亞塞拜然地區。另外，清帝國在十九世紀遭遇的幾次大型起義，就不是典型的農民叛變了；那些起義主要發生在邊疆地區，比如新疆這種「最叛逆」的外圍省分、省和省之間的交界，以及少數族裔或少數宗教群體勢力強大的地區。[194]北方邊疆地區持續存在的威脅，也導致了中國社會的「軍事化」和自衛團體的出現，但這些團體卻也成為了叛亂行動的火藥庫。*[195]

叛亂活動也會引起外國勢力的干預，為多元文化帝國持續帶來困擾，同時也不斷提醒我們帝國在

＊編按：本書第三篇導讀〈帝國之異同〉中，廖教授提到：十九世紀北方邊疆的威脅，並非導致中國社會「軍事化」和自衛團體出現的主因。詳參頁(23)。

邊境地帶的統治有多脆弱。其中，俄羅斯就特別容易受到叛變和外部干預的雙重威脅，這些現象早在俄羅斯混亂時期（一五九八年至一六一三年）就已經開始發生。十八世紀，中央政府擔心巴什基爾人的起義會引起鄂圖曼帝國的介入；到了十九世紀，他們則擔心波蘭人的兩次叛亂會導致歐洲人趁機介入。協約國介入俄國內戰期間，外國勢力干預的噩夢終於成真，使得俄羅斯人對內部敵人懷抱著恐懼和猜忌的態度，而這種心理狀態，一直到二戰期間和戰後仍在持續影響著政策的方向。

鄂圖曼帝國在邊境地帶也面臨著同樣的威脅，因為俄羅斯也不斷試圖要求鄂圖曼帝國實行改革、促進基督徒人口的利益，藉此介入鄂圖曼帝國的政局。鄂圖曼帝國的素檀偶爾也會以其人之道還治其人之身，煽動高加索地區的穆斯林部族，但那些通常都只是試驗性的計畫，成效較差。到了十九世紀，俄羅斯也曾試圖利用東突厥斯坦穆斯林的叛亂來對抗清帝國。當馬札爾人於十六和十七世紀期間起身反抗哈布斯堡王朝時，鄂圖曼帝國為了取得多瑙河地區，因而對馬札爾人提供了協助。這種內部叛亂串連外部干預的現象，於二十世紀兩次世界大戰期間變得更加常見，後來在冷戰成形過程中也扮演了重要角色。

叛亂可能引起外部干預，或者外部戰爭可能導致內部叛亂的這種危機，與帝國解體的夢魘緊密關聯。統治者和統治菁英經常擔憂，一旦外部戰爭失利結合內部叛亂，可能會從一個地區擴散到整個邊疆地帶，並促成政權繼承爭奪或民族解放的各種戰爭。一八四八年的哈布斯堡王朝、一八五五年和一九一八年的俄羅斯帝國、一八七八年的鄂圖曼帝國、一九〇八年的伊朗卡加王朝，以及一九一一年的清帝國，便相繼遇上了這種危急的狀況。

一觸即發

在建構國家的過程中，歐亞大陸上的幾個擴張型多文化帝國，都在從波羅的海到日本海之間的地區，沿著由各個備受爭奪的邊界所組成的連續體，捲入了邊境地帶的角力過程之中。在這個空間裡，大規模的人口移動和結局瞬息萬變的戰爭，都創造出了一條極為動盪的文化碎片帶，以及一個集結了不同語族和宗教群體的人口萬花筒。隨著角力愈演愈烈，這些麻煩的熱點，對於帝國政權的外部安全和內部穩定也就愈來愈重要。在此，我要為接下來的敘事先做個提要。這些熱點地區，從十六世紀到第一次世界大戰之前，成了歐亞大陸上各個大小型戰爭和多場大型叛亂事件爆發的地點。二戰結束之後，這些帝國的繼承者有：波蘭、匈牙利、捷克斯洛伐克、南斯拉夫、保加利亞、希臘、土耳其、伊朗和中國等。然而戰後的重建，並沒有將這些熱點從各個繼承國的領土上消除掉。為了理解邊境領土和人民的角力過程，是如何影響了多文化帝國以及這些帝國在二十世紀的繼承國（不論這些繼承國是否明確指出自己繼承了帝國）的內政和外交政策，我們必須先探討歐亞大陸上國家建構這個連續過程的特性；這個過程於十六和十七世紀開展，但直到帝國瓦解之時都仍未完成。接下來的兩個章節，我們將探討統治菁英如何試圖發明帝國意識形態或政治神學，藉此為政權賦予正統性，以便將迥然不同的文化傳統與社會群體鍛接在一起；以及，這些菁英又是如何建立起制度架構，以此在政治上與軍事上對邊境地帶施行控制。

第二章

帝國意識形態：文化實踐

包括哈布斯堡王朝、鄂圖曼帝國、羅曼諾夫王朝、薩法維和卡加王朝以及清帝國在內的多文化帝國統治者和統治菁英，在歐亞大陸的邊境地帶競逐霸權時，都曾嘗試建立總體意識形態，以及一系列文化實踐，以便將不同族裔、不同宗教，以及對不同地區領袖效忠的人民，都統合在一起。到了二十世紀，多民族國家的法西斯和共產主義領導人，也和帝國時期的王室一樣，依然將統治原則視為一種不可或缺的事物。但不論是在帝國時期或是在二十世紀，國家建構的混亂過程往往會伴隨領土的快速擴張或喪失，不時會兼併或失去邊境地區的廣大人口；在這些狀況之下，要建立統治的正當性並不容易。

在帝國時期，支撐帝國統治的意識形態主要有四個，它們分別是：（一）神授、神聖的世襲王權，雖然世襲的嫡系偶爾會遭到阻斷；（二）開國神話，它們部分建立在遠古歷史和史詩之上，部分由為國服務的知識分子所發明；（三）用來讚頌、突出統治者權威，並威嚇其臣民或外國敵人的一系列文化實踐；（四）將邊境地帶象徵性地想像為帝國權威的固有展現。這四種真實和象徵的權力再現混合在一起，組成了帝國的文化體系。

世襲的王朝概念被包裹在準神聖、祭司式的氛圍之中，並由基督教、伊斯蘭教的神職人員或儒學家打造成為一種政治神學。「政治神學」一詞在此的意思是，他們將宗教性的修辭和意象，象徵性地轉化為王權統治的修辭和意象。[196]儘管世襲王朝的概念源遠流長，卻不一定能帶來穩定。就生物角度來看，人類的生育死亡都充滿變數，無嗣、沒有男性繼承人、早產、流產，或是統治者、王儲因暴力致死的事件，都可能導致（其實是太常導致）王位繼承危機。比方說，鄂圖曼帝國在好幾個世紀期間，都沒有王位的繼承法，而是依循古老的突厥傳統，由天命來決定繼位人選。由天命決定的意思是，儘管王位人選通常是分裂鬥爭而得出的結果，但不論是素檀哪個兒子繼位，繼位者都能獲得正當性；一旦登上王位，新的素檀便會消滅胞兄胞弟，好獲得統治的正統性。一直要到一六一七年，鄂圖曼帝國才正式採納由長子作為法定繼位者的原則；到了十九世紀中，鄂圖曼帝國才開始嘗試確立財產由長子繼承的制度[197]。至於俄羅斯帝國，直到十八世紀末保羅一世在位之前，也不存在王位繼承的原則。在哈布斯堡王朝，由於皇室可能在十八世紀初出現男性血脈中斷的現象，導致一連串的內部讓步和簽訂國際條約，以確保瑪麗亞・特蕾西亞女皇能夠繼位，此即《國事詔書》，但此安排也讓王朝付出了奧地利皇位繼承戰爭的代價。在中國，皇帝天命不再的外部徵兆，則可能導致統治者失去政權。在卡加王朝，國王可以指定繼位者，但國王一旦過世，權力鬥爭依然可能發生，而且也的確發生過。

就政治角度來看，王朝君主雖然在理論上可以施行絕對專制，但仍必須受到社會慣例的調和與限制。十八、十九世紀愈來愈常見的暗殺、王室政變等手段，為了獲得正當性，通常會訴諸更高的正義原則；由於王權統治是由天命授與的，因此王朝統治若是出現危機，也只能歸因於奧祕的天意。這些天意，有時濫用了人類容易受騙上當的特性。[198]

在歐亞大陸的多元文化帝國裡，帝國文化體系的靈感源於一個神話的共同起源，這些神話鑲嵌在古代世界的兩種傳統之中：羅馬－拜占庭以及阿契美尼德－薩珊王朝，再覆疊上基督教和伊斯蘭教的元素；由這些傳統體系衍生的符號、意象，裝飾著帝國統治的各種人為產物，其中有抽象論述方面的，也有實體物質上的。中國則是一個特例。然而清帝國也將統治的正當性，建立在皇權轉移的概念上，在儒家思想之中將古老、持續的傳統神聖化。

文化實踐的主要象徵形式，是國家功能的展現，以及帝國空間的架構，這些象徵形式被設計來震懾菁英階級、普羅大眾以及到訪的外國政要，或讓他們留下深刻印象。王室提供半開放的環境，由嚴格的規章管控，讓菁英階級附屬於統治者之下，培養他們順從的習性，儘管這麼做也可能導致統治者隔絕於社會中其他人之外。[199]公開的慶典和儀式，以及統治者精心安排的訪查與出巡，都讓被統治的人民能看到統治者，拉近王室和農村之間的距離。對統治者來說，最具戲劇性的公開露面，或許是登基典禮、大型的宗教儀式以及閱兵典禮，充滿由軍服或禮服精心打造的壯觀場面。[200]皇室也會委託工藝家製作藝術品，建造宮殿，甚至在都城實施都市設計，這些都有助於界定並提升統治者控制公共空間的絕對權力。[201]統治者會使用許多頭銜，不只是為了替自己增添光輝，也是為了表示自己所代表的各種族群和傳統。在不同時間和地點裡，帝國用來同化異族的政策也不盡相同，從強行壓迫到啟蒙教育都有。強迫改宗和實行統一語言政策，則和寬容、收編菁英等手法交互出現，甚至只要不會導致顛覆性的叛亂，帝國都可能願意接受文化多樣性。在很大程度上，彈性本身成了意識形態的一部分。[202]統治者在調整帝國意識形態和文化實踐的同時，也會在倡導統治者應該世俗化或神聖化的人之間，在世俗體系和宗教體系之間，以及真實和象徵的權力之間產生不少緊張。

科學理性思想，以及民族主義的愛國情緒，是最能侵蝕帝國概念的兩項要素。在西歐知識傳統的長流之中，這些都是現代才出現的概念，而且和它們所要挑戰的帝國意識形態原則相比，也沒有比較稱得上是一種連貫一致的思想體系。由知識分子培育，並透過教育體系傳播開來的科學理性思想，則試圖讓制度和實踐都符合某個普世的原則。當這種思想被帝國統治菁英拿來使用時，便有助於他們建立專業的官僚體系和軍隊；這些組織中雖然有位階差異，但賞罰和升遷根據的是功績和可預測的規則，是結合國家利益和公共利益的經濟系統，也是用來形塑主流價值體系的文化實踐，但也為不同的價值信念提供了存在的空間（如果這些信仰不具破壞性的話）。但同時，它們也對帝國政權帶來了潛在的挑戰，讓開國神話可能不再具有神聖地位，從而削弱了在位者的統治正當性。

在別的地方，民族情感代表的可能是想像的共同體，但在歐亞大陸上，光要在帝國人民之中想像一個堅實的世俗共同體意識就非常困難，更遑論要創造一個出來。法國大革命之後，當拿破崙的帝國主義，以及地方上不屬於統治菁英的世俗思想家開始出現時，民族情感便滲透進了多文化的帝國之中；和帝國的概念相比，這種情感更有彈性，雖然也可能更為反覆無常。帝國統治者開始將可以賦予國族性（nationalizing）的概念加入了政治神學之中，採用的方法諸如：在官僚體系、學校、軍隊之中引入官方語言，以及發明新的儀式、可見符號與制度，藉此激發人民對祖國領土（德文的「Heimat」以及俄文的「rodina」等）的強烈感受。邊境地帶漸起的民族情感，與帝國中央的民族化運動之間的相互影響，經常穿透鬆散的邊界，尤其是在兩個帝國比鄰相接和邊界兩側住著擁有相同語族認同的人口之處。[203]

生活在帝國治下，來自被征服民族的民族主義思想家，於十九世紀初期便已在努力尋求獲得不同程度的自治權；在邊境地帶，這些人主要集中在一小群知識分子之中。值得注意的例外不少，包括：曾經在邊境地帶角力之中加入帝國征服者行列的波蘭和匈牙利貴族，而且他們仍十分珍惜這些過去；塞爾維亞人的東正教會則持續抵抗外來者統治的傳統，不論那些外來者是哈布斯堡的天主教政權，還是鄂圖曼帝國的穆斯林政權；喬治亞貴族好幾個世紀以來都在抵擋伊斯蘭教的包圍；而蒙古貴族則回望著他們傲視群雄的廣袤帝國。一直要到各帝國於十九世紀晚期、二十世紀初期的戰敗中損害了統治基礎之後，多數民族運動才開始取得大眾支持，採取革命行動，試圖從帝國的統治中獨立出來。此時，各種能為政權提供正當性的替代來源，彼此之間的拉力已經增加到了無法輕易調和的地步，造成了帝國內部的衰退和崩解。但這些過程帶來的辯證式結果，還需要好幾個世紀才會慢慢浮現。

哈布斯堡王朝

哈布斯堡王朝意識形態的核心概念，來自一系列的姻親和契約關係，這些關係導致奧地利的世襲領地，與波希米亞、匈牙利和克羅埃西亞這些皇室領地於十六世紀初合而為一。[204]這些安排在法律上和政治上十分複雜，也保留了地方菁英的權利和特權；王朝和他們最親近的隨從，在由帝國意識形態、軍隊和官僚體系所組成的制度三位一體之中，為帝國的延續提供了特殊的優勢。奧地利的哈布斯堡王朝從西班牙的腓利普二世那裡，繼承了與拜占庭皇室的神祕連結，以及他們近乎祭司的權力。後來魯道夫一世和金羊毛騎士團引入了聖體奇蹟的儀式，將這些權力進行了制度化＊。[205]

到了文藝復興時期，哈布斯堡王朝已經演化出了複雜的帝國形象，結合了異教徒、古希伯來以及基督教的思想，嘗試藉此將世俗權力和宗教功能融合在一起。在王室的主導和控制之下，作家和藝術家使用了新的文學歷史論述，打造出一種包含先知論和末日論的意識形態。[206]哈布斯堡王朝存在期間，統治者都在試圖創造一個供奉所有英雄的萬神殿，藉此美化帝國的傳統和價值。這個萬神殿名單中的第一位英雄，是奧地利哈布斯堡王朝的創始者魯道夫一世，接著則是馬克西米利安一世，他的婚姻政策，創造了王朝位於中歐的核心。其他的英雄還有於十六和十七世紀英勇迎戰突厥人的利奧波德一世、約瑟夫一世、查理六世，以及身為「奧地利國母：所有子民的母親」的特蕾西亞女皇。至於約瑟夫二世，則因爭議性過高而未能入列，而法蘭茲．約瑟夫一世則要到他在位期間的後半才獲准進入這份名單之中。傑出的軍事指揮官則占據次要位置，尤其是歐根親王†、洛林的查理‡以及蒙特庫科利伯爵，都是由於軍事成就而受到王朝冊封的外國人。[207]

---

*審定注：奧地利的哈布斯堡王朝首先從一二七三年魯道夫一世取得德意志國王頭銜及入主奧地利的合法性地位，以及一四七七年馬克西米利安一世從奧屬尼德蘭的金羊毛騎士團之處引入了聖體奇蹟的儀式，其後一五一九年在查理五世同時將奧地利及西班牙同納入哈布斯堡王朝轄下之後，查理五世之弟腓迪南，即日後的奧地利哈布斯堡王朝皇帝腓迪南一世，又從其姪，即查理五世之子、西班牙哈布斯堡王朝的國王腓利普二世之處，承襲模仿到了昔日拜占庭帝國皇室的至高無上性與神聖神祕性，以及他們近乎祭司的絕對權力。

†編按：歐根親王（Francois-Eugene, Prince of Savoy-Carignan，一六六三至一七三六年），哈布斯堡王朝的偉大將領之一，神聖羅馬帝國陸軍元帥。他與英國的約翰．邱吉爾、法國的維拉爾元帥，並列為歐洲十八世紀前期最優秀的天才將領。

‡審定注：活躍於十七世紀後半葉的「洛林的查理」，原本的頭銜是洛林公爵查理五世，但他從來沒能擁有洛林公國的實質統治權，因為在他接掌公爵之位之前，洛林公國早被法蘭西王國所吞併，因此他的外號被稱為「無洛林公國領地的洛林公爵」。他乃轉而投效神聖羅馬帝國哈布斯堡王朝皇帝利奧波德一世的麾下，後來成為其女婿並被任命為哈布斯堡王朝的將領，擔當抗土戰爭的重責大任，與歐根親王齊名，當世普遍稱呼其為「洛林的查理」。

十六和十七世紀，奧地利的哈布斯堡王朝持續鼓勵天主教文化，並將教會作為一種社會規範的工具，讓某些歷史學家將哈布斯堡王朝視為一種「有國教的專制政權」。[208]三十年戰爭於一六四八年結束後，天主教會取得了波希米亞地區的所有宗教治權，天主教由此得以大舉發展。教會的官方任務，即是讓波希米亞王室領地的居民皈依天主教。再天主教化的第二波浪潮則於十七世紀中葉開始出現，目標對象則是農民。到了十七世紀末，儘管對地下非天主教徒的追捕仍在持續進行，但改宗工作已經完成。[209]皇帝利奧波德一世以其虔誠著稱，熱切地尋求將哈布斯堡王朝繼承來的領土「重新變為天主教的國度」。他支持崇拜聖母瑪麗亞和聖體奇蹟，以此作為他反對新教的象徵。他興建了超過八百座教區禮拜堂，並讓從突厥人手中奪回的匈牙利也供奉聖母。他甚至以聖母之名，在奧地利軍隊裡任命了聖母大將軍。他讓一些地方聖人的崇拜變得頗為流行，比如波希米亞的聖文瑟斯拉斯以及匈牙利的聖伊斯特凡*，以便在剛皈依天主教、信仰尚未穩固的地區獲取人民的忠誠。他高度仰賴耶穌會教士，不只是因為他們強盛的傳教與教育活動，也是因為教士人數在宗教改革期間變得愈來愈少。他不只本人虔誠，他所在的王室也保持嚴格紀律，和其他信奉天主教的王室形成強烈對比，讓他贏得了廣泛的認可。在他對耶穌會的贊助和支持之下，諸如朝聖、宗教遊行和戲劇表演等大眾宗教活動，都讓民眾變得更加虔誠。[210]文化和社會同化政策，則於天主教巴洛克†時期達到顛峰。

另一方面，奧地利的哈布斯堡王朝也放棄了普世君主的概念；當查理五世的帝國於一五二六年被拆分為西班牙和奧地利兩個部分時，這個概念就已經毫無意義了。直到十八世紀，奧地利王朝都仍保留了西班牙王室的禮節，該禮節被看作是歐洲最嚴格而繁複的。[211]然而到了利奧波德一世在位期間，帝國意識形態的焦點開始從王朝轉向統治者。菁英的世俗文化，也為被教會奉為聖人的利奧波德一世增添了不少光彩；宮廷的戲劇、詩歌、頌文以及布道，都在讚揚著他的男子氣概和英勇特質。[212]但這為瑪麗亞·特蕾西亞女皇帶來了許多麻煩：她發現自己在哈布斯堡王朝的王位繼承史中，擔負著獨特的性別角色。為了回應這點，她重塑自己的公眾形象和私人空間，藉此在宮廷和國家面前展現自己是一個女皇、母親、妻子和寡婦。她將美泉宮（Schloss Schönbrunn）內部原本充滿陽剛氣息的巴洛克風格翻修為帶有陰柔溫馨的洛可可裝飾，這不只提升了她的隱私，也維持了帝國的尊嚴。她的這些安排是「現代人組織居家空間方式的前身」；同時，作為母親和帝國人物的雙重身分，也讓她可以以各種方式行使權力。但她的兒子約瑟夫二世卻不太喜歡美泉宮，而偏好宮殿堡宮（Schloss Hofburg）；在宮殿堡宮裡，他只占用了一個簡陋的房間，而房間裡頭並沒有任何寓言和神話人物的裝飾，反映出了他對統治概念的開明態度。[213]

和其他歐亞帝國一樣，哈布斯堡王朝的地緣文化位置，使得它的對外使命被賦予了一種二元性；關於這個使命，歷史學家經常認為那隻同時望向東方和西方的雙頭黑鷹，帶有一種象徵性的含義。以朝向西方的那一面來說，從十六世紀中葉開始，哈布斯堡王朝的政策就是要打敗宗教改革。此後一直

---

* 審定注：波希米亞王國又稱呼為聖瓦茨拉夫〔拉丁名：文瑟斯拉斯〕王冠下的領地〔Land of the Crown of St. Vaclav (Wenzelslas)〕，是為紀念引領捷克人皈依基督教而被羅馬教會封為聖徒的傳奇君主瓦茨拉夫而來，同樣的匈牙利王國又稱呼為聖伊斯特凡〔拉丁名：史蒂芬〕王冠下的領地〔Land of the Crown of St. Istvan (Stephen)〕，也是為了紀念率領馬札爾人皈依基督教並被羅馬教會封為聖徒的傳奇國王伊斯特凡而來。

† 編按：巴洛克風格起自於「反宗教改革」運動，教會認為這些藝術感知有助於宗教認同。

到十九世紀中葉，哈布斯堡王朝都在試圖確保神聖羅馬帝國的皇帝，能夠不斷由奧地利哈布斯堡家族的成員來擔任，藉此繼續支配邦國林立的德意志諸小邦。在義大利半島，他們則繼承了吉伯林派的想法，限制教宗只能擁有宗教角色，並希望將義大利的各個小國都置於帝國控制之下。他們的主要競爭對手是法國，因為法國人同樣希望支配支離破碎的德意志和義大利。就朝向東方的那一面而言，哈布斯堡王朝則一直維持著基督教捍衛者的角色，抵抗鄂圖曼的穆斯林，而被稱作「奧地利的東方使命」。

奧地利法學家卡恩在他的知名文章〈王朝與帝國主義思想〉中，同意奧地利幾個重要歷史學家的觀點，認為儘管「因為地理位置、經濟利益和國防需要等因素，讓帝國和東方的連結變得更多，而不是和西方」[214]，但哈布斯堡王朝統治者主要關切的，仍是如何保留他們在西部德意志地區的力量。[215]這種矛盾從未得到解決。十七和十八世紀，哈布斯堡王朝和鄂圖曼帝國進行過五次大型戰爭。十九世紀中葉，當哈布斯堡王朝分別在統一戰爭中被驅逐出義大利半島和德意志邦聯（或作德意志領邦同盟）時，黑鷹別無選擇，只能望向東方。藉由一八六七年的《折衷協議》與匈牙利人談和後，哈布斯堡王朝的外交政策變成了維持在巴爾幹地區的領土現狀。哈布斯堡再也無法一邊舉著解放基督徒的旗幟，一邊卻又不讓受俄羅斯泛斯拉夫民族支持的塞爾維亞民族主義者受益。他們的經濟滲透政策則是一個折衷的替代方案。但奧地利人在意識形態上的理由已經站不住腳了。奧匈帝國後來於一八七六年占領了波士尼亞與赫塞哥維納，並於一九〇八年關鍵地終於正式兼併該地區，但這些終究不過是確認了奧地利的使命已然瓦解。

哈布斯堡王朝從十八世紀中葉以來，便一直在進行一場變革；而法國大革命戰爭的爆發、神聖羅馬帝國的解體，以及一八〇四年第一個「奧地利皇帝」的登基，則標誌著這場變革的最後一步。這個變革，意味著他們將不再模仿由法國、西班牙和義大利設下的文化標準，而是開始轉向擁抱德意志宮廷文化。一八四八年之後，被革命撼動的哈布斯堡王朝，開始迫切地尋求權力原則和使命；憲政實驗很快地便相繼取得了成功。根據匈牙利歷史學家哈納克的說法，即使在奧匈帝國這個二元君主國於一八六七年建立之後，仍有六個主要的政治概念在相互競爭，企圖成為帝國的主導意識形態。[216]雖然帝國存在著這些憲法危機，但法蘭茲．約瑟夫一世的世界觀卻幾乎沒有變化。他仍堅守憲政國家的概念，對所有民族都表現出寬容態度，或者至少沒有特別偏袒哪一個民族，同時依舊深深地依附於羅馬天主教之下；在他統治期間，虔誠和謙卑的儀式也未曾斷過。[217]

當法蘭茲．約瑟夫一世於一八四八年登上王位時，國教的概念正在經歷一場雙重轉變。宗教情感的大規模復興，開啟了「第二個國教時代」；有國教的國家開始被「某種國教多元主義」所取代。[218]更多的寬容所帶來的結果，可能有好有壞，而實際上也的確如此。對於捷克人來說，這意味著他們將能夠強化自己的民族傳統，為他們的反德意志情結提供了彈藥；而他們之所以會有這種情結，則和反宗教改革以及捷克喪失主權等因素有關。至於猶太人的反應則恰好相反。在俄羅斯帝國，並非所有族群都能融入主流社會；相較之下，哈布斯堡帝國的猶太人則有機會保留他們作為猶太人的認同（不論這個認同是世俗上的還是宗教上的），但也都共享德意志、匈牙利或波蘭的豐富文化。[219]雖然有點令人難堪，但大家都知道，猶太人在哈布斯堡王朝境內所有民族之中，是最效忠於皇帝的。

從不同的角度來看，哈布斯堡王朝不斷變化的帝國理想也表明了一件事，亦即當十八、十九世紀的文化和知識潮流，在席捲歐洲的社會菁英和政治菁英的同時，統治者和他們的幕僚也能以非常靈活的彈性來回應這些巨變。即便是在上層啟蒙時期，王朝也從未放棄與天主教會的密切關係。但歐洲君主制的去神聖化，也體現在一個理性、冷靜的統治者（亦即開明的暴君）的形象之中，為絕對君權的行使方式，創造了一套全新的功利主義原則。約瑟夫二世成了最熱心擁護這些原則的人，然而他身為一個開明暴君的名聲也已經受到了挑戰。[220]和其他較小的德意志諸邦國一樣，哈布斯堡帝國境內的德意志啓蒙運動也有一個分支是官房主義，這個分支在更大程度上要歸功於義大利人和德意志人，而非法國人。官房主義的關鍵概念是從德意志自然法發展而來，其內容是：一個富裕而強大的國家，其最堅實的基礎是幸福而繁榮的人民。國家會透過法治保護人民的物質利益，並透過寬容政策保障他們的宗教信仰，以此作為對人民服從和忠誠的回報。[221]

哈布斯堡地區的第一代官房主義者，在利奧波德一世的宮廷中組成了一個幕僚團體。他們在西歐大學受教育，而且曾有建立小型工廠的經驗，他們不只認為傳統的階級制度阻礙了創新，也批評貴族不事生產、愛好奢華的生活方式。其中最具影響力的代表人物貝歇爾就主張，如果能讓大量活躍的人民都獲得充足營養和就業機會，便是一種美德。他建議帝國限制原材料的出口，並鼓勵自己生產成品，以便和高貴的法國進口產品競爭，甚至還主張建立新的信貸形式和中央銀行。儘管他的影響力因為一樁醜聞而受損，使得他最後必須辭職，但是官房主義仍在政府內部獲得了辛岑多夫伯爵手下人馬的支持。利奧波德一世對官房主義也頗感認同，但重商主義仍遇到了許多結構性的障礙，比如：來自傳統階級秩序的反對、關稅同盟當時也仍不存在，而皇室的支持又頗為意興闌珊；還有一件事或許是最難克服的，那就是從一七〇〇年就已開打的西班牙王位繼承戰爭。[222]

在瑪麗亞．特蕾西亞女皇和約瑟夫二世的統治下，這些官房主義思想重新盛行了起來，並被修飾、合成為一個更全面的行政模式，亦即一個井然有序的警察國家。支持這種警察國家模式的主要理論家，是馮索南費爾斯和尤斯提；瑪麗亞．特蕾西亞女皇在位期間，他們都在特蕾西亞學院和維也納大學寫作講課。他們探討的課題繁多，從公共衛生和人口到財富和貧困問題都有，幾乎涵蓋了公共政策的所有面向。尤斯提的經濟政策核心是，他認為國家應該是經濟的主要監管者；他為了鼓勵私部門的活動，提出了不少建議，其中包括：將商業行為從封建法規之中解放出來、減輕農民的財政負擔，並讓他們脫離農奴身分。他還敦促瑪麗亞．特蕾西亞女皇建立一個「警察機構」，透過間接的手段，來達到今天被稱為福利國家的境界。[223]

尤斯提對帝國意識形態的貢獻，是將德意志官房主義者和法國哲學家（主要是孟德斯鳩）的理論元素結合在一起，而這種理論上的結合，則是法國和德意志境內各邦國，向奧地利和俄羅斯獨裁政權傳播思想的重要特徵。他完全支持孟德斯鳩對於專制政權的觀點，但對於如何消除其最有害的部分卻持有不同意見。他批評彼得大帝沒有理解到「專制制度顯然是破壞商業活動的最大障礙」，但也反對孟德斯鳩的集體統治（corporate model）模式提議。對他而言，就妨礙商業活動的程度來說，擁有土地的貴族和沙皇的專制制度並沒有什麼不同。他列舉了鄂圖曼帝國和中國這兩個例子，指出它們沒有透過憲法確立世襲王朝，但仍能有效治理帝國。他主張建立一種基於個人功績而賦予的貴族身分，而且這種身分無法世襲，以便鼓勵個人企業，並作為對王權力量的道德檢視機制，防止專制行為發生。[224]和許多那個年代的法國作家一樣，他也接受了耶穌會對於中國帝國政權的理想化描述，藉此來提倡某些美德，比如：對統治者進行道德約束，取消世襲貴族，以及建立一個基於議會架構而不是基於階級行政架構的專業官僚機構。[225]

過了十年之後，馮索南費爾斯將尤斯提的想法發揚光大。一七七一年，他主張一個提供自由、安全且物質豐足的憲政國家，可以產生愛國主義或「熱愛祖國」的概念，而「熱愛祖國」也正是他一本著作的書名，而且該書頗具影響力。他贊同尤斯提的想法，認為能否改善農民處境，是定義一個統治者是否優秀的關鍵標準。[226]正如本書後面將會提到的，約瑟夫二世這個「開明的暴君」，只是零碎地採用了這些理論思想，雖然在農業方面帶來了重要成果，但仍舊沒有接受理性秩序的概念，然而這個概念，卻是奠定前述理論的重要基石。

在前民族主義的世界裡，哈布斯堡王朝採用了兩個能整合國家的概念，但這些概念後來卻會讓王朝解體。第一個概念，是地方方言的使用；第二個概念則和第一個也有關聯，亦即國民身分的雙重概念，該概念在帝國境內建立了一個普遍的、跨民族的國家愛國主義，同時也允許各種建立在「民族」之上的地方愛國主義，不過這邊的「民族」指的是依據族裔、宗教和語言進行區別的特殊群體認同。[227]法國大革命之後的很長一段時間裡，這種用來合理化帝國統治行為的「混合」型態都持續遭受攻擊。各地忠於方言和民族語言的人，則在民族國家和人民主權論等具有排外性質的概念中，找到了更好的容身之處，因此破壞了帝國統治的意識形態基礎。

直到德意志啟蒙運動時期，多語主義都是哈布斯堡傳統的一部分。[228]德語是實際上的通用語言，其他方言則在「民族語言是文化關鍵」的這個假設之下，在地方層級的教育之中使用。統治者本身被訓練成能夠使用多種語言，但他們所受的大部分訓練都是使用西歐語言，比如德語、法語、西班牙語和義大利語，偶爾才會使用捷克語和馬札爾語。儘管反宗教改革運動和匈牙利的特殊地位，都讓拉丁文的使用延續到十八世紀末，但德語依舊逐漸取得了主導地位。在瑪麗亞·特蕾西亞女皇以及約瑟夫二世的領導之下，語言問題的政治化開始加速進行，其中又以約瑟夫二世著力最深。他在一七八四年頒布的語言詔令中，確立了德語作為帝國範圍之內的行政語言。對此，馬札爾人則是推動以馬札爾語取代拉丁語來進行回應和反抗。從一八四四年起，國會議員必須在議事過程中使用馬札爾語，完成以馬札爾語取代拉丁語的工作。英國歷史學家埃文斯認為，這「為後來出現的意識形態問題埋下了伏筆」。[229]隨後，學者也對馬札爾人是否來自「亞洲」這件事進行了一番辯論。有些匈牙利的學者對於馬札爾人和草原游牧民族的傳統聯結感到自豪，創造了一個上古時期匈奴人起源的神話，用來對抗別的馬札爾民族起源的神話。這兩個概念一起為浪漫的馬札爾民族主義奠定了基礎，而這種民族主義也加強了他們對集權帝國統治的反抗傳統。[230]

一八五〇年代的一次憲政實驗中，哈布斯堡王朝最後一次嘗試強制所有人民使用德語；這場憲政實驗又被稱為「新專制主義」。這場實驗將德語定為行政、法院和高等教育使用的語言，是哈布斯堡唯一一次嘗試使用單一語言來統治所有領土，但這個政策遭到了人民的抵抗，過沒多久就終止了。但即便如此，德語依然是官僚體系、軍隊和商業活動中的主要語言；帝國境內的德語區也享有最高的生活水準。因此直到一八八〇年代為止，講德語的人口都不覺得有必要以體制來捍衛自己或反對其他人的民族性。生活在波希米亞、摩拉維亞、施蒂里亞以及克恩頓等地區的居民，直到十九世紀的最後幾十年裡，都仍普遍擁有強烈的地區意識。但受到德意志民族國家，即德意志第二帝國在普魯士王國領導下而建立所帶來的外部衝擊，加上民族運動不斷增長的內部壓力，卻激起了奧地利境內德意志民族的民族意識。

由知識分子組成的幾個團體在一八八二年發起了林茨計畫；他們主張建立一個專屬奧地利之德意志民族的民主國家，其中不包含斯拉夫省分，並堅持要讓民族混居的省分（比如波希米亞）德意志化。三年後，奧匈雙元帝國的德意志裔議員薛納爾在林茨計畫中加入了泛德意志主義、反猶太主義以及反天主教的思想。雖然他的計畫在奧地利從未獲得大規模的支持，卻對年輕時期的希特勒造成了影響。隨後，其他德意志民族主義組織也開始採取行動；雖然他們並未能夠獲得太多選票，卻已經汙染了在十九世紀末的政治氣氛。[231]

然而這種鞏固帝國意識形態的嘗試，卻因為奧匈帝國二元君主制的建立而迎來真正的潰敗。其他造成潰敗的原因還有：哈布斯堡王朝分別於一八五九年和一八六六年在涉及於義大利和德意志民族統一的戰爭中失利，以及馬札爾人對新專制主義集權政治的抵抗等等。十九世紀末，匈牙利的法學家發明了一種新的聖冠（Holy Crown）傳統，用以替代原有的帝國意識形態。馬札爾人將其聖王－聖伊斯特凡的王冠賦予至高神聖的地位，由此被再現為一種由國王和貴族組成的全體政治概念（corporate political concept），但也扭轉了帝國政權和民族（亦即馬札爾語的「ország」，具有國家和民族的雙重含義）之間長達數百年的雙極關係，並為後者帶來了更多好處。皇冠原本是一個由羅馬教會賦予匈牙利國王的世襲物品，卻由此被改造成為馬札爾民族主權的象徵。[232]

一八六七年，《奧地利－匈牙利折衷方案》允許馬札爾人自由使用馬札爾語，也進一步讓他們得以主張，他們在文化實踐的範疇裡擁有自主權。位於奧匈雙元帝國西部的奧地利帝國（內萊塔尼亞或萊塔河此岸）的所有哈布斯堡國民，在學校、辦公場所和公共場合也在語言的使用上獲得了平等。馬札爾人對此感到非常滿意，但他們之所以滿意，只是因為使用自己語言的權利，是一個更大協議的一部分，而這個協議讓他們能夠獲得真正的自治權。他們的地位不再只是帝國的邊境地帶，而是一個帝國的共同統治者。他們在哈布斯堡王朝境內的匈牙利地區迅速引進了國民教育，並強制國民使用官方語言。與此同時，匈牙利議會也通過了一項民族法，規定「所有在匈牙利王國境內的公民都構成了一個政治意義上的民族，一個不可分割的唯一馬札爾民族」。[233]舉凡馬札爾化計畫以及在大匈牙利地區建立一個民族國家的企圖，其背後的驅動力都是上述關於語言和民族法的文化實踐。以上這些，都讓雙元帝國境內的匈牙利王國和奧地利帝國走上了不一樣的道路。在戰爭爆發前的幾十年間，馬札爾化愈演愈烈。讓他們必須成為馬札爾人的社會壓力和經濟壓力是相對間接，而非直接的，但依然非常強大。匈牙利政府也利用行政和司法手段，來遏制非馬札爾裔人口在匈牙利邊境地區的活動。

但對於斯拉夫人來說，光是獲得語言權是不夠的。就像宗教寬容政策一樣，語言上的平等權利在哈布斯堡王朝的政治領域中出現得很晚，因為宗教問題和語言問題也無可避免地捲入了帝國中心與邊境地帶間的衝突。

十九世紀末，奧匈雙元帝國的波希米亞境內的捷克人與德意志人之間出現了激烈爭議，在邊境地區的語言政治之中，提供了一個「迴旋鏢效應」的經典案例。一旦馬札爾人在語言上獲得了平等權利，捷克人便會要求獲得相同待遇。哈布斯堡政府後來在一八九〇年代同意賦予捷克人這項權利，但這個政策一出，不只在奧地利引起了德語人口的反彈，也在德意志第二帝國引起了軒然大波。奧地利德意志人的反應，表明了他們對於德語能否維持純粹感到極度不安，也導致他們更加反對這種語言平等的政策，同時也基於語言的種族主義剝削而激起了防禦性質的反應[234]，所有這些都導致奧地利的國會幾乎癱瘓，也削弱了帝國政權。

歸根究柢，帝國的概念在很大的程度上都體現於法蘭茲・約瑟夫一世的角色之中。他因為一八四八年的革命而崛起，後來卻分別在一八五九年和一八六六年分別在義大利和德意志民族統一戰爭中戰敗，但他倖存了下來。漸漸地，法蘭茲・約瑟夫一世獲得了巨大的聲望，取得了神話般的地位。在某種程度上，法蘭茲・約瑟夫一世之所以能獲得這個地位，得感謝那些支撐、傳播帝國神話的官方運動；而這些運動之所以能實現，則是透過重振皇室威望、精心打造某些帝國儀式，以及在公共空間中增建紀念物（尤其是豎立紀念碑）等方法來達成的。舉凡皇帝誕辰的慶典、基督聖體節的遊行活動以及皇帝的洗腳儀式，每年都會有公眾紀念和參與，從而成為帝國曆法的一部分。皇帝的出巡訪視，則讓民眾和皇帝得以進行面對面的接觸，也讓皇帝有機會參加帝國內部所有主要信仰的宗教儀式（包括羅馬天主教、希臘天主教、東正教、新教、猶太教等，甚至還有伊斯蘭教），藉此強調他個人以及整個王朝，都認為宗教虔誠是一種不分教派的普遍理想。[235]同時，羅馬天主教的神職人員也悄悄地進行了一場運動，將法蘭茲．約瑟夫一世的形象從基督的受膏者，轉變為像基督一般的形象，試圖恢復中世紀的傳統，將統治者和救世主的形象重新連結在一起。在某個程度上，這也是他們在意識形態上面臨一些威脅時所做出的反應，這些威脅除了有來自右翼的薛納爾所發起的泛德意志運動、加密新教運動及其「脫離羅馬」的口號，也包含左翼的基督教社會主義者，甚至還包含捷克和匈牙利民族主義者對語言詔令的反應。[236]

建設紀念物和籌辦儀式等行動，也著重於對皇帝的崇拜。一八四八年之後的第一座帝國紀念物，是建於一八五三年的沃蒂夫教堂，該教堂是維也納駐軍的官方教堂，同時也是奧地利版的西敏寺。雄偉的帝國廣場計畫，加上紀念瑪麗亞．特蕾西亞女皇的塑像、以及許多歷史雕塑，都在向帝國王朝致敬。維也納環城大道的建設，也有許多向法蘭茲．約瑟夫致敬的裝飾，其中包括一尊在議會前的雕塑，將他描繪成一個羅馬皇帝，正在為他統治的領土頒布憲法。維也納布萊滕塞一個軍營門口，還有一個和皇帝本人等尺寸的雕像，作為帝國的另一個象徵。[237]到了他駕崩時，民眾對皇帝的崇拜已經達到前所未見的高峰。他的肖像無處不在，大規模的遊行也證明了他受歡迎的程度。他多次出訪各個地方省分，旅程都經過縝密規劃，鮮活地將皇帝的形象呈現於人民面前。一八九八年，法蘭茲．約瑟夫舉行了登基五十週年的慶祝活動，各個民族都穿著色彩繽紛的民族服飾，以遊行的方式參與慶典，遊行人數達兩千人（不過頑抗的捷克人並沒有參加）。[238]將法蘭茲．約瑟夫建構為虔誠英雄的做法，即使已經結合了兩種最強大的魅力，卻仍不足以創造出涂爾幹所稱的「共識的最高象徵」（overarching symbol of consensus）。從帝國的概念被和法蘭茲．約瑟夫這個衰老而虛弱的皇帝劃上等號，我們便能看出哈布斯堡王朝有多脆弱；這個帝國雖然曾經平安度過了許多風暴，但代價卻是讓帝國失去了存在的理由。

俄羅斯帝國

十六世紀，俄國沙皇開始以上帝在世間的直接代表這個身分進行統治，有時會宣稱自己擁有半神聖的地位，有時也的確擁有這樣的地位。統治者以及幫統治者塑造形象的人，比如所謂的「莫斯科讀書人」*和神聖宗教會議的大檢察官，都將拜占庭帝國皇帝（巴西琉斯†）、蒙古韃靼人的汗王、文藝復興時期的王儲以及西方的專制王朝，與俄羅斯的東正教，以及上溯至基輔大公的本地傳統融為一體。[239]從十三世紀到十九世紀，俄羅斯統治者的頭銜更改了五次，伴隨著不斷被納入帝國的新領土，也反映出了帝國擴張如何影響著領主、沙皇、英白拉多‡等形象的塑造方式，也反映出了統治者是如何向臣民和外部世界宣告他對這個多元文化社會的統治。[240]俄羅斯沙皇在為自己的政權尋求神聖的正統性時，從未完全成功地在他們的世俗人格和精神人格之間，以及在他們的帝國使命和宗教使命之間，建立一個明確和穩定的關係。

從一四五三年君士坦丁堡落入鄂圖曼人的手中，到「恐怖伊凡」（伊凡四世）於一五五〇年代征服喀山和阿斯特拉罕的穆斯林汗國的這段時間之內，東正教的神職人員，以及所謂的莫斯科讀書人，都在試圖創造出一種政治神學，讓莫斯科成為東正教的正統捍衛者。在這個傳統裡，最重要也最有爭議的一個概念，便是所謂的「第三羅馬原則」。這個概念是十六世紀初僧侶菲洛費伊的發明，宣稱莫斯科繼承了西羅馬和東羅馬帝國，並警告說如果連俄羅斯也落入異端手中，世界末日就會降臨，「因為沒有第四個羅馬了」。抱持該想法的人在神職人員中占有一定比例，但諷刺的是，最熱切接受這個想法的人居然是東正教舊禮儀派，他們接受了第三羅馬隱含的世界末日概念。[241]然而，對於是否應該宣布皇權已經從拜占庭帝國移轉到莫斯科的這個問題，莫斯科的親王仍頗為猶豫，因為這麼一來，他們在道德上就有義務將第二羅馬（亦即拜占庭）從異教徒突厥人的手中奪回，但他們其實根本就沒有能力完成這場十字軍聖戰。到了一五五〇年代，莫斯科好不容易擁有足夠的軍力，征服了鄰近的喀山和阿斯特拉罕汗國，但此時十字軍聖戰的概念，反而有礙他們將這些汗國大量的穆斯林人口吸收進帝國。

除此之外，讓事情變得更加複雜的還有第二個因素：王儲並不願將其統治的正當性，完全建立在東正教會的基礎之上，因為如此一來，他們的野心必須屈就於教會的道德權威之下。然而另一方面，在莫斯科親王「蒐集俄羅斯領土」的奮戰過程中，教會又一直是王儲權力的堅定支持者，也是讓他們得以鞏固專制統治的重要夥伴。因此，自從俄羅斯作為一個統一的國家出現之後，搖擺不定便一直是

＊譯按：the Moscow bookmen，亦即在宮廷服務的知識分子。

†審定注：在此是指九世紀末期及十世紀後期，拜占庭帝國勢最強大時的馬其頓王朝兩位君主巴西爾一世及巴西爾二世。

‡譯按：imperator，源於古羅馬的頭銜，意為統帥，使用這個名稱，有強調其權位承襲自羅馬帝國之意。

俄國政治神學的重要特徵，在教會和國家之間造成了緊張關係，而且未曾完全解決過。[242]

教會作為一個能統一國家的政治神學，以及在邊境地區角力中的武器，其所面臨的困難終於在十七世紀的精神危機中爆發，並導致了教會的分裂。這場分裂將教會長期以來是否要進行內部改革的辯論推向了高潮，而這裡所提到的內部改革，和一個世紀前中歐的新教運動有些類似。實際上，這場分裂也是俄國西部邊境地區境內，更廣泛的文化衝突中的一部分：在那裡，喀爾文主義以及更激進的其他宗教團體，正和反對宗教改革的耶穌會進行對抗，雙方都在爭取東正教信徒和教士的支持。這些東正教教徒曾在十七世紀初期經歷過混亂時期的劫難；在此之後，將俄羅斯教會視為純正東正教捍衛者的想法，已經遭到了嚴重動搖。[243]

俄羅斯教會內部的主流觀點是，俄羅斯的禮拜儀式和宗教經典才是通往救贖的唯一道路；但到了十七世紀中葉，來自教會內部和外部的兩股思想潮流卻結合了起來，對這個主流觀點形成挑戰。[244]一群被稱為虔誠狂熱派的神職人員，對教會的禮拜儀式和宗教慶典中的一些做法提出了批評。爭議的戰場還延伸到禮拜儀式的意義，以及教區神職人員和主教孰輕孰重等議題上。剛被任命的牧首尼康最初與虔誠狂熱派走得頗近，但由於有些希臘教士逃離鄂圖曼帝國，前往莫斯科尋找新的工作和機會，因此尼康也受到了希臘教士的影響。他們憑藉著學識，逐漸對俄國的神職人員造成影響，並糾正了從上個世紀開始悄悄進入儀式和宗教經典之中的某些歪風。其中，耶路撒冷牧首帕西奧斯就單獨地對米哈伊洛維奇沙皇（一六四五年至一六七六年在位）進行了一次說服行動，要他領導東正教世界對抗波蘭的天主教徒與鄂圖曼帝國的穆斯林。哥薩克叛亂的領導人赫梅爾尼茨基，在抵抗波蘭時也曾尋求沙皇支援，而帕西奧斯也表達了支持。莫斯科起初不願為了烏克蘭而攻打波蘭，但帕西奧斯也設法讓莫斯科改變了主意。他幫助赫梅爾尼茨基改善和沙皇的關係，繼而促成了一六五四年的《佩列亞斯拉夫條約》，讓左岸的烏克蘭加入了莫斯科大公國。他和巴爾幹及近東地區的其他重要教士都主張，赫梅爾尼茨基和莫斯科大公國必須投入戰爭，將斯拉夫人從鄂圖曼的枷鎖中解放出來。尼康也贊成這個主張。作為諾夫哥羅德的大主教，他曾反對政府將來自卡累利阿邊境地區的東正教徒難民遣返回去，並主張將東正教徒從瑞典異教徒手中解放出來。[245]但米哈伊洛維奇沙皇儘管虔誠，卻仍不願發動這場宗教聖戰。

到了十七世紀末，巴爾幹地區有影響力的東正教教士開始更努力地要求莫斯科出手干預解放斯拉夫人，而在彼得大帝的姊姊索菲亞的攝政之下，俄國先後以兩場克里米亞的戰役作為回應。雖然他們最後失敗了，但也的確開了先例；俄國在宗教上作為東正教利益保護者的角色，也逐漸開始帶有政治上的意涵。[246]俄國統治者不會在邊境地區的角力戰期間發起宗教戰爭，否則鄂圖曼帝國很可能也會以相同的方式以牙還牙。俄羅斯境內有太多穆斯林，而鄂圖曼帝國境內也有太多東正教徒，因此對雙方而言，發起「全面聖戰」的風險都非常的大。但每當俄國與鄂圖曼帝國因為其他原因爆發戰爭時，俄羅斯人還是會以東正教大團結的名義，呼籲其他斯拉夫人出手援助。

對於是否要將東正教當作帝國統治的意識形態基礎，俄羅斯統治者一直舉棋不定，而這種矛盾心態，也展現在是否要將改宗當作一種文化政策的爭議之中。對教會和國家來說，人民皈依東正教都符合他們的利益，但如果要討論宗教改宗和其他帝國目標相比到底有多重要，他們的意見卻不見得一樣。即使在彼得大帝廢除主教之後，也不代表教會就只是受國家控制的一個部門而已。[247]實際上，他們的關係是相互影響的，而且會隨著時間而改變。不論是教會或國家，改宗對他們來說從來就不是有一致性的政策。有時，改宗會被當作一種普遍的政策、有人主動推行，有時，他們對於改宗的態度又較為被動，甚至會允許東正教以外的宗教蓬勃發展。但可以肯定的是，俄羅斯帝國的宗教寬容並非建立在公民權或人權的概念之上，和今日西方社會中所談的宗教寬容意義並不相同。俄國政府直到一九〇五年才在法律上保障信仰自由，但就算是在當時，東正教會都仍在國家杜馬議會中反對立法，以推遲該條法律的執行。[248]俄羅斯的寬容政策，以及與之相反的改宗政策沒有不同，都是帝國統治的工具。也就是說，國家承擔了保護東正教的角色（在此，東正教指的是主流的宗教派別），也保護其完善的聖職體系、規則和教義，藉此防止破壞性的分裂現象和異端邪說破壞帝國的社會結構。有些人甚至將俄國稱為「一個有國教的國家」，而鄂圖曼帝國或哈布斯堡王朝的情況也非常類似。[249]但即便是在俄國，政府在對抗那些偏離主流宗教的異端活動時，也會有一些明顯的例外，或是保持點模糊空間。在某些情況下，如果異教徒接受承擔公民義務，並願意服從政府權威，為祖國奉獻的話，國家便會容許他們存在。[250]

第一階段的大量改宗，由伊凡四世在征服喀山汗國之後發起。究竟有多少人被迫皈依東正教，至今仍未有定論，但無論如何，這些改宗行動都導致了大量穆斯林被驅逐出境，而俄羅斯人則移入了他們原本居住的地區進行開墾。[251]這兩個政策結合在一起之後，就成了將邊境地帶整併入帝國的有力工具。然而，就在沙皇於一五五六年征服阿斯特拉罕，以及俄國第一次入侵北高加索地區之後，鄂圖曼帝國的素檀塞里姆三世也發出了警告，聲明這些邊境地區是鄂圖曼帝國的傳統領域，沙皇對於是否要進行強迫改宗也變得更加謹慎。[252]這種傳教精神於十七世紀的危機期間衰退凋零，但又在彼得大帝的統治之下復甦。儘管彼得大帝以身為一個不信教的統治者為人所知，但他仍採取了系統性的殘酷無情改宗政策。他之所以這麼做，是出於戰略上的考量，也與南部邊境地區的角力有關，出於「俄國對於伊斯蘭軸線的永恆恐懼，而這條軸線，即為鄂圖曼帝國治下各個穆斯林民族所組成的統一戰線」。[253]彼得大帝去世之後，俄國很快便迎來了改宗計畫的高峰，並在一七四〇年成立了改宗事務局，主要在穆斯林人口較多的內部省分運作；傳教活動在窩瓦河和卡馬河地區帶來了大規模改宗的現象，據估計有高達四十萬非基督徒受洗改宗。[254]

由於受到西方宗教寬容模式的啟發，凱薩琳大帝廢除了改宗事務局，並尋求非基督教宗教領袖的合作——尤其是穆斯林韃靼人。在凱薩琳大帝治下，俄國似乎已經配得上「國教國家」這個名稱。她體認到，穩定的教會階級制度，對於宗教信仰和宗教實踐的管控十分有價值，而且可以防止分裂行動和某些宗教團體製造混亂，破壞國家權威。[255]她的政策在某些內陸省分頗為成功，但在邊境地區，在被宗教界線分隔開來的族裔內部，卻遇到了不少問題。例如在西部邊境地區，波蘭人和俄羅斯人之間，存在著長期遭到爭奪的文化和政治邊境地帶；居住在這個地區的白俄羅斯人，有東正教徒、有天主教徒，也有東儀天主教會的信徒。其他邊境地區也存在類似的宗教分裂現象。[256]

儘管凱薩琳大帝對宗教信仰採寬容態度，但她仍規定改宗行為只限於皈依成為東正教徒，並禁止東正教徒叛教改宗。她開明、完善治理國家的理念，也讓她在第一次瓜分波蘭時，對於新獲得的西部邊境地區境內的猶太人採取了宗教寬容政策。然而當第二次瓜分波蘭帶來了大量猶太人時，務實的考量便顯得更為重要：為了回應俄羅斯商人的抱怨，凱薩琳大帝於一七九一年立法，限制猶太人的定居地點和商業活動，也為猶太隔離屯墾區的設立奠定了基礎。[257]雖然俄國沒有嘗試對猶太人實施改宗運動，但猶太人在活動區域上的限制，加上整個十九世紀的其他歧視性法案，都有效地將猶太隔離屯墾區變成了一個內部的邊境地區，讓猶太人難以遭到同化，同時也助長了猶太人普遍的不滿情緒。這也有助我們解釋，為何就比例來說，在十九世紀末社會主義運動的領導階層中，猶太人的數量會這麼少，以及為何錫安主義（猶太復國主義）的第一批支持者會出現在俄羅斯。[258]

在整個十九世紀裡，官方對東正教的政策持續反映著統治者的個人偏好，不斷在改宗和寬容兩種政策之間搖擺不定，缺乏明確的行動方向。亞歷山大一世是心理最為複雜的一位沙皇；在他的統治之下，俄國社會經歷了一場宗教復興。他本人的異教觀點，有部分是在拿破崙占領莫斯科，造成火災之後，因為他自己在精神上也有了變化而變得虔誠所造成的。他還創立了以色列基督徒公會，但他之所以這麼做，更多是為了個人的救贖，而非為了國家利益——雖然就亞歷山大而言，我們很難將這兩件事情區分開來。從表面上看，創立這個公會的目的是為了支持和鼓勵猶太人皈依基督教；該公會的成員可以來自任何一個基督教教派，而這也彰顯出了亞歷山大對東正教會的猶疑態度。[259]亞歷山大甚至贊成創立俄羅斯帝國聖經學會，並將宗教會議併入教育部，但這更加悖離了教會的官方立場。這些行動的實際效果是：東正教會的地位下降了，和其他宗教一視同仁，同時宗教寬容政策也遭到強制執行，並禁止信徒改宗。[260]在聖經學會的支持下，聖經使用的語言，從原本的教會斯拉夫書面語，改為口語化的俄語；毫無意外地，這在東正教會裡引起了核心教士的憤怒，他們指稱這麼做是在「貶低上帝的語言」。[261]這個切換語言的計畫，後來歷經半個世紀的時間都無法完成，因而難以完成彼得大帝版的俄羅斯「宗教改革」目標；這場俄羅斯版的「宗教改革」，原本可以讓帝國的政治神學，在知識水準上迎頭趕上其他同樣使用聖經的基督宗教。就整體而言，亞歷山大的改宗政策可以被稱作「善意的忽視」（benign neglect），其中矛盾地兼含了神祕主義和理性的元素。

尼古拉一世則採取了一些措施，企圖恢復東正教的優勢地位。他熱情地支持由教育部長烏瓦羅夫伯爵所設計，用來當作「國民教育」原則的「東正教、專制統治和民族」方案。[262]烏瓦羅夫伯爵並非宗教的狂熱分子，他從不採取強迫手段來讓非東正教徒改宗。他主要關切的是如何保護教會免於受到左翼理性主義，以及右翼神祕主義的雙重毒害。[263]

甚至，尼古拉一世也採取了不同的策略來鞏固宗教與「俄羅斯性」之間的連結。他廢除了以色列基督徒公會，將猶太人視為人口中的寄生物，試圖藉由徵稅來削弱他們的宗教社群（kahal），並藉由強行徵召猶太人進入軍隊來讓他們改信東正教。至於被當作波蘭化工具的東儀天主教會，則是在一八三九年由他宣布廢除，讓一百五十萬人重新改信東正教。這場罕見的強迫改宗案例，於一八六三年波蘭起義、東儀天主教會信徒攜手天主教徒抵抗帝國統治時，收到了反效果。在窩瓦河地區，讓穆斯林改宗的計畫也沒有成功，還在一八六六年導致了大規模的叛教運動。[264]由於俄國政府無法調和宗教寬容以及帝國政治神學這兩個概念，因此只能持續面臨挫敗。

與西部邊境地區的情況一樣，能否讓高加索邊境地區的穆斯林改宗，同樣高度攸關國家安全。伊斯蘭教為北高加索地區的部族，提供了抵抗帝國統治的持久力量；俄羅斯軍隊整整花了二十年的時間，才制伏了這些山民。但也有像沃龍佐夫公爵（一八四四年至一八五四年間的高加索地區總督，死於一八五六年）這樣的人，為高加索邊境地區引進了較為開明的帝國統治方式。沃龍佐夫公爵是凱薩琳時代一個高官的兒子，他在英國接受教育，曾參與過俄羅斯十九世紀上半葉的所有戰爭。他透過許多做法擴大了凱薩琳大帝的寬容政策，例如：允許伊斯蘭教的烏拉瑪繼續經營小學，允許穆斯林運作自己的伊斯蘭教法（Shari'a）宗教法庭；他相信他可以贏取當地穆斯林菁英的支持，一起反抗山區的叛民。他的繼任者巴里亞欽斯基元帥，則採取了不盡相同但或許同樣「開明」的做法。然而從巴里亞欽斯基寫給亞歷山大二世的信箋中，我們可以看出，他的看法整體而言和沃龍佐夫非常類似，認為俄羅斯對於亞洲而言，就是長期以來歐洲對於俄羅斯而言所代表的事物——世上最先進文明的源頭和承載者。但他對於沃龍佐夫的宗教寬容政策能否奏效抱持著懷疑態度，並且擔憂以穆里德主義（一種激進平等主義的納各胥班迪蘇非道團）為形式，持續對俄國政權進行抵抗的行動，將會在俄羅斯與外國發生戰爭時，嚴重削弱高加索地區的軍隊。他打算透過重建習慣法（adat）恢復地方貴族的聲望等方法，來降低穆里德運動的吸引力；他還限縮了「毛拉」的權限，希望藉此讓穆斯林明白世俗生活和宗教生活的區別，並且逐步引入俄羅斯的民法。與此同時，他也試圖「在該地區復興東正教」。亞歷山大二世批准了他的提議，成立一個東正教重振協會，並將協會的任命權交由亞歷山德羅芙娜皇后負責。該協會成立的目的，並非要積極透過改宗政策來和山民對抗，而是要恢復該地區直到十六世紀被鄂圖曼帝國和波斯人征服之前，原本就有的宗教信仰；他主張開辦神學院教授當地語言，並翻譯基督教的宗教經典，為後來突厥學家奕勒明斯基的西伯利亞政策埋下了伏筆。[265]

東正教重振協會的傳教活動獲得了大小不一的成功，但其在阿布哈茲能夠成功，主要是因為該地有著與窩瓦河和卡馬河地區幾乎完全相反的條件和情況。該協會組織良好、資金充足，也獲得了歷屆總督及其幕僚的支持，而且許多教士都是對當地狀況瞭若指掌、會講當地語言的喬治亞人。此外，阿布哈茲人在他們的混合式宗教生活中，也仍然保留了一些基督教信仰的痕跡。然而，就在鄂圖曼帝國的阿布杜拉哈密德素檀，於十九世紀末恢復舊有的軍事傳統，開始把在伊斯坦堡受教育的「毛拉」送往高加索地區之後，俄羅斯帝國改宗計畫原本一片光明的前景，便開始轉趨黯淡。在俄羅斯和鄂圖曼帝國的最後一任統治者治下，雙方都試圖以新的政治神學形式，讓人民對於這個正在建構民族的國家的效忠，可以和宗教信仰融合在一起。俄羅斯教會在高加索地區不斷敗給了伊斯蘭教，即證明了當地人民對俄羅斯統治不斷增長的抵抗，以及長久以來東正教在傳教過程中的弱點。[266]

到了大改革時期（一八六一年至一八八一年），改宗政策變得更加複雜與矛盾。政府內部各個行政部門的差異，以及中央和邊疆地區政府之間的差異都在與日俱增。在波羅的海省分、高加索地區和中亞的邊境地區，來自俄國的地方行政長官嘗試了各種手段，企圖獲得當地居民的忠誠，對非東正教信仰的態度也時緊時鬆。歷史學家葛拉西向我們展示了，即使是西伯利亞最敬業、最聰明的傳教士，也會面臨到一些艱鉅的問題。像是奕勒明斯基這樣的人所遇到的障礙，不只出現在教會內部，也出現在那些積極將當地人俄羅斯化、使用地方語言來進行傳教活動的人當中。歸根結柢，問題的核心就是：改宗政策究竟是不是同化東方穆斯林和異教徒的最好方法，而許多俄羅斯傳教士、官員和政令宣傳人員對此都仍無法定奪。[267]

東正教會無法在內部進行迫切需要的改革，也無法在智識上提供強力的領導，而這些問題，都讓前述的各種努力大打折扣。大改革期間，許多牧師的兒子都離開了教會領地，其中包括了很多最優秀和最聰明的人。雖然他們持續作為「文化俄羅斯化的有力代理人」（尤其是在西南邊境地區），但他們再也不能算是堅定的帝國支持者了：他們的政治觀點要麼搖擺不定，要麼就是反對威權。[268]到了十九世紀末，教會面臨到了集體自我認同的普遍危機。教士生活的許多面向仍然存有爭議，不僅分裂了神職人員和信徒，也分裂了教會。[269]十九世紀下半葉最具創意的神學家並非神職人員，而只是幾個平信徒，他們分別是列昂捷夫、索洛維約夫以及托爾斯泰，他們經常和官方的教士發生衝突。一九〇五年關於教會改革的辯論中，知名的世俗作家如洛扎諾夫、梅列日科夫斯基以及特爾納夫采夫，是所謂的非妥協派社會主義分子，他們白費力氣地在諸如私有財產，以及綜合上帝正義和人性正義的議題上，企圖讓東正教會與知識分子達成和解。[270]由於教會無法解決分裂問題，也無法將信徒招攬回來，因此他們的力量變得更加孱弱。舊信徒在帝國末期的人數究竟有多少，至今仍沒有定論，但據估計整個大俄羅斯的農民人口之中，約有四分之一到三分之一是舊信徒。這意味著，核心省分裡實際上有很大一部分的人民，並不相信政府的統治是具有正當性的。[271]當尼古拉斯二世被迫為了一九〇五年的革命而發布宗教寬容令時，有許多西部邊境地區的前聯合教徒，都決定叛離東正教，改信回羅馬天主教，而韃靼人、布里亞特蒙古人和西伯利亞地區的其他族群，則是選擇恢復成為穆斯林*。他們的這些行為，幾乎等同於宣告自己不再是俄羅斯人。

為帝國統治的宗教基礎帶來最嚴重破壞的，或許就是俄羅斯的皇室。尼古拉二世和他的妻子亞歷山德拉，試圖透過融合兩種古老的領導傳統，來創造一個新的歷史宗教（historicoreligious）神話：一方面，輝煌的莫斯科沙皇被神聖的拜占庭儀式包圍著；另一方面，這個像朝聖者一般的聖人卻又在卑微地為人民服務。這兩種傳統融合而成的結果，在本質上是矛盾、混亂而分裂的。它引發了關於將誰封為聖人的爭議，而這些爭論也在普通民眾和神聖會議的教士之間，撬開了另一道裂縫。與此同時，沙皇不識時務地熱中於創造出新的對象供虔誠的信徒膜拜，而這也冒犯到了教會裡的高階教士；這些教士認為，只有他們才有權力決定誰是聖徒。[272]沙皇和皇后迫切地希望維持幻象，讓人民以為他們的力量來自上帝，因而與人民有著神祕的聯繫。但這也讓「黑暗勢力」得以滲透進入專制政權的堅固堡壘。尼古拉和亞歷山德拉皇后兩人都深受神祕主義者拉斯普京的吸引，有部分是因為他們把他當作全國人民理念的化身[†]。[273]

最後，帝國的政治神學變得愈來愈破碎；事實證明，改宗政策作為一個帝國統治工具並沒有高明到哪裡去。認為東正教可以用來當作帝國意識形態基礎的觀點，並未持續獲得統治者或統治精英的支持。教會缺乏文化資源來完成邊境地區人口的大規模改宗計畫。然而，在俄羅斯這樣一個多元文化的帝國裡，一貫的寬容政策，只會在公共生活的所有領域之中讓自治情緒繼續滋長，而這種情緒也包含

＊編按：布里亞特蒙古人和西伯利亞地區的其他族群，基本上信奉佛教和薩滿教。

†原書注：拉斯普京是俄國「聖愚」的代表，聖愚深受俄國人民與上層貴族的敬重，聖愚有超自然力量，也具有預言能力。

了民族追求獨立的目標。在俄羅斯帝國，這種困境從未獲得解決。

西方思潮接連傳入俄羅斯之後，為權威和統治正當性提供了新的可取代原則，而帝國意識形態的矛盾之處，此時便在世俗領域之中被再次重現。烏克蘭邊境地區，是第一波西方思潮滲入俄羅斯帝國權力中心之前，必須先通過的一道濾網。在這個過程之中，莫吉拉成了關鍵人物。他具有摩爾達維亞烏克蘭的貴族血統，曾在巴黎接受拉丁式的傳統教育，接著又在基輔的洞窟修道院學習，逐漸晉升為首席掌院教士和基輔的大主教。他創立了一家出版社，並對教會學校進行了改革，將基輔神學院變成了所有東歐教派的中樞，吸引最偉大的古典拉丁文和希臘文作者紛紛前去。該學院的畢業生建立了其他的知識中心，比如哈爾科夫學院（亦即哈爾科夫大學的前身）。普羅科波維奇是彼得大帝最信賴的教士，也是帝國專制政權中的主要宗教理論家；在他的領導之下，從一七〇〇年至一七六二年間，俄羅斯帝國大部分教區的主教，都來自於烏克蘭教會。普羅科波維奇本人也畢業於基輔學院，也曾在羅馬留學過，他主張後亞里斯多德式的學習方式，並著書鼓吹教會需要擔負起實際面和精神面上的職責，藉此促進帝國的統治。[274]

在彼得大帝和他的繼任者統治之下，教會持續在定義帝國權威這方面發揮作用，但同樣在為帝國提供統治正當性的除了宗教之外，還有來自世俗思想的競爭。一七〇〇年莫斯科大主教亞德里安去世後，彼得大帝拒絕任命繼任的牧首，甚至在一七二一年乾脆廢除牧首，以屬於國家官僚機構的宗教會議取而代之，而且這場「改革」，是依照虔誠篤信的原則進行的。沒有什麼能比這場改革，更明顯地顯示出他希望將教會收歸於國家之下，並阻止教會和沙皇共享權力的決心。[275]史學家沃特曼曾經寫道：「到了十七世紀末，基督教帝國和基督教皇帝的形式，已不再符合獨立自主、強而有力的王朝政權的需求了。」[276]彼得大帝擴展了前幾任沙皇的觀念，將帝國的概念等同於領土擴張，將統治者的權威建立在戰爭的功勳之上。在儀式、典禮和帝國的宣傳中，沙皇的形象正經歷一場變化：古羅馬式的主題，開始侵蝕了宗教符號原有的地位。像普克波維奇、沙菲羅夫那樣的官方發言人，會引用格勞秀斯、普芬多夫、萊布尼茲，以及其他倡導自然法和官房主義的學說，藉此召喚西歐的治理模範，從而強化帝國統治的意識形態基礎。彼得大帝以務實的方式，用行動支持新斯多葛派統治者的理想，他們認為帝國財富和權力的增長，是人民福祉的基礎。[277]他相信科學和科技的創造力，可以提供實現這些目標所需的技能。引導彼得教育政策的構想，主要集中在技術教育上，這種技術教育是「狹隘的實用主義，不但高度專業化，而且與軍事要求緊密關聯」。類似地，他也支持地理探勘行動，以及大型的地圖製作計畫，不只模仿了西方累積自然世界知識的模式，也建立、擴大了帝國的邊界。[278]

彼得大帝後來決定將首都從帝國中心遷往西北邊的邊陲地帶（甚至在瑞典正式將這片地區割讓給俄羅斯之前就這麼做了），而這在很多方面，都算得上是他在意識形態上最具戲劇性的表述。遷都的行動就文化層面來說，也和他對教會實行的改革，以及（至少在宮廷裡）強行實施西方的服儀和行為模式的政策高度契合。莫斯科代表著帝國的另一種形象。外國人認為莫斯科充滿中世紀和亞洲的氣味，不論就實體空間或就象徵符號而言，這座城市都保留了許多讓人容易聯想起舊時代的事物：拜占庭－基輔風格的宏偉教堂睥睨著狹窄的街道和木製建築，而克里姆林宮的牆壁雖然是義大利人依照米蘭斯福爾扎古堡的文藝復興樣式所建造，卻被用來防禦韃靼人和波蘭人的襲擊。相較之下，聖彼得堡的城市設計則理性許多：有直線的街道和運河，沒有城牆圍繞的寬闊廣場。凱旋門，它們全都依照瑞典和荷蘭的樣式由外國人興建，各種跟宗教無關的建築、宮殿和政府廳舍隨處可見。其中，有四座建築尤其隱含了彼得大帝的新帝國概念。海軍部大樓象徵俄羅斯是一個海上強權，其尖頂是「彼得堡這個將所有同志連結在一起、廣大而獨特的空間體系」的視覺焦點，「為下個世紀界定了彼得堡城市規劃的和諧高明之處」；彼得保羅要塞則是教會和國家融合的典範，顯眼的彼得雕像在那裡手握著通往天堂和地獄的鑰匙；珍寶房（亦即今日的俄羅斯國立人類學民族學博物館）有著嚴謹的古典樣式和中央塔樓，頂端則有多邊形燈室和球體，是俄羅斯第一個天文台和解剖學教室，代表著彼得大帝發展科學的決心；而十二學院的建築物，則為彼得大帝依據萊布尼茲的現代組織原則建立的官僚體系，界定出了帝國空間。[279]這些建築一起在空間中為彼得大帝提供了一個領域，讓他可以在其中透過凱旋典禮來展示權力。他的都市計畫大多無法在他的有生之年完成，樣式也歷經了多次修改，但在繼任沙皇的擴大與裝修之下，彼得大帝最初的概念在尺寸上甚至變得更加宏偉；就算俄羅斯仍算不上是海洋強權，但這座城市也已經足夠讓帝國的權威輝映在西方的海面上。[280]

對於彼得大帝是將國家視為其個人權力的象徵，還是將其視作一個獨立、不朽的實體，至今仍存在著一些爭論。如何回答這個問題，很大一部分取決於我們如何解釋繼位這種政治行為。當他唯一的兒子阿列克謝在遭受刑求、審判和被判死刑之後於不明的情況下去世時，彼得宣稱他將會提名新的繼任者，然而他還來不及這麼做就過世了，使得王位成了眾人爭奪的目標。派系的鬥爭，導致彼得大帝的妻子凱薩琳一世登上王位，開啟了俄國在接下來七十五年裡，幾乎都由女性來繼承王位的現象。

一直要到十八世紀末，保羅一世才試圖以世襲制作為基礎，將王位繼承制度化；為了激怒他的母親（亦即篡位者凱瑟琳二世），他也規定女性不得繼承王位。但即便如此，他的兒子亞歷山大一世仍然沒有子嗣，而必須在一個祕密的家庭契約中，指定王位由他年紀最小的胞弟尼古拉繼承，而非年紀最長的胞弟康斯坦丁，弄得彷彿國家是他的私人財產一般。[281]而王位繼承傳統之所以搖搖欲墜，也可能和那些覬覦王位的人，或是「冒名者」（自命沙皇的篡位者）想破壞繼承的傳統有關；這些人從十六世紀末到十九世紀初，就不斷困擾著正統的帝國統治者。[282]

沒有任何一位俄羅斯統治者，比凱薩琳二世更想用發展成熟的世俗意識形態來包裹專制政權。她熱中於閱讀十八世紀的政治哲學著作，尤其是法國哲學家（其中尤以孟德斯鳩為首），以及包括尤斯提和比爾非爾德在內的德意志官房主義者的著作。凱薩琳二世曾於一七六七年召集了立法會的代表，並在會中發布《上諭》；她不只在《上諭》之中借用了上述兩種觀點的代表論點，還將它們混合在一起。[283]尤斯提的結論讓她產生了共鳴；他提到，像波蘭和匈牙利這種封建傳統最為強勢的國家，常飽受來自地方貴族最為惡劣的小型暴政之苦。與其仰賴集體莊園（corporate estates）的特權來遏制暴政，尤斯提更偏好透過道德約束以及諮詢式的議會，而這也正是凱薩琳所建立的機構。在此，我們應該還記得，尤斯提還引用了清帝國的案例，他認為那是所有人類已知的政府形式之中，最有效率的一個。[284]

沙皇於主要典禮場合上表現自己的方式，以及他對整個東正教徒社群*的態度和政策，明顯地體

＊譯按：作者使用「oikumene」來指涉這些東正教徒社群，源於古希臘文，意為「文明世界」。

現出他有多希望將帝國政權的世俗面向和宗教面向結合在一起。為了使新興貴族和沙皇更緊密地聯結在一起，彼得大帝發明了一種新的象徵性秩序。他會為統治菁英舉辦精心籌劃的儀式和典禮，藉此對他的帝國權威賦予一個公開可見的強大面向，而這也正是沙皇從前所缺乏的。甚至早在彼得一世之前，沙皇作為基督教統治者的形象，就已經愈來愈被其他世俗的概念給稀釋掉了。他創造了「英白拉多」這個概念，將俄羅斯統治者置於古代異教徒的嫡傳血脈之中（因為英白拉多指向的是古羅馬人，而非拜占庭人），而統治者的新形象則是征服者和改革者。彼得大帝的妻子凱薩琳一世的加冕儀式，以及彼得自己的葬禮都以特別方式展現宗教符號，藉此表示他們贊同西方的世俗權力概念。東正教的傳統符號並沒有被完全拋棄，但它們都被加上了古典神話和歷史傳說的情節，也幾乎被這些神話所掩蓋，而這些神話則讓俄國沙皇等同於歐洲的血脈概念。[285]

彼得大帝之後的沙皇，則繼續去蕪存菁，精心打造這些帝國的神話和符號。他們會依據自己的需求重塑統治者的形象，同時又不放棄絕對權力的核心概念。研究沙俄的歷史學家沃特曼，把俄羅斯王朝這種不斷變化的符號表現方式稱作「權力的腳本」。從凱薩琳二世開始，最明顯可見的兩個帝國符號表現，便是加冕典禮和出巡活動。[286]隨著帝國擴大，加冕典禮上愈來愈常出現來自不同民族和族裔群體、充滿異族特色的代表參加出席。亞歷山大三世和尼古拉二世即位時，他們的加冕典禮尤其豐富多元而令人印象深刻。然而矛盾的是，也正是這兩位沙皇，愈來愈強調帝國的俄羅斯族裔性（russkoe），而不是強調其包含不同民族的俄羅斯國族性（rossiiskoe）。[287]這個明顯的矛盾之處，顯露出了羅曼諾夫王朝在建構政治意識形態時所遇到的一個基本問題。

這個世俗趨勢最強而有力的部分，便是透過俄羅斯化這個手段，把歐洲人嘗試對帝國進行國族化的這個新概念，也試圖整併進俄羅斯的政治神學之中。俄羅斯化一詞，已在很多不同的脈絡之中，被用來表示不同的含義，可能是涵化，也可能是同化。[288]廣義來看，文化上的俄羅斯化，和行政上的俄羅斯化並不相同。但由於俄羅斯化在不同的邊境地區是以不同的方式進行，因此我們應該把俄羅斯化這個過程看成一種複數形式，擁有各種不同的面貌和形態。[289]俄羅斯化其中一個較不正式但值得進一步注意的面向，則是俄羅斯文學在族群融合過程中的角色。[290]

自凱薩琳大帝時代開始，俄羅斯官員便使用不及物動詞「obruset'」來表達「成為俄羅斯人」這個概念，意指被逐漸吸收進一個集中化的帝國行政架構之中。亞歷山大一世並沒有貫徹始終地在行政上追求俄羅斯化，但一八三〇年波蘭起義之後，尼古拉一世便重拾了這個政策。[291]在他的統治之下，此前認為東正教是俄羅斯人核心本質的統治菁英，開始也把語言納入這個本質之中；這兩者作為族群融合的文化實踐，經常（但並非總是）彼此結合出現。然而將它們區隔開來進行分析，仍然可以獲得一些洞見，因為這樣做可以強調俄羅斯帝國缺乏一個整體的統治策略；相比之下，共產黨在治理蘇聯邊境地帶各加盟國的新一輪角力時，就表現出更強大的凝聚力和執行力。

現代俄語的演變是一個漫長的過程，甚至在彼得大帝實施改革之前就已經開始了。進入十九世紀之際，它已經達到了高度精煉的程度。然而關於俄語應該保留或拒絕教會斯拉夫語成分，以及應否使用外來語的爭論，激烈得幾乎像世界末日要來臨了一般，和一個半世紀前改變東正教儀式所引發的辯論一樣。[292]尼古拉一世在位期間，他熱中於任何帶有俄羅斯色彩的事物，因此下令皇宮事務一律使用俄語溝通，並堅持在官方的彙報中使用俄語。[293]一項更為積極的文化俄羅斯化政策則被引入西部省分，特別針對法律和教育等面向進行俄羅斯化，而在政府設立的小學和中學裡，俄語也取代波蘭語成為教學語言。在波羅的海省分，俄語也被規定為所有官方事務必須使用的語言。

一如前述，尼古拉的教育部長烏瓦羅夫伯爵，大力支持整個帝國的教育體系推行俄語教學，但他反對採用以強制的方式推動。從更寬廣的尺度上來看，他著名的「東正教、專制統治和民族」方案提出了一種創新而微妙的文化概念：為了現代化，也就是變得更像歐洲，帝國不得不使用一種特殊形式的俄羅斯民族主義，將其作為「統治正當性的來源以及動員的工具」。[294]烏瓦羅夫在邊境地區推廣俄羅斯文化，從而挑戰了波蘭在白俄羅斯和烏克蘭的影響力，並鼓勵學術界為斯拉夫人的團結奉獻心力。但在此，他也體認到有必要謹慎地行動。他採取了一些嘗試性的措施，鼓勵那些他認為可能會為帝國服務，甚至可能會反對激進分子的波蘭人接受教育。但他的政策前後並不連貫，而且似乎也不甚有效。[295]

對於烏克蘭被稱作小俄羅斯的區域，烏瓦羅夫也主張應該重啟對該地區語言和歷史的興趣。他找到了抱持相同想法的知識分子，亦即所謂的「烏克蘭派」，試圖打擊基輔聖弗拉基米爾大學和一些中學裡的波蘭文化勢力。和其他嘗試在大俄羅斯這個保護傘下包容地方文化的計畫一樣，烏瓦羅夫的這個計畫帶來了反效果。一些烏克蘭大學生和年輕知識分子，於一八四六年成立了西里爾和梅托迪烏斯兄弟會，藉此建立一個斯拉夫聯盟，希望讓烏克蘭人與波蘭人和俄羅斯人平起平坐，但政府卻採取了激烈的措施。尼古拉沙皇相信這個兄弟會與波蘭移民有連結，因此下令逮捕兄弟會的成員。

諷刺的是，文化鬥爭反而是在大改革時期更加惡化。亞歷山大二世在位期間，審查制度和其他限制性措施的鬆綁，再次讓烏克蘭派的小團體於首都和基輔組織起來，從事出版工作。他們的觀點引起了俄羅斯民族主義者的憤怒，他們不認為烏克蘭語可以被當作一種獨立的語言，並且抹黑這些烏克蘭派成員，說他們是分離主義者，背後有波蘭人在撐腰。此地區的俄羅斯官員，也日漸關切在烏克蘭知識分子之間出現的分離主義傾向。一八六三年，俄羅斯人開始擔心波蘭叛亂分子會支持烏克蘭分離主義，以此作為一種武器。他們甚至不知道是否該動用小俄羅斯的哥薩克軍團來對付這些叛亂分子。[296]發布該政府發布了所謂的《瓦魯耶夫通告》，暫停烏克蘭境內除了純文學之外的所有書籍出版活動。發布該通告的內政部長瓦魯耶夫指出，這個措施只是臨時性的，目的是讓他們在處理邊境地區的同化問題時，能爭取到多點時間和資源。他對支持俄羅斯民族主義的媒體巨擘卡特科夫提問：「對於我們擁有的核心地區和邊陲地區而言，我們需要什麼樣的工具，才能讓他們產生向心力，而非離心力呢？」[297]

就像以往常見的那樣，政府官員內部對於這份通告看法不一，其中尤以教育部長葛羅夫寧最為反對。但即便是這項措施的支持者，也未能在接下來的幾年之內貫徹瓦魯耶夫的立場，發展以俄語進行教學的小學體系，儘管這個政策被認為可以確保學童對帝國政權的忠誠。相反地，政府於一八七六年在烏克蘭發布了《埃姆斯敕令》，藉此實行一項更為嚴格的語言政策；儘管該法令並未被強力執行，但直到一九〇五年都仍屬有效。俄羅斯學者米勒曾說，俄羅斯政府半吊子的同化政策的效果，最多只能說是「大幅減緩了烏克蘭民族運動的發展進程」。他們沒有正面的同化計畫（而不只是負面的同化計畫），因此「全俄羅斯民族建構計畫的目標」注定會失敗。[298]

文化上的俄羅斯化，在俄屬波羅的海省則走上了不同的道路；在那裡，講德語的波羅的海德意志土地貴族對俄羅斯的忠誠度，無疑高過烏克蘭的知識分子或波蘭土地貴族。但即便如此，俄屬波羅的海省的德意志土地貴族也同樣堅決抵抗以俄語作為官方的行政語言，而教育和日常用語就更不用說了。由於他們在政府高層就職的人數眾多，因此更有能力可以進行抵抗。然而，由於他們也面臨著大量非德意志裔的農民，因此他們的文化優勢非常脆弱。此外，由於俄屬波羅的海省境內的德意志土地貴族的民族屬性，與當時隔著聶門河與俄為界的普魯士王國，以及自一八七一年之後的德意志第二帝國的主體民族德意志人相同，因此這種文化優勢在俄羅斯民族主義者的眼中，也充滿著潛在的危險性。

從凱薩琳大帝在位期間到十九世紀中期，俄國統治者要求波羅的海德意志人學習俄語的態度都相對溫和。即便尼古拉一世曾於一八五〇年批准了一項法條，要求波羅的海省分所有內部通信都必須使用俄語，但來自高層的抵抗仍然讓該法條的實施困難重重。亞歷山大二世統治期間的一八六九年，俄國政府頒布了一項語言法令，企圖重申上述的法條。一如往常，這條法律造成的影響比預期還小，因為政府並沒有採行有力的俄語教育計畫。大多數小學和中學的資金都是由當地貴族提供的，因而教學也都是以德意志文化為主軸。多爾帕特大學長期以來便一直是德意志文化的堡壘；里加工業學院於一八六一年成立後，則成為了另一個德意志堡壘。[299]和其他地方一樣，波羅的海地區在文化上的俄化，要等到亞歷山大三世登基之後才有進展；關於這點，我們將會在第五章進行討論。

在高加索和外裏海地區的邊境地帶，俄化則以不同的方式進行。他們的課題是：這些地區的穆斯林，其社會經濟活動大多都是依據部族、宗族和半游牧的方式組織起來；但當時的俄國正在進行歐化，他們應該如何將這些大量的伊斯蘭人口整合到帝國裡面呢？十六世紀俄國征服喀山和阿斯特拉罕的行動和上述的課題並不一樣，因為當時兩種文明之間的主要差異是宗教。到了十九世紀，由於帝國菁英開始認為自己承擔著世俗文明的使命，因此不能只靠改宗運動來進行同化。此時，黑格爾關於社會進化階段的說法，結合了俄羅斯官員在高加索邊境的實踐經驗，產生了一種俄羅斯式的東方主義論述，為他們的使命在意識形態上提供了合理化的根據。[300]

沃龍佐夫總督對穆斯林的安撫政策，反映了俄國在戰略上必須確保高加索邊境地區，必須把該地區當作是和鄂圖曼帝國以及伊朗的軍事邊界，而帝國統治的鞏固，也意味著他們能引進文明世界的各種好處。雖然沃龍佐夫在他的通信之中，並沒有使用「文明使命」一詞，但從他於一八二六年寫給父親的一封信中，我們可以清楚得知他就是這麼想的：

> 俄國的統治方式必須和其領土一樣弘大。就這種精神上和實體上的宏偉而言，如果我們還以亞洲城市的規則作為標準來制定措施，那將顯得既荒謬又致命……彼得大帝令人欽佩的制度，以真正的寬宏心胸與教育，和引領時代的啟蒙精神相結合，鼓勵商業、工業和所有手工業；他並非透過瑣碎的規定、禁令和障礙，而是透過促進所有事物，來達成這個目的。[301]

在他擔任南俄羅斯總督的三十三年間，以及從一八四四年至一八五四年擔任高加索地區總督期間，這些便是指引他的行動原則。聖彼得堡的各個中央部門賦予他充分的行動自由，讓他得以一方面恢復傳統的民族分類，一方面又以俄羅斯行省的組織方式來治理那些地區。他認為當地的基督教人口是讓變革可以發生的主要媒介。為了收編菁英，他招募受過教育的喬治亞人和亞美尼亞人，僱用他們擔任政府的中級和基層行政人員，甚至更成功地讓他們成為軍官。他大幅改善了教育體系，並在高加索地區設立了帝國地理協會和帝國農業協會的分支機構。他在提比里斯的城市樣貌中留下了自己的印記，讓提比里斯開始變得愈來愈像歐洲城市。他的許多經濟措施，不只是為了讓高加索地區附屬於俄羅斯中央政府，同時也是為了讓其附屬於歐洲之下，比如：開辦橫越黑海的船班，對許多轉口貿易貨品給予免稅優惠，探勘該地區豐富的礦產資源，以及發展包括棉花、茶葉和絲綢在內的現代農業。302 他的許多計畫要到很多年以後，才會在陸軍元帥巴里亞欽斯基、尼古拉耶維奇大公，以及東杜科夫－科爾薩科夫這些繼任者的統治之下開花結果。

文明使命也可以被賦予新的意義，用來表達俄國如何寬厚對待敗在自己手下的敵人。沙米爾是穆里德起義的傳奇領導人，他在多年抵抗之後才終於投降；對征服高加索地區的巴里亞欽斯基親王＊來說，將沙米爾塑造成為名人的做法，可以宣傳他光榮戰勝山區叛軍的事蹟，是個可以提升形象的妙計。巴里亞欽斯基為報紙提供了新聞稿，將沙米爾的征途描寫成在俄國光榮被俘，藉此為沙米爾策劃了一場高調公開的歡迎儀式。沙米爾的光榮投降，加上他所受到的寬厚待遇，彰顯出了勝利者崇高的榮耀。俄羅斯人希望將他們的行為，和印度叛變期間英國人的做為做個對比。這整起事件啟發了大眾對該地區的興趣，同時也肯定了俄國的統治方式，是一種更仁慈、更溫和的帝國主義。303

不過，對那些俄羅斯文明任務的敵人進行讚頌（尤其是來自創造力十足的知識分子的頌揚），也可能讓這些文明任務的含義出現歧義。從普希金在他的詩作〈高加索的俘虜〉中所虛構的高加索概念，到托爾斯泰於本世紀末創作的《哈吉穆拉德》，這些俄羅斯作家和地方民族在文學之中的相遇，總是充滿了矛盾之處。普希金、萊蒙托夫、托爾斯泰，以及別斯圖熱夫（他以「馬爾林斯基」為筆名進行創作）等人，都是在高加索地區有過親身經歷的人，他們在作品裡注入了反帝國主義的思想。在他們的作品中，山區民族的形象挑戰或取代了哥薩克人，成為英勇邊疆子民的典範；作為高貴的蠻族山區民族代表著自由精神，而這種自由精神只能存在於文明邊緣——這個自詡為歐洲文明，卻未能達到其理想的文明。[304]儘管很難看出這些矛盾的潮流對政策制定者的確切影響是什麼，但俄國派駐在高加索和外裏海邊境地區的官員，的確表現出了更多寬容的跡象，而且和美國白人對待印地安人的態度相比，俄國人也更願意和原住民進行合作。

音樂中的「東方主義」也表達出一些相同的趨勢：當音樂中的異國情調受到更加有序的歐洲音樂結構的規範時，其吸引力反而更能凸顯出來，而非遭到減損。[305]俄羅斯作曲家發明了旋律與和聲的「規則」，試圖藉此傳達充滿異國情調和神祕色彩的東方音調和印象。音樂中偶爾出現的道地東方旋律，不如那些將東方再現為享樂和肉慾的音樂技巧來得重要。這些音樂規則傳達了某種刻板印象，其強烈主張：地方民族的音樂必須經過西方的編曲規則的改編，才有可能被俄羅斯人（或歐洲人）欣

＊原書注：原文 Prince 在此稱「親王」，指沙皇的弟弟或叔叔，而王子單純指皇帝之子（繼承皇位的稱沙皇太子，英文為“tsarevich”，tsarevich 的弟弟稱 Velikii Kniaz〔“Grand Prince” 大親王〕，一般稱為〔親王〕）。

賞。[306]俄國音樂家巴拉基列夫曾在一八六二年和一八六三年造訪高加索地區，他便在自己的作品中使用切爾克斯地區的曲調，並用普希金的歌詞寫了一首頗受歡迎的喬治亞歌曲，甚至根據萊蒙托夫的詩（內容是一個會引誘、殺害過路旅客的喬治亞公主），創作了交響樂《塔瑪拉》（其草稿創作於一八六九年）。他最著名但極難表現的作品《伊斯拉美：一場東方幻想》（一八六九年），充滿引人入迷的節奏和不斷加速的節拍，傳達出宗教狂喜、無拘無束的印象，今日許多琴藝精湛的音樂家仍會彈奏。與此同時，另一位俄國音樂家鮑羅定則完成了《伊果王子》（一八六九年）的第一版，這是一部典型的東方主義歌劇，將充滿情色意味的波羅維茨舞女，和正直健壯的俄羅斯王公戰士並置，形成對比。[307]他也曾受命作曲紀念亞歷山大二世在位二十五週年，最後寫出《在中亞的草原上》（一八八〇年）這部曲子，歌頌俄國的蓬勃發展。另一位作曲家穆索斯基雖然生性暴躁，但為了紀念亞歷山大二世登基，他也創做出一部融合剛強軍威和東方性感的作品《攻占卡爾斯》。長年擔任提比里斯音樂學院院長，兼任市立管弦樂團指揮的伊波里托夫伊凡諾夫，則是創作了《高加索速寫》和其他三部以東方為主題的歌劇；其中的最後一部《伊茲美拉》（創作於一九〇八年至一九〇九年），背景就設定在十六世紀基督徒和伊朗穆斯林正彼此征戰的喬治亞。

如何為俄國與邊境地區人民界定彼此的關係，由此成了一個宏偉的文化計畫，建立在科學實證，也建立在想像出來的存有論之上。在此過程中，帝國主義思想變得愈來愈普及，成為俄羅斯人自我認知的標誌。自從彼得大帝創立科學院，並派遣丹麥探險家白令探索西伯利亞的太平洋沿岸以來，對地理學和民族學知識的獲取和出版工作，便成了帝國事業的一部分。但俄國在這方面的努力，一直要到尼古拉一世派遣洪堡德前往西伯利亞進行那場留名後世的探勘，並於一八四五年成立了俄羅斯皇家地理學會之後才有重大進展。然而這些探勘人員和兩個主要的科學機構，仍然主要由外國人主導，而這些外國人並不想要宣傳、支持和合理化俄羅斯的帝國擴張事業。克里米亞戰爭爆發之後，俄國才開始透過大眾媒體和提高識字率等手段來擴大公共領域，也才得以宣傳自己在高加索、外裏海和內亞邊境地區的擴張行動。

後浪漫主義時代的民族學家，曾試圖將東方主義概念和科學方法結合在一起，藉此對高加索邊境地區的人民進行統計、歸類和歷史化，從而合理化帝國的統治。就像之前的案例一樣，這些無心插柳的行動，造成了頗為矛盾的結果，因為他們也為各個民族賦予了可用來牽繫認同的族裔名稱，而這種族裔認同後來則逐漸發展成對抗帝國統治的民族情緒。[308]於是，看待外裏海邊境地區的角度出現了明顯的變化：當地居民開始被當作野蠻人，而不再是高貴的人。俄國開始產出自己的探險家與家世清白的戰士，不再依賴外國人，而受過教育、渴望英雄的大眾，則在報章媒體上頌揚他們。

兩位俄羅斯最著名的探險家，則利用他們因為媒體報導而獲得的名氣，來宣揚俄國在外裏海地區的文明使命。彼得．謝苗諾夫沿襲了俄羅斯軍事指揮官的作風，在自己的姓氏後面加上了「天山斯基」這個稱號，以此紀念他一八五〇年代在天山地區的探險活動。他讚揚俄國對邊境地區的探索，「像天注定一樣，符合人類的普遍利益，能讓亞洲成為文明之地。」但他認為，由於俄國介於歐洲和亞洲之間的特殊地理位置，加上他們以更人道的方式對待亞洲人，因此俄羅斯人的使命是獨一無二的。這種論調在沙俄時代晚期和蘇聯時期都非常普遍，並總是帶著防禦性的色彩。他寫道，西方可能曾經認為俄羅斯人的「文明水平較低」，但「考量到我們發展歷史的快速步伐」，他們的成就已經注定了他們擁有更高的水平。美國地理學家巴辛曾指出：「一言以蔽之，俄國人顯然相信，透過讓亞洲成為文明之地，他們同樣也能讓自己成為文明人。」[309]謝苗諾夫作為皇家地理學會主席的數十年間，不斷熱心地宣傳俄國在外裏海和內亞邊境地區的這種帝國天命。

其次知名的探險家普爾熱瓦斯基，同樣以他的英勇事蹟喚起了類似的訴求；大眾和媒體甚至將他譽為民族英雄。他曾在一八七〇年至一八七四年間前往內亞進行考察，其過程有如一場冒險故事。他抵達了清帝國的邊疆，認為俄國未來有可能在這個「中國和亞洲深處」的地區與英國發生衝突。就這點而言，他的觀點與戰爭部長米盧廷以及突厥斯坦總督考夫曼一致。他正好也站在俄國社會對東方興趣正濃的浪頭之上。莫斯科曾於一八六七年舉辦第一屆民族博覽會，接著又在一八七四年舉辦工藝博覽會，其中有許多來自東方的工藝品。兩年後，俄國畫家韋列夏金在他第一次突厥斯坦系列的畫展裡，描繪了俄羅斯人和當地民族的相遇，在純科學領域之外，用繪畫補上了這些民族的形象。這位藝術家是考夫曼的官方藝術家兼民族學家，他在跟隨考夫曼前往突厥斯坦之前，便已經因為關於高加索地區的作品而聞名於世。參觀展覽的觀眾成千上萬，其中也包括考夫曼，他對這些畫作讚不絕口。[310]

俄國的東方主義概念在許多方面和西歐的有些相似，唯一的差別在於俄國不願將他們自己也納入西方所定義的東方之中。一如前述，為了讓自己與東方不同，俄國人採取了一種防禦性的做法，亦即吸收歐洲人的論述並經過適度改造，藉此將俄羅斯描繪成一股更具人性的文明勢力。另一種較有攻擊性的做法，則是乾脆聲稱俄羅斯文明，是主要以德意志形式來定義的西方文明的替代方案。這種觀點源於一八四〇年代的斯拉夫派思想家，後來於一八六〇年和一八七〇年代逐漸演變成更加激進的泛斯拉夫主義。雖然不管是斯拉夫派或是泛斯拉夫主義，最後都沒有被納入帝國意識形態的準則之中，但它們仍幽微地侵蝕了羅曼諾夫王朝最後三位沙皇和統治菁英的思想，不過要發現那些侵蝕的痕跡，並不是件容易的事情。像彼得大帝和凱薩琳大帝這樣的統治者，便藉由操弄「斯拉夫一體」的概念——或者更確切地說，藉由操弄東正教這個共同紐帶，來促進他們在巴爾幹邊境地區鬥爭中的利益。[311]但對他們來說，俄羅斯仍是歐洲文明的一部分，而不是歐洲文明的替代方案。

和「俄羅斯化」一樣，泛斯拉夫主義所回應的，主要是那些想像中、在意識形態上的外部威脅；在此，這些外部威脅指的便是德意志文化，以及奧地利哈布斯堡王朝與普魯士王國和後來的德意志第二帝國霍亨索倫王朝，所推動以德意志文化及語言為尊的帝國政策。泛斯拉夫主義的原始形式，是一小群捷克知識分子的發明，後來被同樣人數不多的俄國知識分子所接納與改造。[312]對於俄國的統治者而言，泛斯拉夫主義引起了幾個問題。烏瓦羅夫對這些思想頗為警覺，對於促進斯拉夫人在文化上統一的計畫，也顯得興趣缺缺。全面的泛斯拉夫主義涵括了不少民族，同時卻又有排外的性質：它要求俄國人平等對待信奉天主教的波蘭人，承認烏克蘭人是一個獨立的民族，卻無法兼容多文化帝國內部的非斯拉夫裔人民。此外，泛斯拉夫主義也蘊含著一個具有革命意涵的訊息：它呼籲巴爾幹地區的斯拉夫人起身反抗他們的主子——鄂圖曼帝國。但反抗權威的抵抗運動，不只讓俄羅斯的專制統治者感到不安，也會對歐洲的平衡帶來威脅，進而導致其他強權插手介入。

帶有泛斯拉夫思想的思想家和作家，也對帝國統治菁英造成了持久的影響，儘管這些影響在表面上很難察覺。在俄國保守派知識分子和政策制定者的心目中，俄羅斯民族主義和泛斯拉夫主義之間的界線往往是模糊不清的。到了一八七五年至一八七八年間，這條界線甚至完全消失，因為泛斯拉夫情緒在一八七七年俄土戰爭中發揮了重要作用，促成了這場戰爭的爆發。這些現象無疑是許多人共同促成的結果：大文豪杜斯妥也夫斯基、詩人秋切夫、保守派記者卡特科夫、作家克薩科夫以及法學家波別多諾斯采夫，他們都在其中扮演了重要角色。[313]然而上述這代人過世之後，泛斯拉夫主義內蘊的革命風險，也讓統治者對泛斯拉夫主義的興趣大減。但熱切支持泛斯拉夫主義的人，仍舊繼續在俄羅斯政府中占據重要地位，比如從一八八五年至一八九四年擔任波羅的海利夫蘭地區總督的沙荷夫斯基親王，以及於一八八一年至一八八二年間出任內政部長，並從一八八八年開始就一直擔任斯拉夫慈善會會長直到過世的伊格納提耶夫伯爵。早期對政治版本的泛斯拉夫主義感到興致高昂的波別多諾斯采夫，後來也轉為支持文化版本的泛斯拉夫主義，主張加強俄國對斯拉夫東正教徒的影響力，而一八八二年東正教巴勒斯坦協會的成立，便是這種主張最明顯的表現。該協會最初是波別多諾斯采夫的構想，其表面上的目的，是蒐集有關聖地的資訊，並在俄羅斯進行宣傳；但到了一八九〇年代，這個組織卻開始染上政治色彩。此時，亞歷山大三世和皇室家族成為了協會的成員，而協會的活動，也開始獲得派駐於鄂圖曼帝國的俄羅斯外交官支持。很自然地，這引起了鄂圖曼帝國政府的疑心。與此同時，波別多諾斯采夫在塞爾維亞、蒙特內哥羅和保加利亞等地，也培養了一群東正教教士，並透過斯拉夫慈善會對他們提供經濟援助，同時招募學生到俄國的神學院接受培訓。維也納當局對波別多諾斯采夫尤其不滿的，是他在財政上和道義上，對於奧地利加利西亞地區處境艱難的東儀天主教會和東正教教會的支持。於是，文化泛斯拉夫主義在中斷了二十年過後，終於在波別多諾斯采夫的推動之下，隨著一九一三年加利西亞慈善會的成立而復甦。[314]

斯拉夫慈善會持續但低調的活動，是俄羅斯泛斯拉夫主義史上很少被記錄到的一頁。[315]斯拉夫大團結作為一種活躍的政治學說，幾乎同時在十九世紀末的布拉格和俄羅斯重新出現。捷克人與奧匈帝國統治當局發生衝突後，一些捷克人再次轉向俄國尋求道德上和外交上的支持。他們的目的是重振奧地利斯拉夫主義*的概念，以此作為聯邦方案的基礎來解決民族問題，從而改變哈布斯堡的內政政策。在外交政策方面，他們則試圖讓維也納當局遠離德意志第二帝國政權，而和聖彼得堡走得近些。為了達到這些目的，他們在所謂的新斯拉夫運動中成為了領頭羊。[316]然而俄國官方反應緩慢，倒是公眾輿論的反應還比較熱烈。早在奧地利於一九〇七年併吞波士尼亞與赫塞哥維納，並在俄羅斯激起強烈回響之前，俄國民眾對於斯拉夫運動的興趣便已開始重現。俄國報紙開始對南斯拉夫人產生了更濃厚的興趣，尤其是保守的政府喉舌《新時報》。[317]低調的慈善會彷彿從沉睡中甦醒過來，其他促進斯拉夫文化的新團體也相繼成立。這些新團體的主要成員來自政治光譜的中心，有十月黨人、立憲民主黨人以及科沃黨的人，表面上看起來似乎有點矛盾。然而俄羅斯的自由主義者認為，帶有民主傾向的

＊審定注：這是在一八四八年時由捷克民族主義導師帕拉斯基所提出的政治訴求，該訴求的主要核心主旨在於，希望當時的奧地利哈布斯堡帝國能從中央集權的政體改組成為聯邦制的政體，捷克人與斯洛伐克人就可作為帝國的一員而成為哈布斯堡帝國名義統治下的一個高度自治的政治單位，從而維繫捷克及斯洛伐克的西斯拉夫文化於不墜。

斯拉夫運動，能幫助他們解決波蘭問題。雖然他們試圖與具有侵略性的舊泛斯拉夫主義保持距離，但在立場偏向自由主義的帝國主義計畫中，他們仍沿用了舊泛斯拉夫主義的許多觀點。[318]由德莫夫斯基領導的波蘭議會圈，甚至也認為這是波蘭對抗德國（主要的敵人）帝國主義最好的防禦方式，也是讓波蘭在俄羅斯帝國（次要的敵人）境內於文化和經濟上都能繁榮昌盛的堅實基礎。對於他們來說，新斯拉夫主義非常適合先追求民智開化、經濟發展，再追求民族獨立的韜光養晦策略。然而，殷切期盼成果的支持者（主要是捷克人），卻注定了位於哈布斯堡帝國邊境地帶的捷克人及斯洛伐克人，他們與俄羅斯人之間對新斯拉夫主義觀點上的認知矛盾而感到失望。一九〇八年的新斯拉夫會議結束之後，這個運動開始走下坡。[319]

兩年後，另一場新斯拉夫會議在保加利亞的索菲亞召開，揭開了來自各個斯拉夫民族的代表之間的嚴重分歧，而來自俄羅斯的與會代表則轉向右翼，重回舊的泛斯拉夫主義路線。於是，誕生一個統一的帝國意識形態的可能性再次消失。[320]然而整個俄羅斯社會，當時都仍瀰漫著一股斯拉夫派的氣氛；這種氣氛源於皇室，並由報章媒體以及國會從中間到極右立場的各種輿論所散播。[321]此外，俄國外交部——尤其是與巴爾幹地區有關的亞洲部門，表現出了強大的意願（儘管不見得所有人都有這種意願）要促進和其他斯拉夫民族的關係。直到一九一四年的七月危機，俄國政府的官方路線都在避免與泛斯拉夫主義有染，因為他們擔心這會破壞他們與哈布斯堡王朝原本就不甚穩定的關係。俄羅斯在促進他們於巴爾幹地區的利益時，主要是出於戰略上的考量，但這些考量的基礎實際上是他們在文化上悠久的親緣關係。戰爭一爆發，政府就要開始苦思如何在沒有任何明確結論的情況下重建中東歐，但他們對帶有泛斯拉夫主義調性的解決方案抱持著強烈的情感。[322]

俄國統治者和哈布斯堡王朝不同，他們直到二十世紀初之前，都仍強烈反對憲政實驗，認為那是對帝國意識形態以及統治體制的威脅。與此同時，在亞歷山大三世和尼古拉二世的統治之下，俄羅斯的「權力劇本」也經歷了徹底的轉變，從世俗化、對不同種族都一視同仁的帝國形象，開始轉變成狹隘的民族宗教神話。[323]這意味著，當俄國終於靠著一九〇五年的革命，從王室政權那裡取得建立代議制議會（亦即國家杜馬）的機會時，統治者和被統治者之間在意識形態上的落差已經愈來愈大。難怪沙皇尼古拉二世會拒絕承認「基本法」，因為這條法律創造了新的代議機構，也限制了他的專制政權，而他身邊智囊和大眾的想法卻與他背道而馳；也難怪沙皇尼古拉和皇后亞歷山德拉會遁入一個神祕的宗教信仰，進一步讓他們與官方教會以及已經西化的菁英漸行漸遠。[324]

鄂圖曼帝國

儘管鄂圖曼帝國統治者的起源非常不同，但他們與其他多元文化帝國的統治者一樣，在塑造自身形象、定義權威時，也利用了早期的各種傳統；他們在俗世和神聖的身分與使命之間建立明確而穩定的關係時，也常遇到類似的問題。十四世紀塞爾柱帝國和拜占庭帝國之間複雜的邊境地帶，是三種傳統體系的交匯點。第一，遷居該地區的中亞土庫曼突厥游牧民族，體現了以突厥－蒙古王權概念為基礎的軍事政權典範。鄂圖曼帝國後來採用了素檀這個世俗稱號，該稱號是塞爾柱突厥游牧民族於十一世紀帶入安納托利亞的。[325]第二，皈依伊斯蘭教為他們在文化和政治上提供了一套穩定的新制度，以流動和融合的視角塑造了他們對外部世界的看法。一方面，他們把軍事邊界之外的「不信者之地」視為戰爭之地，這些地方在法理上，永遠和他們處於交戰狀態之中（雖然實際上不見得如此）；另一方面，他們對待自己領土（亦即伊斯蘭之地）境內的非穆斯林人口，則採取不同程度的寬容政策。[326]第三，鄂圖曼帝國繼承了拜占庭帝國傳統，這點可以他們成功征服君士坦丁堡，亦即第二羅馬作為代表。

征服者穆罕默德（二世）可以被視為早期鄂圖曼帝國作為伊斯蘭教與基督教融合體的最後代表。據說他並非一個一直都很虔誠的穆斯林；關於這點，從他委託義大利藝術家貝利尼為他畫肖像畫即可證明。他著迷於一種兼融了猶太人卡巴拉思想、基督教和其他神祕兄弟會元素的宗教；他是突厥游牧民族領袖的化身，也是宣稱自己繼承了拜占庭帝國的穆斯林。將君士坦丁堡作為首都的決定，讓鄂圖曼帝國的統治者必須面對一個問題：如何在視覺上與基督教帝國的強大符號競爭。對此，他們的答案是將教堂改建成清真寺，將宏偉的馬賽克畫刷白抹去，然後興建一樣壯觀的宗教建築和世俗宮殿，前者比如藍色清真寺，後者之中最著名的則是托普卡匹皇宮。穆罕默德將亞美尼亞人、猶太人和希臘東正教徒視為「經書的子民」，亦即亞伯拉罕宗教的信徒。他對逃離西班牙宗教裁判所的猶太人表達歡迎，藉此獲得了生產力極高的人口；這些猶太人後來在金融和商業活動上，為鄂圖曼帝國帶來了不少好處。整體而言，他的宗教寬容政策創造出一種讓穆斯林和非穆斯林可以和平共存的氛圍。為了將基督徒融入帝國，他將他們歸類進幾個彼此獨立的宗教團體，用當時的詞彙稱呼，這些團體即為會眾

（tâ'ife）和社群（cemaat）；而這符合了伊斯蘭律法中，對於那些沒有抵抗、接受征服的非穆斯林的處置規定。327

他主張讓伊斯坦堡成為東正教的中心，試圖藉此讓教會變得更容易受他控制，同時也可以藉此強調鄂圖曼帝國是一個不分宗教的普世帝國。他繼續實行鄂圖曼帝國的政策，在軍隊以外的所有公共領域（包含教會和商業與行政部門）收編東正教徒臣民，藉此擴大帝國統治的基礎。後來在十七世紀的分權統治時期，鄂圖曼帝國將「米列」*制度這一詞彙，冠在一個新的宗教組織之上，藉此賦予東正教普世牧首和伊斯坦堡的亞美尼亞使徒教會主教更多權力。但米列更像是一系列臨時性的特別安排，而不是一個體制。他們在法律上的自治程度以及精神領袖的權力，都因為時間的推移、身處帝國的不同地區而有所不同。但這些安排的目標並沒有改變，一直都是為了緩和猶太人與基督徒社群融入鄂圖曼帝國的過程。

到了下個世紀，教會逐漸開始利用兩位主教在宗教上的領導權來統一語言，而這也等同於為他們賦予了政治上和文化上的功能。他們捏造了一種說法，宣稱穆罕默德二世將宗教領導權和行政權力都授予了他們。在某個程度上，來自拉丁禮天主教傳教士愈來愈大的壓力。這些拉丁禮天主教的傳教士主要來自哈布斯堡王朝的方濟會，他們更加積極地在基督徒之中傳教，並像波蘭和烏克蘭交界地區所做的那樣，也在巴爾幹地區和鄂圖曼帝國的其他地方建立了東儀天主教會。在這些文化鬥爭之中，鄂

＊審定注：米列（millet）是指鄂圖曼帝國轄下的巴爾幹東正教及高加索亞美尼亞教區的政教自治體制。

圖曼帝國的素檀是站在東正教這邊的；他認為天主教會在安全上帶來隱憂，因為教宗曾經譴責伊斯蘭教，而且鄂圖曼帝國經常和天主教政權（哈布斯堡王朝和威尼斯共和國）在邊界地區發生戰爭。因此，雖然鄂圖曼帝國禁止新建宗教設施，但就實際上的執法而言，他們對天主教會比對東正教會還要嚴格。如此一來，許多波士尼亞的天主教徒因此皈依了東正教。[328]

鄂圖曼帝國的統治者並沒有強制要求宗教團體內部必須統一，而是允許他們根據語言和教義的界線彼此分裂。對於宗教團體授予特權、任命主教的行為，也愈來愈視情況而定。在十九世紀之前，這些宗教社群並沒有統一在單一的領導之下，而且只有在十九世紀的坦志麥特改革（Tanzimat，坦志麥特意思是「重組」）期間受到憲法認可。[329]然而到了坦志麥特改革期間，幾個宗教的自治中心（比如塞爾維亞和保加利亞）對主教權威和希臘勢力的抵抗行為變得愈來愈激烈，因而逐漸形成民族運動的基礎。

就世俗領域來說，穆罕默德二世也創造了一系列象徵符號，將過去幾個重要的區域帝國傳統融合了進來，包括拜占庭、突厥和蒙古。[330]他完成了統治者形象的改革：從原本吸收了波斯王朝元素的突厥游牧部落領袖，一舉轉變成為拜占庭帝國傳統的繼承人；他所取得的頭銜裡，甚至包括「羅馬凱撒」。他身邊圍繞著既非穆斯林、也非突厥人的幕僚，也要求懂希臘文和拉丁文的人每天朗讀亞歷山大大帝、漢尼拔和凱撒的生平事蹟給他聽。[331]穆罕默德在所有官方文件和硬幣上都保留了這座帝國城市的羅馬名字，亦即君士坦丁堡。他還重建了拜占庭時期宏偉的城牆。為了恢復這座城市的光輝，他像當時莫斯科大公國的統治者一樣，聘請義大利建築師來建造新的宮殿和清真寺。下令興建托普卡匹皇宮之前，他還諮詢參考了阿拉伯和伊朗的樣式。

富麗堂皇的宮廷典禮也是一種兼納各種文化的混合體，可以讓來自歐洲和亞洲，參與外交談判的外國貴賓留下印象深刻，或是讓他們心生畏懼。哈布斯堡和波斯的使節都曾證實大規模禁衛軍的閱兵典禮，以及議事廳的「裝飾、光彩和華貴」有多麼雄偉。宮廷典禮的某些元素，和拜占庭帝國於十世紀為君士坦丁七世編製的《儀典之書》中所提到的內容非常類似。在皇宮內部空間和花園的規劃之中，有分別代表希臘、波斯和鄂圖曼等不同風格的空間；而某些儀式則呼應著突厥蒙古式的傳統，比如某個官員如果貪贓枉法，他們便會剪斷他帳篷上的繩索。[332]由於君士坦丁堡／伊斯坦堡擁有的象徵意義和戰略意義十分重大，直到鄂圖曼帝國滅亡之前，它都是帝國的權力中心（只有一段特殊時期除外）。素檀穆罕默德四世（一六四八年至一六八七年在位）曾在統治初期，將宮廷和主要的皇室宮邸遷往埃迪爾內；這座城市又被稱作「加齊戰士的火爐」，既是對哈布斯堡邊境發動戰爭的跳板，也是素檀進行傳奇性狩獵活動的大本營，而這種狩獵活動本身也是鄂圖曼加齊戰士的傳統之一。[333]

有位希臘基督教學者名為特拉比松的喬治，他曾於一四六六年在寫給穆罕默德二世的一封信中寫道：「沒有人懷疑你是羅馬人的皇帝。任何一個（透過征服行動？）正當取得帝國中心的人都是皇帝，因為羅馬帝國的中心就是君士坦丁堡。」[334]這個城市的確就位於歐亞大陸上的一個超大十字路口上：垂直那條路線，連接了鄂圖曼帝國的兩個海域，亦即黑海和地中海；水平那條路線，則連結了巴爾幹地區（羅姆地區）和安納托利亞的陸塊，兩者分別是他們在歐洲和亞洲的邊境地帶。如果穆罕默德原本的想法，是要創造一個讓所有宗教和種族都能在其中自由混居的帝國城市，那麼這個理想可以說從未實現過，甚至還隨著時間推移而不斷遭到磨損。除了有來自不同族裔和宗教的有錢人，在十八世紀沿著博斯普魯斯海峽建造的別墅社區之外，居民愈來愈傾向只與相同族群的人聚居在一起。隨著民族認同在十九世紀逐漸鞏固，這種聚居方式也變得愈發明顯。伊斯坦堡的兼容並蓄也許是個神話，但城裡各個獨特的文化社區仍顯現出伊斯坦堡的「民族多重性」（plurality of nations）。[335]這座城市依然是西方文化和伊斯蘭文化的交匯處；宮廷、軍隊和官僚機構內部，從來就不只是由突厥人組成而已，還融合了許多其他的族裔群體（前提是他們必須皈依伊斯蘭教）。

兩個半世紀之後，和彼得大帝一樣，穆罕默德也鼓勵從拜占庭貴族中提拔出來的新統治菁英在首都出資進行建築工程，不過他的方法比彼得大帝溫和許多。然而穆罕默德的都市計畫不像後來的聖彼得堡那樣，總是以直線街道為特徵，而是以視覺效果為重，以便讓新建築在視覺上能夠比拜占庭建築還要突出。[336]宮殿的布局則複製了鄂圖曼軍營的架構，並混合了羅馬拜占庭的建築元素，尤其參照了賽馬場附近的君士坦丁堡大皇宮。藉此，素檀再次象徵性地宣告，鄂圖曼帝國的政權不再以游牧部族的聯邦作為基礎，而是被移轉到一個固定於一個地點的帝國裡，由一個位於都市裡的行政中樞來治理。

到了十六世紀，素檀開始變得愈來愈與世隔絕；在大皇宮四個庭院裡舉行的各種儀典，都隔絕在大眾的視線之外。皇宮裡每個宮殿都有不同功能，而素檀則愈來愈把注意力放在後宮和第三宮殿，而不是包括首相的高階官員所使用的第二宮廷。[337]素檀大多只有在從事狩獵或其他為上層階級準備的奢華娛樂時，才會在花園裡小巧優雅的亭子或是夏宮裡露面。狩獵成了代表男子氣概和武術技巧的標誌。素檀可以透過參與軍事行動來獲得名望，還會有凱旋遊行為他慶祝，但也總是會有失敗的風險，從而破壞了他實行統治的正當性。[338]自從十七世紀末期鄂圖曼帝國與哈布斯堡王朝在漫長戰爭中不斷失利而失去了廣大領土之後，尤其是在一六九七年素檀穆斯塔法二世在森塔戰役中慘敗於哈布斯堡大軍之手後，便不曾再有素檀願意領軍開赴戰場。

就算穆罕默德個人崇尚多元折衷，但他仍很清楚將遜尼派伊斯蘭教鞏固為國家意識形態的重要性。伊斯蘭教對他的統治權力賦予了神聖的合法性，同時提供了治理的工具。穆罕默德為新的行政和司法機構注入了伊斯蘭精神，而這讓烏拉瑪獲得了特別的地位，可以共享詮釋伊斯蘭教的權力。對伊斯蘭教的詮釋一共有四個來源：國家、烏拉瑪、神祕的蘇非兄弟會，以及民間傳統；前兩個來源集中在伊斯坦堡，而後兩個則是異端，而且主要流行於邊境地區。在這些邊境地區，蘇非主義者還常將社會中的各種不滿抵抗，轉化成為千禧年運動。[339]一五一六年塞里姆一世在征服埃及之後，宣稱鄂圖曼帝國繼承了伊斯蘭世界的哈里發國，而哈里發國將從開羅移往伊斯坦堡。然而在當時，哈里發的內涵除了象徵性的功能之外，早就已經別無他物了。自從哈里發在阿拉伯人四處征戰初期時成立以來，就無可避免地必須將政治與宗教結合起來，反映出薩珊（波斯）王朝*對第一批阿拉伯帝國創始人的影響。哈里發的意義隨著時間演進，也經歷了一些變化，不過它漸漸也和伊斯蘭國的精神面向，而非其

---

*編按：薩珊王朝（Sassanid Empire，二二四至六五一年），最後一個前伊斯蘭時期的波斯帝國。以祆教為國教，是個政教合一的政權。

高壓極權的面向連結在一起。[340]

在鄂圖曼帝國的政治神學之中，針對彌賽亞精神最完整的表述，出現在蘇萊曼一世（一五二〇年至一五六六年在位）的統治之下。他的頭銜和性格結合了伊斯蘭和突厥－波斯人的傳統：素檀成了「真主阿拉的影子」，也是祂「在人世間的代理人」。鄂圖曼人將蘇萊曼稱為「立法者」，他體現了伊斯蘭理想中合宜的統治者模樣，遵循伊斯蘭教法的原則和傳統，而這種律法則將遜尼派法律體系的教義，與帝國法令和地方習俗結合在一起。[341]在蘇萊曼的統治下，鄂圖曼帝國傳統上的兼容並蓄，在他對哈布斯堡王朝和薩法維帝國採取軍事行動的過程中，獲得了實質上的重要性。蘇萊曼引用了哈布斯堡人也很熟悉的說法，向哈布斯堡皇帝證明自己是「羅馬凱撒和亞歷山大大帝曾經統御之地的主人」。對於其他伊斯蘭政權的統治者，他則自稱是「全體穆斯林的哈里發」，以及「兩個聖地（麥加和麥地那）的僕人」，藉此來確立自己的崇高地位。就實際行動而言，他承擔了穆斯林朝聖路線的防衛工作，抵抗來自基督教歐洲的威脅。他的這些舉動引起了許多回應，有些回應甚至來自遠在外裏海地區的烏茲別克汗王；當時，烏茲別克的汗王面對莫斯科大公國不斷擴張，於是呼籲素檀出手保護朝聖者的安全。為了證明他反對薩法維王朝的行動是合理的，他從烏拉瑪那裡獲取了伊斯蘭教令（fatwa）層面的見解，指稱自己必須推翻異端邪說（什葉派）；然而他出兵的真正原因，或許更多是為了推翻伊朗王朝，並獲得邊疆的絲綢產區，也就是亞塞拜然、希爾凡以及吉蘭地區。[342]

作為對抗異端、阻止教派分裂的伊斯蘭之地捍衛者，他還頒布了法令，譴責在安納托利亞東部邊境地區和土庫曼牧民部落敵對的其他異端傳統，尤其像是拜克塔什道團這種崇拜聖徒和異端信仰，卻又十分流行的宗教兄弟會。由於拜克塔什道團與什葉派有許多相似之處，因此他們在薩法維王朝的邊境地區對鄂圖曼帝國也構成了安全上的隱憂；對於那裡的人民來說，他們的精神領袖是伊朗的國王伊斯瑪儀一世（一五〇一年至一五二四年在位）。十八世紀末，鄂圖曼帝國的國勢在和俄羅斯長年交戰之後開始走下坡，而淡薄了的加齊戰士傳統，以及將素檀視作所有穆斯林保護者的觀念也都在逐漸減弱。一七七四年《古屈克卡伊納加和約》的談判期間，鄂圖曼帝國的政治家初次遇到了類似俄羅斯想擴大保護信奉相同宗教的外國人的想法，而這種信奉相同宗教的外國人則被體現在「文明世界」的概念之中。截至此時，素檀在西方外交官之間都享受著擁有哈里發權力的殊榮。在條約中，素檀仍然被稱為「穆斯林的伊瑪目，以及接受神聖一統（Divine unity）的人的哈里發」，而這個稱呼，在法語的版本之中則被寫成「伊斯蘭教的哈里發君主」（le Souverain calife de la religion mahometane）。但該條約將素檀的宗教權力與政治權力分開，也藉此在外交領域之中改變了這個頭銜的含義。這對於鄂圖曼帝國和克里米亞汗國的關係也別具意義：當時克里米亞已不再是鄂圖曼帝國的附庸國，但仍被允許和鄂圖曼帝國維持宗教上的連結。俄國於是得以在一七八三年為所欲為地併吞了克里米亞，而不必擔心與鄂圖曼帝國發生另一場戰爭。然而到了塞里姆三世統治期間（一七八九年至一八〇七年），這種宗教上的連結仍然讓鄂圖曼帝國期待著有朝一日能收回克里米亞。後來鄂圖曼帝國在十九世紀的戰爭中，即便失去了不少邊境領土，他們仍然能夠與那些地區的穆斯林在宗教上保持連結，依靠的也是在克里米亞所創下的先例。[343]

《古屈克卡伊納加和約》裡有關處理宗教問題的條款，也存在著許多混淆之處。歷史學家達維森曾有力地指出，俄羅斯只取得了代表摩爾達維亞、瓦拉幾亞以及伊斯坦堡的一個俄羅斯（而不是希臘）東正教會，向鄂圖曼帝國政府進行抗議的有限權利。[344]然而達維森的研究，並沒有辦法反駁以下這個說法：俄羅斯人打算利用那些條款的模糊性，來主張自己有權為了保衛基督教徒的權利，而插手介入巴爾幹地區。[345]對條約的進一步「誤解」，也體現在克里米亞韃靼人擁有向鄂圖曼帝國政府呈交請願書的權利上，那等同於承認素檀是「伊斯蘭教至高無上的哈里發」，並接受他的祝福。在條約的增補條文中，俄羅斯承諾不會干涉對伊斯蘭團結來說絕對必要的一切事物，不過素檀也承諾不會以任何跟宗教有關的藉口，用任何方式干涉克里米亞汗王的世俗政權。[346]當然，想在伊斯蘭教裡的宗教和世俗權力之間劃出一條清晰界線的這種想法，如果不是太過天真，就是在挖苦反諷，和俄國說除非多瑙河各公國基督徒的宗教權利受到侵犯，否則他們不會出手干預簡直沒什麼兩樣！在接下來的半個世紀裡，俄國的政策制定者仍不斷質疑這些條款是否明智。較為謹慎的官員則譴責這些條款是「我們之所以和土耳其不斷發生糾紛的最常見的原因之一。」[347]

與俄國人後來的理解相反的是，該條約只承認沙皇有權保護君士坦丁堡而不是整個鄂圖曼帝國的東正教徒，以及有權向素檀就這些東正教徒的福祉提出抗議。[348]但俄國人很快就拒絕承認，作為哈里發的素檀在俄國境內也有對等的權力。同樣地，鄂圖曼帝國的素檀也試圖反對俄國對該條約做出過於寬泛的詮釋，並將保護和干涉的權利，擴及鄂圖曼帝國境內的所有東正教徒。俄羅斯和鄂圖曼帝國這種都將宗教治權擴展到境外的做法，為他們在邊境地區的長期角力過程，在另一個層次上增添了不少衝突。在整個十九世紀的上半葉期間，鄂圖曼素檀都認為，俄國宣稱自己代表所有斯拉夫裔基督徒的行為，是為了在鄂圖曼帝國內製造分裂。一八五三年，鄂圖曼帝國就這個問題對俄國的壓迫行為進行了反抗，並導致克里米亞戰爭爆發。[349]

克里米亞戰爭的結果，深刻影響了鄂圖曼帝國用來統治邊境地帶的意識形態。在西方的壓力下，他們制定了一八五六年的改革法令，藉此擴充帝國境內宗教少數群體的權利。該法令基本上是駐伊斯坦堡的英國外交官斯特拉福・坎寧一手推動而成的結果。自一八四〇年代以來，英國政治家喬治・坎寧便狂熱地希望把於一八三八年通過的鄂圖曼商業法所體現的「自由放任」*原則，也應用到宗教事務上。一八四七年，在他的推動之下，叛教行為的懲戒辦法成功遭到廢除。此後，喬治・坎寧也持續透過國際制裁，要求鄂圖曼帝國賦予完全的宗教自由。宗教自由的原則，後來在《改革法令》中獲得確立。[350]鄂圖曼帝國雖然成功阻止了俄國對他們的宗教事務進行干涉，但卻換來了英國的插手介入。

克里米亞戰爭結束後，鄂圖曼帝國的改革派企圖將俗世和宗教兩個領域區隔開來，藉此重建國家，同時也發明出一個適用於所有宗教的鄂圖曼主義，以此創造新的愛國主義形式。這場改革，和一八三九年《花廳御詔》所開啟的坦志麥特改革時期，有一個非常大的不同之處。當時的坦志麥特充滿伊斯蘭精神，希望恢復穆斯林人民的信任和信心，因為馬哈茂德二世在之前過度急切而粗暴的改革，曾讓不少穆斯林產生敵意。然而與大多數人印象不同的是，坦志麥特並沒有承諾在法律上平等對待所有人，而只是主張讓所有人民都有權被依法對待。[351]

---

*譯按：原文為 laisser-passer，亦即「通行證」之意，但在此不符上下文語意，應為 laissez-faire 的訛拼。

相較之下，克里米亞戰爭後的改革派則試圖撤銷宗教社群擁有的所有司法和俗世特權，並以對所有公民都一視同仁的完整權利之形式，將這些權利移轉給國家。這意味著伊斯蘭教法不再是帝國的基本法律，並將其視為專屬穆斯林的法律。但問題是，改革派讓伊斯蘭教不再作為帝國的意識形態基礎之後，卻無法提出替代方案。「坦志麥特的改革，既缺少了鄂圖曼主權的傳統支柱，也沒有提出根據人民意志進行立法和統治的憲政原則。」[352]此外，有些宗教團體的領導人也反對改革，因為那剝奪了他們在俗世事務上控制信徒的權利。改革同時也削弱了希臘主教的權威，並讓保加利亞教會開始要求以主教區的形式，自行建立一個獨立的教會體系，而這個獨立的教會體系，後來也成了集結民族運動的中心。出於類似的原因，俄羅斯政府也反對鄂圖曼帝國對宗教團體進行重組，藉此消除宗教團體的權力，因為宗教團體的權力可以用來讓他們迫使鄂圖曼帝國對邊境地區賦予更多自治權，甚至條件如果成熟，也可以讓巴爾幹地區的基督徒成為獨立的國家。然而俄羅斯人很快就會發現，保加利亞人躁進地想成立新主教區的行動，其實也加劇了泛斯拉夫主義以及泛東正教主義這兩個概念之間的內在矛盾。地位舉足輕重且熱切支持泛斯拉夫主義的伊格納提耶夫伯爵，在試圖調解保加利亞人與君士坦丁堡東正教牧首之間的齟齬時，發現自己也陷入了各方主張的矛盾之中。[353]

鄂圖曼帝國內部也出現了對改革法令的批評；這些批評有著相同的意識形態立場，但卻是因為相反的原因而出現。所謂的鄂圖曼青年團關注的是，改革派明顯向西方的世俗觀念投降，而認為這些世俗觀念破壞了鄂圖曼帝國的伊斯蘭基礎。一直到帝國末期，他們都仍深陷於一個意識形態的困境之中，亦即如何讓西方在科技和教育方面的創新，和伊斯蘭教法的文化基礎和法律基礎調和在一起。為了解決這個困境，他們後來發起了憲政運動。由於巴爾幹地區的危機日漸嚴重，鄂圖曼帝國的一群高階官員於一八七六年透過政變迫使阿布杜拉齊茲素檀退位，並幾乎是以強迫的方式要求繼任的素檀穆拉德五世施行憲法。這部憲法立下了一個里程碑：在歐亞大陸上的所有多文化帝國之中，它是第一部付諸施行的成文憲法。[354]

這部憲法有許多矛盾之處，其中很多就跟坦志麥特時期的矛盾沒有兩樣。這部憲法將伊斯蘭教定為國教，卻又保障宗教自由。此外，鄂圖曼帝國還被憲法定義為不可分裂的整體，而這也意味著像是公國這種擁有特權地位的地方單位將會遭到廢除，但憲法卻又同時要求將權力下放至地方層級。國會的上議院以指派的方式進行任命，而下議院則是以投票方式選出議員。然而素檀仍然維持一定的權力，而這些權力卻不一定有明確定義；他是哈里發，是個神聖的人，卻不用對自己的行為負責。有位專家曾將這種現象描述成「有限的獨裁統治」。[355]這部憲法所帶來的混亂，和一九〇五年尼古拉二世頒布的《基本法》有顯著的相似之處。

一八七七年到一八七八年災難性的戰爭結束之後，新素檀阿布杜拉哈密德二世拒絕接受憲法中隱含的世俗概念，並試圖恢復伊斯蘭國的傳統，以此作為帝國統治的基礎。阿布杜拉阿齊茲素檀在位期間，反對世俗主義的浪潮便已經開始出現了。尤其在戰爭以及《柏林條約》造成領土大量流失之後，成千上萬的穆斯林開始逃離巴爾幹的邊境地區，使得帝國境內的穆斯林比例增加，基督徒人數減少，讓反世俗主義的浪潮獲得了更多動能。阿布杜拉哈密德採用了新的鄂圖曼主義政策，藉此將自己視為伊斯蘭國家在世俗領域與宗教上的化身，破壞了鄂圖曼帝國的寬容傳統，並使宗教在精神上成為了民族的基礎。[356]

與此同時，阿布杜拉哈密德為了強化自己在國內的地位，推進自己屬意的外交政策，也開始支持泛伊斯蘭主義的某些原則。和泛斯拉夫主義一樣，泛伊斯蘭主義也是各種思想的混合體，它缺乏正式的意識形態架構，是十九世紀由許多穆斯林知識分子，在鄂圖曼帝國內外循著不同路線所發展出來的成果。對於阿布杜拉哈密德來說，泛伊斯蘭主義之所以具有吸引力，是因為它可以用來突出基督教對鄂圖曼帝國內部穩定所造成的威脅，並將居住在帝國之外的穆斯林團結起來，藉此抵抗英國和俄羅斯這些內部也有大量穆斯林少數族群的帝國，反制他們分裂鄂圖曼帝國的計畫。

為了復興鄂圖曼帝國政治神學裡的伊斯蘭元素，阿布杜拉哈密德與神祕的蘇非主義代表——納各胥班迪道團建立了新關係。納各胥班迪道團起源於土耳其，因此其成員對鄂圖曼帝國十分順從而忠誠，同時也反對歐洲人激起的改革運動和影響。納各胥班迪道團於十九世紀下半葉經歷了不少變化，主要是受到高加索地區的穆斯林領袖沙米爾戰敗，導致高加索地區移民大量湧入鄂圖曼帝國的影響。這些新移民驍勇善戰、極端反俄，阿布杜拉哈密德歡迎他們的到來，並讓他們在安納托利亞落腳，藉此重新對當地人口進行伊斯蘭化。短期來看，他們強烈的宗教意識加強了素檀的地位，但「他們的教義雖然加強了社會上的伊斯蘭意識，卻也讓他們更加意識到自己在物質生活上的落後處境，而政府對此卻束手無策。」[357]

在阿布杜拉哈密德的策略中，最後一個關鍵元素便是重新強調鄂圖曼帝國是穆斯林世界的哈里發國。他個人之所以會追求哈里發的稱號，以及這個稱號對鄂圖曼帝國外的穆斯林所代表的象徵意涵，除了是因為想增強自己的聲望之外，也是為了對抗有英國撐腰的其他阿拉伯哈里發國。[358]為了達到目標，他經常在檯面下操作，其造成的結果不只是讓他的行跡難以追蹤而已。在英國這種住有穆斯林少數族群的帝國裡，雖然危言聳聽的人不斷散布各種陰謀傳言、製造恐慌，但很可能只有少數的泛伊斯蘭主義分子實際存在。[359]俄羅斯人對阿布杜拉哈密德在中亞邊境地區派出的間諜活動尤其敏感；他們指控這些間諜，於一八九五年在該地區煽動了一場叛亂。[360]

和尼古拉二世一樣，阿布杜拉哈密德二世也召喚了鄂圖曼帝國早期（亦即馬哈茂德二世之前的時期）的先祖，藉此試圖復興宗教元素，並將宗教收歸自己的控制之下。在對憲政改革，以及要求帝國對所有公民一視同仁的呼聲進行回應時，這兩位獨裁者都將目光轉向昔日。在鄂圖曼帝國，這種呼聲便是鄂圖曼主義——或者不如說是「融合」主義；我們將會在接下來關於官僚體系的章節中，更詳盡地考察這個課題。不過阿布杜拉哈密德從未由衷擁抱這個主義，而是採用傳統的宗教論述，以及和這些論述相互搭配的文學主題和視覺藝術主題，以便將現代世俗國家的體制，與為帝國奠基的伊斯蘭神話調和在一起。他的泛伊斯蘭教傾向，以四種形式表現出來：公共符號、官方圖像、皇室徽章的個人呈現方式，以及象徵性的語言。[361]他修復了先知家族的陵墓，也試圖讓伊朗什葉派和其他伊斯蘭少數派皈依正統遜尼派等有過各式各樣的行動。[362]

同時他也採取各種措施，試圖防止什葉派勢力擴張。他認為什葉派特別危險，因為在鄂圖曼帝國與伊朗接壤的邊境省分之中，有大量人口虔誠信奉著這個教派；這些邊境省分包括巴格達、巴士拉和摩蘇爾。他也擔心基督教傳教士在鄂圖曼帝國與伊朗之間的邊境地區活動，並下令趕走他們。類似的行動還有，他任命了一個諮詢委員會，試圖讓亞茲迪的異端教派皈依正統的遜尼教派，讓他們也可以參軍。[363]

阿布杜拉哈密德二世的政治神學充滿了折衷色彩，再一次地和尼古拉二世在意識形態上的轉向極為類似；他們的整體目標都是以現代的形式使用傳統元素，藉此更新、恢復與帝國過往主流文化的連結，同時對國外展現出鮮明的帝國形象。然而他們兩者之間的差異也很顯著——尼古拉持續推動了俄羅斯化運動，但阿布杜拉哈密德卻沒有在帝國境內進行突厥化運動。

伊朗帝國

薩法維和卡加王朝治下的伊朗帝國，繼承了薩珊帝國的古代王權傳統，並覆蓋上了伊斯蘭信仰的外衣，以及游牧民族和土庫曼部落的習俗。早在阿拉伯勢力進入伊朗的一千年前，「伊朗本土」作為「眾王之王」（Shahanshah）領地的概念就已確立，儘管這個領地的邊界仍未確定。起初，「伊朗本土」指的似乎是一個由波斯語言和波斯文化占主導地位的地區。[364]薩珊王朝依據神授的權力進行統治，但他們本身並不像羅馬皇帝是神聖的人物，而且權力也受到了諸多限制；這些限制除了來自於傳統，也來自於對貴族和（瑣羅亞斯德教）神職人員特權的尊重，尤其後者的勢力在古典時代晚期變得愈來愈強大。統治者被視為英雄和騎士般的人物，是人民的保護者，也是公正不阿的法官；而讓窮人和孤苦無依的人也能接近統治者，也是一種神聖的傳統。[365]

隨著阿拉伯人於七世紀中葉征服此地，統治的概念也出現了重大變化，而游牧民族也不時對伊朗發動一波波的征戰；這些征戰由蒙古人開啟，一直到十六世紀初薩法維王朝開國為止，都仍在持續著。統治的正當性和王位繼承這兩個問題，早在前伊斯蘭時期便已存在，但在伊斯蘭教傳入之後卻變得更加尖銳。在伊斯蘭教的影響下，正義統治者在理想中的概念，取決於統治者能否維持國家的穩定安全和人民福祉，儘管這些條件主要是以傳統來界定，而非由法律來界定的；他的統治正統性，體現在「真主阿拉的影子」和「宇宙的中心」這些頭銜之中。如果統治者違反了這些規範，就會被視為失去了給予他正統性的神聖恩典，而這將使得任何反抗他的行為都是合法的。和鄂圖曼帝國一樣，伊朗帝國並沒有繼承法。任何在國王過世時從權力鬥爭中脫穎而出或是揭竿抵抗不義統治者的人，都算是繼承了神聖恩典，以此作為他成功的結果。[366]烏拉瑪權威以及部族貴族權力的不斷增長，都持續對伊朗這個本身曾是游牧部族盟主的帝國帶來限制。

薩法維王朝誕生自亞塞拜然幾個突厥部落的一場民眾叛亂；這些發動叛亂的人被稱作「奇茲爾巴什」（紅帽軍），因為據說他們的頭巾上有十二道紅色褶皺，用來紀念什葉派的十二個伊瑪目。他們的領導人屬於薩法維氏族的一個蘇非主義的德爾維希道團，而這個教派早在蒙古人統治時期，就與民間叛亂的傳統有所關聯。[367]在他們的領導下，奇茲爾巴什在該省的東南部形成了一個實質上的獨立國家，並從那裡開始發動攻擊，目標是統一亞塞拜然地區，然後再統一整個伊朗。[368]一五〇一年，伊斯瑪儀一世成功登上伊朗王位（一五〇一年至一五二四年在位），創立了這個以神權為基礎的新王朝；而伊斯瑪儀一世本人，就是什葉派千禧年教派的繼承人。起初，部族領袖將伊斯瑪儀看作是神。他聲稱自己擁有深厚的學識，並自稱是幾個伊朗英雄的投胎轉世。他採用「shah」*這個波斯的國王稱號來指稱伊朗的政治領袖。奇茲爾巴什認為亞塞拜然這個邊境省分是個理想的突厥國家，混合式的宗教在當地非常流行，他們將伊斯蘭教傳入前的信仰，和來自草原地區的薩滿信仰混合在一起，並收束在一層薄薄的伊斯蘭什葉派外衣之下。[369]

在薩法維王朝治下，社會中最具凝聚力的力量，是伊瑪目派或十二伊瑪目什葉派的其中一種形式。什葉派（字面上的意思為「黨徒」）是伊斯蘭世界的成員，他們相信伊斯蘭世界的領導權，已經由先知穆罕默德傳給了他的女婿阿里，而他的後裔則被稱為伊瑪目。先知的嫡傳血脈，一直到第十二任伊瑪目於八七三年消失之前都相當明確，但他們相信這位伊瑪目仍舊無礙地活著（只是隱遁了起來）。此後，什葉派一直在期待他的歸來，以便在人世間建立完美的伊斯蘭政治共同體。隨著時間的推移，他們在哲學上和法律上又與遜尼派出現了更多差異，因此逐漸和他們區隔了開來；這些遜尼派並不接受血脈的繼承原則，而且是穆斯林的主流教派。在薩法維王朝建立之前，什葉派即使在伊朗都仍屬少數。然而從伊斯瑪儀國王開始，伊朗人在國內便開始試圖讓遜尼派信徒改宗，在國外則努力和其他遜尼派政權（比如鄂圖曼帝國、阿富汗和蒙兀兒帝國，分別位於伊朗的西側、北側和東側）鬥爭，使得什葉派為伊朗人提供了一個統一的政治神學骨架。[370]然而，當薩法維王朝和鄂圖曼帝國於伊拉克邊境地區（在伊朗文獻之中，該地區被稱作「阿拉伯伊拉克地區」）發生爭端時，起初此地的戰略性考量，比能否繼續控制納傑夫、卡爾巴拉和薩邁拉（第十二任伊瑪目消失的地點）等聖城還要重要。只有在伊斯瑪儀國王進入巴格達之後，史學家才對他的遠征行動賦予了宗教意義，在歷史紀錄之中進行修飾。他們在官方意識形態之中，雖然主張擁有對那些聖城的統治權，但這種主張卻從未在他們和軍力更強的鄂圖曼帝國進行鬥爭時，成為決定性的因素。[371]

薩法維王朝建立了許多經學院，雖然還要再好一段時間，伊朗境外的什葉派烏拉瑪才會願意接受他們的權威。這些學校的建築物有「色彩繽紛的瓷磚外觀，以及阿拉伯式花紋圖案，其建築和彩繪空間給人一種連貫與和諧的印象，世界上沒有其他地方能夠比擬。」[372]漸漸地，什葉派開始擁有雙重功能：它為王朝政權的正當性賦予了彌賽亞式的理由，同時也成為了「伊朗之地」和其他國家在宗教上的界線。

但什葉派的烏拉瑪也出現了對政府的矛盾態度。首先，薩法維王朝屬於蘇非兄弟會，這是一個主張崇高的精神奠基於苦行奉獻的神祕道團，而什葉派的烏拉瑪則堅持透過正式學習來取得知識。第二，儘管伊斯瑪儀不這麼認為，但只要第十二任伊瑪目持續隱遁，那麼不論是否政府來自什葉派，他們都仍是臨時性、都是可質疑的；不過在某些條件之下，合作仍是可被接受的。第三，烏拉瑪逐漸開始將伊斯瑪儀的出現，重新詮釋為馬赫迪（亦即最後審判日之前降臨世間的救世主）將要現身的預兆，而不是將伊斯瑪儀視作馬赫迪本身的體現，從而剝奪了國王在宗教事務上的所有統治權。這也導致了奇茲爾巴什在皇室裡的影響力不如從前。到了十七世紀，有資格解釋法律的烏拉瑪獲得了新的權利，可以決定是否批准王朝統治。[373]這些在宗教意識形態上的轉變，讓宗教團體和人民「普遍不願接

＊編按：常見翻譯成沙赫，本書直翻成國王。

受道德上和政治上的責任」。正如歷史學家蘭布頓所說的，這讓統治者更難將權力機制收歸中央。[374]這些情形，都和在莫斯科大公國發生的事情恰好相反，即便是在彼得大帝登基之前都是如此。

但這些變化造成的影響來得很慢，統治者只好改用其他方法來增強他們的權威。國王會前往兩個能為帝國提供正統性的地方朝覲，以一種象徵性但清楚可見的形式，體現出宗教和統治者之間強烈的交互作用。這兩個地方分別是：馬什哈德，亦即禮薩伊瑪目的陵墓所在之地，以及阿爾達比勒，亦即皇室家族陵墓的所在之地；這兩個地方都頗受薩法維王朝的青睞。在那些用來證明皇室有多虔誠的故事中，最突出的便是國王阿拔斯曾於一六〇一年，破天荒地以徒步方式前往馬什哈德。伊朗人一直都在和烏茲別克人爭奪馬什哈德這座邊境城市。阿拔斯在進行軍事遠征的過程中，經常前往東北部的赫拉特、巴爾赫和坎達哈，還曾經在帝國另一端的亞塞拜然地區，為他所策劃的軍事行動尋求宗教上的支持。雖然後來繼位的國王並沒有像他那樣虔誠，但他們偶爾也還是會前往幾個聖地朝覲。從十七世紀一直到十八世紀，馬什哈德都不斷吸引著朝聖者前往，而在鄂圖曼帝國和伊朗陷入戰爭，導致前往麥加朝聖的路途變得非常難走時尤為如此。[375]

薩法維帝國文化空間的擴大，則反映在十七世紀上半葉新首都伊斯法罕的設計與建造之中；這座城市原本和一座中世紀的塞爾柱城市連在一起。當時，薩法維王朝已經遷過幾次首都，先是大不里士，接著是加茲溫。這些城市作為國王的臨時根據地，反映出了部落式的治理概念，而這種概念也和王朝與奇茲爾巴什的盟友關係有關。這種首都四處移動的概念，在建造伊斯法罕時有了極大的變化，並在象徵意義和地理空間上將帝國政權聚於一個核心。伊斯法罕在帝國中位於居中的戰略位置，和東西邊的國界距離都差不多。建造工程遵循著阿拔斯國王所設計的中央計畫，為伊朗提供了一個帝國首都的全新概念。伊斯法罕的居民很快就可以自豪地說：「伊斯法罕就是半個世界。」其宏偉的皇家花園和宮殿，代表著一種譬喻和象徵性的秩序，複製了帝國空間從核心到邊境地區的同心圓。伊斯法罕作為權力的表徵，除了將天堂的抽象形象與政治主權結合在一起，也將神聖的王權和什葉派的正統性結合在一起。[376]

都市空間的設計，則象徵著他希望將國家的政治、商業和文化，收歸在他王朝之下。然而和鄂圖曼帝國的宮殿相比，薩法維王朝的宮殿更容易讓人接近統治者；根據威尼斯大使的記述，伊朗的國王「經常出現在公共場合」，而土耳其的素檀相較之下則「不和任何人交談，也很少現身」。[377]在伊斯法罕這座精心規劃的城市裡，視覺的焦點落在被稱為「世界映像」的大廣場上。廣場的四個邊上，集結了帝國的商業、宗教和行政機能，而廣場本身則是皇室主辦的儀式與展演的舞台，將帝國王權和民眾連結起來。建築設計也吸引到阿拔斯新政府中三大群體的贊助：擔任行政長官的喬治亞奴隸（古拉姆）、受庇護的亞美尼亞商人社群，以及烏拉瑪。和過去的征服者穆罕默德，以及一個世紀後的彼得大帝一樣，國王阿拔斯也命令皇室和古拉姆菁英官員在通往市中心的大道旁興建高貴的宅邸，以便營造出社會團結的意象。[378]

為了在帝國南部擴大權威，阿拔斯將效忠於他的皇室親戚任命為地方官員；他們會仿效阿拔斯的帝國空間設計手法，好和他們作為權力中樞代表的身分相匹配，但不會設計得像伊斯法罕的那樣宏偉。比方說，克爾曼市的大廣場可能就不像伊斯法罕那樣充滿了帝國的恢宏氣勢，不然就會顯得太過放肆；但克爾曼的大廣場，仍與它所模仿的伊斯法罕大廣場具有相同的功能，只是以較為內斂而溫和的方式呈現出來而已。其他城市也進行了類似的建設，包括重建位於納傑夫的知名什葉派聖地——伊瑪目阿里的聖陵，以及位於馬贊德蘭省（國王母親的故鄉）幾個城鎮的計畫。為了振興貿易和絲綢製造業，阿拔斯也下令將一萬五千戶亞美尼亞家庭遷往帝國西北邊的邊境地區。[379]

儘管阿拔斯費了不少心力，但到了十七世紀末，帝國統治的神權基礎仍然開始出現不穩的跡象。儘管他依舊是蘇非主義道團的領導者，而且人民也認為他擁有超自然的力量，但他仍試圖將權力收歸中央，並以更傳統的專制主義施行權力。但對於受蒙古人統治過的伊朗來說，集權的君主制並不是他們慣見的治理形式。帝國的意識形態並沒有辦法阻止烏拉瑪或是效忠部族和部族的人不斷索求權利。有些國王耽溺於後宮，又飽受部族叛亂的困擾；在他們的統治下，土匪開始在地方上橫行。即使是十七世紀末的一場宗教復興，也無法重建國王的權威。國王將矛頭對準了國內的遜尼派，而不是外部的主要敵人鄂圖曼帝國，因而與一些最好戰的部族為敵，進而促成了帝國內部的解體。

伊朗於十八世紀陷入困境之後，王朝的概念逐漸名存實亡。權力落入了部族裡具有領導魅力的戰士手中；而像納迪爾國王（一七三六年至一七四七年在位）這樣擁有卓越軍事天賦的人，即使在戰場上屢傳捷報，卻仍無法將這些功勳轉化成統治權威。他是最後一個試圖擴充伊朗政治神學的人，曾試圖將一些激進的改革措施引進什葉派，但最後依然以失敗收場。納迪爾國王本人是遜尼派，希望藉此維持軍隊對王朝的忠誠，因為軍隊裡的士兵大多都來自以遜尼派為主的邊境地區。但鄂圖曼帝國的素檀擔心納迪爾的主張隱含著普遍適用的意涵，因此斷然回絕了納迪爾希望將改革後的宗派納為遜尼派的第五派系的提議，而伊朗的烏拉瑪，則是以一貫的「謹慎的偽裝」（塔基亞）進行回應。[380]新的卡加王朝創始人，則是卡加部族的另一位突厥部族首領阿迦．穆罕默德汗；這個部族是「在土庫曼的游牧畜牧文化以及伊朗的定居農業文化之間活動的貴族，他們在伊朗高原和草原地區兩者的傳統之間努力地維持平衡」。[381]在歷經了將近十年的持續鬥爭、重新統一國家之後，阿迦．穆罕默德汗於一七八九年依循薩法維的傳統登基成為國王。它將蘇非的宗教符號主義，和前往聖陵朝觀的傳統以及舊皇室的光彩融為一體。然而除了服飾之外，他們並沒有真的想要恢復中央集權的神權王朝本質。

當卡加人掌權時，他們並沒有聲稱自己擁有伊瑪目的血統，藉此在宗教上獲取正統性，而是依據早期波斯的王權概念，將國王描繪為「阿拉在大地上的影子」。儘管有些《古蘭經》的詮釋者認同這種說法，卻仍有另一派人對此持保留態度。根據伊瑪目安薩里（一一一一年逝世）的說法，國王只有在符合公平正義原則的時候，才是阿拉在地上的影子；他還說「不義的素檀不會走運的，他們維持不了多久」。下文便可看到執政者與行政單位相互對峙的情況。卡加王朝的統治者為了軍事目的而加徵稅賦，企圖藉此來加強對邊陲地區的統治，但這種做法卻遭人指控不符合公平正義。在伊朗，有四種基礎群體在維持社會穩定：法官、士兵、商人和農民；如果試圖改變這四個群體之間的平衡，也同樣是不符正義的。但這種想法也隱含著對變革的排斥，因而限制了創新。卡加王朝的統治者如果違反了這些理想，便很容易遭受攻擊。從十九世紀中葉開始算起，統治伊朗的六名國王之中，只有一人逃過了遭暗殺身亡或被迫逃亡的命運。[382]

卡加王朝期間，統治者都在試圖與烏拉瑪維持一種不穩的休戰狀態；烏拉瑪對王朝的態度頗為模糊，認為王朝缺少了什葉派傳統中隱遁的第十二任伊瑪目，因此基本上不具正當性。[383]十八世紀期間，什葉派和遜尼派之間的差異發展得更為明顯，而當時什葉派經學院裡的教學方式，也擴大了什葉派與國家在教義上的差異。從十八世紀到十九世紀，嚴格詮釋傳統（聖訓）的人，和那些認為自己有權透過理性邏輯來詮釋阿拉和第十二任伊瑪目意志的人，進行了一場激烈的辯論；最後的結果是後者勝出。這讓他們在社群之中獲得了特殊的宗教權威地位，即便是統治者都必須受他們支配。此外，他們還擔負著廣泛的社會功能和經濟功能，掌控宗教稅的徵收，與鄂圖曼帝國的遜尼派烏拉瑪大不相同。再者，有些高層神職人員住在鄂圖曼帝國治下的伊拉克聖地，他們因為人在國外，不受伊朗卡加政權的控制。[384]然而，儘管他們對統治者的正統性仍有疑慮，但依然認為服從可以對抗混亂，因此持續宣揚服從的概念。[385]

雖然烏拉瑪群體內部本來就有異質性，而不是一塊硬邦邦的石板，但隨著日漸世俗化的神祕教派和思辨教派於十九世紀末開始復興，烏拉瑪內部的分裂現象也變得更為顯著。在所有異議教派之中，巴布教派便屬最激進的一支。一八四四年，一位年輕商人宣稱自己是「巴布」（bab），在阿拉伯文裡意指通往隱遁的伊瑪目的「大門」之意。他的這種說法，無異於聲稱自己就是馬赫迪。他發起了一場反抗什葉派教士和國家的運動，目的是以什葉派彌賽亞主義的傳統建立一個神權政體。他後來被送到大不里士受審，並由年輕的國王納賽爾丁（一八四八年至一八九六年在位）主持審判，最後因異端罪而遭到處決。納賽爾丁後來曾提醒一位什葉派的高層神職人員，告訴他宗教權威是從屬在國家權力之下的：「你知道嗎？如果沒有政府的話——希望真主保佑這不會發生，那些巴布教派分子會砍掉你腦袋的。」[386]隨著巴布過世，他的教派也分裂成幾個派別：其中一個分支建立了融合許多教義的巴哈伊信仰，追求普遍主義，但在政治上保持中立；另外一支則是阿薩禮派，他們以「塔基亞原則」作為掩護，密謀反抗國家。他們之所以想反抗統治者，是因為納賽爾丁雖然表面上看起來十分虔誠，卻不斷在意識形態上變換立場，而且愈來愈嚮往西方帝國的統治模式。[387]一八九一年，納賽爾丁破天荒地將菸草專賣權特許給來自英國的外國人，烏拉瑪因此發布了禁菸的教令。由於民間出現了大規模的抗議聲浪，菸草也遭到全面抵制，國王只能撤銷特許。到了二十世紀初，國王的俗世權威和異議人士之間的緊張關係不斷惡化，導致大部分的烏拉瑪都投入了一九〇七年的憲法革命。循此，伊朗和鄂圖曼帝國一樣，其內部的政治神學邊界和外部的地理邊界，都在不斷面臨著爭議和變動。然而，政治神學的邊界仍然是帝國統治的一個重要面向。

儘管有點亡羊補牢，但納賽爾丁從十九世紀末開始，也試圖拉近高高在上，近乎神聖的帝國統治者和伊朗人民之間的距離。他採取的做法和哈布斯堡王朝、俄羅斯和清帝國統治者非常類似，亦即透過出巡活動在全國各地現身，藉此讓自己代表帝國的概念。然而納賽爾丁充其量只是成功激起了人民對邊境省分的興趣，將這些省分當作帝國不可分割的一部分。[388]

為了讓伊朗社會不再繼續分裂下去，卡加王朝創造出了一群新的貴族。然而矛盾的是，這麼做卻也削弱了國王改革軍隊和官僚體系的能力，同時將卡加部族「從一個搖搖欲墜的寡頭統治集團，轉變成為一個緊密結合的嫡傳血脈」。法特赫阿里國王（一七九七年至一八三四年在位）不斷透過娶妻納妾來擴大皇室家族，將近千名來自不同部族和社會背景的妻子，都帶進了他的後宮，一共生育了六十個兒子和四十個女兒，而他的子女也和他本人一樣子嗣繁盛；當他於一八三四年過世時，子孫人數已有上千名。[389]然而法特赫阿里也有比較正經的另一面；他曾支持一場文學復興，頌揚波斯王朝的傳統價值。他的曾孫，也就是未來的國王納賽爾丁，從小就在古波斯的傳統行為模式中長大，追求盛宴和狩獵帶來的榮耀；他仿效古人的縱情聲色和象徵儀式，有過之而無不及。這些奢華鋪張的展演和儀式，加上人數眾多的後宮和供養詩人的行為，都造就了他在僕人面前光榮而權威的形象，卻也在歐洲人心目中，留下了一個腐敗好色的「東方人」的印象。[390]

清帝國

中國的案例在幾個面向上都是極為特殊的。首先，統治者的概念在中國完全是源自本土的，而且在很長的時間裡都非常一致。其次，漢人自己的王朝和外來民族建立的王朝，都擁有同一套帝國建構的意識形態；他們之間的區別在於，元朝（蒙古人）和清朝（滿人）這類由征服者建立的王朝，都試圖將中國當作龐大的資源來看待，藉此擴大自己在內亞草原地區（也就是蒙古人和滿人發源之地）的勢力。中華帝國如此長壽，在很大程度上得歸功於不斷由強大的融合機制所鞏固的文化一致性，以及對外來傳統的靈活回應和寬容。源於皇帝神性傳統的整體宇宙觀，連結上了高度發展的道德倫理體系（亦即儒家思想），體現在用來界定官僚職能和皇帝義務的儀典之中。當滿人皇帝於十八世紀建立內亞帝國時，他們便試圖吸納非漢人的宗教來合理化他們的統治權力。對於蒙古人和藏人來說，皇帝就是「轉世活佛」，是佛教中文殊菩薩的轉世化身。[391]

皇帝同時身兼至高無上的立法者、司法官和行政官。理論上他擁有絕對權力，但他受到的限制，又和俄羅斯沙皇、鄂圖曼素檀、伊朗國王或哈布斯堡王朝皇帝不盡相同。皇帝的權威是可以因為道德問題遭到挑戰的（儘管這需要一個勇敢的人挺身而出），而這些道德問題，則是根據學者對歷史的詮釋所界定的。由古代皇帝流傳下來的前例，具有很強的道德力量。皇帝可以宣稱自己「開啟了新的時代」，但在大多數情況下，這麼做在本質上並不會改變「古代」的制度，例如科舉制度，或是已成規章的儀典等。[392]

能證明儀典在政治上非常重要的例子，在中國歷史上多不勝數；它們為我們揭示了，將幾個相互衝突的道德規範調和在一起的做法，可能隱含了哪些問題。一五二四年，明世宗為了盡孝道，在著名的「大禮議」中試圖為他的父母追諡帝后封號，而孝道正是儒家倫理的最高美德之一。然而此舉卻與同樣源自儒家倫理的遵循歷史傳統，以及儀典正確性等概念相矛盾。家庭價值觀與國家價值觀之間的衝突，也導致了皇帝與大多數學者和官員之間的衝突。為了解決這個問題，皇帝罷黜了許多官員；他們如果不願屈服，就得為嚴守道德理想而付出痛苦代價。[393]

中國皇帝並非公眾人物；他們比較像伊朗國王或鄂圖曼的素檀，而不是羅曼諾夫或哈布斯堡王朝的帝王。不過清朝初期的幾個皇帝倒是值得留意的例外。康熙皇帝擁有軍事長才，曾和軍隊一起遠赴沙場，而明朝的首位皇帝朱元璋也是如此。康熙也重啟了皇帝出巡的傳統，藉此將帝國空間重新界定為一個可以移動的核心，但這些出巡非常制式化，而皇帝也幾乎沒有機會真正接觸到人民。[394]儘管如此，組織這些壯觀的南巡，以及在其他地區進行的短期出巡，導致各地都出現了行宮，因而在各地留下了明顯可見的皇權符號。[395]在北京這個真正的權力中心裡，大型的園林建築則被用來強調帝國的文化多樣性。這些園林裡的建築樣式多元，有江南樣式的宅邸、內亞風格的遊樂宮，也有來自西藏的宗教建築。尋常百姓可能無緣一見這些園林建築，因為這些建築主要服務的對象是高階官員以及來自邊境地區的使節，他們都被園林這種象徵清帝國多元文化的空間所深深吸引。[396]

帝國政權最外顯的視覺符號，便是建有城牆的城市，尤其是北京。但即使在清朝以前，這個城市就已經是世界的地理中心，亦即象徵意義上的第五個方向；至於東、西、南、北這四個方向，則由各個蠻族所界定，例如北方是北狄，南方則是南蠻。京城的城牆、大廣場以及皇宮，分別在一條軸線上依序排列著，這條軸線代表的正是「朝覲帝國的路徑」。[397]北京城一共可以分為四個部分，彼此由城牆區隔開來，也象徵著帝國政權的階序：紫禁城是皇帝和皇室成員的住所，皇城則有官署建築和許多官員的宅邸；內城主要供滿人、蒙古人和漢人等旗人家族居住，而大多數的老百姓則住在外城，不分族裔地混居在一起。[398]

由於滿人皇帝來自少數民族，又必須統治講漢語的廣大漢族人口，因此選擇了文化多元的政策。乾隆皇帝認定自己是滿人、蒙古人、藏人、維吾爾人和漢人這五個民族的統治者，並且學習他們的語言。[399]但是統治者同時也認真保存自己的語言，以此作為征服者身分的象徵，就像他們也會保護故土，以免家鄉遭到漢化。他們消除了滿洲內部的地域差異，訂立標準滿語，並把這個語言當作蒙古人和其他東北亞民族在旗人學校裡的教學語言。他們並沒有以滿文取代漢文作為官方語言，而是將滿文列為政府的兩種語言之一。清帝國也促進了文化傳統的發展，並將中國的經典翻譯成為邊境地區人民的語言，尤其是蒙文和藏文。[400]因此，身為「蠻族」的滿人征服者不只收編了本地菁英，還培育了來自邊疆地區以及主流漢人的幾代文人和行政官員，好讓他們接受滿人懷柔的帝國統治。

在所有帝國理想之中，「天命」是最古老，也最歷久不衰的一個概念，起源於公元前一千年。它確立了合宜行為的道德原則，並以此作為皇帝正統性的基礎；如果皇帝未能符合行為準則，天命就會遭到撤回。自然災害和外來入侵，或是其他種類的系統性危機，也可能會嚴重破壞皇帝的道德權威，並為叛變的官員和叛逃的士兵提供了合理性的來源。這種概念讓暴力革命得以實現，同時也確保新的統治者可以重新獲得天命的授權。但直到二十世紀，中國人都仍無法想像，世界上可能存在其他制度可以取代皇帝的絕對權力。然而有些時候，儒家的傳統和天命之間也會出現緊張，比如在早期的滿人治下，清朝統治的正統性來源就存有不少爭議：究竟這個正統性是因為清朝吸收了中國文明中的道德標準呢，還是因為滿人早在入主中原之前，「就已經受到天命的特別眷顧」呢？[401]

儒家思想提供了一套詳盡而精細的道德理想和行政架構，可以將該思想傳遞給人民。儒家思想從來就不是一套單一而靜態的原則。雖然儒家思想缺乏超自然的元素，也沒有祭司教士，但它並沒有排拒像佛教和道教這樣的替代信仰體系。這三種學說體系彼此之間並非完全無法相容，它們會為了獲得皇帝和政府資源的支持而相互競爭。這個體系內部一致，但絕非靜態。每個朝代都有自己的儀典規章。事實證明，儒家思想對某些種類的變革格外有用。比如說，宋代的知識分子社群人數更多，也更自外於朝廷。他們以一視同仁的方式看待人，強調自我修養、聖賢的追求，隨之對朝廷儀式的興趣也下降了。[402]自南宋（十二世紀）以來，在儒家傳統裡便存在著理學（亦即實證研究）與心學（亦即先天知識）之間的緊張關係。但各個學派之間的爭議，卻也證明了儒學傳統的活力。隨著條件嬗變和新問題的出現，學者們開始探索如何用新的途徑解讀古代文本。理學學派集宋代新儒學的大成，在接下來的幾個世紀裡變得更加制式化與教條化，並在十六世紀時受到王陽明的嚴厲批評，因為他試圖重振知行合一的傳統。[403]

到了清代，儒學又出現了進一步的調整。清朝入關後的第二位皇帝康熙（一六五四年至一七二二年），藉由儒家思想的複雜傳統來鞏固統治，獲得了許多仍效忠前朝的漢人學者的支持。康熙下令編撰一系列新的儒家道德規範，而這些規範體現在被稱作《聖諭廣訓》的十六條聖諭之中*。他所支持的新儒學，在社會上和政治上比起早期的詮釋還更具有規範性。它強調階序分明的社會關係，強調服從和勤奮，但也對不同性別實行差別待遇，而且無論統治者本人有什麼缺點，人民都必須對統治者絕對服從。[404]皇帝自己也參與了朝廷學者的討論，並命令官員用白話易懂的文字，將《聖諭十六條》傳播給識字的讀書人。

書畫一直是儒家體系的一部分。康熙積極延攬學者、詩人和藝術家進入朝廷，目的是為了歌頌自己所統治的盛世，描寫因失德而注定潰敗的明朝。在他的兒子雍正（一七二三年至一七三五年在位）統治之下，這種道德教化的工作愈演愈烈；史學家史景遷曾說，道德教化後來也成為「中國晚期歷史上反覆出現的主題，無論是在十九世紀中葉的大叛亂之後，還是在國民黨和共產黨等政權統治期間，皆是如此。」[405]孫中山在他融會諸學的《三民主義》裡納入了許多新儒學的訓誡，而蔣介石則在更具專制色彩的新生活運動中，同樣從新儒學汲取了許多元素。[406]

滿族對儒家價值觀和中國文學傳統的認可，甚至提倡，不僅使清帝國贏得了士大夫的效忠，也獲得了中國各階層人民的忠誠。清初的皇帝曾試圖對古老的滿洲民俗文化加以正式化，以便讓它們符合中國的古典傳統。與此同時，清朝皇帝也認為必須在剛納入版圖的西北邊境地區，維持旗人軍隊中的戰士傳統。乾隆皇帝（一七一一年至一七九九年；一七三五年至一七九六年在位）除了醉心於儒家思想，也關切滿洲戰士傳統的衰落，尤其是居住在邊疆地區的旗人。他重振了薩滿教，並在自己的詩作中浪漫化了邊疆文化的男子氣概，而這些都表現出清朝兼容並蓄的意識形態，以及邊疆地區周而復始地對帝國中心文化造成的影響。[407]乾隆時期，清帝國出現了最有企圖心的一次嘗試：藉由重塑帝國神話，他們創造出了歷史學家柯嬌燕所謂的「多重帝國人格」（multiple imperial personae）。皇帝在宗教上的形象，藉由意識形態抽象化的過程而得到普及；他被描繪成擁抱多種傳統和價值體系的統治者，因此不論是什麼人都可以在皇帝的神話身分中寄託自己的想望，也因此皇帝對他們而言都是有吸引力的。[408]

無論帝國對於其他文化傳統有多寬容，儒家倫理仍持續在帝國的意識形態中占有核心位置。其在十九世紀曇花一現的改革（亦即大規模內部叛亂之後所謂的同光中興）中所扮演的角色，今日在學界仍是一個備受爭議的問題。然而不論如何，有一點顯而易見。改革者分為兩個陣營：保守派試圖借用

＊編按：《聖諭廣訓》是雍正二年出版的官修典籍，滿清時期的國教，訓諭世人守法和應有的德行、道理。其源於滿清康熙皇帝的《聖諭十六條》，雍正皇帝繼位後加以推行解釋。

一些西方技巧和外交手段來恢復舊有的秩序，而儒家文人和學者組成的另一派，則希望改回折衷方案，強調守法的觀念，強調為了服務國家而自我犧牲，也強調對當時的問題採取務實解決方案。十九世紀末蔚為潮流的經世致用學派，也是由他們奠定了早期的基礎。這個意識形態的漫長更新過程，引入了不少關鍵改革，其中包括以公共利益為主的盈利經濟原則，以及積極的移墾政策（尤其是在邊境省分）。[409]

中國於一八九四年至一八九五年間的甲午戰爭中戰敗之後，許多人積極地想證明，儒家思想並不反對社會變革或社會進步。有些知識分子在領導被稱為「百日維新」的改革運動時，有時會採用「今文學派的超自然語言，將進步的力量寄託在天地之中。」*雖然他們的論證過程存在矛盾和含糊之處，但改革派仍然試圖調和皇帝以及一般文人的傳統概念；換句話說，皇帝傳統上被視為上天感召的聖人，因此也是擁有絕對治權的現行君主，而一般文人，就傳統上來看則是以孔子作為模範的平民聖人，他們「體認到必須將世界從混亂之中拯救出來，並弄清楚普遍原則是什麼」。[410]這些對於經典的自由詮釋，也引起了年輕皇帝光緒（一八七一年至一九〇八年）的興趣，他後來發布知名的詔書，開啟了「百日維新」時期。這個事件涉及中國的許多制度，我們將留待下一章討論。

作為四項基本改革中的一項，皇帝下令對科舉制度進行大幅修改，包括取消高度制式化的八股文格式，並引入更多關於行政和財政等實用技能的考題。他還歡迎改革派學者提交諫言，比如他的主要支持者康有為，就撰寫了一份關於波蘭命運的歷史分析，極有洞見。[411]年輕學者要求教育改革的壓力也愈來愈大，這些學者有許多都是在國外接受教育的；他們的呼籲最終導致科舉制度於一九〇四年走入歷史，然而新的公務員考試還要再等兩年才會開始實施。改革的目標，是把和個人才德有關的傳統文學和哲學經典，和更現代化的學科結合在一起。這些都是改革的最後十年，亦即一九〇二年至一九一一年間「新政」時期的核心思想。大多數統治菁英都是傳統儒家教育的產物，他們或者反對，或者推遲了改革進程，一直到軍隊中新的權力菁英認為溫和的解決方案（例如保留君主制度）不再可行為止。關於儒家價值觀在整個社會中普及的深度或廣度，以及在歷經清朝覆滅，民國成立以及共產黨勝出之後，中國社會到底還留存多少儒家價值觀，直到今日都未有定論。然而有人認為，一九三〇年代高階公務員的考試題目，和清末新政時期的各種考試幾乎沒有差別。[412]此外，一些美國社會學家曾在一九六〇年代於中國進行訪談，他們得出的結論是：「不是只有受過正規儒家經典訓練的人，才會認同被視為『偉大傳統』一部分的那些價值觀。」[413]

清朝統治者的普世意識形態（universalizing ideology），在太平天國叛亂從內部對帝國造成挑戰時開始失效。一直到十九世紀中葉為止，中國境內發生的叛亂，大多都是出於對經濟狀況的不滿情緒，而非源自種族衝突，比如發生在西部邊境地區的穆斯林叛亂就是如此。太平天國的叛亂分子將自己視為上帝的子民，而滿人和蒙古人就族裔和宗教來說則是外來者，被他們視為魔鬼的後裔。叛亂遭到平定之後，太平天國企圖針對的外來者族群，卻逐漸吸收了敵人用來稱呼自己的名稱。到了十九世紀末，義和團叛亂終於讓中國人走完了民族主義的漫漫長路，而這種民族主義的情感，不僅來自在政

＊編按：如以康有為、梁啟超為中心的維新派，把今文學家的《公羊》思想作為變法改革的主要理論架構，並輔以西學思想，進行各方面的改革。

治上占統治地位的非漢人（亦即滿人和蒙古人），而且出乎意料地來自另一類占人口多數，但被外族統治的漢人。漢民族主義的思想家從清代的語彙那裡借用了兩個重要思想。首先，他們接受了一個有著明確領土範圍的中國的概念，這個範圍以清帝國藉著軍事征服所建立的邊界來界定，其中包含滿洲這片清帝國的故土。其次，他們採用清朝統治者所制定的方法來對帝國人民進行分類。但這兩項來自清帝國的遺澤卻讓他們遇到了一個難題，而且與同時期俄羅斯革命分子所面臨到的難題並無不同：怎樣才可以建立一個新的國家來繼承清帝國，而這個國家的統治者又能宣稱自己擁有超越民族的正統性？此外，理論上純粹、不可分割的民族理想型，要怎樣才能和擁有多元民族的邊境地區不致衝突矛盾？對不同的文化強行實施同化政策固然會帶來風險，但在邊界地區岌岌可危，而敵國可能會占領邊境戰略空間的情況之下，讓邊境地區分離出去顯然也不是一個明智的決定；在這兩者之間，統治者應該如何抉擇呢？[414]

波蘭立陶宛聯邦（波蘭立陶宛王政共和國）

和其他的多文化國家相比，波蘭立陶宛聯邦的主流政治意識形態不是以統治者為中心的，而是以掌握國政實權的各地土地貴族為中心。對於波蘭立陶宛聯邦統治原則的考察，能幫助我們釐清為何這個國家未能在早期的邊境地帶角力中堅持下去。波蘭國王為了維持王室的權威，曾試圖將權威包裹在能提供正統性的神話，以及各種象徵性的實踐之中，但這種做法沒有產生多大作用，而之所以會有這樣的情形，主要是由於土地貴族頑強地捍衛選舉原則所帶來的對抗性力量。在波蘭王室所發明出的概念之中，最接近某種帝國使命的，是十四世紀後半葉皮雅斯特王朝（九六六年至一三七〇年）的卡齊米日大王所留下的政治遺產。其後創建雅捷弗王朝並作為該王朝首任國王的瓦廸斯瓦夫二世・雅捷弗（一三八六年至一四三四年），曾經想要將整片中東歐地區以鬆散聯邦的形式，組織在波蘭－立陶宛聯盟的統治之下。儘管他從未發展出完整計畫來建立這樣的體系，但外界一般認為，他的提議就是以此為目標。建立鬆散聯邦的目標出現後，便對西邊的哈布斯堡王朝，以及東邊的莫斯科大公國造成了潛在的威脅。換言之，這讓波蘭立陶宛聯邦，也加入了維也納和莫斯科這兩個帝國中心之間的邊境地帶角力戰中。到了一四九〇年之時，波蘭－立陶宛聯盟雅捷弗王朝透過了聯姻繼承之故而先後取得了波希米亞和匈牙利的王位，同時也完全掌控了摩爾達維亞及由條頓騎士團統治的東普魯士等幾個附庸國度，從而達到其顛峰之境。這個計畫還有一個附帶的目標，那就是對抗土耳其異教徒，以及從基督教分裂出去的俄羅斯東正教徒，藉此保衛拉丁禮體系的西方基督教。

齊格蒙特一世為了鞏固自己的地位，曾試圖建立一個象徵皇室權威的全新中心，藉此延續前幾位國王的文化政策。從十六世紀初期開始，雅捷弗王朝這個帶有文藝復興色彩的王朝，其統治者決心將克拉科夫打造為文藝復興式風格的京城。齊格蒙特一世贊助了許多藝術作品，尤以建築為甚。位於瓦維爾山上的皇宮，其重建工程融合了文藝復興式和哥德式的元素，後來成為波蘭各地權貴效仿的典範。齊格蒙特一世透過與米蘭公國的斯芙爾扎家族的聯姻，也為他帶來了更多的義大利畫家、雕塑家和建築師，他們都被任命對首都進行妝點。雖然齊格蒙特一世主導了波蘭－立陶宛王政共和國的「黃金時代」的開端，但他並沒有利用文學中的人文精神，來滿足王朝政權的需求。雖然克拉科夫大學長期以來一直都是知識中心，但人文主義卻是在學院之外大鳴大放，並在全國各地廣泛流傳。人文主義的代表人物更關心的是如何頌揚共和制的自由，而不是如何合理化王室的統治*415。

來自瓦薩王朝的幾位國王，是最後一次系統性嘗試以王室權力的象徵體系支持建構一個王室意識形態者，他們分別是齊格蒙特三世、瓦迪斯瓦夫四世和揚·卡齊米日；他們幾位從一五八七年到一六六八年一共掌權了八十一年。波蘭—立陶宛王政共和國瓦薩王朝的齊格蒙特三世因系出瑞典王國，因而主張自身也同時擁有瑞典王位的繼承權，試圖合併波蘭—立陶宛王政共和國與瑞典王國。齊格蒙特三世欲重現先前雅捷弗王朝的盛世，因而一再宣揚雅捷弗王朝的輝煌紀元，為了強化波蘭—立陶宛王政共和國在其統治下作為波羅的海強權的地位，以及加強與瑞典王國的聯結，因此齊格蒙特三世乃將王政共和國的首都由克拉科夫遷至華沙，隨即大興土木而興建起氣勢萬千的王宮苑囿，確立華沙成為王政共和國在地理上和政治上的權力中樞地位。這座城市位於馬索維亞平原這個堅實的天主教陣地的核心地帶，這裡的土地貴族效忠王室，而華沙所在的領土也主要由國王擁有。王城是一座公共建築，也是波蘭瑟姆（議會）的所在地，擁有一個宏偉的大理石室，裡面有描繪波蘭征戰勝利場景的畫作，也有波蘭國王和皇后的肖像；那些肖像人物可以上溯至雅捷弗王朝的創始者，還包括了哈布斯堡王朝的幾位皇親貴戚。瓦薩王朝的國王是堅定的天主教徒，他們將自己的政權和波蘭的守護者，以及被封為聖人的聖卡齊米日連結在一起。他們安排了一條從克拉科夫到華沙的遊行路線，藉此慶祝瓦薩王朝戰勝莫斯科人。他們試圖在地區議會（Sejmiks）中召喚土地貴族的愛國思想，以便繞過中央的瑟姆，直接在地方上募兵。但正如英國史學家佛洛斯特對他們所做的研究總結，「瓦薩王朝的最後一位國王，也是雅捷弗王朝的最後一位國王」，波蘭立陶宛王朝隨後便進入了一個更加嚴峻的新時代。[416]

為了對抗皇室的中央集權，土地貴族創造出了「薩爾馬提亞神話」；這些貴族普遍相信他們都有著共同的血緣，祖先是來自草原地區、驍勇善戰的傳奇自由騎士，他們因此構成了獨特的文明。[417]薩爾馬提亞主義的名稱，即源於波蘭的拉丁名字——薩爾馬提亞。土地貴族聲稱自己源於公元二世紀薩爾馬提亞游牧部落的傳說，和馬札爾貴族召喚匈人血統的做法如出一轍。[418]在浪漫民族主義時期，他們宣稱自己是該民族真正的唯一代表。薩爾馬提亞主義的概念建立在三個信念之上：土地貴族是「歐洲糧倉」的守護者，也是「基督教堡壘」的衛兵，而他們的存在，也體現了讓波蘭得以比歐洲其他地區還優越的波蘭土地貴族們所享有的共和國「黃金自由」體制。[419]

＊審定注：事實上一三八六年由瓦迪斯瓦夫二世．雅捷弗所建立起的波蘭－立陶宛聯盟，是波蘭與立陶宛兩國間的鬆散政軍聯盟，波蘭王國及立陶宛大公國兩國仍實質存在，各自仍保有自身的議會及制度，然而到了一五六九年時，兩國透過《盧布林聯合協議》的簽署之後，完全合而為一個國家，其正式國名就改稱為波蘭－立陶宛王政共和國（rzeczpospolita obojga narodów polska i litwa / Royal Republic of Poland-Lithuania）。一直延續至一七九五年王政共和國被俄普奧三國完全瓜分而亡國為止。然而雖然在名義上波蘭－立陶宛王政共和國是一擁有王權的國度，然而在這兩百多年的時日中，除了極少數的君主能大權在握之外，掌控國政大權者實為全國各地的土地貴族，他們透過共和國國會「自由否決權」的一票即可以否決全部提案的設計，而大權在握，這就是所謂「共和制自由」的由來，因而文獻上對這個國度常稱呼其為貴族共和國，強調土地貴族在該國度所扮演的重要地位。

和其他用來抵抗波蘭王室權力的制度（比如聯邦制度，以及瑟姆議員的自由否決權）一樣，薩爾馬提亞主義實際上也是波蘭巴洛克的產物。[420]然而在俄羅斯的占領之下，這些訴諸「古老」特權的做法，卻因為西方主義的復興而同時被強化和稀釋，而所謂的西方主義，指的則是使用啟蒙運動的語言，來主張波蘭擁有向東方傳播文明的使命。西方主義的擁護者首先將拿破崙和俄國沙皇亞歷山大一世，視為這個使命可以運用的工具。但不論如何，這些計畫很快就都破滅了，而波蘭價值觀（薩爾馬提亞主義）與來自國外的影響（啟蒙運動）之間的緊張，也隨之浮上檯面。在一八三一年的起義期間，左翼分子宣稱「就自由原則和制度而言，我們比歐洲的任何民族都還要先進」，讓左派的理想在和傳統的衝突之中，找到了辯證式的匯合點，而波蘭在道德上更為優越的神話，也就此誕生。[421]散居在國外的波蘭人則受到起義的啟發，開始宣揚一種革命性的新彌賽亞主義，將貴族組成的共和國理想，和對於殉道以及復活的崇拜結合在一起，並在密茨凱維奇、斯沃瓦茨基，以及克拉辛斯基這些詩人和知識分子的傳達之下，變得更為強大。[422]

在眾多專制帝國（比如莫斯科和鄂圖曼帝國），以及西方的官僚專制主義（尤其是哈布斯堡王朝）之間，由土地貴族組成的國家猶如一座自由的島嶼，而這種將自身視為自由島嶼的觀點，逐漸在十六和十七世紀期間藉由上百種出版品傳播開來。依據耶穌會神父佩士基提出的一個烏托邦式的版本，這種自由的波蘭制度「根本就不是人間的生活方式，而是天堂的」。[423]

薩爾馬提亞神話就像其他多文化國家的「使命」一樣，也含有提倡外在和內在彌賽亞訊息的潛力，而這些訊息有的以文化方式，有的則以政治的方式表達出來。在整個十六世紀到十七世紀，許多辯才無礙的人不斷鼓吹將波蘭模式傳往東方，尤其是魯塞尼亞地區。魯塞尼亞人是波蘭和大俄羅斯兩個核心區域之間的邊境地帶上的斯拉夫語人，他們尚未建立出自己的語族認同，是非常理想的臣民。十六世紀中葉，歐哲霍夫斯基這位時常評論時事的教士兼貴族，為像他自己一樣支持波蘭版本拉丁文明的魯塞尼亞人提出了一個方案，主張他們「在血緣上雖然是魯塞尼亞人，但屬於波蘭民族」；這個說法後來被廣泛引用。在他早期寫就的小冊子《突厥人》中，他也強烈支持對突厥人發動宗教戰爭。[424] 波蘭的文化帝國主義藉由各種途徑，在由耶穌會教士引領的反宗教改革運動中迎來了高潮。

薩爾馬提亞神話，以及其在制度上相對應地對土地貴族自由體制的崇拜，是讓波蘭影響力可以傳到東方的強大意識形態，但能否成功，仍取決於同時正在發生的東正教「拉丁化」進程。換言之，國家的文化融合，既意味著立陶宛貴族的波蘭化，也意味著他們對天主教的皈依。然而這也必須對從十四世紀以來便將波蘭和立陶宛結合在一起，並在「布列斯特教會合併」（Union of Brest）＊時達到顛峰的聯邦概念進行扭轉。因此，就在波蘭土地貴族和王權發生衝突的同時，他們也試圖和教會結盟，藉此推進他們所追求的統合的意識形態。

波蘭立陶宛聯邦的反宗教改革運動，讓土地貴族得以確立對羅馬天主教會的認同。雖然波蘭反宗教改革運動的主要目標是新教徒，但耶穌會也發起了一場運動，企圖重振佛羅倫斯聯盟的精神，修補他們和東正教會之間的裂痕。他們的主要代表人物是滿腔熱血的斯卡爾加，曾擔任東北部邊境地區的

＊編按：合併之後的教徒屬於東儀天主教中的一派，在俄國歷史中又稱聯合教派（Uniate Church）。

維爾諾大學*第一任校長，也曾任國王的顧問。斯卡爾加是一五七七年〈關於教會的團結暨希臘教會對此團結的偏離〉這篇文章的作者；他在文中把東正教定為異端，並描繪了其和天主教統一的條件，而這種統一必須藉由天主教將東正教完全吸收來達成，而不能有任何形式的妥協。他企圖重振羅馬天主教會和希臘東正教會之間的團結，藉此將東部的邊境地帶整合進來，而這個計畫也會將魯塞尼亞人置於羅馬教皇的治下。但也有天主教教士提出了其他構想，希望雙方的結合，是在東正教會接受教皇的精神權威，並在神學上與天主教會立場一致的強況下達成的；作為回報，天主教會可以承認魯塞尼亞教會中的斯拉夫式儀式，為另一種結合方式埋下了伏筆。至於土地貴族，則出現了第三種「烏托邦式」的宗教團結方案，亦即承認羅馬天主教和東正教在本質上的相似之處，以及承認有必要在平等的基礎上將它們結合在一起，然而只有非常少數的人抱持和他們一樣的想法。425

就在這些計畫被提出的同時，教會也展開了一場積極的教育宣傳活動，試圖讓波蘭立陶宛聯邦東部邊境地區的東正教徒改宗。教會的傳教工作不能總是指望國家的直接支持，但到了一五九〇年代，皇室的態度開始從之前的宗教寬容政策，轉變為更傾向於「以天主教作為國教」的立場。這可能有部分是為了因應一五八九年莫斯科重立牧首的舉動；莫斯科牧首甚至聲稱，他們對立陶宛和烏克蘭的東正教會都擁有管轄權。然而導致東正教會和天主教會於布列斯特合併的關鍵行動，是由波蘭立陶宛聯邦東部邊境地區的東正教主教發起的。到了一五九〇年代，烏克蘭的東正教會陷入了困境，而他們的困境，也成了邊境地區菁英階級的經典案例。他們一方面承受著波蘭天主教會要求他們改宗的壓力，另一方面也接受莫斯科牧首的施壓，內部又有來自教會外的東正教團體和不斷坐大的異端，對他們在宗教上的領導權帶來了諸多挑戰。出人意料地，他們選擇和天主教會合作，並藉由承認羅馬教皇的權威，來換取讓自己的禮拜儀式和習俗得以延續下去。不過根據歷史學家德米特里耶夫的看法，「布列斯特教會合併的歷史，本就是場錯覺的歷史」，建立在天主教教會和東正教會對彼此的誤解之上。[426]

對東正教會的和解與同化，並沒有完全成功。起初，和解與同化的計畫贏得了（來自許多土地貴族世家的）東正教教士和非教會人士的支持，因為他們將這些計畫視為改革教會腐敗和濫權問題的一種手段。一些立陶宛貴族接納了東儀天主教會，而這也意味著他們又更被波蘭化了一點。城鎮地區魯塞尼亞人在教會體系之外的東正教團體，很快也出現了反抗的情形。他們認為東正教會和天主教會的結合，是另一個可以看出土地貴族有多傲慢的例子，並認為這讓他們失去了任命地方神職人員的控制權。在此之前，尤其是在布列斯特教會合併之後，天主教會和東正教會之間就已經爆發了激烈的宣傳戰。波蘭政府譴責東正教的發言人是狂熱的異教徒，並將東儀天主教會視為罪犯。融合了東正教和天主教的東儀天主教教會，從未獲得邊境農民的支持，而哥薩克人對其也強烈排斥。[427]

一五六九年，魯塞尼亞貴族因為《盧布林聯合協議》而被整併進波蘭立陶宛聯邦；他們雖然已經高度波蘭化，但波蘭化的進程直到十七世紀中葉之前都仍未真正完成。這些魯塞尼亞人居住在立陶宛大公國的東部邊境（沃里尼亞和基輔），他們雖然接納土地貴族建立在薩爾馬提亞神話上的精神宇宙觀，但也依然保留著自己的語言和東正教信仰。他們在幾個重要的面向上和波蘭貴族不同。他們除了

＊譯按：今日的立陶宛維爾紐斯大學。

透過教會外的團體與城鎮市民合作，也一直都有活躍的平信徒在和神職人員合作。他們位處東歐大草原邊境的位置，迫使他們必須在軍事上變得更加活躍，有時甚至會實行自己的外交政策，與俄羅斯人、韃靼人和突厥人的政權交涉。他們與游牧社會和伊斯蘭教的接觸過程，也對他們的生活方式和視野造成了不少影響，但這些似乎並未受到充分的重視。[428]要說他們已經擁有自己的民族認同，甚或只是某種民族概念前身的情感，仍然言之過早。然而就像東儀天主教會和哥薩克人的兄弟會一樣，魯塞尼亞貴族也造成了複雜的地區認同，但波蘭立陶宛聯邦未能融合這種認同，也無法將其整合成為國家內部一支獨特的文化。[429]

東儀天主教會受到大部分東正教徒的反對，也從未被天主教徒完全接受；在波蘭遭瓜分之後，東儀天主教會主要在加利西亞地區倖存了下來，後來分別在十九世紀和二十世紀成為烏克蘭民族主義以及獨立運動的文化基礎之一。

《盧布林聯合協議》以及接下來的布列斯特教會合併決議，為波蘭在立陶宛的經濟擴張和文化擴張行動帶來了許多新的可能性。有些歷史學家認為這是雅捷弗王朝式聯邦精神的最後一項偉大成就，也是文藝復興人文主義的高峰，也是這種文化向東方傳播抵達的最遠之處。一五六九年的《盧布林聯合協議》簽訂之後，大批的波蘭土地貴族得以迅速掠奪並擴張他們在立陶宛領地（亦即烏克蘭）富饒農業地區上的領土，並對原本是自由人的人民實施農奴制，並在一六四〇年代之前達到顛峰。[430]與此同時，波蘭立陶宛聯邦核心地區不斷惡化的條件，導致農民和城鎮的底層人民出逃至烏克蘭地區，進一步在社會經濟層面上增加了人民的不滿情緒。波蘭天主教徒權貴的影響力愈來愈大，引起了地方上的東正教徒菁英與農民的不滿，他們於是請求哥薩克人領導他們發起大規模的起義，動搖波蘭立陶宛聯邦的基礎。這就是為什麼土地貴族無法建立一套邊境政策，使其可以確保烏克蘭的原因。關於這個可能性，請容我先賣個關子，留待第四章再進行更全面的探討。[431] 十八世紀，當虎視眈眈的鄰國統治者正在增強自身權力時，波蘭王室卻因為土地貴族堅守自己帶有封建色彩的自由而元氣大傷。未能將貴族和皇室權力結合在一起，成了波蘭立陶宛聯邦的致命傷。

比較與差異

在設計多元文化國家的帝國意識形態和文化實踐時，統治者和他們的顧問出人意料地顯得非常靈活，他們能夠適應由於邊境地區角力而不斷變化的情勢。他們常會發明或重新詮釋各種文化傳統和神話，再透過新的儀式、典禮、紀念碑和歷史敘事，將這些神話傳遞給統治菁英和社會中的其他人。在帝國建構過程中的某些時期，遠離權力中心的地區曾出現各種異端信仰和意識形態，但統治者卻願意寬容對待。早在法國大革命和工業革命之前，歐亞大陸上的帝國就已經受到許多外來文化的影響。即使這兩場革命可能會為政權帶來破壞性的影響，統治菁英中也有個別統治者和團體，曾嘗試將新的思潮吸收或融合到帝國的霸權文化之中。

然而，統治菁英卻也從未完全擺脫某些意識形態基礎，比如帝國的概念、立國神話，以及他們對帝國使命或天命的堅持（雖然可能只是形式上的）。神話能為菁英提供統治的合法性，也能提供社會團結的基礎。它們通常體現了某種普遍適用的神學，可以用各種方式進行解讀。俄國沙皇在任何有東正教徒的地方都宣稱自己支持東正教，卻不曾為東正教的利益投入聖戰；哈布斯堡皇帝漸漸放棄了實現普世帝國的想法，僅在巴爾幹地區溫和地進行他們身為奧地利人的使命；鄂圖曼帝國的素檀和伊朗的統治者支持帶有彌賽亞色彩，只承認特定教派版本的伊斯蘭教，但實際上卻又背棄了它們；中國的皇帝認為中國或天朝是唯一合法的政體，但實際上他們卻一再讓步，沒有堅稱普天之下莫非皇土的理念。由西方兩場革命所帶來的世俗浪潮，於十九世紀侵蝕了帝國統治的宗教基礎。有些統治菁英體認到，如果把那些有助於建構民族的元素納入帝國意識形態的話，將可以為他們帶來不少好處，但要將這兩者融合在一起並非易事。

在哈布斯堡王朝、羅曼諾夫王朝和鄂圖曼帝國之中，原本作為帝國精神支柱的宗教熱情（如果不是宗教符號的話）的衰退，也讓官員和忠誠的知識分子必須設計出其他超越民族的意識形態，才能對抗不斷湧現的民族主義浪潮。為了將地理空間、族裔或宗教統一起來而出現的各種「泛某某運動」（pan movements），其起源說明了多文化帝國知識分子間的思想傳播，是如何在十九世紀變得愈來愈普遍。舉凡泛德意志主義、泛斯拉夫主義、泛伊斯蘭主義，或是泛突厥主義，它們都沒有被這三個帝國的統治者正式接受，但在統治圈裡仍或多或少擁有影響力，有時甚至還是左右政策的決定性因素。有人企圖將這些「泛某某運動」看成民族主義的前身。[432]雖然這種看法有一部分是事實，但我們仍應根據這些運動的宗教成分和種族成分，對他們進行必要的區分。奧地利政治家薛納爾所提倡的泛德意志主義思想，主要是一種種族主義和反猶主義；這種思想來自哈布斯堡王朝，而不是來自德意志第二帝國，甚至對於講德語的群體而言也不太有吸引力；直到國家社會主義崛起之後，泛德意志主義的主要影響力才開始出現。[433]泛斯拉夫主義也起源於哈布斯堡王朝。提倡泛斯拉夫主義的俄國人，將宗教（東正教）、國族（大俄羅斯）和種族（斯拉夫人）等元素以各種方式組合在一起。雖然俄國政府從未正式採納泛斯拉夫主義，但它的支持者仍不時會對俄國的外交政策帶來許多影響，尤其是在一八七七年，以及一九一〇年之後。[434]在整個十九世紀期間，泛德意志主義和泛斯拉夫主義的幽靈都持續存在於帝國空間之中，彼此威嚇。

在這三種超驗意識形態裡，泛伊斯蘭主義具有最強烈的宗教色彩，並曾在素檀阿布杜拉哈密德二世治下，成為最接近官方認可的意識形態：一八七六年，阿布杜拉哈密德甚至在鄂圖曼憲法中恢復了哈里發辦公室（不過只有在一九〇八年真正實施過）。[435]與此矛盾的是，不論是文化版本或政治版本的泛突厥主義，其實都是源自西方突厥學家（尤其是匈牙利的范貝利）以及俄國突厥人（尤其是克里米亞的韃靼知識分子加斯普林斯基）的想法。[436]在俄國的穆斯林群體之中，加斯普林斯基是傾向和俄國政府合作，鼓吹穆斯林適應俄國統治的代表人物。他提倡一種被稱為賈迪德主義（新方法）的概念，該主義是一種突厥文化民族主義，依循理性思辨的方式重新詮釋伊斯蘭教，並對科學和哲學採取寬容態度，不對它們進行干涉，同時透過簡化的土耳其語教學（保留阿拉伯語，但加入俄語元素），以更具實用性和生產力的方式對教育進行改革。賈迪德主義取消了諸如女性必須遮蓋身體的習俗，藉此對婦女賦予權力，但這和《古蘭經》的教義有所衝突。此外，賈迪德主義也強調發展經濟和科技進步的重要性。[437]然而賈迪德主義從未演變成一個統一的文化運動或政治運動，「俄國境內存在許多種賈迪德主義，每個都有各自關切的課題，根源於當地的社會角力情勢之中。」[438]一九〇五年革命期間，泛突厥主義在俄國境內的影響力達到顛峰，但之後又在沙皇的打壓之下開始衰退。在鄂圖曼帝國境內，泛突厥主義和泛伊斯蘭主義彼此是競爭對手；儘管恩維爾帕夏的確支持泛突厥主義，但西方評論家仍然誇大了該主義對後世的影響力。[439]

在帝國統治之下，這些超民族的概念並沒有太多人追隨，箇中原因顯而易見：雖然這些超民族的概念也帶有「想像的共同體」的概念，但和作為國家建構意識形態的民族主義相比，這些超民族的概念在情感上和心理上的吸引力仍然不足。對於帝國的統治菁英而言，這些超民族的概念在多文化社會裡，是可能破壞政權，而非讓人民團結在一起的意識形態，而且可能會對外交政策帶來爆炸性的危害。然而各個帝國瓦解之後，宣傳行動在邊境地區的角力之中成為另一種武器，而透過這些宣傳，各種「泛某某運動」也開始重新出現，遭到修正，或者成為操弄的對象。希特勒承認他曾受到薛納爾的泛德意志主義的啟發；第二次世界大戰期間，史達林則不止一次呼籲斯拉夫人齊心對抗德國人。第一世界戰爭結束後，恩維爾帕夏也曾在高加索地區和中亞地區陷入混亂之際，進行過一場短暫而滑稽的軍事行動，但這並沒有終結泛圖蘭主義*的訴求；儘管泛圖蘭主義在第二次世界大戰期間曾遭到政府反對，卻仍一直悄然地存在於土耳其境內。

十九世紀末，多元文化帝國的統治者為了反抗世俗化的趨勢，因而振興了舊的宗教或道德傳統。但這些動作卻讓改革派知識分子人心背離，因為他們所受的教育重視理性、科學和科技的價值，並相信這些事物更能解決當時的問題。此外，無論是古老的神話，還是具有民族主義色彩的修辭，都無法滿足邊境地區人民的訴求，也無法確保他們的效忠。隨著帝國的掌控能力開始衰退，加上邊境地區也出現了許多壓力，催生出了新的民族意識，要求自治的呼聲愈來愈高。帝國的生存愈來愈依賴武力。為了維護帝國的概念，大型戰爭爆發的危機也不斷升高，但這些帝國的概念仍終將在帝國瓦解時跟著走入歷史。

歐亞大陸帝國的失敗和解體，在很多方面代表著它們與過去的徹底決裂。許多原本沒沒無名、出身低微的人物開始崛起，他們組織政黨，舉起新的意識形態旗幟，並在帝國的廢墟之上建立新的國家。然而帝國陷落之後的時期，也代表著一種皇權轉移†，與羅馬帝國、拜占庭帝國、薩珊王朝、蒙古帝國和明朝瓦解之後，在更長的期間內發生的皇權轉移非常類似。可以肯定的是，除了伊朗曾以民族王朝的形式短暫復辟之外，帝國的概念已經消亡。在其他地方，帝國概念則被世俗統治者的概念所取代，這類統治者通常擁有意為「領導人」的稱號，比如德文的「führer」、俄文的「vozhd」、土耳

＊編按：泛圖蘭主義（pan-Turanian）最早是由芬蘭民族主義者馬蒂亞斯・卡斯特倫提出。他認為芬蘭人源自中亞的阿爾泰山脈，是一個更大的圖蘭民族的一部分，圖蘭民族包括了馬札兒人、突厥人、蒙古人，和其他中亞人口。這不僅意味著所有突厥民族的團結（如泛突厥主義一樣），而且還意味著一個更大的圖蘭民族或烏拉爾－阿爾泰斯族的聯盟。在第一次世界大戰前半世紀，匈牙利人為抗衡同一時期出現的泛斯拉夫主義，而提倡泛圖蘭主義。泛圖蘭主義與泛突厥主義相似且容易混淆。但泛圖蘭主義的核心，是烏拉爾－阿勒泰人的聯繫，其思想活動中心在布達佩斯，而泛突厥（也可以說是土耳其版泛圖蘭主義）的核心是突厥語族，其中心在伊斯坦堡。

†譯按：translatio imperii，意指新政權為繼承舊帝國的行為賦予合法性的學說。

其語的「加齊」，或乾脆就叫「主席」，而其統治的合法性和專制權力，則來自新發明的政治神學和個人領導魅力，並在通訊科技和動員技術的幫助下快速傳播。然而，這些新政權的各種意識形態基礎，卻都仍源自於帝國時期的過去。儘管新政權並非直接繼承帝國血脈，但同樣需要面對舊帝國過去在多文化的環境中建構國家時會需要處理的人口挑戰，而近似於西方的民族國家理想型的國家概念，並不足以處理這些挑戰，因此新政權必須有所超越，以創造出新的國家概念。但這並不代表它們否認民族的概念。相反地，這些新統治者和之前的帝國一樣，都採用了一些相同的技巧，試圖將多元的人口整合成一個民族，以便他們進行統治。

舊帝國的意識形態在去除神聖的色彩之後，其轉移到新政權中的過程竟出人意外地直接，儘管這種移轉的過程來自於「皇權轉移」這種畸形的傳統。相關的例子很多，比如：希特勒的種族理論，就與源於哈布斯堡王朝的泛德意志思想有所關聯；史達林的觀點「形式上雖然是民族主義，但實際上的內容卻是社會主義」，並反映出他如何受到了奧地利馬克思主義者的啟發；孫中山「民族、民權、民生」的三個原則，後來則是由蔣介石根據新儒家思想進行修改。孕育出波蘭浪漫主義式之民族主義者所宣揚的土地貴族－薩爾馬提亞神話以及聯邦的概念，到了二十世紀仍在為波蘭菁英提供靈感；當波蘭在第一次世界大戰結束後重建時，出身自立陶宛邊境地區的畢蘇斯基元帥，便曾試圖在共和政體之下恢復一個雅捷弗王朝式的多元文化國家。史達林的統治則是以新的方式，回應了從沙俄時期就一直出現的問題。如果說意識形態是多文化帝國的基石，那麼軍事和官僚制度就是承重牆和遮風避雨的屋頂，而這正是下一章要討論的主題。

第三章

帝國制度：軍隊、官僚體系與菁英

如果說邊境地帶的角力深刻影響了歐亞大陸多文化社會的國家建構過程，那麼這句話反過來說也是正確的。這兩個過程之間的互動，不只形塑了帝國的意識形態，也建構了政治和社會經濟制度。在帝國不斷變動的架構中，存在三個關鍵的要素：軍隊、官僚體系和統治菁英。本章所要處理的課題是：當多文化帝國在擴張、保衛其軍事邊界，並對邊境地帶施加命令時，這些制度和團體以什麼方式反映了帝國的特定需求。

歐亞大陸多文化帝國在行使權力時，分別以不同的比例，將韋伯所稱的領導魅力、血緣繼承以及官僚科層等權威來源要素結合在一起。一如他所指出的：「大多數偉大的大陸型帝國，直到進入近代時期，甚至在近代期間，都仍帶有頗為強烈的血緣繼承特點。」[440]然而純粹的血緣繼承制可能從未存在過。隨著統治者愈來愈需要能增加歲收的可靠體系，並讓行政組織更能依據功能分工，最多變無常的血緣繼承制雖然並未完全消失，卻也的確在逐漸式微。在帝國的多元文化體系之中，統治者的個人權威在很大程度上，也取決於他能不能使用不同文化背景的民族都能理解的神話、符號、儀式和權力典儀，來表達個人的魅力。但一如韋伯和其他人提醒我們的，領導魅力並不牢靠。

不論超驗意識形態的吸引力多麼能讓所有民族都接受，統治者個人的失敗，仍然可能減損其統治的正當性。為了避免讓帝國分裂成好幾個部分，多元文化帝國的世襲統治者必須將個人的魅力，部分移轉或轉化為可延續的制度。[441]由於歐亞大陸的帝國是不斷向外征戰的國家，擁有持續變動的邊界，以及並未完全同化的邊境地區，因此軍隊一再地被證實是讓帝國統治不致分崩離析的黏著劑。同時，邊界地區持續的戰事，也在影響著軍隊的結構，不時導致軍隊需要進行改革。對於建構、維繫一個多元文化帝國的需求，直到帝國瓦解時，都在不斷形塑著軍隊的性質；當軍隊最終不再忠誠和團結時，帝國便會瓦解。因此軍隊雖然長期是帝國統治的黏著劑，最後卻也可以是讓帝國瓦解的溶劑。

帝國統治的第二個制度堡壘，則是集權的專業官僚制度。它具有雙重功能：第一，動員人力與財政資源來支持武裝部隊；第二，在寬闊的光譜上制定各種行政政策，從同化政策到自治政策都有，目的在於確保居住在被征服的邊境地區裡，擁有不同文化習俗的各個民族，都能夠接受帝國的統治。官僚機構對統治者造成了許多額外的（儘管可能是非正式的）限制，也削弱了一些對國家資源抱持不同意見的舊利益團體。[442]官僚並非自外於一切的行為者，而是根源於多文化帝國的社會結構。他們的觀點和行為，取決於他們是從哪一個傳統中介體取得權力的（比如：家庭、部族、部落、莊園主或皇室等），同時也總會受到以各種制度為形式組織起來的特殊的經濟和社會利益所影響。專業軍隊和官僚的增長情況大致類似；最高階的民政官員和軍人，與主要信仰的宗教領袖、上層貴族，以及主要的商人和企業家共同組成了統治菁英群體；如果用德國社會學家伊里亞思的說法，這些菁英就是帝國政權的「核心群體」。[443]這個菁英群體內部的族裔組成，也反映了帝國統治的多元文化特色：其成員來自各地，而帝國為了維持秩序、整合經濟，並削弱可能會反對帝國統治的勢力，也會對被征服的邊境地帶的地方菁英進行收編，擴大菁英群體。

在歐亞大陸的帝國裡，專業官僚體系的建立過程非常漫長，而且在個別國家之中，這個過程也並不平順。一直要到十九世紀中葉，帝國的體制結構才出現了第三個階層，亦即透過全國選舉產生的議會和憲法。最先出現議會和憲法的是哈布斯堡王朝和鄂圖曼帝國，不過鄂圖曼帝國後來便廢除了這些制度；到了二十世紀，俄羅斯、伊朗以及清帝國，也首次在帝國體制中出現了第三階層，而鄂圖曼帝國則是第二次出現。這些變革進一步衝撞了來自父承子繼的帝國權威，但我也必須再次提醒，這些變革並沒有完全消除這種血統繼承的帝國權威。

建構國家的關鍵，並非總是存在於中央集權的政策之中，且這些政策通常也不太平均且僅有部分被實施而已。帝國廣袤的領土和多樣性，加上必須維持軍事邊界這個永久挑戰，時常迫使統治者必須將行政的自治權賦予地方上的菁英。比方說，哈布斯堡王朝就可以稱得上是由各種不同的行政區所拼湊而成的，諸如波希米亞、加利西亞、匈牙利都有代表自身民族的行政區，而像布科維納這樣的皇室領地，則由維也納直轄。十九世紀初，俄國西部的邊境地區、芬蘭、波羅的海省分以及波蘭王國，都被允許擁有代表機構；相較之下，大俄羅斯的核心省分並不允許設置這種機構。鄂圖曼帝國則長期對匈牙利、克里米亞汗國、多瑙河流域各公國、埃及以及阿拉伯省分賦予了各種不同形式的自治權。有時，清帝國也會在新疆、蒙古和滿洲等地實施各種地方統治模式，卡加伊朗的亞塞拜然省則長期享有自治地位。各個帝國對於地方條件和文化的適應，部分解釋了為何它們雖然位處競爭激烈的歐亞大陸，卻可以源遠流長。若要確保邊境地區穩定，最有效的方式通常是和地方菁英協商；而這種做法，也正好顯示出帝國政權經常被低估的彈性。在幾個特定的案例中，比如鄂圖曼帝國和伊朗，權力下放也許有助於帝國的存續，但也可能助長分離主義，導致帝國喪失難以駕馭的邊境地區。

然而到了十八世紀末，在邊境地帶的角力之中，俄國相對集權與理性化的體制，開始讓他們在歐亞大陸的複雜邊界上和敵人作戰時，得以獲得必要的資源和關鍵的優勢。歷史學家在對俄羅斯和西方強權做比較時，為了得到「俄羅斯的理性化過程進行得不夠徹底」這個結論，傾向於以不同的標準檢視俄羅斯，但他們經常忘了俄羅斯的體制，在歐亞大陸上其實是相對理性的。

同時要記得的是，帝國權力核心和邊境地區之間的關係是動態、互相影響的。本章的目的，是對於帝國統治演進過程中各種彼此相悖的趨勢，都同樣重視，比如協商和讓步，便與威脅和壓迫交替出現，而邊境地帶各團體的回應方式也不盡相同，從武裝抵抗，被動接受帝國政權，到主動和帝國政權合作都曾出現過。

軍事革命

打從他們最初在邊境地帶的角力開始，歐亞大陸上的各個擴張型帝國，就面臨共同的挑戰，那就是戰爭的性質不斷在改變。從十六世紀到十九世紀，戰爭行為出現了三次主要的轉型或變革，而且都源於西歐國家，之後才在其他地方被採納或模仿。就像大多數所謂的革命，雖然長期來看它們的影響的確是革命性的，但這些革命實際上是好幾場橫跨幾十年，由一系列斷斷續續的變革所組成的過程。科技的傳播以及戰術的創新，只是軍事革命、現代戰爭性質，以及後來邊境地帶角力結果的一小部分而已。在這些變革的發展過程中，諸如更先進更複雜的武器製造、組織補給、召募和訓練專業軍人的過程，以及建造堡壘所需的成本，不只需要更加中央集權的制度，也為財政改革和行政改革提供了動機，於近世讓歐亞大陸各國在政治和經濟上變得愈來愈相似。444

第一個革命是「火藥」革命，最早於十三世紀開始使用，該革命導致了火器、手銃、火槍以及大砲的蓬勃發展。若借用美國歷史學家霍奇森的說法，鄂圖曼帝國、薩法維王朝和蒙兀兒王朝都是歐亞大陸的「火藥帝國」，這些帝國引進了西方的技術，並在建立帝國的過程中使用火藥，因而在和游牧社會交手時占了上風。此外，由於糧食生產過剩，又有透過掠奪或徵稅而取得的貴金屬，這些豐富的資源也讓他們得以發展出更優越的行政組織。[445]西方在第二場革命，亦即所謂的「軍事革命」期間，則在訓練和戰術等層面出現不少創新，但歐亞大陸上的帝國卻引進得相對緩慢。在此，主要的抗拒力量來自部族、私人或特權軍閥，他們並不樂見帝國建立一個由中央管控的專業常備軍。

第二場「軍事革命」發生的時間及其特性，至今仍未有定論。英國歷史學家羅伯茲原本主張，這場革命是線性步兵戰術的一次鉅變，於十六世紀晚期由納索的莫里斯所設計，並於三十年戰爭期間，由古斯塔夫．阿道夫二世治下的瑞典人改良。英國歷史學家帕克則正確地指出，法國、荷蘭和哈布斯堡的軍隊，都各自有所創新。在他看來，軍事革命有三個彼此關聯的因素，它們分別是：星形要塞的發明、槍砲的大規模普及導致作戰時更依賴砲兵，以及武裝部隊人數的大量增加。他將這些變革發生的時間點定在十六世紀下半葉。[446]傑瑞米．布萊克則認為，這些發展應該出現在十七世紀末和十八世紀初，當時的行政秩序更為完善，又引進了新的金融工具，才讓專制王權得以真正擁有這麼龐大的軍隊。[447]現代化職業軍隊的發展，是歷史學家麥克尼爾所稱的管理變革和心理變革的產物。後勤補給、地圖繪製、裝備的標準化、理性的軍事指揮層級、嚴格的紀律，甚至是「光榮作戰」概念的嬗變，都意味著國家行政架構和公僕行為模式的徹底改變。[448]

到了十六世紀晚期和整個十七世紀期間，由於軍隊規模大幅擴張，軍事堡壘的建築工事變得更為複雜，加上武器的製造技術也變得更為精細，戰爭的成本不斷高漲；然而當時又適逢白銀從新大陸流入，為歐亞大陸和歐洲的經濟造成了嚴重的財政問題（雖然學者對於這場「十七世紀危機」的本質和影響程度，至今仍有不少爭論）。[449]俄羅斯帝國出現之前的莫斯科大公國，由於相對獨立自主，經濟又以內需為主，和西方市場的商業連結相對較弱，因而躲過了最嚴重的經濟衰退。[450]一六四九年正式確立的農奴制度，則進一步讓俄羅斯可以自外於外來的影響，但同時也創造了一個能夠穩定納稅的潛在人口基礎和募兵來源，讓彼得大帝得以建立一個集權管理的軍事國家，於十八世紀邊境地帶的角力中成為一個強而有力的競爭者。

第三個變革始自十九世紀中葉，並在第一次世界大戰前夕到達顛峰。這場變革有兩個關鍵要素：戰爭的機械化以及徵兵制度。從十八世紀初到十九世紀中葉，兵器的技術大致上沒有太大變化，軍官也只需要極少的專業訓練。[451]然而蒸汽動力的應用，以及小型槍械、砲彈和海軍軍艦的機械化生產到大規模生產，加上戰略鐵路的興建以及電報的使用，都迫使財政、組織架構和軍隊訓練必須要有重大改革。[452]徵兵制度實質上實現了全民武裝的概念。起初，全民武裝的概念可能只是法國第一共和的領導人所宣揚的神話，後來又被拿破崙神聖化，但這個概念非常接近現實，足以讓其他國家也試著沿用相同的概念。然而，一直要到德國統一戰爭期間，以徵兵為基礎的大型軍隊概念才在所有歐亞大陸的帝國（伊朗除外）中成為軍隊改革的一個共同特徵。但即使是在當時，這些國家的多文化背景，也依然讓全民徵兵制度窒礙難行。[453]

波蘭立陶宛聯邦（波蘭立陶宛王政共和國）

波蘭立陶宛聯邦也許可以被視為以下這種情況的例子之一：它作為擁有多元文化的擴張型國家，在邊境地帶角力的初期頗為強盛，隨後卻因為無法建立職業軍隊和官僚體系這兩大權力支柱而快速衰退；而其競爭者，正是利用了職業軍隊和官僚體系，才讓波蘭立陶宛聯邦這個曾經是歐洲最大的國家，淪落為德意志人（普魯士霍亨索倫王朝和奧地利哈布斯堡王朝）、俄羅斯人以及鄂圖曼人這幾個強權之間的邊境地帶。波蘭立陶宛聯邦在十五世紀到十六世紀初期達到顛峰，擁有可觀的人口，也有帝國擴張所需的資源。雖然波蘭立陶宛聯邦以最嚴格的定義來看並非帝國，但它仍是一個擁有多元文化，以擴張為目標的國家，在邊境地帶的角力中和俄國、鄂圖曼帝國以及哈布斯堡王朝交手。它之所以不能算是帝國，主要是因為其體制少了強大的皇權。王位的繼任人主要是透過選舉產生，而不是由血緣決定，又缺少神聖的神話，而且還有其他能提供統治合法性的意識形態在和王室競爭，比如波蘭土地貴族所長期享有的傳統「黃金自由」。雖然所有歐亞大陸上的帝國，都存在著社會菁英和地方菁英對中央集權政策的挑戰，但這些挑戰在波蘭立陶宛聯邦特別成功，也特別關鍵。必須澄清的是，皇室權威從十五世紀開始便不斷因為土地貴族的壓力而遭到侵蝕的這個說法，其實一直都有爭議[454]；就像有些人喜歡說鄂圖曼帝國長期以來都在不斷「衰退」一樣，這個說法其實過度簡化了其複雜過程，並忽略、否定了不同結果的可能性。土地貴族不斷以「維護傳統自由」之名對國王權力施加限制[455]，然而遭遇挑戰的，不只是波蘭立陶宛聯邦的皇室而已。土地貴族在捍衛自身的集體政治自由時，其實

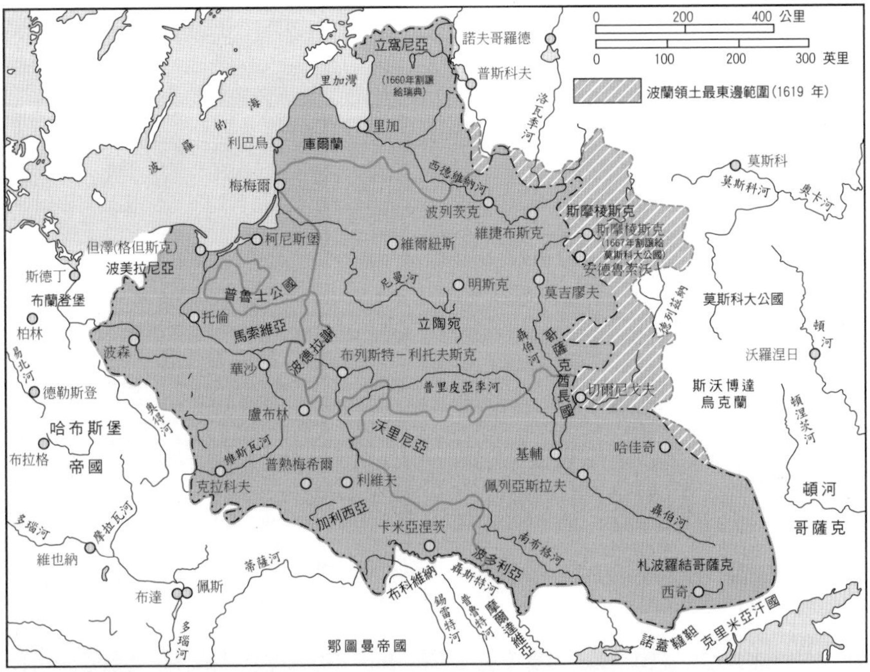

地圖 3.1　波蘭立陶宛王政共和國（一六六〇年至一六六七年）

並不團結。他們對於要用什麼方式達到目的各執己見，使得上層貴族和中下層貴族出現了分裂情形，讓國王得以在他們之間挑撥離間。

十六世紀和十七世紀初，在雅捷弗王朝的最後兩任國王治下，為了強化中央政府的威望和權力，一場多方協力的活動登場了。雖然波蘭王室從十四世紀開始就是由選舉產生的，但傳統上終究仍是由全體土地貴族在瑟姆（會議）中從雅捷弗家族之中選出一員。作為回報，土地貴族可以獲得許多特權，包括免除稅賦、人身不得侵犯權，而且可以在立法過程中投下決定性的一票。皇室不時也會試圖扭轉土地貴族的勢頭。齊格蒙特一世在位（一五〇六年至一五四八年）初期，曾要求瑟姆賦予他足夠的歲收，讓他維持一支常備軍隊，以便對付發生在東南部邊境地帶（烏克蘭地區）的叛亂事件。但他並沒有完全如願以償；他唯一獲得的真正勝利，是掌握了主教的任命權。中階的土地貴族進行了一場被稱作「確實執法」的政治運動，使得上層貴族的影響力衰退，因而實際上提升了皇室的權力。這起事件讓中央政府的官僚體制變得更有效率，而原本皇室冊封給貴族的土地，也逐漸回到皇室手中，增加了國王的收入。[456]

至於皇室的失勢確切發生在什麼時間點，各個說法不一。為了推進本書關於邊境地帶的論點，我將關鍵的時間點定於一五六九年。當時，盧布林聯合協議完成了一個漫長的進程，終於將波蘭王國和立陶宛大公國合併為一個擁有共同王室和共同議會的國家，此即波蘭立陶宛王政共和國。[457]在一五七三年的選舉，土地貴族確立了一人一票原則，讓聯邦境內的所有貴族都有參與選舉國王的權力。這個事件進一步限制了高階貴族的影響力，但也讓選舉變得像在進行拍賣一般。出價最高的人是就任波蘭－立陶宛王政共和國王位僅一年後就隨即返回法國，成為瓦洛瓦王朝最後一位君主的亨利三世，他接受了貴族要求的所有特權（亨利條款），幾乎讓國王形同傀儡。緊隨其後的選王過程中，由外西凡尼亞大公史蒂芬．巴托利取得波蘭－立陶宛王政共和國的王位。在巴托利統治時期（一五七六年至一五八六年）曾經一度重振王室的聲威；由於巴托利充沛的活力以及軍事技巧，以致他根本無須藉由制度改革，就贏得了波蘭各級土地貴族的敬重。巴托利可以說不只是一位軍事奇才，他還體認到了建立常備軍的重要性。他創建了第一支常備的步兵單位，並召募了五百名哥薩克人進入他的職業騎兵部隊，因而得以不再那麼依賴土地貴族的防護。為了要擴充、鞏固這些軍力，他必須仰賴瑟姆在財政上的支持，而瑟姆當時則由土地貴族所控制。齊格蒙特三世（一五八七年至一六三二年在位）曾希望獲得多數貴族的支持，同意每年對他的軍隊固定進行補貼，卻遭遇到了猛烈反對。土地貴族認為國王的這個意圖是在對他們的傳統自由進行挑戰，理所當然地質疑他是為了主張自己擁有瑞典王位，才會如此專制極權、自以為是，因為瑞典對於王權的限制少得多。最後波蘭王室軍隊在一場歷時甚短的內戰中鎮壓了反抗的土地貴族，但也終結了憲法改革的進程。

波蘭－立陶宛王政共和國最後一位戰功彪炳的君主為揚三世．索別斯基（Jan III. Sobieski），他在一六八三年的第二次維也納圍城戰中，親率大軍千里馳援，終而於維也納城下大破鄂圖曼帝國軍隊，仍然可以在波蘭的軍事史上寫下光輝的一頁。然而在這之後，波蘭軍隊便在規模和財政上開始陷入了一連串的衰退。一六九九年，瑟姆將軍隊兵力從三萬八千人削減至兩萬四千人。雖然在大北方戰爭期間，軍隊曾經短暫地擴充到九萬名士兵，但一七一七年的「無聲會議」＊又將其恢復到戰前的規模，並且大幅減少了軍隊的稅基。波蘭當年的軍事支出比起周圍的其他競爭對手少了一大截：大約只有普魯士的百分之四十三、俄羅斯的百分之二十七，以及哈布斯堡的百分之十六。到了十八世紀中葉，普魯士軍隊人數為八萬人，俄羅斯為二十萬人，奧地利則為六萬七千人，但波蘭皇家軍隊的實際軍力卻僅約一萬六千人。458

土地貴族對其傳統上所享有的自由及特權也深深地滲透到了戰術軍事的領域之中。正如英國歷史

＊編按：「無聲會議」（Silent Sejm）指為了終結國王與貴族內戰而進行的會議，與會議員被禁止發言。

學家戴維斯所說的，他們的「愛好平等」導致他們「誇大了對騎兵武力的依賴」；即使到了二十世紀，波蘭人對於騎兵的崇尚仍然難以動搖。土地貴族影響了騎士精神呈現在公眾面前的樣貌，而當波蘭陷入無政府狀態時，這種騎士精神也愈來愈脫離現實。[459]在波蘭和立陶宛第一次遭到瓜分的半個多世紀前，波蘭周圍的大國都認為要控制波蘭立陶宛聯邦的方法，便是保留土地貴族的傳統自由，因為這能讓他們在軍事上保持孱弱。正是在這個轉捩點上，波蘭實質上失去了自己的獨立地位。

哈布斯堡王朝

哈布斯堡王朝的統治者在建構國家的過程中，和波蘭國王一樣，也面臨著許多相同的難題，但他們在解決這些問題時比波蘭國王還要成功許多——或者說，他們至少推遲了這些問題長期來看所帶來的破壞性影響。哈布斯堡帝國將行政權收歸中央，並創建了專業的軍隊，但他們主要是透過技巧性的斡旋和談判，而不是透過強迫手段來達成。一五二一年至一七四〇年期間，奧地利哈布斯堡王朝與西班牙哈布斯堡王朝分道揚鑣；在這段期間裡，帝國中央體制的發展過程極不規則且混亂。關於這點，歷史學家坎恩的說法非常有說服力：「一五二六年至一五二七年，匈牙利、克羅埃西亞、波希米亞和哈布斯堡皇室轄下的土地合併；從那時候開始，一直到一九一八年王朝解體為止，期間的大多數時候，哈布斯堡帝國能否被看成一個憲政實體，其實都是可以質疑的。」[460]由此，專門研究中歐和當代巴爾幹地區的史學家查爾斯．英格蘭總結道，哈布斯堡王朝在三個世紀之內，一共經歷了八次主要危機，它們分別發生於一六一八年至一六二〇年、一六八三年、一七〇四年至一七〇五年、一七四〇年至一七四一年、一七九〇年、一八〇九年至一八一〇年、一八四八年至一八四九年，以及一九一六年至一九一八年；這些危機都動搖了王朝的根基，幾乎讓王朝解體。[461]起初，哈布斯堡王朝實際上是一個依靠皇室姻親維持的政權，其管治的領土，是由好幾塊領土所組成的集合體。他們並非透過征戰來兼併領土，而是透過婚姻和繼承取得；這些領土因為中世紀的協約和效忠關係而被結合在一起，維也納也永遠在和地方的利益進行折衝斡旋。[462]這些斡旋過程在哈布斯堡的歷史中反覆出現，並讓哈布斯堡王朝得以在將近五個世紀的期間內，安然度過各種戰爭和叛亂所帶來的風暴。

腓迪南二世經常被看成是第一位專制君主，早在他的統治期間（一六一九年至一六三七年），王朝便將其政權建立在長子繼承制和世襲這兩個原則之上，並確立了只有皇室能夠擁有軍隊，各地莊園主則從屬於皇室主權之下的原則。皇室藉由在整個帝國境內（但永遠不包括匈牙利）冊封土地，創造出了「哈布斯堡貴族」，以此換取他們對皇室的絕對忠誠，減弱他們和地方上的連結。文化和社會面向的同化政策於天主教巴洛克時期達到顛峰，但就行政的面向而言，卻沒有出現類似的政策。哈布斯堡王朝在邊境地帶和突厥人進行長時間的交戰時，有兩個主要的中央機構在負責財政事務和維持軍力，分別是財政廳和宮廷軍事局。這兩個機構都是集體合議機構，功能也有所重疊。維持軍力的財源，主要端視皇室與擁有世襲領土的地方議會進行斡旋的複雜過程，但也正因如此，他們沒有辦法確定每年可以獲得多少歲收。必要時，政府必須向外國尋求貸款和補貼（十六和十七世紀期間，哈布斯堡多半求助於西班牙，後來則是求助於英國），或要依賴教會和貴族的樂捐才能補足資金。

哈布斯堡的常備軍隊，最早是在三十年戰爭期間，因為過度頻繁的毀滅性軍事活動所發展出來的；到了一六四九年，腓迪南三世卻拒絕解散帝國軍隊，於是創造出哈布斯堡常備軍的原型。透過這種方式，他試圖解決在地方議會擔任代表的傳統莊園主不願提供兵源的問題。腓迪南三世的做法也削弱了許多傭兵軍官的權力，這些軍官因為擁兵自重，曾為中歐帶來了不少禍害。在此之後，哈布斯堡的皇帝在危機發生時，還能從神聖羅馬帝國的其他國家籌集部隊。[463]然而和俄羅斯不同的是，腓迪南三世之後的皇帝無法對財政、補給和募兵等事務集中管理；這些事務直到十八世紀中葉，主要仍掌握在世襲領主的手中。[464]儘管如此，哈布斯堡依然有能力建立一支強大的軍隊，和波蘭立陶宛聯邦的情況形成了鮮明對比。

在以提供軍事服務盈利的制度之下，那些傭兵軍官建立了自己的部隊，對於低階軍官的出身或地位也不甚在意，而這也對哈布斯堡軍官群體的種族組成和社會組成造成了長遠的影響。十七世紀期間，掌控軍團的大多數軍官都是外國傭兵，主要是來自神聖羅馬帝國的義大利人和德意志人，以及其他民族的零星傭兵。[465]利奧波德一世（一六五七年至一七〇五年在位）認為，軍隊是除了皇室之外，唯一一個受他個人掌控的機構，無需依賴地方菁英和他們的選舉機構。他的政策是招募不受地方議會控制的外國人，讓他們擔任指揮官的職位，並維持他們優越的地位，以此作為確保軍隊效忠於他的另一種方法。到了十八世紀，情況才開始出現變化：除了最高階的軍職、菁英衛隊和騎兵團之外，哈布斯堡軍隊中有愈來愈多人是平民。這點和普魯士與俄羅斯的軍隊非常不同，因為在那些地方，貴族和軍官幾乎成了同義詞。[466]

在整個十七世紀裡，軍隊消耗了大約百分之八十的財政預算。和鄂圖曼帝國這個他們在巴爾幹邊境地帶角力中的主要對手相比，哈布斯堡的軍隊可以說毫不遜色。十八世紀初，哈布斯堡王朝東部邊境地區有匈牙利叛亂（拉科齊獨立戰爭，一七〇三年至一七一一年），西部邊境又有西班牙的王位繼承戰爭（一七〇〇年至一七一四年），但哈布斯堡政府當時卻可以在腹背受敵的狀況下作戰，而這有很大一部分要歸功於三位出色的外國軍事參謀和指揮官，他們分別是：蒙特庫科利、洛林的查理和歐根親王。蒙特庫科利曾於一六六八年至一六八一年間擔任宮廷軍事局的主席和總指揮官，並將軍隊的行政和軍事控制權統合在一起。他對奧地利的步兵隊進行重組，提升了步兵隊的機動性和火力。像許多人一樣，他也在三十年戰爭中從瑞典軍隊那裡學到了不少教訓，因此引進了輕型火砲，並將騎兵隊變成一支具有更多功能的部隊。為了應對鄂圖曼帝國帶來的軍事挑戰，他聘請克羅埃西亞騎兵擔任驃騎兵和非正規步兵，這對西方軍隊來說是一項創舉。奧地利在戰場上能取得成功的關鍵，是依靠不斷的訓練和鐵的紀律，藉此在面對鄂圖曼軍隊的大規模攻擊時保持火線。蒙特庫科利生於文藝復興時期，是個具有創新精神的人，也是最早建立一般戰爭理論的指揮官之一。[467] 由於軍事指揮官同時身兼管理財政、建造兵工廠，以及改善後勤支援的參謀，因此有助於哈布斯堡王朝建立一支超過十萬人的常備軍，在歐洲名列前茅。[468]

然而軍隊在召募士兵和財政等事務上，仍舊不斷仰賴地方議會提供資源——尤其在匈牙利，這個問題從未解決，成為哈布斯堡王朝在軍事上的主要弱點。特蕾西亞女皇統治期間，有人提出幾個新的解決方案，反映出了哈布斯堡王朝在兩個邊境地區面臨到的不同處境。約瑟夫二世和幾個重要軍官主張採用普魯士的徵兵制度，藉此回應腓特烈大王為北方邊境帶來的挑戰。考尼茨伯爵則認為應該在和鄂圖曼帝國接壤的地區，建立一個高度軍事化的軍事邊區，將軍隊和社會嚴格區分開來。最後，「軍官黨」獲得了女皇和幕僚的青睞，使得徵兵制度開始在奧地利的波希米亞省分實施，後來更擴及到匈牙利。哈布斯堡王朝持續僱用外國傭兵，並實施休假制度，減緩終身服役制度的苦痛，而終身服役制度最後也在一八〇二年遭到廢除。此外，哈布斯堡王朝也建立了常備軍，以德語作為軍事命令使用的語言，並針對軍官的訓練與教育，實施了一系列完整的改善措施。整體而言，這些措施讓特蕾西亞女皇大大提升了她對王朝境內各國在主權上的控制。到了女皇統治末期，軍隊更名為「帝國皇家軍」，而士兵人數則達二十萬之譜。[469]重振過後的軍隊雖然無法阻止腓特烈大王強行占領西利西亞，但的確幫助哈布斯堡帝國在重要的危機時刻維持存續。

除了上述的改革之外，和鄂圖曼帝國接壤的軍事邊界改革，也同樣取得了重要進展。這條軍事邊界地區成為了常備軍的兵力來源。約瑟夫二世試圖鼓勵軍隊盡可能在軍事邊界上永久駐紮，並在和平時期進行士兵召募，以便於減少軍事支出。[470]約瑟夫甚至實施了不少「開明」措施，因為他相信那有助於促進士兵的福祉和快樂。[471]

在所有歐洲軍隊之中，就族裔組成而言，哈布斯堡軍隊是最多元的，其士兵來自帝國的各個角落，使用十多種語言，不過訓練和命令仍然是以德語進行的。拿破崙戰爭期間，卡爾大公身兼皇帝胞弟以及能力最強的將軍，引入了一些改革措施，但沒有試圖像法國和普魯士一樣，建立一支真正的國家軍隊。卡爾大公強烈反對法國模式的大規模軍隊，認為「這種動員方式會破壞工業生產，有害國家繁榮，同時也會干擾包括政府體制在內的既有秩序」。就連源於地方愛國運動的國防民兵，也難以獲得他的信任。[472]

哈布斯堡軍隊在拿破崙戰爭中的表現好壞參半，輸掉的戰役比贏得的還多。然而這也是王朝境內民族得以團結的關鍵因素。軍隊的力量為梅特涅帶來許多幫助，使他一直到一八四八年的革命為止，都能讓哈布斯堡王朝在歐洲政局中保持領先地位。維也納當局制定軍事政策的人主要面臨到的問題是：匈牙利菁英對於他們在軍隊中的角色並不滿意。馬札爾人不斷反對維也納控制軍事邊區，卻又依然為軍隊提供輕騎兵的兵源。遇到緊要關頭時，馬札爾人仍會團結起來支持哈布斯堡王朝抵抗拿破崙，而不像波蘭人支持拿破崙。直到一八四八年，駐紮在匈牙利境內的步兵隊，有百分之六十八由馬札爾人組成，而整個王朝的軍隊裡，也有百分之四十三的士兵來自匈牙利。[473]然而從一七九〇年開始，匈牙利的地方議會便開始不斷要求建立一支民族部隊，全由講馬札爾語的軍官和士兵組成。不斷增長的民族意識，也在德意志指揮官和捷克、義大利，甚至是波蘭的士兵之間造成了類似的摩擦，儘管這些摩擦可能沒有這麼清晰可辨。除了軍官階級由貴族組成，以及非常漫長的役期（直到一八四〇年代都是如此）之外，哈布斯堡還有一個知名的政策：讓一個民族的部隊，駐紮在另一個民族的地區之中，而這個政策的成效，在一八四八年至一八四九年間的革命爆發時，便彰顯了出來。[474]

那場一八四八年至一八四九年間的革命，是對哈布斯堡軍隊的一場關鍵考驗。包括核心地區和邊境地區在內的帝國各地都爆發了叛變，而這些叛變，似乎也預示了帝國接下來將要解體的命運。然而軍隊並未沿著民族界線而瓦解。波希米亞、倫巴第威尼西亞王國以及克羅埃西亞的地區指揮官仍然擁護哈布斯堡王朝。在倫巴第威尼西亞王國，有一半到三分之二的部隊仍然效忠王朝。[475]雖然發生在匈牙利的戰役帶著些許民族起義的意味，但若要說那是一場內戰也未嘗不可。「帝國皇家軍」之中依然效忠王朝的部隊，其士兵就來自各種民族，其中還包括馬札爾人；在馬札爾反叛者之中，也有斯洛伐克人和德意志人。身處軍隊裡的許多士兵常常感到困惑，並會根據情勢轉換效忠對象，或者乾脆叛逃。要澄清的是，匈牙利地方議會曾在馬札爾起義領袖科蘇特的領導之下宣布獨立，但他想像中的大匈牙利國，就像哈布斯堡王朝一樣，也是個多民族的國家，也都有邊境地區位於斯洛伐克、外西凡尼亞、巴納特和克羅埃西亞等地區。可想而知，這個構想在上述這些地區也引起了反彈。儘管奧地利的皇家軍隊逐漸占了上風，但年輕的法蘭茲．約瑟夫一世皇帝（一八四八年至一九一六年在位）卻仍在恐慌時向俄國求援；擔心革命浪潮會擴散到俄屬波蘭的尼古拉一世見狀，當然是開心都來不及。匈牙利在外西凡尼亞所爆發的馬札爾人起義事件中，其中一位指揮官即是來自俄屬波蘭的流亡革命派將軍貝姆；對於俄國人來說，貝姆的出現是個不祥的預兆。[476]俄國的介入，讓馬札爾人此後對俄羅斯人都懷有敵意，而這種敵意在接下來的幾百年裡，不時還會加劇。

哈布斯堡軍隊內部的族裔組成非常多元，他們時而對王朝保持忠誠，時而叛離，而這種不穩定的狀態，也讓哈布斯堡在一八五九年的義大利民族統一戰爭中和法國與皮埃蒙特－薩丁尼亞聯軍交手時，以及在一八六六年的德意志民族統一戰爭和普魯士交手時，分別都嘗到了敗戰的滋味。由於馬札爾軍團在一八五九年的索爾弗利諾戰役中叛逃，導致匈牙利軍退出了這場軍事行動。一八六六年，兩支義大利的軍團則在科尼希格雷茨戰役中倒戈而向普魯士投降，同樣向普魯士投降的馬札爾戰俘則被組成了一支反哈布斯堡王朝的部隊。這些挫敗都讓維也納當局相信有必要對軍隊進行改革，並在一八六七年和匈牙利簽訂了政治協定，讓王朝分裂成為兩個不同的部分，只有外交、財政和軍事等事務仍然由王朝統一主管。經濟上的協議條款，則必須每隔十年就重新協商一次，使得雙方不時就要因為軍事預算的多寡和比例起爭執。協議中關於軍事的條款，也規定奧地利帝國的維也納當局和匈牙利王國的布達佩斯當局有共同的帝國皇家軍隊，而軍隊必須使用哈布斯堡王朝的徽章，德語也仍是指揮用的語言——這兩點讓馬札爾人非常不滿。此外，哈布斯堡王朝還在匈牙利建立了洪維德衛隊，在奧地利建立了國防民兵，兩支部隊都屬民兵性質。洪維德衛隊於一八四八年成立，最初是馬札爾民族革命軍的核心部分；重建這支軍隊，無疑意味著哈布斯堡王朝對於馬札爾民族意識做出了全面的讓步。[477]

王朝的軍事事務由奧地利的軍事大臣貝克負責，而軍力的重組儘管讓每個人都雨露均霑，卻仍無法讓所有人都滿意。[478]他依循普魯士的模式，設立了參謀這個職位，用以取代由部長主導決策的制度，並要求加入軍隊的人必須在戰爭學院完成課程訓練。這些做法，讓德意志人持續在軍官階級裡成為多數。此外，前述的兩支民兵隊原本是用來維持國防的，但馬札爾人卻決意要將洪維德衛隊轉型成為類似於民族軍隊的部隊，並以馬札爾語作為指揮用的語言。[479]德意志人的國防民兵則沒有出現類似的情況，也未曾演進成一支奧地利－德意志的民族軍隊。然而貝克也企圖將國防民兵和洪維德衛隊結合成一支常備軍隊，並以一種被稱為「預備役國民突擊隊」的新徵兵制度取代國防軍。

由於部隊中的指揮語言是德語，而德意志人在士兵和軍官之中又占有人數優勢（到了十九世紀末，德意志人占了百分之六十，而斯拉夫人和馬札爾人則分別占百分之十八和百分之六・五），帝國皇家軍持續由德意志人所掌控著；但即便如此，帝國皇家軍也從未變成一支民族軍隊。[480]法蘭茲・約瑟夫一世持續擔任最高指揮官，信心十足地以洪維德衛隊作為馬札爾地主的後盾，鎮壓農民因不滿情緒而造成的混亂。[481]

哈布斯堡王朝對軍人灌輸超越民族、效忠皇室觀念的進程，於一八九八年皇室慶祝法蘭茲・約瑟夫一世登基五十週年時，迎來了昇平時期的高峰。像是要對外顯示軍隊（和教會）是讓國家保持團結最有效的保障，法蘭茲・約瑟夫一世本人也實行軍事化的生活方式；就此而言，他和其他歐亞大陸帝國的統治者非常相似。軍隊和教會是兩大超越民族的帝國支柱，而兩者的象徵性融合，也在登基五十週年當年貫串了所有慶祝典禮。哈布斯堡王朝大量頒發勳章給軍人，搭配一本三十頁的《法蘭茲・約瑟夫一世陛下登基五十週年軍人紀念冊》。這些做法，「實際上是要避免由不同民族組成的軍隊，為王朝帶來激進民族主義的威脅」。[482]

此時，大規模徵兵的制度已經讓軍隊的族裔組成狀況，和整個帝國的族裔結構相去不遠。與此相對應的是，各部隊也依據各自的族裔組成來選擇指揮用的語言：如果單位內有至少百分之二十的士兵講的是地方的語言（而非德語），那麼軍官就必須學會使用該地方言。透過操控帝國符號，以及對地方民族情緒的讓步，哈布斯堡王朝試圖進一步將不同的民族整合在一起，但仍無法依據整個社會的組成比例，真正建立一支融合不同族裔的軍隊。在所有需要服兵役的年輕人之中，只有百分之二十的人接受徵召，而拒絕入伍的人數則不斷增加，到了一九一〇年占了整體的百分之二十二。[483]

奧匈帝國軍隊的設計，並不是要讓部隊投入重大戰爭，而是要維持帝國各民族之間的巧妙平衡。

如果以國防預算的規模，以及每年接受徵召的人口比例來看，奧匈軍隊和其他歐洲強權相比的確落後許多。到了一九一四年，軍隊派出的步兵營數量也比一八六六年少。[484]哈布斯堡王朝循序漸進地推出了改革措施，試圖提升士兵的服役條件和軍官教育，但就像俄國軍隊一樣，哈布斯堡王朝的戰爭部並沒有統一的指揮司令或集中權責。法蘭茲・約瑟夫直到一八五九年遭遇滑鐵盧之前，都還認為自己是一名軍人；他在各個敵對陣營之間扮演仲裁者的角色，隨之而來的卻是第一次世界大戰這個災難性的結果。當時，赫岑多夫掌握著最高統帥的權柄；他天賦過人，是一名具有現代化思維的參謀長，推崇預防性戰爭的概念，但對於王朝能否順利捱過戰爭，卻抱持著悲觀態度。在社會中，軍官階級因為兩個因素而和普通士兵以及平民區隔開來：首先，他們會宣誓效忠皇帝而直接臣屬於他；其次，有點矛盾地，他們這些非貴族的軍官會因為一種人為的，像種姓制度一般的聲望，而擁有和社會上其他人不同的地位，但這種聲望並非透過繼承獲得、會帶來貴族義務的特權。這些背景塑造出的是一支「官僚軍隊」，卻不適合在民族主義的時代作戰。[485]

奧匈軍隊在第一次世界大戰的表現，似乎駁斥了這種悲觀的結論。儘管一九一五年哈布斯堡軍隊和俄軍對戰時損失慘重，但除了少數被誇大的抗命或叛逃事件之外，哈布斯堡軍仍能保持團結。巴德尼伯爵曾於一八九五年提出警告，「一個有著多元民族的國家，若不是遭遇危及自己的情況，也不會投入戰爭」；到了一九一八年春天，這句話顯得十分正確。[486]甚至，這句話如果改成「一個有著多元民族的國家，如果不是遇到危及自己的**致命**危機，也**不會遭徹底打敗**」，還更為正確。哈布斯堡王朝中央和匈牙利王國簽訂協議後，若要重組內萊塔尼亞地區的奧地利帝國部隊，他們有兩個選擇：放手讓他們像外萊塔尼亞的馬札爾人一樣成立民族軍（這正是捷克人在請願成立捷克民族衛隊時所要求的），或者將軍隊德意志化。然而不論是哪個選擇，都充滿政治危機。一如往常，這兩個方案最終都不是哈布斯堡王朝的選擇。脆弱的協議，讓哈布斯堡王朝很難確保獲得其他民族的忠誠。

不論是德意志人或馬札爾人的退役高階軍官，他們在回憶錄裡都認為哈布斯堡軍隊（甚至包括捷克人的前線部隊在內）在第一次世界大戰期間，直到最後都一直保持著對王朝的忠誠。[487]然而早在一九一四年之前，講德語的軍官在面對帝國主義或民族主義的崛起時，就已經出現了兩種截然不同的態度：那些自稱老奧地利人的，認同的是哈布斯堡王朝和帝國統治；另一些人則認為帝國各地的民族建構已經取得長足進展，而優先認同自己是德意志人或奧地利德意志人。就匈牙利的軍官而言，要在他們之間畫出這種界線，則顯得困難許多，因為他們已經建立了對馬札爾民族主義的高度認同，而且對於帝國概念的態度又頗為矛盾：帝國一方面可以掩護他們對於民族獨立的想望，但一方面又會阻擋他們進一步發展民族情感。[488]在表面之下，基層士兵在民族主義的宣傳面前其實非常脆弱；在艱困持久的戰爭期間，他們對於帝國的忠誠會逐漸消退。一九一八年的前半年，奧匈軍隊受到了內部動亂的嚴峻挑戰。當年一月，維也納開始出現大規模的罷工運動，該運動在社會和經濟面向上提出了激進的訴求，並逐漸擴散到奧地利其他省分、布爾諾以及布達佩斯，而蘇維埃團體則首次在布達佩斯出現。由於布爾什維克政府正在與德奧同盟國進行和平協議，哈布斯堡政府得以從俄羅斯的前線調回七支部隊鎮壓內部動亂。然而摩拉維亞的礦區卻爆發了新的動亂，軍隊因而再次被迫介入。到了當年初春，斯洛維尼亞、魯塞尼亞和塞爾維亞的軍團都發生了抗命叛變的事件，緊接在後還有捷克人的叛亂活動，而效忠王朝的部隊則對他們進行了鎮壓。但當時已經不是一八四八年了。在捷克歷史學家澤曼看來，哈布斯堡的軍隊已經變成「一個不再有用的工具；在哈布斯堡王朝亟需軍隊的時刻，軍隊最終卻讓王朝失望了」。哈布斯堡王朝對罷工運動的鎮壓，導致海內外的民族主義運動領導人得以爭取到廣泛的支持，而革命運動中原本隱隱敵對的民族主義和社會主義兩股勢力，也得以共存匯流。[489]到了一九一八年八月，克羅埃西亞人的軍隊首先發起了大規模叛變，哈布斯堡軍隊內部因而開始沿著族裔界線解體成好幾個部分。帝國邊境地區出現了幾個民族議會正在籌劃瓦解帝國，但繼位的新皇帝卡爾一世卻不願動用軍隊阻止他們的行動。[490]

就在帝國軍隊解體之際，許多軍官和士兵也試著回到自己的故鄉；在他們的故鄉，當時有許多打著民族旗幟的新國家正在逐漸成形。然而，想沿著語族的界線劃定新的國界、並對其進行防衛，其實並非一件容易的事，因為帝國邊境地帶的人口本來就高度混雜。當各個強權在巴黎聚首，隔著老遠距離試圖在民族自決原則和經濟、戰略需求之間維持平衡，以便為各繼承國劃定新邊界時，各地的民族主義勢力也正在為爭議領土彼此鬥爭。新組建的波蘭人部隊，是由昔日俄屬波蘭、奧屬波蘭，以及在哈勒將軍轄下源自大批流亡法國的波裔部隊所合組而成，他們曾不只一次在三個前線上奮戰，分別對抗德國、布爾什維克以及匈牙利。捷克的部隊在國內和匈牙利人交戰，在國外則和塞爾維亞的布爾什維克分子對抗；藉此，他們希望協約國陣營願意支持他們成立一個在經濟和戰略上可行，但有著多元民族的捷克斯洛伐克，而捷克人將在這個新國家之中占有主導地位。馬札爾人雖然也是戰敗國，但仍分別在自由派和蘇維埃政府領導之下，和羅馬尼亞人、塞爾維亞人以及捷克人進行奮戰。至此，帝國皇家軍終於催生出了一群彼此反目的民族後裔。

一、官僚網絡

哈布斯堡王朝曾經嘗試建立一個中央官僚體系，藉此將王朝內部彼此迥異的各個部分整合在一起，但這個做法卻和創建一支現代化、統一的軍隊一樣，面臨了非常類似的問題。雖然主要講德語的哈布斯堡官僚體系幾乎是韋伯權威來源理論的理想型，但仍經歷了一系列的歷史變革，因而改變了和其他社會群體，以及和統治者之間的關係。在哈布斯堡官僚體系的演進過程中，我們可以辨識出四個主要時期。十七世紀，鄂圖曼帝國和新教徒對王朝的統一帶來了威脅；為了回應這些威脅，王朝的官僚體系於焉成形。官僚體系和天主教會以及軍隊成了帝國的三大支柱，服膺權威且強調服從、官階、宮廷的人際交流方式，以及公共慶典浮誇的表演性，將之融入高度重視絕對君權的巴洛克宮廷風的哈布斯堡王朝官僚體系的科層治理模式。瑪麗亞·特蕾西亞女皇致力於協調折衝哈布斯堡王朝皇室中央與地方利益之間的落差，同時也為哈布斯堡王朝的中央集權化措施和推動同化政策開啟了新頁。在特蕾西亞女皇和約瑟夫二世治下，奧地利專制政體愈來愈理性，也愈來愈世俗化的舊印象，已經開始有了變化。尤其無可否認的是，為了因應外部局勢的瞬息萬變，尤其是和普魯士王國之間先後開打的三次西利西亞戰爭，以及為了抵禦突厥人的侵襲擾邊而進行的一系列邊界防衛戰爭，急切需要一個快速反應、權力集中且具高度效率的中央政府來運籌帷幄。此種背景下，在哈布斯堡王朝的積極策劃下，帝國軍隊和官僚體系就成為了帝國中央在推動中央集權化時的兩個最重要執行單位。但在其他地區，來自教會和馬札爾人的抵抗和壓力，仍迫使他們必須審慎行動、進行協商以及妥協讓步。從一七四〇年至一七八〇年的這段期間，中央層級和地方層級的改革都為現代的行政和財政架構奠定了堅實的基礎。所有帶有韋伯式特點的官僚制度，儘管並不穩固，卻也都逐漸付諸推行，那些特點包括：功能分化、常態性的薪俸，以及明確的指揮層級。491

一如其他多文化帝國常見的案例，軍事上的挫敗，往往是財政改革和軍事改革最有力的誘因。當特蕾西亞女皇在先後三次的西利西亞戰爭中一再遭受普魯士王國腓特烈大王的奇襲與重擊，致使國庫幾乎為之耗損殆盡時，她轉向尋求霍格維茨伯爵的幫助，開始在帝國境內建構高效率的中央行政體系並推行新的財政收支方案。霍格維茨伯爵身為官房主義者的門徒，是這場行政改革計畫背後的推動者。這場行政改革計畫，以哈布斯堡王朝轄下的波希米亞地區的德意志貴族菁英和奧地利中央政府的結合計畫作為基礎。後來，這個制度在接下來半世紀王朝的官僚治理之中，成為英國史學家埃文斯所稱的「來自波希米亞的寡頭統治」。不論這些官僚的族裔背景為何，他們都有德意志文化的背景，積極支持約瑟夫二世的改革計畫，同時也反對匈牙利自治。他們對哈布斯堡王朝的忠誠，戲劇性地體現在「一八四八年拯救奧地利的幾個人」，亦即「兩個波希米亞將軍和一個波希米亞政治家」身上，他們分別是陸軍元帥溫迪施格雷茨親王、陸軍元帥拉德茨，以及施瓦岑貝格親王。492

霍格維茨伯爵也在這次改革行動中深刻體認到，必須要將早期原本是為了教育馬札爾貴族子弟而創建的特蕾西亞學院，轉型成為一座世俗化的機構，並以德語進行公共財政和經濟學的教學。雖然事實證明，將德語定為帝國官僚體系語言的計畫仍言之過早，但特蕾西亞學院的語言改革仍是他們邁出的第一步。

一直要到一七八〇年瑪麗亞．特蕾西亞辭世，約瑟夫二世完全掌握實權並坐穩皇位之後，哈布斯堡王朝中央才開始有系統性地培養出一批新的行政菁英。公務員被賦予了在當時看來極不尋常的特權，其中包括定期發薪、受法律保障的工時、退休金制度等，而傳統的頭銜和勳章也一樣都沒少。但他們同時也有許多職責。為了獲得高階職位，他們必須接受法規訓練，而官員也必須從地方基層做起，藉此累積實務經驗。[493]約瑟夫二世在位期間，官僚體系的高層主要由舊貴族階級組成，至於向來秉持進步和理性主義改革理念的作家、詩人及學者等等，只能棲身於較低階的官職之中。這種情形，一直要到法國大革命爆發，不問出身，只論能力的用人唯才原則被逐步引入哈布斯堡王朝的官僚體系以後，他們的處境才有所改變。約瑟夫二世的改革，也為農奴的生活帶來了立即而直接的改善，使得領袖神話開始出現；對於由皇帝所代表的權威，農民表現出近乎宗教信仰一般的信任。[494]

在官僚體系之中向上流動的新群體，也不斷侵蝕貴族階級的地位；一八四〇年至一八六七年間，這些官僚新貴逐漸占據了三分之二的高階職位。他們來自城鎮地區，屬於講德語的中產階級，在大學裡的法律學院受過教育，並發展出一種以「畢德麥亞文化」＊為名的獨特生活方式，讓他們得以在社會中維持體面生活和高貴身分；如果需要的話，他們甚至還能挑戰貴族的支配地位。[495]儘管德意志人在官僚體系裡占了多數，但官方的原則仍是嚴守族裔中立，讓公務員培育出對王朝效忠，而非對某個民族效忠的的意識。[496]由於這些新興菁英所受的職業訓練和法律有關，他們心繫著法律所賦予的平等權利，並試圖降低專制國家獨斷無常，難以預測的特性，卻仍因為法規阻礙，而無法在重大改革的推行過程中扮演主要角色。因此，他們被夾在服從和創新的拉力之中無所適從；一八四八年革命爆發時，創新的力量更曾短暫而戲劇性地中斷。然而，這只是將這道難題變成一道選擇題而已，而選項只有穩定或混亂兩種。

一八四八年的革命運動撼動了哈布斯堡王朝之後，官僚體系成為穩定國家局勢的力量，能夠團結帝國內部。為了對付革命運動帶來的分離勢力，帝國中央開啟了新一輪的改革行動，並對整個帝國（包含匈牙利在內）的官僚結構進行標準化。儘管中央和邊陲地區之間的政治關係不時會出現劇變，但所謂的新專制政權行政模式，一直到帝國瓦解之前，仍持續影響著哈布斯堡的統治方式。一八六七年之後，哈布斯堡王朝愈來愈轉向成為一個福利國家，而這種轉變，比起歐洲其他任何一個地方都還要來得早。一八五〇年代和一八六〇年代的憲政實驗，則創造了一個新的官僚體系，其集權的國家行政體系具有三個面向：強大的國家專制傳統，與夾帶政治影響力的各種地方團體（包括政黨和利益團體），以及強調個人政治權利的憲政精神同時並存。[497]

＊審定注：所謂畢德麥亞文化是指一八一五年維也納會議之後，大批德意志知識菁英在政治上受制於梅特涅保守反動體制下，在無力推動政治改革之餘而回歸日常家居的田園生活型態，生活重心僅置於私人領域上，從而形塑出的一種特有的生活品味與藝文風格。其特色為重視私家內部的典雅裝飾擺設、不時舉行家庭音樂會、合宜的衣著服飾，以及略帶家父長權威的和諧家居生活等等。畢德麥亞文化的盛行時間，主要集中在一八一五年的維也納會議結束一直延續至一八四八年的德意志「三月革命」（Märzrevolution）之間，這段時期在德意志政局上就是「三月革命前期」（Vormärz）的時代，也就是梅特涅體系時期。這個時期所形塑出的德意志中產階級的行為舉止與品味風格，日後就成了他們在進入政府官僚體系時所呈現出的一種特色。

二、匈牙利邊境地帶

哈布斯堡王朝不時展現出的集權色彩，其所遇到的問題主要發生在匈牙利的邊境地帶。鄂圖曼的勢力被驅逐出匈牙利，以及匈牙利拉科齊獨立戰爭被哈布斯堡軍隊鎮壓之後，約瑟夫一世皇帝（一七〇五年至一七一一年在位）開始體認到他有必要對難以管控的馬札爾貴族讓步。透過於一七一一年簽訂的《索特馬爾和約》，他同意尊重馬札爾貴族的傳統自由，並依據國家法律和議會一起進行統治。宣稱效忠皇帝的貴族保住了他們的莊園領地、免稅地位以及對農奴的絕對權力；為了回報皇帝，他們申明接受哈布斯堡的世襲統治，並放棄一二二二年金璽詔書賦予他們反抗中央的法律權利。在效忠皇室的權貴眼裡，這些讓匈牙利庫魯茨叛軍投降的條件太過溫和；有些權貴甚至抱怨，叛軍的領導人實在傲慢，「好像他們已經打敗皇帝似的」。[498] 一旦鄂圖曼帝國的威脅不再，對哈布斯堡王朝中央而言，匈牙利的主要價值，就是當王朝展開其競逐中歐和尼德蘭地區的雄心並進行擴張性的外交政策之際，該地區能夠作為王朝後方一塊平靜安穩的邊境地帶而不出任何動亂。

特蕾西亞女皇和約瑟夫二世在位期間，曾採取一些措施收編馬札爾高階貴族，而這些措施也獲得了一定程度的成功。在維也納當局的誘惑之下，一些貴族選擇至奧地利首都興建自己的宮殿，而非留在鄉下的莊園裡。效忠皇室的貴族可以獲得高階的頭銜、勳章，並在公務員或軍隊的官僚體系中謀得職位。在那些成功收編的案例中，最突出的便是舊貴族的家族成員，其中包括包賈尼、茲奇、埃施特哈齊等家族，甚至還有帕爾菲和卡羅伊這兩個曾參與過庫魯茨叛亂，後來又被特赦的家族。桑鐸爾．卡羅伊曾經在領導匈牙利獨立運動的拉科齊手下擔任將軍，後來甚至也成為金羊毛騎士、陸軍元帥，以及約瑟夫的侍衛。哈布斯堡王朝特別投注心力，試圖在外西凡尼亞地區建立權貴階級。在通婚和個人網絡的複雜運作之下，整合過程在匈牙利西部進行得最為有力，曾在拉科齊叛亂期間仍效忠維也納的天主教徒仕紳，也逐漸被吸納進維也納的文化和官僚生活之中。為了讓匈牙利加速融合進帝國，哈布斯堡成立了兩個機構，分別是用來教育馬札爾貴族子弟的特蕾西亞學校，以及匈牙利皇家護衛隊。到了一八四〇年，匈牙利有四千三百名被任命的官員；他們大多都受過匈牙利法律的訓練，但不見得全都是講馬札爾語的人。[499]

但即便是最熱切支持皇室的馬札爾人，他們對中央政府的態度也愈來愈矛盾。匈牙利菁英對於帝國的行政重組，以及約瑟夫二世的德語詔令感到非常震驚。他的改革行動不只收緊了中央對包括匈牙利在內的邊境地帶的控制，也下令將取下馬札爾民族英雄聖伊斯特凡的王冠。「這個舉動不只是一個象徵性的動作而已，其本身就已具有非常巨大的政治價值觀；皇室權威的整個行使過程，這個行動事實上已意謂著皇室中央威權將全方位貫徹至匈牙利全域，此種情形下，代表匈牙利王國的聖伊斯特凡王冠當然就必須由哈布斯堡王室中央所牢牢控制。」[500]其中，費倫茨·塞切尼和波德曼尼茲基這兩位人物的生涯和職涯尤其突出。他們兩人曾於約瑟夫二世統治初期支持開明專制統治的概念，後來卻又反對這種社會工程，因為他們擔心那會危害他們主張匈牙利應該獨立自主的觀點，以及他們的階級位置。[501]或許，讓馬札爾貴族人心背離的最重要一個原因，是哈布斯堡中央政府無法有效改善匈牙利的經濟狀況。

匈牙利直到十九世紀，都是一個徹頭徹尾的農業國家，而且是一個相對落後的農業國家。十八世紀晚期以來在西歐和中歐陸續發生的「農業革命」，幾乎沒有傳到匈牙利境內。匈牙利有將近四分之一的低窪地區是沼澤地，或者多數時間都浸在水中。除了少數幾個貴族的莊園領地之外，匈牙利仍到處是原始的二田輪耕系統，也沒有對豐富的牲畜品種進行選育。農民要繳的戰爭稅愈來愈重，還要提供軍隊住宿空間，甚至要為駐守在與鄂圖曼帝國接壤且情勢不穩的邊界地帶上的哈布斯堡帝國軍隊，開闢便捷通道和提供必要人力資源；對他們來說，這些都是沉重的負擔。[502]

特蕾西亞女皇和約瑟夫二世在位期間，馬札爾貴族對於重振經濟抱著高度的期待。然而商業活動依舊停滯，而長子繼承制的消失，也導致莊園土地支離破碎，減少了他們的收入。維也納採用了一種政策，對於皇家自治城鎮這種特定的城鎮區域較為有利，卻不利於市集城鎮，藉此強化皇室在匈牙利議會中的代表席位，同時獲取講德語的城鎮人口的支持，對抗馬札爾教士和貴族。然而這個策略並沒有成功擴展自治城鎮居民這個階級，而就算在那些沒有引起地主貴族敵意的地方，最後也不盡人意。[503]

十八世紀匈牙利經濟所承受的兩次最嚴重打擊，其實是特蕾西亞女皇為了打仗而亟需用錢的結果。特蕾西亞女皇曾對匈牙利議會提出加徵戰爭稅，以固定支付款項取代普遍徵兵的要求，但匈牙利議會卻拒絕了她的要求。為了進行報復，她於一七五四年實施了歧視性的關稅改革，針對匈牙利出口至非哈布斯堡王朝地區，以及在奧地利和波希米亞境內販售的匈牙利製品，都提高了關稅。在接下來的二十年內，由於和馬札爾人針對戰爭稅進行的交涉遇到了困難，她於一七七五年實施了另一道保護性關稅，導致奧地利和波希米亞的企業，以及非匈牙利產的農業產品更有競爭優勢。她甚至還強迫匈牙利議會休會，使得該議會在接下來的三十年內都未曾再運作。[504]

外西凡尼亞的情況特別不穩。一七八四年，該地區爆發了一場嚴重的羅馬尼亞農民叛變，而叛變的起因，是約瑟夫為了預先強化邊境防衛，決定在邊境村莊實驗性地進行普查。當時傳出流言，只要自願參軍加入民兵隊，村民就能脫離農奴的身分。在東正教教士，甚至是羅馬尼亞仕紳心照不宣的公開支持之下，叛亂運動快速地蔓延開來。帝國的軍事指揮官並不願意前來對匈牙利地主提供協助，約瑟夫二世也阻止地主進行自我防衛。最後，維也納仍然派出了帝國軍隊介入局勢；雖然鎮壓行動毫不留情，但約瑟夫二世幾乎是立刻就針對匈牙利的農奴問題發出了詔書。然而詔書內容對農奴提供的讓步無法讓他們滿意，同時又讓馬札爾貴族大為惱怒，因為這些貴族無法忍受鄉村地區出現任何根本性的社會變革。[505]

造成約瑟夫改革措施在匈牙利內部未竟其功的直接原因，是由外部挑戰和內部抵抗兩者共同組成的。哈布斯堡王朝雖然戰勝了鄂圖曼帝國，卻也拖垮了自己的財政。奧地利治下的奧屬尼德蘭後來發生的莊園領主叛變，以及法國大革命，都在匈牙利引起了回響，一時讓匈牙利社會中的所有群體都團結起來抗拒入伍。就在約瑟夫駕崩前夕，他廢除了所有的改革政策，恢復之前他撤換掉的舊匈牙利法律和制度。當匈牙利議會終於在一七九〇年至一七九一年重新開議時，馬札爾貴族要求恢復傳統自由。受到美國獨立革命和法國大革命的啟發，他們要求王朝做出更多讓步，好讓他們免於維也納當局反覆無常的統治之苦。與此同時，他們也提議在行政、司法以及教育等方面進行改革，藉此保持他們在匈牙利社會中的優勢地位。這些來自馬札爾貴族的反應雖然表面上看起來帶有現代思維，骨子裡卻仍非常封建。中央和邊境地帶之間，不斷像蹺蹺板一樣來回角力，約瑟夫二世的繼任者利奧波德二世最後決定採取一個古老的哈布斯堡策略，亦即扶植匈牙利的東正教人口和農民，以便制衡馬札爾人的勢力。大多數的馬札爾貴族都痛恨維也納的集權政策，又擔心自己在文化上和社會經濟上的優勢遭到挑戰，於是也採取了另一項古老的哈布斯堡王朝的統治策略——挑撥離間政策來回應，亦即繼續支持哈布斯堡王朝以延續他們的特權，同時鼓吹以馬札爾語取代拉丁語和德語在公共領域中的地位。[506]然而貴族階級內部很快就出現了分歧，為一八四〇年代的大分裂埋下了伏筆。

朗格曼指出，法國大革命期間，「〔匈牙利王國境內的〕民主派團體數量，比起哈布斯堡王朝境內的任何一個地方都還要多」。這些團體裡的成員包括律師、知識分子，以及在佩斯和地方政府擔任公職的人。[507]「改革社」和「自由與平等社」這兩個祕密社團相繼成立，但他們當時並不知道對方的存在。就像三十多年之後在俄羅斯出現的十二月黨人一樣，這兩個社團在一些根本的問題上意見相左。改革社提議建立一個由貴族主導的共和國，同時解放農奴，卻又仍讓他們維持貧困的狀態；自由與平等社則主張成立一個重視平等權力的共和國，主權由人民掌握。由於他們經驗不足、行跡敗露，這些所謂的匈牙利版「雅各賓派」最後都遭到了逮捕和監禁，甚至還有少數人在法蘭茲一世高壓的統治期間（一七九二年至一八三五年）遭到處決。於是，一整個世代的馬札爾菁英及知識分子就這樣被幾乎消滅殆盡。[508]

作為哈布斯堡王朝宿敵的法國，在法國革命分子和拿破崙戰爭期間，在革命人士和拿破崙的組織之下，其國力大幅提升，並以前所未見的規模動員人力、集結物資，藉此進行擴張；對此，維也納的一些官員認為他們有必要做出回應。其中，梅特涅伯爵便提議對哈布斯堡王朝的制度進行改革。早在進入官場初期，他就已經籌劃要設立一個「井然有序的國務院」，藉此強化中央政府的權力。國務院的成員將會由皇帝任命，代表哈布斯堡領土上的所有人民，其中也包括馬札爾人；該機構將會作為一個諮議單位和部長會議並存，協調官僚體系的運作。然而法蘭茲二世對於一切明顯會限制他權力的計畫都心存懷疑。他不只拒絕任命首相，還堅持單獨和他的大臣，於被稱作「小內閣」的機構裡進行會面。[509]在維也納以外的地方，匈牙利則持續對王朝的集權措施提出挑戰。

到了十八世紀末，在哈布斯堡王朝統轄下的匈牙利領地的貴族特權地位，可與波蘭－立陶宛王政共和國的情形作一鮮明的對比。這兩個地方的貴族都有類似的神話，都非常看重自己與生俱來被賦予的傳統自由，同時也都主張自己能代表整個民族。然而他們演進的方向卻非常不同：波蘭人當時即將失去自己的獨立國家地位，並逐漸遭三個帝國瓜分兼併；相較之下，馬札爾人則是逐漸重獲獨立國家地位的大部分特徵，最後在一八六七年的協議中達到顛峰。

在拿破崙戰爭結束之後，逐步從德意志諸邦所傳入的德意志浪漫主義思想，以及由其所觸發的民族主義狂潮的影響下，馬札爾貴族於一八二五年在議會中要求以馬札爾語取代拉丁語作為議事語言。這個想法激起了貴族的強烈情緒，使得他們將對於自身傳統特權的維護，轉變成為一種民族運動。他們還提出了額外的要求，希望將馬札爾語引入匈牙利的學校和行政體系，而且不斷取得進展。到了一八四〇年代，貴族菁英將語言問題連結上了一系列政治訴求。但與此同時，早期出現在貴族群體內部的分裂問題，此時也變得更為嚴重：有些貴族希望採取溫和的方式，透過與維也納中央協商談判而達成其目標，有些人則在摩拳擦掌，準備採取更為激進的抵抗模式。然而在梅特涅看來，這兩派貴族的舉動並無二致，都是在反對帝國統治。

馬札爾民族運動陣營中分為溫和與激進兩種路線，主張溫和路線的有塞切尼伯爵，他主張實行一些文化制度，藉此對貴族進行文明教化。這種人文馬札爾化的過程，將可以讓這塊他稱作「位於歐洲中心的亞洲人聚居地」的地區改頭換面。[510]為了達到這個目標，塞切尼伯爵在許多活動中都擔任要角，包括創建科學院、國家賭場（其藍本參考了英國的俱樂部）、多瑙河蒸汽船航運公司、飼馬和賽馬業，以及連結布達和佩斯的鐵鏈橋興建工程和公共衛生計畫。塞切尼伯爵堅持他們的事業必須在帝國的體系之內推進，他還和梅特涅進行了長時間的書信來往，企圖說服他不要過於躁進，而是應該循序漸進地讓馬札爾人取得控制自身事務的權力。[511]

主張激進路線的則是科蘇特，他來自更年輕的世代，同時也是新教徒貴族的代表。他提議將馬札爾化視為一個更偉大的任務的一部分，亦即抵抗德意志和斯拉夫這兩股分別在匈牙利邊境地帶兩側帶來壓力的邪惡勢力。同時，他也呼籲建立一個大匈牙利國，將直接受維也納統治的外西凡尼亞地區也包括進來。他和塞切尼伯爵有過不少次的交鋒。年紀較大的塞切尼伯爵曾在一八四一年的一本小冊子中指控科蘇特走火入魔，痛批他的行為會導致革命和混亂。塞切尼伯爵不斷的強調，馬札爾人是「來自東方的民族」，首先必須要將自身轉變為文明開化的民族，才能同化其他民族。[512]

匈牙利的政治人物除了在這些極端之間選邊站，也開始彌合這兩種截然不同的政治立場。新保守派傾向於和哈布斯堡中央緊密合作，追求「穩定中求進步」的政策，和奧屬波蘭加利西亞的波蘭人所採取的韜光養晦策略頗有異曲同工之妙。自由派（或者毋寧說激進派）則堅決反對哈布斯堡的專制統治，並要求讓匈牙利成為一個統一的王國，於全境實施憲政制度。他們的計畫為後來在一八四八年「合法革命」第一階段中出現的全面改革奠定了基礎；之所以稱「合法」，是因為他們要求匈牙利議會依照一七九〇年制定的條款定時開議，這項合法革命過程中所提出的種種訴求，日後成為一八六七年的奧匈妥協時的重要基礎，讓奧匈帝國的雙元君主制政體得以建立。[513] 一八四八年至一八四九年間，「合法革命」很快就發展為馬札爾民族解放戰爭，而科蘇特和其他激進派很快就讓新保守派相形失色。對馬札爾民族起義進行鎮壓的軍隊，有哈布斯堡皇家軍和俄軍，而這似乎也證明了科蘇特認為德意志民族和斯拉夫民族是匈牙利最大敵人的想法，並非空穴來風。

面對一八四八年發生的革命，以及整個邊境地區為帝國帶來的撼動，維也納的反應是進行一系列實驗性的憲政改革和官僚體系改革，希望在更為集權的基礎之上重建帝國統治。這些實驗後來之所以失敗，主要是因為哈布斯堡王朝分別在一八五九年對法國與皮埃蒙特－薩丁尼亞聯軍的義大利民族統一戰爭，以及一八六六年對普魯士的德意志民族統一戰爭之中戰敗。這些戰爭，導致哈布斯堡王朝從法國大革命以來一直都非常擔心的情況終於成真：哈布斯堡王朝在中歐的優勢地位將不復存在，而義大利和德意志諸邦也將完成統一。

被普魯士擊敗之後，維也納中央在制度上面臨了三個選擇。首先，他們考慮維持中央集權的政策，但皇室、軍隊、官僚體系以外的人，並不樂見於此；第二，他們也可以引入聯邦制度，然而儘管斯拉夫裔的政治人物對此表達支持，但馬札爾人卻大力反對；第三，單獨只和匈牙利達成協議，但其他族裔的代表對這個選擇並不滿意，而在一八四八年的革命氛圍中暫時遭到冷落的匈牙利保守派和溫和自由派，也頗能體會其他族裔為何不滿。外相博伊斯特伯爵當時主張，「我們首先必須立足在堅實的基礎之上……這個堅實的基礎，就現在而言，便是德意志人必須與馬札爾人攜手，共同對抗泛斯拉夫主義」；年輕的法蘭茲·約瑟夫一世也贊同他的看法。早在克里米亞戰爭期間，法蘭茲·約瑟夫一世就已在考慮重新將奧地利的使命訂為「在歐洲剛取得的土地之上帶來文明與教化」，而他所謂剛取得的土地，指的就是巴爾幹地區。[514]奧地利和匈牙利的領導者嘗試彼此接觸，在邊境地帶的角力之中摸索道路，找尋各自的新角色。他們開始接受巴麥尊和其他英國政治家的概念，亦即雙重君主制可以用來抵抗俄國的擴張，同時一如博伊斯特所說的，如果證實有必要阻止該地區俄羅斯附庸國的意圖的話，雙重君主制也能為他們在東南歐的前進政策提供堅實基礎。

大多數歷史學家都同意，奧地利和匈牙利雙方的確都在一八六七年做出了讓步，但對於誰得利最多這個問題，他們卻抱持著不同意見。他們之間的妥協——或者用今日歷史學家更偏好的說法，他們之間達成的協議，確保哈布斯堡王朝於將近半世紀的時間裡，在制度上獲得了一定程度的穩定。但協議中複雜的制度安排和程序，卻也顯露出了其脆弱的基礎。[515]捷克人、塞爾維亞人以及羅馬尼亞人都被排除在協議之外，因此做出了激烈回應，但即使是馬札爾人也不見得就對協議感到滿意。匈牙利的統治菁英持續在表面上維持和解政策，卻又在暗中進行抵抗。他們對於同時兼任匈牙利國王和哈布斯堡皇帝的法蘭茲·約瑟夫非常鄙夷；匈牙利歷史學家格勒認為，他們之間的關係可謂「自欺欺人」。[516]雖然馬札爾人在表面上表現得十分尊重維也納當局，但他們在一八九七年以及之後對協議進行重新談判時，仍不斷要求對方做出更多讓步。一如歷史學家巴拉尼指出的，馬札爾人「有兩個最重要的民族目標，亦即匈牙利的『完全』獨立，以及維持或重獲其『數千年來』的領土完整性，但這兩者卻無法相容」。[517]

奧地利和匈牙利達成的協議，也讓其他邊境地區開始出現各種制度性的安排，尤其是匈牙利和克羅埃西亞於一八六八簽訂的協議（又稱小型版本的奧匈折衷協議），以及將前波蘭省分加利西亞劃為皇室領地，直接由奧地利統治的協議。其中，加利西亞可以作為一個極具啟發性的比較案例，讓我們了解該政策是如何運作的。

三、加利西亞邊境地帶

哈布斯堡王朝兼併加利西亞（亦即波蘭遭瓜分後由奧地利控制的地區）的政策，在某些意義上，和俄國在波蘭的政策非常類似。雖然節奏不盡相同，但哈布斯堡王朝和俄國，同樣都在多給一點自治權或是少給一點自治權這兩種政策之間來回擺盪。奧地利政府和俄國一樣都在大打族群戰術，試圖將波蘭人和烏克蘭人分而治之。此外，波蘭人在這兩個地區的回應，也同樣都是在合作與抵抗之間來回擺盪，只不過在加利西亞地區，波蘭人更加傾向合作。一八六七年之後，奧地利政府回復到傳統的政策，亦即和地方上最具聲量、組織最為完善的菁英進行協商，希望能說服他們在雙重君主制的憲政體系之中進行和平競爭。[518]和一個民族群體進行協商，或者對該民族進行讓步之後（尤其是針對語言的問題），經常會在同一個邊境地帶之中激起另一個語族的激烈回應。這正是在王朝境內的匈牙利地區，以及在那些哈布斯堡政府讓步程度較小的地區所發生的情況。至於在加利西亞這個皇室領地，收編和妥協政策就短期而言實行得還算順利，但就長期來看，卻種下了分裂的因子。

特蕾西亞女皇和約瑟夫二世，曾直接挑戰了波蘭人對農民以及東儀天主教會的領導權；這兩種社會群體當時依然對魯塞尼亞（烏克蘭）保有認同。曾經三次造訪加利西亞的約瑟夫認為，該省仍沉浸在野蠻狀態之中，想在那裡進行文明開化的工作，將是非常「艱鉅」。[519]他的農地改革對農民的勞動義務設下許多限制，同時也讓他們在實質上獲得了土地的所有權。儘管約瑟夫的許多政策在他死後沒多久就遭到推翻，而許多農民在接下來的好幾十年內也被迫賣出土地，但直到一九一四年，農民仍對約瑟夫的名字抱持著敬意。

由於波蘭民族運動於一八四〇年代在加利西亞地區漸長，為奧地利政府提供了千載難逢的機會，讓他們得以將農民和波蘭地主分離開來。一八四六年，居住在奧屬波蘭加利西亞的克拉科夫自由市的波蘭民族主義人士揭竿起義，他們的訴求是奪回遭到瓜分的波蘭領土，重新建國。他們試圖召喚農民加入他們，卻又拒絕接受魯塞尼亞知識分子的要求，不願讓所有國民都獲得平等的政治權利。地方上的奧地利官員，則煽動農民對他們的波蘭地主發動血腥攻擊，而軍警則在旁袖手旁觀。在國界的另一邊，俄皇尼古拉一世針對加利西亞發生的革命事件而在俄屬波蘭發布了公告，限制波蘭地主對農民的權力。這種哈布斯堡帝國的官僚體系及其所屬奧屬加利西亞的波蘭農民之間頗為罕見的攜手結盟，讓克拉科夫的革命運動以失敗終結，並讓哈布斯堡和俄國得以先發制人，防止波蘭人對他們發起全面起義。由此，「一八四六年〔也〕讓波蘭人在魯塞尼亞人眼中成了笑柄。」[520]

與此同時，奧地利官僚也對烏克蘭民族運動的概念，如何可能在哈布斯堡邊境地區制衡波蘭和俄羅斯（泛斯拉夫）的文化影響，開始感到興趣。一八四八年革命前夕，加利西亞的總督史塔迪翁伯爵對波蘭地主先發制人，搶在農民革命爆發之前，就先宣布廢除領主稅，但仍有配套的補償措施。政府還答應要解決莊園領主和農民的土地定界問題，但最後卻違背了這個承諾。對維也納當局來說，革命運動平息下來之後，如何重新爭取到波蘭地主的支持，才是更重要的課題。[521]

事實證明，維也納當局對加利西亞的魯塞尼亞人所採行的宗教政策遠較其政治政策更為成功。哈布斯堡王朝將東儀天主教會改名為希臘天主教會，並賦予該教會和羅馬天主教同等的地位，讓該教會從原本波蘭人用來維持優勢的工具，變成烏克蘭國家教會的雛形，並在一八四八年之後發展成熟。特蕾西亞女皇和約瑟夫二世頒布的命令，將希臘天主教神學院的地位，提升為高等教育機構，而剛從神學院畢業的魯塞尼亞年輕人，後來則於一八四八年成為魯塞尼亞民族運動的第一批領導者。這些領導者的後代，後來也成為世俗知識分子界的核心人物，於一九一八年及其之後曾經帶領多場運動。第二次改革運動，則是提高了教會和行政官員的素質，並恢復了加利奇教區，同時也為普熱梅希爾和倫貝格（利維夫）的主教成立了座堂議會，為主教在管理教區時提供建議。這些創舉同樣維持了很長一段時間，一直到一九四六年仍存在[522]。然而，一直要到半個世紀之後，魯塞尼亞人才逐漸發展成為一支足夠強大的力量，能和波蘭人在加利西亞的經濟和文化優勢相抗衡。然而到了那時，事情發展的結果卻和維也納當局所設想的非常不同。維也納也曾鼓勵德意志移墾者移居加利西亞，以此作為抗衡波蘭人勢力的替代策略，然而執行成果卻不如預期。少數響應政策而移居該地的德意志人，很快就被占優勢的波蘭文化給吸收同化。在歷經一連串動盪之後，維也納的官員只能心不甘情不願地做出結論：唯一可行的選擇，就是和願意效忠王朝的波蘭人達成和解。

波蘭遭到瓜分之後，只剩下波蘭土地貴族的高階成員願意對奧地利在加利西亞的統治採取合作態度，而較低階的仕紳群體，以及前波蘭軍隊裡的軍官，則仍然廣泛抱持著抗拒的心態。這種抗拒心態，後來到了一八〇九年拿破崙占領維也納時達到高峰。一八三〇年，各種謀叛事件正在蠢蠢欲動，但和同時間發生在俄屬波蘭王國的革命起事不同，這些謀叛事件早在付諸實行、全面引爆叛亂之前，就已先遭到奧地利警方殲滅。時序即將進入一八四八年之際，哈布斯堡境內的波蘭領導人對解放策略的選擇出現了分歧；有些人希望在遭三強所瓜分後的三個波蘭人地區：俄屬波蘭的波蘭王國、普屬波蘭的波森大公國及奧屬波蘭的加利西亞及洛多美利亞王國的三個地區之中都發動起義，有些人則主張以奧屬波蘭的加利西亞、以及普屬波蘭的波茲南大公國為根據地，對俄羅斯帝國所發起全面性的歐洲戰爭。[523]一八四八年的革命，甚至早在維也納廢除私人莊園的勞役制度之前就已經爆發，因此讓波蘭土地貴族少了農民的支持。到了最後，他們加入了馬札爾人的陣線，希望讓他們夾在奧地利德意志人和俄羅斯人之間的領土，能恢復過去的國界。哈布斯堡王朝在逐步重拾其軍事力量，以及俄軍於一八四九年應哈布斯堡王朝當局之請求而入境協助鎮壓奧境革命行動之後，粉碎了加利西亞和匈牙利的革命運動，並且重新鞏固了現狀。然而哈布斯堡王朝的統治當局，卻從一八四八／四九的革命行動中汲取到了一些和俄羅斯人不太一樣的教訓。從那之後，他們撤銷了在加利西亞實施的舊政策，並和那些願意配合的波蘭人尋求和解。

一八六七年，加利西亞地區波蘭人和哈布斯堡王朝達成的協議，讓他們得以和德意志人、馬札爾人一起並列哈布斯堡帝國內的三大民族，儘管通往和解的道路仍然崎嶇不平。一八四八年之後，波蘭貴族便開始設法從維也納那邊獲得更多自治權，而維也納則希望藉此換取他們堅定不移的忠誠，以便制衡馬札爾人。波蘭人一步步地取得了維也納的更多讓步：首先他們成立了經選舉產生的瑟姆；其次又在官方事務上獲得和德意志人同等的地位。亞捷隆大學隨後也開始對學生敞開大門，並以波蘭語作為授課語言。一八七一年，加利西亞事務局在維也納成立，而波蘭科學院也於一八七三年創建。從一八五〇年到一八七五年的二十五年間，有長達十六年的時間都由波蘭人果烏霍夫斯基擔任總督。然而這裡所談的自治，其實指的是波蘭地主階級對魯塞尼亞農民的統治（只有百分之十的人口擁有投票權）。哈布斯堡王朝對於他們的配合提供了不少獎勵，比如指定加利西亞的總督職位只能由波蘭人擔任，並固定為每一位奧地利部長任命一位波蘭裔的領主負責加利西亞地區的事務。波多茨基伯爵以及巴德尼伯爵這兩位波蘭貴族，分別成為了奧匈帝國僅有的兩位非德意志裔首相；在十九世紀接下來的時間裡，波蘭人在政府的中央部會裡，也一直都比其他非德意志裔的民族更為突出。[524]

到了哈布斯堡王朝末年，帝國官員與邊境地區團體幾乎處於不斷協商談判的過程之中，藉此繞過議會裡由各民族的衝突所造成的僵局。一八九七年之後，各部會首長的任命，愈來愈多由公務部門的高層來決定。官僚體系維持著對各種內部行政事務的控制，舉凡對貿易和產業的管控、衛生事務、初等教育以及司法刑罰都在其中（有時候他們甚至還增強了控制的力道）。然而就像軍隊一樣，官僚體系仍缺少將人民團結在一起的功能，然而這種團結功能，在調解邊境地區和帝國中央的利害關係時又至關重要。官僚對於他們對皇帝和國家的責任依然莫衷一是，同時又不甘願捲入帝國中央和各民族之間的角力，而為此焦頭爛額。[525]

哈布斯堡王朝中央官僚體系和各民族所選出的政黨代表之間交纏不清的關係，也進一步減損了執政成效，因為從各民族被選出的代表，會試圖利用強大的行政權力來謀取私利。[526]這個現象，直到王朝垮台之後都仍存在著。在一九一八年底一戰結束哈布斯堡帝國解體後分別獨立建國的各個繼承國家中，許多政治菁英都經歷過哈布斯堡政治圈的錘鍊，他們將強而有力的集權官僚體系與民選議會結合在一起，因而得以持續在新的國家裡進行統治。但其間的差異顯而易見。和已經遭到摒棄的帝國模式不同，新國家的議會由一國境內的主要族裔團體控制著，無需皇帝出面進行調解，而且也很少與少數族裔進行協商。這種新的情境，非常容易導致獨裁統治。

俄羅斯帝國

彼得大帝在位期間，俄國在邊境地帶的角力之中，漸漸拉大與對手的差距。雖然俄國並沒有偉大的總體目標，但它的政策目標是將帝國的行政、財政、軍事機構都收歸中央管控，同時消除內部的反對勢力，並將波羅的海到中國邊界之間的歐亞大陸邊境地帶全部整併吸收進來。俄國在帝國最西北邊的邊疆地區建造了新的首都，而這也許是帝國最大膽的一個決定，重新賦予了這座帝國城市象徵性的角色。儘管有許多人民不願服從，但俄國的遷都行動也顯示出當局有多希望調整俄國外交政策和文化定位的優先順序。就算新首都所在的位置當時逼近瑞典王國在東波羅的海地區（今芬蘭）的領土，俄國卻不屑為新首都修築城牆，藉此宣示將不惜一切代價、持續向外征戰的意圖，同時對於那些擋在俄國通往歐洲道路上的國家，也會開始一一克服。毫不誇張地說，這個決定確立了俄國於接下來幾世紀內的政策：俄國將會在和瑞典、波蘭立陶宛聯邦、鄂圖曼帝國的角力過程中，不斷併吞西部的邊境地帶，最終讓上述三個國家走向衰退。但不論是彼得大帝本人，或是其他繼任的皇帝，都仍無法忽視莫斯科這個俄國的舊首都兼第二大城，因為莫斯科依舊是他們向南部邊境擴張的跳板。的確，俄羅斯依舊擁有「兩顆心臟」，兩座城市都是帝國儀典舉行的場所，同時也都是俄羅斯帝國使命的標誌。[527]

一、軍隊和改革

和其他向外擴張的帝國一樣，彼得大帝進行國家建構的基礎也是軍隊。一如俄國的其他改革，建立一支歐式專業軍隊的政策，早在首都仍在莫斯科的時期就已經有了雛形。[528]彼得大帝的創舉在於，他將莫斯科舊軍隊過時的命令傳達方式和戰術更換掉，並裁撤了火槍手這個最沒效率、最保守，也最難掌控的兵種。他很快就接受了西方軍事革命的新發明，創建了俄羅斯的第一支海軍。

這支新軍隊的核心是親衛隊。早在彼得還是青少年的時候，他便聚集了波雅爾（貴族）的男丁，將他們組織成兩支少年軍，並指揮他們打過幾場模擬戰爭遊戲。他依據他們出身的莫斯科郊區地名，將他們分別命名為普列奧布拉任斯基衛隊以及賽梅奧諾夫斯基衛隊。這些親衛隊成為後來歐式軍隊的模範，成為他的軍隊裡核心的作戰部隊。彼得大帝統治期間，他親手挑選衛隊軍官，委託他們從事重要的行政和軍事工作。他曾希望強迫所有貴族的子嗣都加入親衛隊，雖然後來未能如願，但親衛隊仍一直維持著崇高地位，而兵源也主要來自貴族階級。作為俄國版的羅馬禁衛隊，普列奧布拉任斯基衛隊一直到一九〇五年的俄國革命之前，都在內部叛亂的危急時刻，為帝國提供了關鍵的支撐。[529]

一直到十九世紀，俄軍和西歐與歐亞大陸上的軍隊相比，在幾個面向上顯得非常特別。俄軍不像西歐的軍隊，並非由傭兵組成；它的領導階層也並非由奴隸兵組成，這點則和鄂圖曼帝國和伊朗的軍隊大不相同。儘管不論哪個社會階層的人民都必須入伍，但俄軍主要仍由俄羅斯農民組成，並由俄羅斯貴族和少數幾個外國人擔任指揮官。大部分的普通士兵都曾是農奴，但他們一旦入伍，便會脫離農奴身分。的確，士兵一入伍就必須終身從軍，不過到了十八世紀末，士兵役期也開始縮減成二十五年。儘管薪餉金額極少，也不一定會準時發放，但他們至少有錢可領。如果在戰場上表現英勇，他們也能獲得升遷或授勳。在嚴格紀律的外殼之下，他們也可以組成較小的工作團體（亦即合作社），以便提供他們的日常所需，諸如製作軍靴、裁縫，或者種植糧食作物以補充他們經常不足的配給額度。合作社甚至還可以充當原始的銀行帳戶，讓他們可以儲蓄微薄的薪餉。軍隊內的同質性與社會連結，肯定有助於他們維持高度的向心力和紀律；對此，就連他們的對手也都注意到了。[530]或許，正是這個現象讓普魯士國王腓特烈大王也不禁感嘆：「要殺掉俄羅斯人也許容易，但要打敗俄羅斯人卻非常困難。」[531]

為了調動軍隊所需的人力和物資，彼得大帝對俄國經濟和社會進行了大規模的重組。他是否創造了一個「軍隊國家」呢？這種稱呼帶有爭議性，而且也不是沒有被挑戰過。[532]然而不論採用哪種稱呼，不能否認的是，彼得大帝對財政和稅制的重組，以及在行政區劃上將國家劃分為省（gubernii）和地區的做法，起初的確是為了要為大北方戰爭（一七〇〇年至一七二一年）籌措必要的財源和兵源。他採用重商主義式的產業政策建立國家獨占事業，並把原本在國有地上耕作的農民送往製造軍服、裝備和武器的民營工廠和礦區，藉此鼓勵私人企業發展關鍵的國防產業。到了彼得大帝統治末期，俄羅斯的軍工業已經大致可以自給自足，甚至產鐵量還有剩餘，讓他們成為鐵的淨出口國。到了十八世紀中葉，俄國已經可以誇口自己生產的列車砲無人能出其右，甚至還有不少創新，比如舒瓦洛夫榴彈砲。[533]

在整個十八世紀裡，俄軍藉由和瑞典、普魯士以及法國的戰爭，在歐洲取得了不凡的名聲。一般人普遍認為，俄軍步兵在戰場上堅定的表現和武器裝備，和其他歐洲對手相比即使沒有更為優越，至少也是並駕齊驅。[534]對於野心勃勃、資質聰慧的貴族而言，軍職成了一種理想的職業，能為他們提供社會流動，以及在皇室或官僚體系的高層中發揮政治影響力的機會；直到十九世紀中葉，幾乎所有高階官職都由軍官擔任。一七三二年，俄羅斯創建第一所軍校，隨後又在宮廷寵臣舒瓦洛夫伯爵的帶領之下得到擴充，為軍事教育和一般的大眾教育奠定了基礎，大幅提升了軍校貴族畢業生的聲譽，就連只是曾經就讀、中途輟學的軍校生也不例外。[535]到了十八世紀末，一個軍事知識分子的圈子已然成形。西方思想也開始滲透進上層階級的文化生活之中，提倡一種帶有斯多葛主義色彩的道德理想；美德、勇敢和軍階的來源是個人的功績，而非世襲繼承而來的。不過通往那些目標的所有道路，仍舊把持在貴族手中。被俄國史學家拉伊夫稱作「軍事精神」的態度和價值觀，在帝國政權的制度中留下了深刻的印記。[536]

到了十九世紀中葉，俄軍已經完成彼得大帝的帝國夢，將俄國的邊界擴及歐洲深處，成為在普魯士和哈布斯堡之間的終極調解者。俄國也將鄂圖曼人驅逐出黑海北岸，並在多瑙河流域建立勢力範圍，藉此控制各個公國，甚至隨意入侵巴爾幹地區。俄國也成功地將鄂圖曼帝國和伊朗勢力，從南高加索地區趕了出去。作為歐洲各個主要戰爭的參與者，俄國在戰勝卡爾十一世之後乘勝追擊，其後嚴重威脅到腓特烈大王並擊敗了拿破崙，一口氣壓制及打敗了十八至十九世紀初的三位卓越軍事天才，地位凌駕柏林和巴黎。舉凡保羅一世、亞歷山大一世、尼古拉一世和他的後代，也就是未來的亞歷山大二世，各個沙皇都愈來愈將軍事上的勝利，視為帝國統治的成功。這也難怪當俄國在發生於自己領土上的克里米亞戰爭中嘗到敗戰滋味，以及一八五六年的《巴黎條約》迫使他們將軍隊退出黑海沿岸時，這些挫敗對當時的新沙皇亞歷山大二世以及統治菁英，都造成了嚴重的心理衝擊。

遭遇挫敗之後，沙皇和身邊的親信體認到，唯有對過時的軍隊進行改革，並重建因為連年戰爭而搖搖欲墜的財政系統，才有可能恢復俄國的昔日榮光。就在一八五五年至一八五六年的冬日裡，亞歷山大的軍事顧問團提出警告，軍隊目前的狀態已經無法繼續投入戰爭，而軍隊運作帶來的沉重負擔，恐怕也會耗盡俄羅斯日漸虛空的國庫。[537]

如果俄羅斯想創造一支擁有大量後備軍人的高效軍隊，並以歐式的預算編列方式建立現代的財政體系，農奴制度無疑是他們的一大障礙。一八五五年，俄羅斯終於跨出了第一步，農奴制度於一八六一年遭到廢除；然而全面性軍事改革的計畫時程實在太過冗長，要再過十三年才能付諸實現。[538]曾經參與過高加索戰爭的戰爭部長米盧廷，領導了一八七四年的改革運動；他創建了以徵兵制為兵源基礎的軍隊，讓軍人配備現代步槍，並將他們組織成好幾個軍區，由受過專業軍事訓練的軍官來領導，而參謀人員則從菁英階級中選出。他甚至還興致勃勃地推動了幾條戰略性鐵路工程。作為官僚體系中活躍的一員，他熱切主張帝國政權走向理性和中央集權的道路。同時，他也主張在華沙建立一個高壓政權，在高加索和外裏海地區施行前進政策，以便將最後幾塊邊境地帶納入俄國的控制。[539]

根據俄國史專家富勒的說法，米盧廷於一八八一年卸職後，俄軍的專業精神便持續衰退，已經無法和其他歐洲強權的軍隊相比。對於財政問題以及軍隊該擔負的角色，軍隊和文官之間的看法存有落差，而這也進一步破壞了米盧廷的計畫。[540]雖然俄軍規模仍是歐洲之冠，但就國民人均士兵人數來看，卻比法國和德國少得多，和奧匈帝國相比也沒有多到哪裡去。俄國邊境地區的地理位置，導致他們必須集中更多軍力在邊界地區；相較之下，其他帝國則不用在殖民地上駐紮這麼多的士兵。就花費在每位士兵身上的平均支出來看，俄國也比其他鄰國要低得多。囿於財政條件，他們每年最多只能徵召百分之三十五體位合格的男性人口，而且比起其他歐洲國家，他們訓練的士兵也少了許多。[541]一直要到第一次世界大戰期間，他們為了填補大量傷亡的士兵，才終於清除了全民徵兵制度的最後一道障礙。不過同樣也是在第一次世界大戰期間，一種新的同袍精神和高漲的陽剛榮耀感開始從一九〇八年的改革運動之中發展出來，讓俄國邁向真正的「軍隊國家化」。[542]

雖然俄國的軍事改革，到了一八七七年和一八七八年的俄土戰爭期間都仍未完成，但俄軍仍然成功克服了同樣在進行現代化的鄂圖曼軍隊的頑強抵抗。如果不是因為英國阻撓，俄軍甚至早就可以取得對伊朗的完全控制。但不可否認的是，俄軍在後來的日俄戰爭之中，由於將領領導無方，又有嚴重的補給問題，不論是陸戰或海戰的表現都不盡理想。然而要不是因為發生在俄國本土的革命迫使他們必須向日本求和，否則遠東地區的俄軍在歐俄的支援下，原本其實有可能打敗疲態盡露的日軍。

從一九一四年至一九一六年，俄軍不斷在加利西亞的戰場上打敗哈布斯堡的軍隊。歸根究柢，俄羅斯帝國的軍隊終究只比歐洲最強的軍隊德意志第二帝國部隊遜色一些，而他們失去的領土，也比俄羅斯紅軍於一九四一年至一九四二年失去的要少了許多。然而一九一七年，俄國在自己帝國境內的前線上還是打了敗仗。一九一七年二月正值戰情告急之際，俄軍指揮官在一場精心策劃的計畫中扮演了關鍵角色，先是限制了沙皇的權力，接著又迫使沙皇退位。他們的首要目標是在戰爭中獲勝，同時維持社會秩序。如果這意味著要與共和派的臨時政府合作，那麼軍隊指揮官也「願意接受革命，以便對其進行控制。」[543]軍隊這個原本讓俄羅斯帝國得以凝聚在一起的黏劑，在當時已經不再具有黏性了。

二、官僚網絡

自從彼得大帝登基開始，他便一直在各個社會階層之中挑選顧問、軍事指揮官以及外交官，舉凡波雅爾的後代、教士，以及來自城鎮地區的無名小卒都名列其中。決定能否獲選的最重要條件是才能和忠誠。到了彼得在位末期，他才將唯才是用的政策制度化，創立了「官階表」制度；這體現了他的理想，亦即把對國家的服務當作衡量一切的標準。他堅持改革公僕的服裝儀容，要求官員必須剃鬍、不再穿著傳統官服；這些都明確地展現出他的企圖，亦即將原本擁有七情六欲的人，轉變成一顆顆理性、追求效率的齒輪，以便投入官僚機器的運作。彼得對帝國中央機關的改革，尤其是參政院、行政部門以及大學的創立，必須歸功於德意志官房主義的政治意識形態，以及對於一個井然有序的警察國家的想像。[544]實際上，這些官僚機構被用來讓他集中權力，指派職責任務，以及消除貪汙事件和偏袒徇私（但最後這個目標就沒那麼成功了）。官僚工作的指導方針，便完美地展現出他理想中擴大後的政府功能：這些方針規定歲收的合理管理方式，並設法促進貿易、手工業、製造業以及礦業。彼得常常對自己推出的改革程序沒有耐心，因此高度仰賴親衛隊的軍官作為他的全權代表，在中央政府和地方政府的行政機制中肆意介入。由於缺乏訓練有素的人員在鄉間擔任行政官員，他必須仰賴駐紮在地方上的軍隊，才有辦法在鄉間收稅和執法。[545]

一七〇八年，為了和瑞典進行大北方戰爭，彼得大帝將整個國家在行政上劃分為八個廣闊的「省」（gubernii）。「省」這個行政單位名稱，最早出現在一七〇一年的俄國法條中，也就是彼得大帝首次嘗試調動戰爭所需物資之際。各省的行政機構又被劃分為兩個部分：負責人口普查和稅收的民事部門，以及軍事部門，而省下面，又細分為好幾個區（okrug）。一如彼得大帝的許多改革措施，這個行政層級的概念並非他的原創，而是沿用了羅曼諾夫王朝最初三個沙皇的做法，他們在「各個軍事大區裡設立了好幾個統一戰線區」。彼得欽點了幾位貴族要人，或是從軍事指揮官中選出他的親信，指派他們在各地區擔任總督。他們的權利和職責也逐漸地擴展到司法、財政，以及公共安全等事務上。

政府架構具有高度軍事化的特徵。從中央發出的指令，我們也看得出軍隊需要哪些資源，比如軍糧、馬匹、裝備，以及最重要的兵源。官員若無法提供軍隊所需人員，會依叛國罪遭到懲處。俄羅斯經常出現這樣的情況：地方官員往往員額不足，零星分布在帝國廣袤的領土上，他們缺乏經驗和訓練，肩上又扛著沉重的負擔，而且又貪汙腐敗；不論有多麼嚴厲的懲處條款，上級制定的法令一旦到達他們手上便會大打折扣。[546]儘管如此，彼得大帝仍義無反顧地把軍隊的需求優先置於國家行政、經濟、社會生活之上，為未來的改革行動建立了先例，也讓俄羅斯帝國得以在整個十八世紀，以及十九世紀的大部分時間裡，在邊境地帶的角力中都能贏過對手。

透過官階表制度，彼得大帝為收編貴族進入軍官和文官體系的過程建立了架構。但同樣地，這個做法和過去相比，仍算不上是太激進的創新。其他帶有強烈舊制度色彩的措施還包括：重視個人績效和血統；以薪餉、而非土地作為報酬；不論出身高低都可能共事；以及讓許多知識分子菁英在政府部門任職。[547]彼得大帝的改革的確引入了統一的官階體系，同時也為菁英階級明確界定了官場職涯的發展路徑，逐漸取代掉原本依據宗族和家族血統來決定升遷的制度。[548]但直到十九世紀，政府部門的最高職位都仍掌控在高階貴族的手裡。

彼得在建構國家時，完全無法容納反對者的意見。在此，他同樣非常務實地採取了各種不同的壓迫手段，包括刻意忽視和冷血鎮壓。他並沒有廢除波雅爾的杜馬議會，而是選擇任其逐漸凋落。他在最後一位牧首過世之後，足足等了二十年，才以宗教會議取代了牧首的職位。彼得大帝曾公開迫害宗教異議人士，尤其是那些認為他反基督教的舊禮儀派。當彼得自己的兒子也起身反對他時，他甚至願意犧牲兒子的性命，卻也引發沒有子嗣可以繼承王位的危機。他的政策除了消滅掉真正的反對者，也剷除了其他潛在的反對者，同時又在帝國內引入了新的忠誠概念。這些措施，是俄國在彼得大帝死後之所以無法度過下一次危機的主要原因。不過對史達林來說，彼得大帝的這個統治手法無疑非常吸引人。

彼得大帝統治期間，擾亂政局穩定的因素只有宮廷內部的陰謀權術和王室鬥爭，但這些鬥爭從未對中央政府造成危害。這些統治菁英因為共同利益，以及擁有西式生活方式的特權而被團結在一起，他們由既有的波雅爾貴族和新的成員共同組成。普希金將這些菁英稱作彼得大帝的「老鷹」，他們繼續維持和仰賴彼得大帝留予後世的各種制度。在這些菁英的支持之下，彼得大帝奠下的制度基礎後來證實極富韌性，讓王朝在一七二四年到一七六二年間所謂的宮廷革命時期，得以順利度過因爭奪王位而造成的動盪。

凱薩琳二世隨其意借用了德意志官房主義者和法國啟蒙思想家所提倡的行政措施，藉此恢復彼得大帝的中央集權政策。她讓俄國成為歐洲國家體系中的要角，得以在邊境地帶的角力中確保優勢。她在地方省分實施的主要改革，是為了回應哥薩克人在俄羅斯邊境上發起的最後一次主要叛變（一七七三年至一七七五年）。這場叛變的領導人普加喬夫，是一位叛教的頓河哥薩克人，也是最後一位循著「冒名者」傳統起義的重要人物，宣稱自己才是真正的沙皇，想取代凱薩琳已經被謀殺退位的丈夫彼得三世。普加喬夫的叛變，對很多在俄國南部、東南部邊境上蠢蠢欲動，也想叛變的民族來說十分有吸引力，比如雅伊克哥薩克人、韃靼人、卡爾梅克游牧民族、舊禮儀派的拓墾者以及心懷不滿的農奴。半文盲的普加喬夫在宣言裡承諾，他領導下的國家將不會對他們進行太多干預，同時還會恢復舊時的自由權。在他的呼籲之中，最有力的一點便是農民君主制這個頗受歡迎的概念，亦即所有的不公不義，只能用沙皇王位遭人篡位來解釋（而凱薩琳正好就是一個篡位者），而真正的沙皇必須在他的子民擁護下取得王位。這種由下而上發生的叛變，正好和以宮廷革命為形式，由上而下發生的潛在反對事件形成對比。自從彼得大帝過世之後，類似的宮廷革命事件便一再發生，也正是因為出現了這些動盪，凱薩琳才得以掌權。因此，她的制度改革依循著兩個不同的方向開展：一方面，她希望提升中央政府對於農民和哥薩克人的掌控（尤其是在邊境地區）；另一方面，她也試圖安撫貴族，徵召他們前往地方省分治理當地。

一七七五年，地方省分的行政制度也開始進行改革，不但照搬了彼得大帝所創造的參政院的架構，也為地方貴族提供給薪的職位。凱薩琳大帝後來更於一七八五年簽訂了《貴族特許狀》，賦予他們許多特權。[549]然而凱薩琳希望吸引貴族前往地方省分服務，並讓他們在鄉間的莊園落腳的想法，最後並沒有非常成功；五光十色的宮廷生活，以及軍隊和文官體系所提供的發展機會，比起鄉間還是更有吸引力一些。俄國事務專家史塔爾經常使用「管治不足」這個詞彙，來形容俄國地方省分當時的狀況。[550]但這也意味著，俄國的地方貴族和馬札爾貴族、鄂圖曼帝國的「阿揚」、伊朗的部族首領或是清帝國的地方仕紳不同，因為俄國貴族不曾挑戰過帝國中央的權威。但這並不代表俄國不存在政治運作。徇私偏袒的現象和宮廷權謀鬥爭，依然為理性化和權力收歸中央的政策帶來不少挑戰，甚至還有貴族會密謀推翻不得人心的統治者。[551]

有鑑於凱薩琳大帝對於管治良好的國家本質的定義，她會希望在邊境地帶施行統一的制度，著實也不令人意外。[552]她設置了總督這個職位，並經常將總督派往「邊區」這種特別的行政單位進行統治。邊區的行政長官或者由總督，或者由行政官擔任。隨著時間演進，雖然他們理應在官方文件和行政實作中逐漸由地方官員取代，藉此宣示邊境地區已被整合進帝國的一般制度架構之中，然而到了帝國統治的末期，並非所有邊境地區都完成了這個過程，而這也表示俄羅斯帝國的國家建構計劃仍是一個未竟的事業。[553]

凱薩琳大帝也將《貴族特許狀》引進立窩尼亞地區，藉此剝奪愛沙尼亞和立窩尼亞德意志裔男爵暨土地貴族的特權，而這些特權最早是在瑞典統治期間賦予，後來又由彼得大帝確認。她也剷除了烏克蘭哥薩克人自己的軍事組織，並開始選擇性地將他們的領袖收編進俄國貴族。凱薩琳在小俄羅斯諸省、斯沃博達烏克蘭、波羅的海諸省，以及剛剛取得的波蘭省分實施人頭稅，藉此進一步在法律上降低邊境地區的哥薩克人和農民的移動能力。[554]一些心懷不滿的農奴和哥薩克人採取了傳統的抵抗模式，繼續跨越鬆散的邊界，遁入波蘭、摩爾達維亞以及鄂圖曼帝國。一如專門研究俄羅斯史的美國學者瓊斯所指出的，凱薩琳的政府之所以會在一七七二年參與第一次瓜分波蘭，同時又在邊境地區劃定新邊界、維持常態性的警備，逃跑農奴的問題是主要的誘因之一。[555]

亞歷山大一世持續對傳統制度進行改革。他依循著祖母的路線，將行政體系由合議制改為部長制。但他並沒有建立一套完整的內閣制度，而是保留獨裁的權力，單獨和各個部長大臣交涉，因此也更容易控制他們。美國獨立學者萊多內曾指出，同樣嚴肅的課題還有：改革加深了他稱為「地域性」和「功能性」官員之間的差異；前者以總督為代表，後者則以各部會為代表。這種官僚制度上的二元性，進一步使得邊境地帶的政策協調變得更為複雜，尤其是因為這兩種官僚都在代表沙皇行使權力，彼此意見不合時，也都可以宣稱自己體現的是沙皇的意志。[556]

一八六〇年代和一八七〇年代的大改革期間，俄國的中央官僚機構變得更為接近韋伯所稱的功能型和專業型權威來源。從大學和帝國預校畢業的新一代官僚懷抱著啟蒙思想，開始取代那些受軍事任命，卻沒有受過專業訓練的官員。[557]這些新的官員透過非正規行政利益團體涉入官僚政治，而那些利益團體則擁有一系列目標和抱負，干涉的範圍超乎單一部長的職權和能力。[558]在他們自己的職權範圍內，這些利益團體可以為帝國的社會生活和經濟生活帶來顯著的變革，可以說是策劃重要改革的建築師。但亞歷山大二世依舊過於堅守自己的獨裁權力，因此難以建立一個團結統一、內部同質，並由志同道合的改革者所組成的政府，即便這個政府是由他本人所主導。相反的，他更希望自己的角色是一個「經理人沙皇」，在利益相衝突的各個團體和部長大臣之間擔任調解人。[559]這種策略，後來也被其他繼任的沙皇延續了下去。因此，各項改革依舊由官僚主導，只不過執行過程並不穩定，甚至稍嫌混亂，而且經常帶來反效果。

到了十九世紀末，俄國官員愈來愈關切他們在管治帝國和邊境地區時所扮演的角色。他們曾有過不少內部辯論，其中一項問題就是官員人數是否太少。在所有邊境地帶之中，以人均官員人數來看，華沙和提比里斯這兩個省分擁有最高比例的行政官員，而這兩個省分或許也是最有可能發生叛亂事件的核心地區；而俄國中央省分和邊境地帶的官員比例，和各個主要的歐洲殖民地相去不遠。外裏海地區的官員比例，則比英屬印度和法屬非洲要來得高。然而以領土範圍和人口分布的情形來看，統治俄羅斯帝國的，似乎還是一個相對薄弱的官僚體系。[560]

帝國中央官員對於如何將各個截然不同的地區整合在一起，意見也愈來愈分歧。第一次世界大戰爆發前夕，政府內部出現了一些聲音，希望對於邊境地帶的民族問題能夠採取彈性一點的政策；他們認為，極端的俄羅斯民族主義只會煽動他們「叛國與革命」，並主張政府應該和願意接受「帝國概念」的地方菁英建立更緊密的關係。[561]提出這些看法的人主要是懷抱啟蒙思想的第二代官僚，他們認為自己繼承了大改革這個未竟的事業。他們負責發起一八九〇年代的產業發展計畫，並為斯托雷平的改革計畫擘畫藍圖，而他的改革目標，是要創造一個擁有土地、效忠王室政權的農民階級。[562]

西方學界對於俄國晚期官僚體系的執政成效和效率，至今依然未有定論。其中一派強調有證據顯示，俄羅斯帝國擁有更高的教育水準，對計畫未來也愈來愈專業，同時他們也更加堅定遵循法制，不過他們也承認，各部會和省分的改革進度並不一致，很難概括而論。[563]另一派的觀點則強調帝國依然存在恩庇侍從關係，同時也缺乏一個統一的官僚系統，而且也未能真正創造一個法治的國家。[564]第二個觀點的另一種版本，則指出了沙皇不受限制的權力和俄國制度的法律基礎之間，其實存在著不小的拉力。[565]不過大部分學者都同意，俄國的官僚體系後來分裂成了好幾個彼此敵對的黨派。[566]

一般認為，尼古拉二世在位期間，官員漸漸自外於社會，同時也和沙皇本人愈來愈疏離。官僚系統的功能，在當時已經成為主要的政治角力場，各種不同的觀點在此提出、接受討論，理論上也應該在此獲得解決。但尼古拉二世並沒有能力對這個系統進行管理，而且對於自己的能力也不太有自信。除了保住自己的專制政權，他對於任何議題的立場似乎都無法維持一貫，經常在決策之後又突然反悔，而且耳根又軟，容易受到親信和投機分子的影響。事實證明，他的這些特質在危機時刻經常帶來災難性的後果。他之前的幾位沙皇在大多數的情況下，都因為能夠保留政策的裁決權，以及得以一以貫之地執行政策，制衡意見彼此相左的官僚人員。相較之下，尼古拉二世卻被官僚高層和宮廷圈內的各種不同觀點給搞得暈頭轉向。他不只無法協調官員的活動，甚至還讓自己的親信（偶爾還有投機分子）全權掌握主控權，使得官員不只越過了各部會的權責，還損害了威信。[567]精明老練的國務委員會委員波洛夫佐夫有寫日記的習慣，他曾在一九〇一年寫道：

沒有一個政策是依據原則或經過深思熟慮而訂定的，同時，也沒有一個政策被堅持執行到最後。所有一切，都是在倉促之中隨意決定的；它們在時勢影響之下，只是為了回應某個人的需求，又或者只是為了回應某些勢力的干預。年輕的沙皇愈來愈瞧不起他治下的各個機構，相信自己的獨裁意志更為高明；他偶爾會在未經初步討論的情況下就表現出這種獨斷的意志，並且和政策的整體方向完全脫節。[568]

在整個十九世紀期間，幾個二元對立的難題不斷讓中央省分和邊境省分的行政業務欲振無力：專制政權的主要社會基礎，到底是貴族還是官僚？由上而下的改革，以及維持現狀，究竟哪一個才是帝國政權最堅實的基礎？[569]這些爭論在一八六〇年代和一八七〇年代的大改革期間，以及一八八〇年和一八九〇年的反改革運動期間，持續縈繞在帝國政壇上空盤旋不去。在這些爭論之中，不論是貴族或官僚、中央集權或地方分權的支持者，都有可能支持任何一方的觀點。這也就是為什麼，雖然我們一直都以自由派或保守派之類的字眼來形容俄國的政治思想家或行動者，但其實我們在使用這些字眼的時候必須格外謹慎。[570]在第二個難題裡，「沙文民族主義」的支持者則被夾在一個頗為基本的矛盾之中：他們既支持獨裁統治的原則，同時卻又反對官僚體系。[571]一如前述，第三個難題則是以下這兩種人在意識形態上的衝突：相信東正教會獨立於世俗體系之外的人，以及支持教會受國家政權控制的人。由於官僚體系內部缺乏共同理念，官員因此分裂成好幾個派系，沒有人出面進行堅定的領導，而這種狀況也嚴重削弱了他們處理邊境地區分離主義的能力。一九〇六年國家杜馬成立，沙皇對於任何可能反對他專制想法的跡象也愈來愈敵視，不論是在杜馬裡或是在帝國的政府部門裡，官僚都已經喪失了其主要功能，不再是沙皇和人民之間的聯絡管道了。

俄國的軍事化和中央集權化，讓一小群統治菁英得以擴展、維持自己對廣袤帝國的控制。然而邊境地區和核心省分之間的文化差異，也在俄羅斯於拿破崙戰爭之際向西擴張時持續拉大，造成了一個截然不同的新處境。在帝國剛剛取得的地區裡，當地的菁英（包括波蘭和瑞典芬蘭的貴族、比薩拉比亞的波雅爾，以及喬治亞王子）長期以來，就一直和各種不同的多文化帝國在歷史上有所連結。波蘭人、瑞典芬蘭人以及喬治亞人都非常珍視自己的自治傳統，而這種傳統則和俄羅斯地方省分貴族的經歷截然不同。此外，他們也認為自己在文化上更為優越。俄國在邊境地帶的征服行動，一直都是個漫長的過程，而且所費不貲，然而真正困難、真正花錢的，其實是征戰完成之後的統治和同化過程。不過俄國在波羅的海邊境地區的治理模式倒是跳脫了上述的困境，可以算得上是一個例外。

三、波羅的海省分與芬蘭大公國

俄國之所以可以成功將波羅的海邊境地區整合進帝國之中，很大程度上是因為他們准許，甚至擴充了當地人的特權，以及德意志地主的語言權利，甚至還極不尋常地賦予他們加入統治菁英階級的特權。大北方戰爭結束後，彼得大帝將所有遭瑞典政府沒收的莊園土地歸還給貴族，幾乎也等同於將農民的命運交到了貴族手中。由此，波羅的海地區的德意志貴族成了「沙皇真正的馬木路克」（the real Mamelukes of the tsar）＊。[572]德意志貴族群體的社會組織和法律架構被原封不動地保留下來，彼得大帝則認為這些組織架構可以做為整個帝國的模範。根據歷史學家泰頓的說法，彼得大帝就算不願批准這些波羅的海德意志人的所有特權，至少也是批准了大部分，因為他非常欣賞他們的地方自治制度。他非常歡迎歐式訓練方式，以及當地官員和軍官的專業知識；到了一七三〇年代，這類官員占了俄國官員總人數的四分之一。為了保護俄國直接通往西方的唯一路線，並在該地區推動外交政策，彼得大帝也需要波羅的海德意志人的支持。

凱薩琳女王則是延續，甚至擴張了彼得大帝對波羅的海德意志人的政策。除了從他們當中選才擔任重要的外交職位或中階官僚之外，她也將波羅的海邊境地區當作政策的實驗場域。她帶來了許多革新：農民的地位獲得了提升，而且即將在亞歷山大一世治下獲得解放，而波羅的海省的財政狀況和行政效能也有顯著改善。由於虔敬主義的影響，波羅的海省分逐漸成為德意志啟蒙運動和俄國啟蒙運動之間的橋樑，為當地的行政官員注入了理性、效率和正直的精神。[573]在這些才能出眾的官員之中，席佛斯伯爵可以算得上是代表人物。他同時也是凱薩琳最喜愛的官員之一，「事實也證明他的確是一位開明專制的理想軍官，孜孜不倦地在許多內政問題上付出心力，比如水路交通、都市規劃、道路工程、森林管理、促進商業活動，以及建造學校等等。」[574]但像他這樣的人實在太少，其他俄羅斯地方省分的貴族都讓凱薩琳頗為失望。一般而言，他們的教育水準低落、稱不上富裕，而且總是深陷於地方的鬥爭之中。體認到這點之後，亞歷山大一世開始思考有沒有可能以邊境地帶的菁英、而不是以帝國中央的菁英作為重組帝國的模範。在他的治理之下，帝國的統治方式開始在各地出現了差異，反映出不同的民族和歷史因素。

在波羅的海省分，保羅沙皇恢復了愛沙尼亞、立窩尼亞和里加地區的菁英原本被凱薩琳取消的權利，如今在亞歷山大統治期間再次獲得確認，然而這些權利只有在「和全體適用的命令，以及帝國法律沒有衝突時」，才能獲得承認。他雖然對農奴賦予了人身自由，卻讓他們在經濟上仍然不得不依賴德意志地主。[575]在擘畫波羅的海地區的治理方案時，亞歷山大所挑選的顧問除了俄國人之外，也有各地的地方菁英。身處轉型時期的他們，和亞歷山大都認同一系列類似的原則：源於啟蒙時代的理性官僚專制主義，以及於浪漫主義年代逐漸崛起的歷史主義。他們試圖調合以下兩種立場：認為某種思想可以一體適用於所有文化和民族的普世主義，以及認為不同民族有不同發展路徑的特殊論者，但這麼做也讓他們注定會創造出充滿矛盾的制度。沙皇和帝國菁英發現，要在日常治理之中巧妙平衡這兩個原則愈來愈困難。在這個二元的制度之中，地方菁英可以找到無數理由合理化他們的適應行為和抵抗

＊編按：馬木路克原指阿拉伯人社會中的奴隸兵。

行為。

十九世紀期間，波羅的海地區的德意志地主大致上都能維持優越的地位。然而愛沙尼亞和拉脫維亞農民對於他們的經濟處境卻日漸不滿，當地的知識分子圈也開始出現民族主義思想，而那些推廣俄化的知識分子和帝國官僚又發動了攻擊，這些都讓德意志地主的優勢地位岌岌可危。[576]到了一九〇五年，一如我們將會看到的，波羅的海地區的意志土地貴族們已經開始為自己的生命安全起身奮戰了。

另一方面，芬蘭之所以會被兼併入俄羅斯帝國，成為帝國轄下的一個大公國，其實是由一小群芬蘭知識分子，以及對斯德哥爾摩當局的統治感到心灰意冷的瑞典芬蘭文官和軍官所推動的。他們開始相信俄國外交官極為誘人的說詞。一八〇八年瑞典戰敗後，由於戰爭結果對芬蘭人造成了災難性的影響，心懷不滿的他們於是開始支持讓芬蘭成為俄國的自治領土。[577]但兼併芬蘭的過程其實進行得並不順利，而且其法律地位一直到最後都仍曖昧不明。

芬蘭大公國的憲政架構最初建立在三份彼此沒有關聯、內容前後矛盾的文件之上，這個架構以兩個相衝突的原則作為基礎：地方自治與政治融合。這兩個原則完全無法相容。亞歷山大一世接受了當地菁英的提議，將芬蘭的事務直接置於沙皇的權杖之下，但該方案的內容其實並不明確。他不只承認芬蘭人在瑞典統治時擁有的權利和特權，甚至還加碼了一些。在沙皇顧問斯佩蘭斯基的建議下，亞歷山大將芬蘭人的領土，和當年被彼得羅芙娜女皇兼併的舊芬蘭（亦即卡累利阿和維堡地區）合併在一起，擴大了芬蘭大公國的領土範圍。亞歷山大曾說：「在俄國剛剛取得的芬蘭地區，所有和治理該地區有關的事務（這些事務必須經過**我**決定），都能先依據那些根本的原則和法律來進行檢驗與考量，而那些專門為芬蘭所設置的原則和法律，同時也必須先經過**我們**確認。」與此同時，他也接受了斯佩蘭斯基的意見，拒絕推動任何帶有憲政色彩或代議制色彩的制度，因為那可能會讓原本只有芬蘭人才有的權利和特權，開始擁有明確的法律基礎。芬蘭的瑟姆才剛成立，就一路從一八〇九年到一八六四年都未曾召開會議過。[578]俄國史學家拉伊夫曾指出，他們的終極目標是要「讓俄國和芬蘭擁有一樣的行政體系」，儘管這個目標只能逐漸達成。[579]如果拉伊夫所言屬實，那麼事實證明，要達到這個目標，一個世紀的時間是不夠的。

四、比薩拉比亞地區與多瑙河公國

對於俄羅斯帝國的統治，俄國西部邊境南端地區的人民，則採用了另一種相似的調節模式；這個模式，是由亞歷山大的另一個外籍顧問卡波底斯特里亞所協商出來的。卡波底斯特里亞最初於一八〇八年進入俄羅斯政府，後來晉升為外交部長；早在俄國政府指派他起草《比薩拉比亞臨時政府規章》時，他便已經投入俄國對希臘獨立的支持工作。該規章的內容，體現了俄國對當地法律和習俗的尊重，那是亞歷山大於一八〇六年和鄂圖曼帝國交戰期間，在占領多瑙河公國時所立下的承諾。然而卡波底斯特里亞也看到了機會，可以把比薩拉比亞這塊俄國和鄂圖曼帝國苦戰六年之後、最後於一八一二年兼併的地區，看作「希臘人的應許之地」。在卡波底斯特里亞的協助之下，斯圖爾札這位摩爾達維亞地區的知名波雅爾（他同時也是卡波底斯特里亞的好友）被任命為第一位地方長官，而卡波底斯特里亞也為他擬了一份統治方針。他的目標，是要清除當地的「邪惡勢力」，同時引進具有啟蒙精神的理性法制。

就像在芬蘭、以及稍晚一點在波蘭出現的現象，俄國在比薩拉比亞的政策也反映出兩個矛盾的現象，只不過形式稍有不同。一方面，摩爾達維亞的波雅爾在過去的權利獲得了確認；另一方面，俄國則發起了一項極具凱薩琳二世精神的計畫，對該地區的「無人之地」進行移墾，然而摩爾達維亞的波雅爾隨後宣稱，根據歷史這些「無人之地」其實是屬於他們的。來此開墾的人，大多都是為了尋求俄國保護而選擇逃離鄂圖曼官員和地主的保加利亞農民；他們的出現，也讓該地區的社會關係變得更加複雜。波雅爾宣稱他們是這些農民的領主，而農民為了抵抗，大多越過了普魯特河、逃往烏克蘭，進一步擾亂了未竟的移墾過程。[580]亞歷山大試著解決這些問題，重申他既希望維持當地的法律、風俗與道德觀念，也希望用那些已經在芬蘭、波蘭王國實施的政策來統治這片領土。一八一八年制定的《比薩拉比亞規章》，便體現了這些原則。但事實證明，該規章的執行過程的確遇到了許多困難。

第一個困難，源於一個系統性的普遍問題，亦即在多文化帝國的國家建構過程中，存在於地方傳統與中央集權政策之間的緊張關係（而這正好也是本書關切的主題）。第二個困難同樣是系統性的問題，但專屬於俄羅斯帝國，亦即制度性的權力來源太過多元。一如前述，亞歷山大一世對政府部會進行的改革，為帝國增加了更多元的統治方式，卻沒有讓命令的傳達管道變得更加合理化。

一八二〇年代初期，剛上任的沃龍佐夫和偉格爾（前者身兼新俄羅斯地區的總督以及比薩拉比亞地區的行政長官，後者則擔任比薩拉比亞的民政長官），透過他們充滿東方主義偏見的視角，對該地區的混亂情況與當地波雅爾的道德淪喪感到驚恐。他們對當地的行政體系進行了徹底的改革。沃龍佐夫優先考量的是俄羅斯人，而非當地波雅爾的利益，在該省南部致力推動移墾政策，招攬塞爾維亞人、哥薩克人，以及為國有農地耕作的俄羅斯農民前來開墾。他和帝國的內政部合作，廢除了一八一八年的《比薩拉比亞規章》，遽然限縮省級的自治機構，並推動將波雅爾吸收進俄國的貴族階級之中。[581]

在此期間，多瑙河公國在契謝廖夫伯爵的開明統治之下，開始以俄國的行政制度取代鄂圖曼帝國的制度。契謝廖夫曾經參與過對抗拿破崙的戰役，是十分傑出的軍官，但當時的俄國軍官後來在政治上分裂成了兩派：其中一派領導了十二月黨人的革命，另外一派則開啟了行政改革。契謝廖夫和之後的十二月黨人領袖走得很近，也認同他們以人道及理性原則進行統治，但對於他們的革命觀點和祕密計畫卻沒那麼支持。戰爭結束後，他對西南方邊境上組織渙散的第二軍進行了改革，讓亞歷山大對他讚譽有加。一八二八年至一八二九年的俄土戰爭期間，他帶領俄軍占領了多瑙河公國，在過程中統御有方，沙皇尼古拉於是決定全權任命他總理該地區的民政和軍事事務。後來，他在這個職位上一共做了六年。[582]

契謝廖夫負責推行一系列的改革，將警察國家井然有序的行政功能和福利功能，和一套新的政治制度結合在一起。一八二九年《基本法》頒布之後，民選議會得以成立，而議會則由波雅爾貴族階級控制；他們分別選出摩爾達維亞和瓦拉幾亞的終身王儲，並和這兩位王儲共享權力。[583]契謝廖夫在由俄國訓練的警力幫助下，為該地區帶來了法治和秩序。他廢除了關於貿易和稅賦的的舊法規，並且獎勵商貿和產業發展。《基本法》也對波雅爾人和農民之間的關係做了規範，並在接下來的十年內，成為他進行俄國農民改革的典範。

俄國接下來的政策目標，則是在多瑙河公國和來自「東方」的鄂圖曼帝國之間，界定出更明確的邊界，因此以多瑙河為界畫出了一條隔離線。根據官方的指示，這條隔離線不只可以用來阻擋鼠疫擴散，也是為了阻礙多瑙河公國和鄂圖曼帝國互通往來。[584]雖然鄂圖曼帝國的素檀在名義上依然維持著對多瑙河公國的主權，但實際上那裡已經變成由鄂圖曼帝國和俄羅斯共同管治的地區。俄羅斯顧問在該地區頻頻現身，在波雅爾當中也出現了俄國的政黨，而俄國則是再三保證會維持政治秩序。以上這些現象，都為多瑙河公國在接下來二十年之內的生活樣貌定下基調，一直到一八四八年席捲全歐的革命浪潮抵達多瑙河流域為止。

就形式和功能而言，契謝廖夫的政策延續了下來，同時也在整個西部邊境地區，擴展了由亞歷山大一世引入的行政制度實驗。然而俄國的統治菁英內部，很快就對俄國對多瑙河公國政策的長期目標，出現了不同的意見，並引發了關於邊境地區整體政策的辯論。尼古拉一世和他的顧問團有兩個目標。首先，透過賦予波雅爾那些土耳其人原本不願意給他們的特權，俄國希望自己未來能夠持續對該地區發揮影響力。其次，他們也試著在大公和波雅爾之間維持權力平衡，讓他們得以透過領事機構的代理，介入當地政治。他們對改革的措辭進行了一番設計，藉此表現出俄國帶有歐洲精神的那一面，同時消除其他強權對他們的疑慮，表明俄國的行政官員只是傳遞文化火炬的使者，來自一個信奉官房主義的開明政府。但契謝廖夫的心中自有更為遠大的目標，因而和俄國的外交部長內斯爾羅德伯爵逐漸走上了不同的道路。

對契謝廖夫而言，《基本法》是一種保護管治的形式，其建立在幾個假設之上，亦即多瑙河公國的人民（尤其是波雅爾）還沒準備好要自行管理一個國家，而且就長期而言，這些公國有天也會成為俄國的一部分。他曾在一八三三年寫給好友奧爾洛夫親王的信中提到：「我認為多瑙河就是俄羅斯帝國的邊界；不管內斯爾羅德和彼得堡政壇的意見為何，計畫總是趕不上時勢的變化，我們最後一定可以抵達我們應該到達的地方。」因此，即使內部改革在當時已經開始實施，他依然主張以軍隊長期占領該地區，並認為「只要繼續占領，輿論便會逐漸轉向，接受我們現身該地區的事實，屆時要兼併那裡也會容易許多」。[585]然而，內斯爾羅德和尼古拉沙皇依然決定維持一八二九年的政策，採取完全賦予他們統治合法性的路線。

五、波蘭王國

對抗拿破崙的戰爭結束後，亞歷山大急於提升自己在歐洲的影響力，因而扮演起推動啟蒙思想的角色，直到他開始擔憂內部出現顛覆勢力，而梅特涅又影響了他的思想，這個角色才有所改變。不過亞歷山大也曾在波旁復辟時期支持法國的憲政改革，並試圖將這些改革套用在俄國，尤其他創造了歐式的政府部門和四所大學，但這也讓亞歷山大的顧問團面臨到了一個新的問題，亦即這些改革措施對於俄國在西部邊境地區的治理到底有什麼意義。沙皇最後採納了幾位波蘭顧問（比如恰爾托雷斯基親王和波托茲基伯爵）的建議，他們與其他俄國籍顧問的觀點背道而馳，甚至也反對維也納會議上各強權的立場，主張讓波蘭人重新建國。一八一五年的波蘭憲章，創造了一個以共主邦聯（personal union）形式，和俄羅斯帝國連結在一起的波蘭王國。該憲章由一群波蘭和俄羅斯的官員聯手打造，其中有些原則沿用了一七九一年的波蘭憲法，以及拿破崙於一八〇七年為華沙大公國制定的憲法。憲法中明定，法律之前人人平等、農民也擁有人身自由，而基本的公民權利也獲得了保障。立法權由兼任波蘭國王的俄國沙皇與瑟姆共同擁有，採取兩院制：上議院議員由沙皇任命，而下議院議員則由民選產生，然而能否擁有投票權，取決於一個人擁有的資產多寡。此外，由俄國沙皇兼任的波蘭國王也擁有絕對否決權。這份憲法是一份特別重要的文件，和亞歷山大治下的俄國人民相比，其賦予了波蘭人更多的人身自由和參政權。[586]一八一八年，亞歷山大在瑟姆中以法語發表了一場知名的演說，他呼籲波蘭的議員「要為歐洲人留下一個好榜樣，他們都在等著看你們的表現。」他強烈地暗示，在波蘭王國實行的制度是一場實驗，如果成功的話，便可以成為整個俄羅斯帝國的模範。「因為這是你們國家原本就有的體制，所以我才可以馬上就賦予你們這些權利，將那些符合自由主義的制度原則付諸實現；我一直都非常關切那些思想，在上帝的幫助之下，我也希望這些有益的影響，能夠擴展到上帝託付給我的所有領土之上。」[587]

然而從一開始，這種要讓俄國和波蘭攜手合作的雄壯期許——或者用一個我們很難抗拒的說法，這種雄壯的幻想，本就是建立在不同的假設之上的。克里辛斯基這位能言善道的代表，便曾在瑟姆中發表過一場演說，彷彿就是亞歷山大那場演講的回音：「歐洲人正在看著我們。沒錯，歐洲人的確有可能欣賞我們，但同時他們也會對我們進行評判。我們在文明國家之中排在什麼位置，就取決於這部攸關我們國家形象的法案。」[588]事實很快就證明了，波蘭人和俄羅斯人的立場並不相同，而且他們對於波蘭王國究竟代表什麼，也都沒有明確的答案。維也納會議結束之後的好幾年時間內，華沙和維爾諾*的波蘭學界菁英，都仍然認為自己是歐洲的一部分。然而在「西方主義」的復興之下，他們開始對幾個問題進行爭論：波蘭究竟應該毫無保留地將啟蒙主義的價值觀視為普世準則，還是要保留他們早在西方發展出公民權力的概念之前，就已經存在（但帶有些許神話色彩）的共和自由呢？波蘭作為斯拉夫民族之中最為西化的一支，有義務將西方文明的價值觀向東傳播嗎？[589]此外，對於波蘭人來說還存在一個政治問題：他們應該不加質疑地為俄羅斯的帝國政府服務嗎？或者就算可能違背沙皇意願，都要以最為寬鬆的方式詮釋憲章所賦予他們的權利？菁英內部對於國家的制度架構，以及他們在這個架構中的政治角色與社會角色，依然處於分歧的狀態。[590]

這些問題的背後，其實是另一個更大的問題：他們應該如何解決民族獨立地位的喪失？波蘭人有兩個選擇：他們可以接受俄國提供的框架，在這個框架之中和平地與俄羅斯人競爭，同時追求自己的民族發展；或者他們也可以努力恢復自己的獨立地位，重建原本富含多元文化的國家，如果有必要的話，甚至還可以使用武力達到這些目標。自此，一直到一九八九年塵埃落定為止，波蘭人對俄國的態度，便一直在適應或抵抗這兩端之間來回擺盪（他們從來就沒有考慮過接受同化這個選項）。俄羅斯對此的反應，則或者是讓步，或者是壓制，但不論如何，他們都未曾讓波蘭人獲得真正的獨立。在接下來的兩個世紀之內，雙方的統治菁英內部，對於應該採取何種行動方案都沒有定論。

*譯按：亦即今日立陶宛的維爾紐斯，維爾諾為該城市在波蘭語中的稱法。

波蘭的抵抗史曾出現過不少次轉折。在波蘭第二次遭到瓜分之前，波蘭土地貴族便已意識到國王濫用權力，並曾採取「合法叛變」與之對抗。一七九三年，民主派革命分子柯斯丘什科以追求波蘭獨立和農民人身自由的名義，領導了一場合法叛變，反抗當時正要瓜分波蘭的各個強權。從那時起，這類叛變便有如一條地下河一樣，不時於一八〇六年、一八三〇年、一八四六年、一八六三年、一九〇五年以及一九四四年冒出地面；這條地下河承載著一脈相承的傳統神話，同時卻又不斷有新時代的潮流匯入。在這支抵抗的傳統之中，武裝軍隊儘管可能只有形體，而仍未有正式名稱，但地位卻非常崇高。其中，最早的一支軍隊由流亡在外的波蘭人組成，於一七九七年拿破崙進軍義大利時，出現在倫巴底地區；他們以武裝形式抗議波蘭遭到瓜分，為軍官和士兵提供軍事訓練和政治課程。波蘭人持續在拿破崙的軍隊裡效命，並在一八〇六年對普魯士的戰役中扮演重要角色。作為回報，拿破崙在普魯士於瓜分波蘭時獲得的領土上建立了華沙大公國，並在一八〇九年併入原本由奧地利取得的大部分波蘭領土。波蘭這個殘存的國家，被拿破崙用來當作對抗亞歷山大的施力點。他們在法國啟發之下制定了新的憲法，恢復了國王的統治權，不過國王的頭銜卻被貶為大公。波蘭的軍隊則由波尼亞托夫斯基親王來領導，他在拿破崙一八一二年進攻俄羅斯的戰役中，領導超過十萬名士兵。波尼亞托夫斯基直到最後都仍效忠於拿破崙，並於萊比錫之役死在波蘭士兵的長矛之下。波蘭由此出現了對拿破崙的崇拜，他們將自身的自由，寄望於法國的介入之上。

十九世紀幾乎每一場歐洲動亂之中，都有流亡海外的波蘭人，像前述最早那支軍隊那樣組成武裝團體，期望再一次於波蘭的土地上和瓜分波蘭的強權交手。這類武裝團體為數不少：一八四八年，詩人密茨凱維奇曾在義大利試圖創建一支部隊；一八四九年，許多人自願加入波蘭工程師貝姆麾下與馬札爾人奮戰；「鄂圖曼哥薩克人」於克里米亞戰爭期間組織起來；一八六三年，來自普魯士波茲南和奧地利加利西亞的志願軍參與了叛變；日俄戰爭期間，畢蘇斯基甚至曾希望在日本創建一支軍隊。畢蘇斯基的行動，到了一九一二年總算稍微成功一點，他在加利西亞創建了步槍兵聯盟，隨後更帶領這支部隊於一九一四年投入對俄國的戰爭之中，浮誇地宣布該部隊是「波蘭軍隊的先進支柱，要為祖國的解放而戰」。奧地利軍事指揮部曾在東部戰線上支援過兩支部隊；這支部隊，便是他們所支援的第一支部隊。雖然他們在二戰期間並沒有使用「軍團」（legion）這個名稱，來稱呼由流亡波蘭人組成的軍隊，但他們實際上就是一支軍團。為了從納粹手中解救波蘭，蘇聯和英國境內都出現了波蘭人的部隊，不過他們心目中所想像的波蘭卻不盡相同。[591]

接受俄國統治的波蘭人，實際上源自一個可以上溯至十八世紀的傳統；一如前述，俄國的一個政黨不時在華沙出現，準備為莫斯科在中歐的利益服務。波蘭遭到第一次瓜分之後，這支政黨的表現並不光彩。有些波蘭的上層土地貴族和馬札爾貴族一樣，也接受了新的統治者，因而獲得了新統治者的賞賜，然而那些賞賜，其實是從其他曾經支持柯斯丘什科的貴族手中沒收而來的莊園土地。其他人則放縱自己、追求頭銜，並沉溺於波蘭裔史學家萬迪茲稱為「死神之舞」的社交生活之中（儘管可能只是短暫如此而已）。[592]然而隨著時間演進，那些原本拒絕抵抗的人也開始因為各種動機，投入波蘭的經濟和文化重建工作之中；為了能以各種形式讓波蘭復國，他們甚至還會和其中一個瓜分波蘭的強權合作，藉此對抗其他強權。

亞歷山大一世在位時期，一些最知名的波蘭土地貴族世家也出現在早期和俄國合作的對象之中，而最突出的便是恰爾托雷斯基親王。他出身的家族曾經在反抗俄國，以及對抗各國瓜分波蘭的運動中占有領導地位；凱薩琳大帝為了讓他的家族聽命於她，更曾要求年輕的恰爾托雷斯基親王前往皇宮裡充當人質。這種在被征服的地區要求菁英家族交出人質的做法，從十六世紀開始，就一直是俄國在草原邊境地區的常見策略。恰爾托雷斯基年輕時和亞歷山大成了好友，因為他們都對啟蒙主義的各種自由思想十分有興趣。亞歷山大成為沙皇之後，便將他納入一個被稱作「沙皇的年輕之友會」的非正式四人委員會裡。

恰爾托雷斯基親王曾於一八〇四年至一八〇六年出任外交部副部長，但他其實才是真正掌權外交部的人；他和非正式委員會中的其他成員（這些成員包括寇楚貝、諾沃謝利采夫以及斯特羅加諾夫）緊密合作，重塑了俄羅斯的外交政策，其中包括和英國結盟抵抗拿破崙，並重建西部和東南部的邊境地帶，以便將俄國勢力進一步推向歐洲。[593]「沙皇的年輕好友們」體認到他們有必要發展出俄國版本的解放意識形態，藉此和法國的解放意識形態進行抗衡。在他們的想像裡，他們將會重建東歐，在俄國的邊境上建立幾個衛星國家，並將俄國在波蘭的政策套用在巴爾幹地區；從十八世紀起至二十世紀中葉，這便是俄國外交政策中不斷出現的策略。在非正式委員會的好友協助之下，恰爾托雷斯基策動了一套偉大的計畫，亦即趁著巴爾幹地區出現解放運動之際，在當地建立幾個自治國；這些自治國將會繼續將鄂圖曼帝國視為宗主國，但同時也會成為俄國的保護國。他催促亞歷山大兼併摩爾達維亞、瓦拉幾亞以及比薩拉比亞地區。沙皇當時的反應頗為謹慎，僅在一八一二年併吞了比薩拉比亞地區。[594]恰爾托雷斯基提出了一個讓波蘭復國的構想，亦即將普魯士和俄羅斯瓜分波蘭時所獲得的地區合併在一起，並透過共主聯邦的方式，由俄國沙皇進行統治。這個想法後來得到了亞歷山大的認同。然而當沙皇在維也納會議中提出這個構想時，英國和奧地利都提出了強烈反對，甚至引發了一場危機，讓會議幾乎破局。恰爾托雷斯基不得不讓步，接受一個較小版本的波蘭王國。他後來持續為俄國服務，掌管維爾諾（維爾紐斯）大學。然而他逐漸開始對於自己和俄國合作的角色感到幻滅，最後被迫於一八三〇年的叛亂中逃往國外。

恰爾托雷斯基曾經希望，波蘭能成為俄國進行文化轉型時的典範，而這意味著他可能想模仿希臘人曾經自認在羅馬帝國能夠扮演的角色。[595]恰爾托雷斯基和波托茲基伯爵主要負責以一七七三年成立的波蘭國家教育委員會為根據，於一八〇二年起草大學改革方案。他們在教育領域的耕耘，在維也納會議之後達到了高峰；當時亞歷山大承諾會將俄國瓜分波蘭所獲得的領土當作一個文化整體，而恰爾托雷斯基抓住了這個契機。波托茲基曾經支持一七九一年帶有開明色彩的法國憲法，但凱薩琳二世卻對該憲法非常惱怒。波托茲基於俄國出手介入和波蘭遭到第三次瓜分之後逃往奧地利，但之後又隨著拿破崙的軍隊歸來，成為華沙大公國的教育部長。為了表現善意，亞歷山大任命他為教育啟蒙部部長。波托茲基是一位堅定的自由主義者和共濟會員，他在創建華沙大學、用來訓練新一批專業菁英的高級技術學校，以及上千座非教會體系的小學的過程中扮演了重要的角色。他曾挖苦教會，嘲諷波蘭土地貴族的薩爾馬提亞心態，而這些也讓許多人對他懷抱敵意，最終迫使他辭職下台。[596]恰爾托雷斯基的行為則謹慎多了；他直到一八二三年都在掌管維爾諾大學，將所有西部省分的學校體系都納入了自己的管轄範圍。在一八三〇年起義發生前的黃金年代裡，大部分重要的波蘭浪漫主義知識分子，都是從他管轄的波蘭學校中畢業的。[597]

在適應帝國統治的過程中，從一八二一年至一八三一年擔任波蘭王國財政部長的魯貝茨基，也扮演了類似的角色。在他的想像裡，波蘭的工業化可以成為俄羅斯帝國經濟轉型的發動機。[598]他累積了一些資本，建立了一個可以和俄國抗衡的紡織產業。他還重振了波蘭死氣沉沉的礦業，並於一八二八年創立波蘭國家銀行，而俄國全境至少要到三十年之後，才會出現類似的機構。身為地質學家、實業家的斯塔什茨，成為了魯貝茨基的能幹助手；他不時還撰寫宣傳手冊，或許是最早的泛斯拉斯主義者之一。拿破崙政權垮台後，他呼籲波蘭人接受俄國在斯拉夫民族政治聯盟中的領導地位。他被任命為產業與手工業委員會的主席，也是第一個對波蘭的礦藏進行探勘的人，他建立了現代化的冶金產業，造橋鋪路，同時還創建了幾所技術學校。[599]就算在一八三〇年的波蘭叛變之後，魯貝茨基也持續在發展波蘭經濟，幫助波蘭第一家鐵路公司進行融資，興建了一條從華沙通往維也納的鐵路。[600]從一八三〇動亂的最初，恰爾托雷斯基和魯貝茨基就希望堅守憲政原則，同時以和平的手段引導行動。但最後他們因為失敗而被迫離開波蘭。就算恰爾托雷斯基在十一月起義之後的「大移民潮」裡成了抵抗俄國的符碼，他依然是一個死忠的憲政主義者。他對激進的波蘭共和主義者提出批評，同時也譴責俄國非法廢除波蘭的憲法。他呼籲波蘭人堅持後來被稱為「韜光養晦」的策略，做好妥善準備，靜待國際情勢出現變化（這也是他希望可以帶來的結果），讓波蘭得以復國。

從波蘭民族主義者的角度來看，所有和俄國合作的通敵者之中，最惡名昭彰的便是扎雍切克。他是一位充滿激情的雅各賓主義擁護者，曾經參與過一七九〇年代對抗俄國的戰役，也曾在拿破崙的軍隊中擔任士兵和軍官，卻在一八一二年倒戈投靠俄國人。讓波蘭人頗為意外的是，亞歷山大將扎雍切克任命為波蘭王國的行政長官，而他也沒有辜負沙皇，直到一八二六年過世為止，都以完全效忠、甚至是完全順從的態度堅守崗位。601 一八三〇年的叛亂事件，則讓波蘭適應帝國統治的計畫，推遲了一整個世代。

許多俄國高官都擔心，法國大革命的思想會擴散到被瓜分的波蘭土地上。俄國大臣別茲博羅德科在談及建立波蘭軍團，以及一七九〇年代湧入摩爾達維亞、保加利亞、波士尼亞的波蘭流亡人士時，曾非常嚴厲地指出：

> 我擔心波蘭正在崛起，而且會在摩爾達維亞發動叛亂，藉此再一次主張以平等主義和法國的思想為基礎，來決定要委託誰將我們的邊境地區和波蘭合併在一起（我認為結果會是那些無足輕重的布爾喬亞、暴民，還有一些仕紳階級）。這樣的話，一切就完了！602

像他這樣想的人並不在少數。亞歷山大讓波蘭復國的決定，普遍遭到俄國菁英階級的反對，甚至包括所有他在維也納會議上的外交顧問，亦即卡波底斯特里亞、內斯爾羅德以及迪博戈等人皆然。他們認為一旦波蘭復國，便會重新建立起一座東方堡壘，讓俄國淪為野蠻之境，成為一個亞洲國家。他們暗示，一個實施憲政制度的波蘭和專制集權的俄國，彼此是無法相容的。亞歷山大於一八一八年對瑟姆的演說，讓俄國的高階將領非常不滿，這些將領包括歐斯特曼托爾斯泰伯爵、葉爾莫洛夫、扎克列夫斯基，甚至還有契謝廖夫伯爵；就連宮廷裡的歷史學家卡拉姆津也都與他們立場一致。[603]亞歷山大雖然對他們的建議和反對置之不理，但的確也察覺到他所提出的制度安排，其實內蘊著不少難以調解的矛盾之處。為了解決這個問題，他對波蘭人賦予的權利只停留在形式上，而沒有實質的內容。

亞歷山大對於要靠憲章來確保自己在波蘭王國裡的權力並不滿意。他指派自己的胞弟巴甫洛維奇大公擔任波蘭軍隊的指揮官，不過波蘭人更希望由柯斯丘什科出任這個職位。他還派出諾沃謝利采夫前往波蘭擔任俄國保安官，但這個職位其實不在憲章裡。沙皇再次採取了一些臨時性的安排，顛覆波蘭王國用來建立組織架構的兩個原則，亦即自治原則和官僚理性主義。在波蘭人心目中，行政長官和保安官的名聲並不算好，都專斷殘暴的形象。諷刺的是，一八二〇年之後，巴甫洛維奇大公對波蘭人的好感漸增，而這部分是因為他娶了一名波蘭貴族為妻，部分則是他作為立陶宛軍隊司令的身分，讓他傾向支持波蘭和立陶宛議會合一，而此舉將會使波蘭領土大致恢復到第三次瓜分之前的範圍。直到亞歷山大過世前，他都極富技巧地（儘管可能帶有欺騙成分）維持著這個誘人的可能性，藉此綁住波蘭人，好讓他們接受俄國的統治。

然而最擅長玩弄這些把戲的亞歷山大於一八二五年過世後，俄國和波蘭邊境地區的關係便迅速惡化；造成摩擦的原因並沒有改變，但雙方卻變得愈來愈不願意妥協讓步。亞歷山大曾讓波蘭人以為俄國可能會對立陶宛放手，讓立陶宛和波蘭王國合併，但尼古拉一世卻破除了這個幻象。他反對這個構想，因為那會「侵害帝國的領土完整性」。[604]尼古拉開始對立陶宛的軍隊進行俄化，將公務體系中的波蘭人掃除出去，並剝奪維爾諾學區對莫吉廖夫、維捷布斯克和明斯克等地區的學校的領導權。他還發起活動，希望將東儀天主教會納進官方的東正教會。舊立陶宛大公國的爭議領土（波蘭人將這些爭議領土稱為「克雷希」〔Kresy〕），在接下來超過一世紀的時間裡，依然是波蘭人和俄國人爭奪的對象。讓雙方不合的第二個主要問題，則是地下社團的崛起，以及對政治案件的審判權。尼古拉一登基，便要求對波蘭的地下社團「愛國社」進行調查；該團體曾於亞歷山大在位末期遭到一定的壓迫，但依然和十二月黨人暗中保持聯繫。波蘭當局在公開審判時對該社團手下留情，因而在法律上引起了很長一段時間的爭議。沙皇最後介入、譴責議會，並下令將幾位被告送往俄國法院進行重審。儘管存在著這些以及其他種種壓力，但尼古拉和他的哥哥巴甫洛維奇大公，依然沒有要廢除波蘭王國，或摧毀其主要統治制度的意思。主張與俄國和解的波蘭人，例如恰爾托雷斯基、魯貝茨基、政府中的大部分官員，以及瑟姆中的議員，也都對革命路線不表支持。但每個人都有理由懷疑其他人正在尋求不同方式，來增加或減少政府體制的自治程度。事實證明，等到一小群人開始密謀採取暴力手段時，負責的波蘭領導人與俄國政府之間的鴻溝，已經大到無法以調解的手段來彌合了。一八三〇年發生叛亂期間，大多數波蘭貴族都加入了激進派的陣營。[605]

叛亂於一八三一年遭到平定之後，尼古拉實施了他早在叛亂爆發之前似乎就已經想要使用的統治方式。他保留了波蘭王國的名稱，但當年亞歷山大的其他制度設計大多沒有延續下來。《基本法》取代了其他具有憲法功能的文件，但即使是《基本法》本身的規定，也從未完全執行。波蘭王國被細分成許多個俄國省分，行政架構則形同空殼。真正的統治者其實是帕斯克維奇元帥，他被波蘭人暱稱為

「莫吉廖夫的獵犬」。波蘭軍隊遭到解散，而其士兵則被納進俄國軍隊，派駐在高加索地區。可能有百分之十的地主莊園遭到充公，八萬名波蘭人流放至西伯利亞，另外還有一萬名波蘭人加入了「大移民潮」逃往國外。

在此之後，俄國官員試圖弱化貴族地主對魯塞尼亞農民的絕對權力，同時扼殺一切出現在烏克蘭的波蘭文化復興。在總督比比科夫家父長式的管治（一八三八年至一八五二年）之下，於一八四七年制定的《資產清點法》對地主和農民的責任和義務都做了詳盡的規範。在當時，這些法條跨出了大膽而創新的一步，將農地權利關係納入官方體制，為俄國在全帝國尺度上的干涉行動開啟了一個先例。改善農民處境，是俄國為了爭取邊界地帶掌控權的第一步棋，並為十年後農奴制度的廢除先搭建了舞台。比比科夫也試圖減損波蘭土地貴族的社會地位，剝奪了三十四萬名不擁有土地的貴族頭銜。他沒收了天主教大修道院的財產，並強迫十三萬名東儀天主教徒改信東正教。他同時強迫最重要的幾位地主讓他們的兒子在俄國軍隊服役，藉此在教育和宗教事務上實施集權政策。606

但波蘭人依然在高等教育這個領域中和俄國人競爭，並且維持優勢。波蘭學生成群湧向基輔剛創建的聖弗拉基米爾大學，而就人口比例來看，莫斯科大學裡也有大量波蘭學生就讀。俄國的教育部長烏瓦羅夫伯爵謹慎地引導教育政策，並採取了一些實驗性的計畫，鼓勵那些他認為可能會為俄羅斯帝國服務、甚至可能會抵抗極端分子影響力的波蘭人接受教育。然而他的政策前後並不連貫，而且似乎也不太有效。607波蘭人非常希望重新取得對烏克蘭的文化控制，但注定要為一些因素而失敗；法國歷史學家波瓦將這些因素稱為「雙重癱瘓」。有錢的波蘭貴族懷抱著薩爾馬提亞心態，使得他們被困在以剝削農民為基礎的古代社會之中。他們對於發生在鄉村的所有改革行動都抱持著敵意，甚至對一八五九年至一八六〇年間創立的東正教教區學校，反應也相當遲緩；當他們終於要做出回應時，沙皇的警察便對他們進行了取締。不論是哪種情況，波蘭人雖然想要贏回烏克蘭大眾的心，但此時為時已晚，而這也是波蘭人一八六三年的第二次起義之所以失敗的主要原因。浪漫的波蘭作家和詩人不斷對過去的田園生活進行充滿情感、英雄主義式的歌頌，卻掩蓋了各種農地關係和嚴峻的社會現實；值此同時，邊境騎士與僧侶戰士也正在東歐大草原上四處遊蕩。這些美好的幻象，對於農民來說並沒有任何效用，但波蘭人的後代，仍舊對烏克蘭抱持著美好的幻想，也讓畢蘇斯基的軍隊於一九二〇年向基輔發動進攻。烏克蘭的田園幻象有多空洞，很快就顯露了出來，然而波蘭民族主義者一直到波蘭和烏克蘭於第二次世界大戰最末期爆發衝突之前，都仍舊緊抱著這些幻象不放。

尼古拉一世於一八五五年過世後，俄國的專制政權再次和波蘭的菁英階級達成和解。亞歷山大二世作為第一位會說波蘭語的沙皇，立刻就做了適度讓步，對流亡西伯利亞的波蘭人進行特赦，並重啟了波蘭醫學院，邀請波蘭地主加入解放農奴的辯論之中。然而他提醒波蘭人，「別做白日夢了，各位！」但一如歷史學家戴維斯指出的，「亞歷山大才剛給了一些好處，波蘭人隨即就想得寸進尺了」。608

為波蘭人開創新時代、促進和俄國合作的舵手是亞歷山大・維洛波爾斯基侯爵，他早期參與過一八三〇年的起義，後來卻在流亡國外期間改變立場，轉向和俄羅斯人合作。他曾於一八四六年寫給哈布斯堡王朝首相梅特涅親王的公開信中勸告波蘭人拋下前嫌，尋求尼古拉一世的保護，因為「在我們的所有敵人之中，俄國是最寬宏大量的一個」，相較之下，「德意志人就對我們斯拉夫民族懷抱著永恆的敵意」。[609]當亞歷山大準備要鬆綁對波蘭的控制時，卻遇到了愛國分子的示威抗議，於是只好尋求維洛波爾斯基協助重建秩序。維洛波爾斯基的改革計畫試圖改善農民處境，解放猶太人，同時起用波蘭人擔任行政官員；所有這些措施，都符合《基本法》的框架，卻無法贏得溫和派的尊重，也不能讓革命派感到滿意，而俄國官員亦難以對其抱持信心。聚集在農業協會裡的溫和派，表面上雖然願意和維洛波爾斯基進行合作，但通常只是嘴上說說而已；他們希望取得俄國更多的讓步，讓波蘭得以恢復自治，同時將疆域再次向東拓展。[610]

亞歷山大二世當時已經準備好要做出讓步，但並不包含讓波蘭自治這個選項。一八六一年的動亂落幕之後，亞歷山大任命自己的胞弟康斯坦丁．尼古拉耶維奇擔任新的波蘭行政長官（尼古拉耶維奇仍然以身為一個改革者而聞名），而維洛波爾斯基則成為民政事務的最高長官。亞歷山大二世對尼古拉耶維奇的指令，顯示出他對統治波蘭的想法，和他的父親並沒有太大差異，不過就亞歷山大二世的性格而言，他對波蘭人懷抱著更多善意。他寫道，他的主要目標是重建由《基本法》所確立的法律秩序。他反對追求民眾支持，或者對激進愛國團體的訴求進行讓步，因為那些愛國團體只會貪得無厭。他提醒尼古拉耶維奇，千萬不能忘記「波蘭王國現有的疆域，必須永遠都是俄羅斯的領地」。亞歷山大二世還提及，為了避免重蹈覆轍，對於憲法和波蘭的民族軍隊等議題，也絕不能給予討論空間。「如果同意波蘭人擁有憲法和民族軍隊，便等同於放棄對波蘭的控制，同時也等於承認其獨立，這將為俄國帶來各種災難性後果，讓俄國喪失所有波蘭曾經征服過的領土，以及波蘭人認為自己應該擁有的一切事物。」他還提醒尼古拉耶維奇，不要受到泛斯拉夫主義的誘惑，那是個烏托邦，只會危害俄國的團結，並導致帝國瓦解成好幾個分裂的國家。亞歷山大二世也提到，必須對天主教會保持尊重，但不能讓他們涉足政治。如何透過文化和慈善活動爭取女性支持也很重要，因為她們非常敵視俄國。亞歷山大二世將尼古拉耶維奇看作一個有用（雖然可能有點固執）的下屬，必須將他留在自己手下。[611]

亞歷山大二世希望俄國在華沙的代表所表現出的堅定與善意，以及波蘭菁英對俄國的順從，能維持波蘭王國的穩定，但這兩者最後都未能符合他的期望。尼古拉耶維奇雖然嘗試重啟改革，但他的行政體系卻在一八六三年的起義之中崩潰；和一八三〇年的情況一樣，當武裝對抗爆發時，波蘭的溫和派再一次出現了分裂的現象，但他們並未反對起義。尼古拉耶維奇的主要對手是扎莫厄斯基，他比尼古拉耶維奇還要保守，同時也更不願意和俄國人合作。遭到孤立的尼古拉耶維奇於是不再受到波蘭人的信任。[612]

如果說支持和解的波蘭人不願意支持俄國政府，那麼支持起義的波蘭人，則是不願意和支持起義的俄國人進行合作。他們的爭議核心，便是克雷希這個邊境地區。一八六三年的起義前夕，俄國的「土地與自由社」成員與波蘭激進團體代表進行的協商陷入了僵局。波蘭人拒絕承認他們和赫爾岑在倫敦達成的協議（根據該協議，他們原本會在立陶宛、白俄羅斯以及烏克蘭等西部省分進行公民投票），並重申他們要恢復一七七一年邊界的決心。[613]

波蘭人只贏取了邊境地帶其他族裔團體的部分支持。起義的領袖曾求助於猶太人和魯塞尼亞人，並獲得一些立陶宛和白俄羅斯農民的支持。但在西南部地區，他們的努力卻遭遇了困難：由於魯塞尼亞農民長久以來對波蘭土地貴族抱持戒心，他們甚至殺害了波蘭人的特使。這些猜忌和暴力事件，仍然留存在波蘭人和烏克蘭人的記憶之中，危害雙方的關係。

波蘭起義同樣在俄國烙下了傷痕，造成民情激憤，扭轉了制度改革的路線。尼古拉耶維奇就算遭暗殺未遂，又遇上華沙爆發武裝衝突，都仍然勇敢地堅守合作路線，但當沙皇亞歷山大二世決定要在波蘭王國實施軍事獨裁統治時，他還是絕望地辭職了。此後，亞歷山大的政策便依循三條路線。首先，他透過外交途徑，讓法國、英國和哈布斯堡王朝希望根據一八一五年的《維也納條約》進行干預的意圖無法得逞。其次，包括曾參與過一八三〇年鎮壓行動，憂心忡忡的穆列夫耶夫在內的新任軍事指揮官，則和大批軍隊一起被派往鎮壓起義。第三，同時也是影響俄國在西部邊境地帶命運最重要的一點，沙皇將曾在解放俄國農奴過程中扮演關鍵角色的米盧廷召回，請他擘畫新的農民政策，藉此讓波蘭農民維持中立，並誘使他們遠離由昔日波蘭土地貴族為核心成員的革命人士。俄國這個堅定的政策，從起義爆發的那一刻起，就獲得了影響力十足的報社編輯卡特科夫的強力支持。他在《莫斯科報》上發表激昂社論，將受過教育的階級集結在俄羅斯民族主義的旗幟之下，而這種民族主義也將永遠成為俄國政治的一個特點。

有些官員希望重建帝國中心，並支持重建帝國中心和邊境地帶的關係，因而加入了米盧廷的行列，其中和他走得最近的人，分別是切爾卡斯基親王、屬於民粹斯拉夫主義陣營的農民改革家尤里．薩馬林，以及其擔任戰爭部長的兄弟德米特里．薩馬林。他們自上而下進行的改革計畫範圍非常廣泛，包括：消除貴族的特權階級，不論這些貴族是俄羅斯人、波蘭人、瑞典芬蘭人，或是波羅的海地區的德意志人；賦予農民經濟和社會自由；開明官僚的統治；以及大幅縮減天主教修道院的數量。當米盧廷的同志們都認為徹底鎮壓有其必要性時，穆列夫耶夫也改變了他對農民問題的立場，並接受了他們的提議。然而他們臨時的攜手合作，卻在政府部會內部遭到了反對。內政部長瓦魯耶夫、憲兵總司令多戈魯科夫，以及外交部長戈爾恰科夫等人，比較希望和當地的波蘭土地貴族結盟，認為那才是確保俄國對邊境地帶控制的最佳途徑，而對戈爾恰科夫來說，這同時也是消除歐洲其他國家疑慮的最好方法。[614]然而他們的看法，卻說服不了沙皇。

亞歷山大對於米盧廷的計畫，大部分都是支持的。在波蘭王國和西部省分所進行的土地改革，比在普魯士或奧地利境內的波蘭省分所實行的改革還要寬宏許多，實施起來也比在俄國境內容易不少。米盧廷對他們的觀點進行了總結。他曾寫道，不論過去瓜分波蘭的理由為何，俄國都有責任確保大多數波蘭人民的秩序與繁榮：

> 這不代表一個民族應該要併吞另外一個民族；要求一個被征服的民族棄絕自己的語言、信仰、習俗，是違反普世正義的……讓波蘭人和自己的同胞在瑟姆中用波蘭語對話，就像里加地區的德意志人使用德語、愛沙尼亞人講愛沙尼亞語那樣；讓他們熱愛自己的民族文學、民俗歌謠。然而，當我們談的是行政、法庭和政府機構時，民族的特殊性就不應該存在其中，而是需要在單一政府中的各個〔不同〕部門之間，盡可能地維持團結和融合。[615]

透過俄國學者戈里宗托夫所定義的「祕密指令的整體系統」，俄國政府試圖弱化波蘭人在整個帝國境內的影響力，並在每個領域中都依據宗教或冠冕堂皇的名義實行差別待遇。[616]起義運動遭到鎮壓之後，俄國政府便在地圖上抹除掉波蘭王國，並以「維斯瓦河地區」這個行政區名稱取而代之，同時讓該地區從屬於獨攬大權的總督之下，並取消了波蘭地區的地方自治和地方議會制度；這些制度，早在一八六四年就已於其他由俄國統治的歐洲地區實施。甚至連波蘭的天主教會，在行政上都開始附屬於聖彼得堡的天主教會之下。包括從小學到大學在內的教育體系，都引入了俄語教學，但此舉未能促進融合，反而只導致了教育水準的下降。波蘭人不再進入華沙大學就讀，將名額讓給了俄羅斯人，而其他民族則湧向了奧地利治下的加利西亞地區的克拉科夫大學或西歐的大學。

起義結束之後，俄國官員和政令宣傳人員經常在不知道彼此意圖不同的情況下，一起促進了波蘭的俄化進程；對於克雷希地區（西北部省分）各民族改宗的可能性，他們也意見不一。波蘭人不可能改信東正教，因此應該被驅逐出去；而白俄羅斯人則是反覆無常，有可能被俄羅斯人同化；至於立陶宛人，只要給予他們使用立陶宛語的自由，就可以去除他們的波蘭文化色彩；至於猶太人，就只能用孤立隔離來對付他們了。[617]這種混亂情形的特徵是：就整體而言，他們無法掌握（更遑論理解）管治一個如此多樣化的帝國所要面對的複雜性，同時還要和內部與外部的敵人競爭文化領導權。

由於領導人物遭到處決、革命分子遭到流放或自行流亡國外，而波蘭王國又逐漸被整併進俄國地方省分的行政架構之中，波蘭的知識分子只好先「韜光養晦」的策略。最初的領導人物之中，有許多都是理想破滅的革命分子。他們開始鼓吹提升人民的教育水平。對華沙務實主義者而言，如何讓人民投入具有生產力的工作成了計畫的核心。但他們在嘗試與新政權進行調和的過程中，卻產生了新的困難。新一代的波蘭人，發現自己碰上了一系列波蘭歷史學家耶德利基所稱的惡性循環。中等教育無法讓他們獲得現實生活所需的技能，而大學畢業生又太多，但就業市場中的機會有限，同時經濟成長的速度又沒有快到能夠提供新的技術和產業職缺，來吸收這些受過教育的人。知識分子徒勞地嘗試抹除浪漫傳統中的彌賽亞精神，以及對過去波蘭土地貴族價值觀的念舊精神，並試圖將這種浪漫傳統，和追求職涯發展、達成某種程度的「內部自給自足」的平凡需求結合在一起。618

六、猶太隔離屯墾區

由於波蘭遭瓜分後導致超過五十萬名猶太人流入俄國，凱薩琳大帝劃設了帝國內部的第一道界線，隔出了一個被稱為「隔離屯墾區」的特殊邊境地帶。她規定猶太人只能居住在幾個西部省分之中，不過這個區域後來進一步擴大，涵蓋了波蘭王國與十七個省分，只有基輔和塞瓦斯托波爾等幾個城市，以及波爾塔瓦地區的哥薩克村莊被排除在外。她之所以這麼做，似乎是因為擔心猶太人（尤其是猶太商人）可能會和俄羅斯的農民與商人發生衝突。

巨大的文化差異，將猶太人和俄羅斯人區隔了開來。阻礙他們融合的另一個同樣難以克服的障礙，則是西部邊境地區中，猶太人和波蘭土地貴族統治階級之間複雜的社會關係：由耶穌會領導的反宗教革命，以及反猶太主義取代長期以來的寬容政策之後，波蘭土地貴族對猶太人的猜疑和厭惡情緒也日漸高漲。為了回應這些情況所造成的問題，俄國在兩種路線之間游移不定：他們既試圖將猶太人轉化成模範公民，以便將他們整併進俄國的莊園體系之中，同時卻又對猶太人強加諸多限制，以便安撫波蘭土地貴族和俄國商人。由於波蘭人的偏見深入滲透進了俄國官方的心態之中，因此發生在十九世紀前三十餘年一系列失敗的改革計畫，進一步在政治上、社會上，以及特別在經濟上將猶太人描繪成「無害的」。[619]

亞歷山大一世和尼古拉一世在位期間，猶太人承擔著各種特殊義務和限制（但通常都是模糊制定的），使得他們和其他人相比顯得更加不同。尼古拉一世統治期間，俄國對猶太人採取一邊俄化、一邊實行差別待遇的雙頭政策，不但終止了猶太人的自治機構（卡哈爾自治會），同時對他們實施兵役制度，並要求猶太人必須先改宗才能進入政府任職。除此之外，俄國法律也禁止猶太人在距離邊界約五十公里的範圍內定居，以避免他們從事走私活動。[620]

一些限制猶太人在靠近邊界，或隔離屯墾區之外定居的法令，在大改革期間進行了鬆綁；他們也獲得了更多進入俄國學校就讀的機會。然而將現代化，不附屬於任何宗教組織的學校引入猶太社群的嘗試，卻帶來了頗為矛盾的後果。俄羅斯人的首要目標是同化猶太人。但正如一位德國猶太裔的觀察家所指出的，「如果俄國不願賦予猶太人公民身分，那麼讓他們受教育只會是一場災難。」[621]一八六二年，維洛波爾斯基發布命令，使得解放政策也適用於猶太人，希望說服他們接受波蘭化政策，藉此安撫波蘭土地貴族，因為波蘭土地貴族認為如果要解決猶太人問題，對他們進行同化是唯一可被接受的途徑。波蘭起義遭鎮壓之後，這則命令並未廢除。然而在波蘭起義之後，俄羅斯民族主義高漲的氣氛之中，猶太人的解放政策依然曖昧不明。一八六四年，俄國法律禁止猶太人於六個西部省分（亦即前波蘭王國的領土）取得土地。猶太社群中幾位權位較高的代表人物，包括宗教領袖，第一個行會的商人，以及像史坦克勒這樣的企業家，都改信了天主教，因為那是和波蘭人合作的唯一方法。猶太知識分子持續支持這種做法，直到其他地區的猶太人湧入西部省分和維斯瓦河地區為止，因為那些湧入的猶太人已經不信宗教，而且部分被同化進俄國文化之中了；波蘭人的反猶情緒，於是開始出現了爆炸性的增長。[622]遭同化的猶太人並不希望成為俄國人用來進行俄化的工具，然而由於俄國和波蘭在爭奪對克雷希地區的控制權，猶太人發現自己夾在俄國和波蘭之間，雙方都要求猶太人接受他們的語言和宗教。為了回應俄國和波蘭的施壓，猶太人開始在社會主義和錫安主義中找尋新的抗議和抵抗方式。但不管他們採取哪種方式，都無法改善波蘭和俄國的民族主義者與猶太人之間的關係。

七、高加索地峽

在高加索地區，尼古拉一世進行了一場實驗，摸索治理邊界地帶的新模式。他在一八三七年造訪該地區之後認為，唯有將權力集中在代表沙皇本人的行政長官手中，才能解決俄國政府遇到的複雜問題。然而與此同時，他也設立了高加索委員會，以便進行監控、檢視行政長官的工作成效。不過這個委員會後來遭巴里亞欽斯基廢除，導致所有權力幾乎都掌握在他的手中。穆里德戰爭末期，巴里亞欽斯基和他的副手（亦即未來的戰爭部長米盧廷）引入了改革計畫，這場改革後來被稱為「軍民」體系。該體系結合了兩種治理方式：行政事務依然掌握在軍官手中，但司法案件卻是根據地方的習慣法（阿達特）進行審理。一如前面章節所述，這是為了減損伊斯蘭「毛拉」的權力。一八七七年至一八七八年的俄土戰爭結束後，剛被征服且兼併入俄國的巴庫和卡爾斯等省分，也引入了這套體系。這種模式稍經修改之後，被複製沿用在突厥斯坦地區的行政官體制之中，反映出他們借鑑了鄂圖曼帝國的經驗。[623]考夫曼將軍作為第一位突厥斯坦的地方行政官，曾在高加索地區於沃龍佐夫手下服務十五年；他在那裡成為米盧廷的門生。波蘭起義爆發之後，米盧廷推薦他前往西部邊境地區擔任行政長官，後來又推薦他出任突厥斯坦的總督。考夫曼將軍是該時期軍事統治網絡在邊境地區的另一個代表人物。

鄂圖曼帝國

鄂圖曼帝國在一四五三年取得君士坦丁堡之後，成功地重建了東羅馬（拜占庭）帝國鼎盛時期的領土範圍，然而這個新帝國的制度，卻依然帶有強烈的游牧民族色彩。為了鞏固他剛征服的地區，「征服者」穆罕默德素檀需要完成一場早已開始進行的轉型，將行政和財政體系收歸中央掌控。借用鄂圖曼史學家的說法，他們遇到的問題便是：「加齊戰士」和伊斯蘭托缽僧的傳統，以及將鄂圖曼帝國建立成一個世俗化官僚國家的這個目標，兩者之間的裂隙實在難以相容；土耳其歷史學家卡發達爾將這個裂隙稱為「將領土分為核心地區和邊疆地區的這種鄂圖曼古老政治想像模式之中，如同精神分裂一般的心智地形」。面對這種裂隙，鄂圖曼帝國到底應該如何解決？[624]這種將領土分為核心和邊疆的二元世界觀，最早可以上溯到穆拉德一世統治的十四世紀期間，特別是在色雷斯地區的「加齊戰士」將領於一三六〇年代和一三七〇年代期間被素檀任命為邊境地區的總督時尤為如此。鄂圖曼帝國一方面仍期待能無止境進行擴張，另一方面卻又需要一個永久穩定的制度；由於這兩者之間的緊張不斷升高，「加齊戰士」的傳統也不斷遭到削弱。征服者穆罕默德統治期間，「加齊戰士」的處境變得更加邊緣化。

一、軍隊、行政體系與改革

鄂圖曼軍隊原本是十四世紀一支以「加齊戰士」傳統為基礎，在拜占庭帝國邊境地區進行劫掠的部隊，後來逐漸演變成為十六世紀歐洲最傑出的常備軍隊之一。他們之所以在早期能如此成功，主要是因為他們能夠將自己在使用火藥方面的創新和軍事革命，與從基督徒那邊學來的新技術和新戰術結合在一起。就很多方面來說，鄂圖曼帝國在軍力上的增長，與中國的女真或滿人等民族，在和明帝國交手時的情況非常類似。早在十四世紀晚期，鄂圖曼統治者便已經在對拜占庭堡壘進行的圍城戰，以及戰場上的各種戰術之中展現優勢。與此同時，他們也以各種措施重組軍力，其中包括：建立「提馬爾制度」（亦即以土地換取兵源的制度）來獲得騎兵（「西帕昔」），以及藉由「德夫希爾梅」這種徵兵制度，招募年輕的基督徒男丁進入菁英步兵團（或稱禁衛軍）擔任奴隸兵。正當鄂圖曼軍力於十五和十六世紀處於顛峰時，其軍隊便主要以這兩種類型組成，而這兩種類型的軍力來源，都是鄂圖曼帝國為了在前資本主義的經濟型態之中維持常備軍隊，試圖讓游牧社會適應帝國建構過程的例子。

「提馬爾制度」和俄國的以地換兵制度並不一樣。「提馬爾制度」所提供的土地，必須在完成兵役義務之後才能擁有，而非世襲的封地。「西帕昔」有權對在自己的土地上耕作的農民徵稅；這些農民並非農奴，但為了維持自己和受僱者所需，這些農民享有某種終身的耕地權。鄂圖曼帝國征服或徵收了基督徒的世俗領地和修道院土地，藉此處理掉了幾乎所有還未冊封給宗教組織的可耕地。只要能夠獲得新的領土，「提馬爾制度」以及藉由該制度所供養的騎兵隊，就能不斷擴張；只要帝國仍當權，「西帕昔」就會和帝國中央、而非某個個人或地方利益團體緊密連結在一起。然而一旦這兩個條件有所改變，那麼帝國的權力基礎便會嚴重弱化。[625]

禁衛軍源自外裏海地區突厥人僱用奴隸兵的傳統；鄂圖曼帝國出於自己的需要也採納了這種做法，而這種做法也是「邊境地區融合了多種文化基調」的象徵。[626]禁衛軍的組成方式，是從巴爾幹鄉村地區每年徵用的年輕基督徒男性之中，挑選出體格優異的人員，再強迫他們改信伊斯蘭教。他們被訓練成精英部隊的成員，發展出一種傳奇性的團隊精神，配有最先進的武器，以彰顯他們的非凡身分。這種原本由鄂圖曼帝國的創始者奧爾汗一世所引入的制度具有兩個目的：除了建立一批和其他人毫無關聯，完全效忠於素檀本人的奴僕之外，也是為了防止出現以血統為基礎的貴族。據估計，當禁衛軍的制度於十五、十六世紀達到顛峰時，有多達二十萬名年輕的基督徒被迫加入禁衛軍。雖然伊斯蘭律法原則上反對奴隸制度，但實際上禁衛軍擁有許多特權，而且也是行政官員和軍官的後備來源。許多禁衛軍成員甚至在土耳其的官僚體系之中平步青雲，取得「帕夏」或「維齊爾」等官銜，但他們和原生的家族仍保有聯繫，在素檀的宮廷裡，也繼續使用各種斯拉夫語。這個體系一直都運作得頗為良好，直到禁衛軍不再只是單純的軍事組織，而開始成為一個利益團體，並為了維持自身特權而反對軍事改革，才開始導致帝國內部出現衰敗。[627]

在一四四〇年代匈牙利戰爭期間，鄂圖曼人很快就從敵人那裡學會使用架在推車上的移動砲台以及野戰砲。一四二二年鄂圖曼人第一次對君士坦丁堡進行圍城時，使用了由馬札爾人製造的攻城砲；後來則因為配備了長管的滑膛槍，才得以在一四四四年於瓦爾納地區打敗了匈牙利和瓦拉幾亞的聯軍，關鍵性地開啟了征服巴爾幹地區和君士坦丁堡的道路。穆罕默德很快就不再依賴外國專家，創建了一支砲兵團，而且軍團士兵的穆斯林人數比例愈來愈高。他引進了以槍管金屬和廢金屬鑄造大砲的製程，同時還設立了永久的兵工廠製造槍枝。[628]一四五三年，就在他們對君士坦丁堡的圍城行動到了最後關頭之際，鄂圖曼軍隊使用超級大砲攻破了君士坦丁堡「中世紀最強防禦工事」的城牆。[629]更驚人的是，這些來自草原的士兵甚至還學會了在海上作戰，因而得以挑戰威尼斯這個海上強權。

穆罕默德占領君士坦丁堡之後，採取的第一個重要步驟便是收編地方菁英。他將政府中的重要職位，保留給來自封建天主教家庭、願意接受帝國統治而改信伊斯蘭教的奴隸，藉此擴大了歷史悠久、徵用基督徒男丁的德夫希爾梅制度。[630]他也透過「提馬爾制度」在邊境地區分封土地換取兵源，同時又不強迫他們改宗，因而爭取到了許多在地方上存在已久的基督徒地主的支持。穆罕默德的目的是組成一個絕對效忠於他的僕從軍團，以便對抗土耳其各個部族的貴族階級。同時他還創立了一些由首相領導的中央政府部門，首相是素檀的全權代理，擁有包括法官、財政官、書記官等職位的權力，而行政的連貫性則透過書記官來維持。歷史學家蕭爾曾說，他們是「職業官僚體系的一個永久底層結構」，不論鄂圖曼帝國的上層統治階級如何變動，他們都會繼續完成工作。[631]

穆罕默德承認宗教領袖在教會中的權威，也透過他們的教士來收稅，並透過宗教法庭維持司法正義。他還建立了各種基礎設施提供公共服務，比如教育和福利設施，而這些設施也成了鄂圖曼社會在地方層級的重要支柱。

穆罕默德作為殖民者，為了要強化對新兼併省分的控制，不但增加了鄂圖曼移民的人數，同時也對移民過程進行制度化；實際上，來自鄂圖曼的移民好幾個世紀以來本就不時會湧向巴爾幹地區。他將穆斯林和來自巴爾幹地區和安納托利亞的基督徒遷往君士坦丁堡，並將安納托利亞的穆斯林移往巴爾幹地區，藉此瓦解舊時的土庫曼王朝，並為來自伊朗的奇茲爾巴什移民提供落腳處，同時也能在軍事上強化邊界地區。遭強制遷離安納托利亞，以及自願遷出的移民，其人數在十七世紀到達了高峰。湧入的移民填補了西魯米利亞地區（今日的保加利亞）因戰亂而大量流失的人口。到了十六世紀中葉，該地區的大多數居民都是鄂圖曼裔的穆斯林，他們適應了定居的生活方式，卻仍在戍守邊疆。在索菲亞地區，這些穆斯林則占人口總數的百分之八十。隨著鄂圖曼帝國逐漸向北擴張，像多瑙河流域的錫利斯特拉那樣的邊境要塞城鎮，也開始具有鄂圖曼和伊斯蘭城市的典型特徵。[632]

為了支撐征服大業，穆罕默德實施了一項精心制定的政策，在邊境地帶發展幾個主要的製造業中心，並取得貿易路線。鄂圖曼帝國和伊朗在高加索地區的角力，有超過一個世紀的時間聚焦在誰能掌控利潤極高的絲綢貿易路線。一五九〇年的《伊斯坦堡條約》簽訂之後，鄂圖曼帝國迎來了統治的顛峰，將主權延伸到高加索邊境地區庫拉河以北產絲的甘賈地區和希爾凡地區。十六世紀，鄂圖曼帝國賦予西歐貿易商特權（亦即各種「協定」）的政策，為優質衣料、英國的錫和鐵，尤其是金條等商品開放了鄂圖曼市場。然而長期而言，鄂圖曼帝國的政治家一直在抗拒國內經濟往資本主義的方向發展；對他們來說，只要能增加可利用的資源，同時維持各階級成員的位階、保障他們的財產，他們就心滿意足了。到了十六世紀末和十七世紀初，連年戰爭開始讓傳統的財政歲收入不敷出，通貨膨脹則因為進口外國金條而加劇，讓帝國的經濟元氣大傷。鄂圖曼帝國遇到的危機，和十七世紀影響其他歐洲和歐亞大陸國家的危機極為類似：為了要替不斷膨脹的軍事和民政官僚體系提供財源，農業部門的負擔愈來愈沉重，進而導致帝國經濟衰退。[633]然而鄂圖曼帝國並沒有其他資源，只能走上加稅一途，使得物價不斷攀升。這場危機對國際貿易的影響，是導致英國和荷蘭貿易商改採全程水路的路線前往印度。[634]由此，就經濟領域而言，中央集權成了災難的來源。

穆罕默德的中央集權政策，在蘇萊曼大帝治下，亦即鄂圖曼帝國所謂的古典時期達到了顛峰。蘇萊曼大帝在突厥語裡被稱作「立法者」，他試圖在官員任命，以及創建官僚體系雛型的過程中引進更正規的程序。歷史學界今日已經不再把蘇萊曼大帝看成家父長式統治者的化身，也不再認為他是一位暴君。[635]他的專制行為會因為現實上的需要而有所讓步，並透過由統治菁英構成的三大社會族群：軍隊、烏拉瑪以及官僚，甚至還要和他們協商，才能施行統治。[636]這三個社會族群一起構成了無須納稅的人口，又被稱為「亞斯克里」。亞斯克里原本是一種軍事上的名稱，這個稱呼也顯示出了鄂圖曼帝國的起源，以及國家不斷投入戰爭的狀態。[637]地方上的權貴人士（土耳其語稱之為「阿揚」）便屬於亞斯克里階級，他們在傳統的鄂圖曼帝國體系裡也是重要的組成元素。不論素檀的權力有多大、決心有多強，直到十九世紀初期，都沒有任何一位素檀想過要剷除這些貴族。素檀是亞斯克里的領導者，「作為一個公正、虔誠的統治者，其權力源自伊斯蘭律法和專屬於素檀的特權，他的道德責任是確保帝國在財政上和政治上能穩定運作」。[638]雖然理論上素檀擁有絕對的權力，但他終其一生所握有的權力，會不斷受到傳統利益的束縛，到了死後，這種權力也將不復存在。一如鄂圖曼史學家伊納爾齊克所指出的，「鄂圖曼帝國史上每場王位繼承，都是一次革命」，必須抹除前任素檀的所有詔令、任命，以及分封出去的土地。[639]

作為統治者的素檀是否稱得上成功，很大程度上取決於他在指派手下擔任重要職位之後，能否在各自所代表的利益之間維持平衡。大多數的決策，通常都是素檀在諮詢別人意見之後才訂定的，而這也是《古蘭經》所推崇的做法。這種做法，後來在鄂圖曼帝國於十九世紀創建國家諮議會之後而制度化。為了制衡官員，素檀也可能會諮詢自己的好友，藉此獲得不同的意見，而這種做法也是「一種在伊斯蘭教出現之前就存在的伊朗機制」。[640]中央集權的政策，則在帝國的傳統框架之內依循一種週期循環的改革模式。不論是帝國在軍事上遭遇挫敗、或是統治階級為了王位繼承而相互鬥爭，甚或是素檀太過孱弱無能，一旦危機出現，政府中出身自德夫希爾梅制度的改革者便會開始重組禁衛軍，振興提馬爾制度，打擊貪汙腐敗，重建健全的貨幣，以及透過公平的稅收分配，藉此恢復帝國的秩序。在此，鄂圖曼帝國的統治者再次顯示出了他們在政治上務實且有彈性的一面。[641]然而，遙遠邊境上幾乎不曾停歇的戰爭所付出的鉅額代價，不當的財政工具，加上因為改革行動而利益受損的團體會起身反對，上述這些問題都會重啟新的一輪循環。學界對於鄂圖曼帝國究竟是在何時開始「衰退」的這個問題至今仍眾說紛紜，而造成爭議的其中一個原因便是：鄂圖曼帝國的每一場改革行動，都隱含著造成自身衰亡的種子，而每一次的改革行動，似乎都在宣告著另一次終結的起點。[642]

二、衰退問題

對於關注鄂圖曼後古典時期的歷史學家來說，鄂圖曼帝國的衰退一直是他們關切的重點。鄂圖曼帝國有一種由書記官抄寫，用來啟迪素檀的建議性文獻，其內容充滿各種二元對立的譬喻用法，比如崛起和衰退、秩序和混亂、統治者和臣民等，並形塑了統治權力的概念；這些二元對立的概念，後來也成為歷史學家後設敘事的特色。[643]然而，一如歷史學家胡拉尼很久之前就已提到的，「衰退是一個很難使用的概念」[644]；修正學派近期則將這個議題稱為「衰退的神話」。[645]這種取代舊敘事的說法，揭露了帝國統治的另一種圖像，能讓我們看到更多細微的差異。這類修正學派的研究聚焦於鄂圖曼帝國為了處理十七世紀出現的危機，如何透過制度改革讓行政權力移轉至地方菁英的手中，重組財政架構。[646]對於歷史學家來說，問題依然是要如何在以下這兩個選項之間取得平衡：是要保持對帝國核心和邊陲地區統治菁英回應的彈性，還是要在邊境地帶的角力之中喪失領土呢？

伊納爾齊克認為，一五七〇年代是鄂圖曼帝國開始衰敗的時間點，當時正好有一場漫長的邊界戰爭剛結束，而另一場戰爭又即將開啟。然而這些事件發生的時間點並非只是巧合而已。伊納爾齊克指出，鄂圖曼政府與社會的結構性問題，有些和帝國的游牧血統有關，有些則和外部衝突所造成的負擔有關。[647]鄂圖曼帝國和他們的對手一樣，在統治過程中遇到的最重要挑戰，是如何在權力核心和地方菁英之間維持平衡，以及如何維持一支常備軍隊在邊境地帶進行角力。由於鄂圖曼帝國以及帝國的多重邊界具有特殊的地緣文化結構，統治菁英在追求上述的兩個目標時，被迫要將中央集權化、以及去中心化政策這兩種策略結合在一起。

到了十七世紀初期，鄂圖曼帝國開始拋棄突厥民族游牧式的統治方式，從馬鞍上和帳篷中遷入了奢華的宮廷，然而此舉卻也開始為統治者和其家族帶來了不良的影響。王儲在後宮長大，而且直到即位之前，都不能生兒育女。政治運作則是以王室家族為核心，於是各種派系圍繞著王室家族成員出現。與此同時，不在王室之內的菁英家族也取得不小權力，創造出家天下的現象。套用歷史學家芬德里的說法，鄂圖曼帝國統治者的概念從「身兼戰士的統治者，轉變成象徵性的素檀」，而這種變化也影響了司法體系。在執法和支撐文化體制的過程中，恩庇關係所扮演的角色也愈來愈重要。[648]

王室的親信開始將原本用在「提馬爾制度」的土地分封出去，因而減少了提供給「西帕昔」的土地資產。為了補足兵源，他們只好增加禁衛軍的徵兵人數；這些禁衛軍士兵不能擁有土地，因此只能透過增稅來維持他們的運作。有些「西帕昔」逐漸被多采多姿的城鎮生活所吸引，因此開始成為不在農地上的地主，無法固定履行自己的義務。一五八〇年代之後，白銀的流入和價格革命，則讓鄂圖曼帝國的經濟開始出現長期的螺旋式下滑。[649]通貨膨脹和偽幣的流通，對於那些領取固定收入的族群尤其影響重大，比如禁衛軍就出現了暴動現象，提馬爾地主則是加重了對農民的壓榨。中央的政府機構一直無法保護農民、工匠和商人（拉亞）這些納稅的群體（不論是基督徒還是穆斯林），導致他們不斷遭受地方官員和流竄軍團的掠奪。各種冒險家、鄉村土匪和逃兵，本身就是經濟危機以及鄉村提馬爾地主逐漸消失的產物，他們占據土地，為農民提供保護，避免他們受到其他人的掠奪。因此，「提馬爾制度」開始逐漸變成一種世襲的莊園制度，而且有權力強大的監督者在對農民進行第二重的經濟剝削。[650]

十七世紀期間，由於帝國中央的權力弱化，加上鄉間局勢愈來愈動盪，各種形式的農民抵抗運動相繼出現，舉凡偽造莊園文件、拒絕納稅，到大規模的械鬥和劫掠都曾發生過。亞斯克里和拉亞之間在傳統上的區別也開始瓦解；儘管這兩者之間的區隔從來就不是不能變動的，但到了十七世紀初期，政府對非提馬爾地主進入軍隊的情況，也開始睜一隻眼、閉一隻眼。到了十六世紀末，自願參軍的人占軍隊整體人數的比例，可能已達百分之二十，他們的社會背景各異。這種找尋新來源補充人力的做法，顯示出由「提馬爾制度」和禁衛軍組成的架構，已經沒辦法繼續提供足夠的人力來保護邊界或拓展領土。眼見軍隊的社會核心遭到稀釋，鄂圖曼政府卻仍態度曖昧，因而激起宮廷內一些觀察人士的批評，還有人疾呼：「拉亞不准配劍，也不得騎上馬背。」[651]讓自願參軍的人進入軍隊，還造成了其他問題。由於資源有限、競爭過於激烈，使得鄂圖曼政府無法實現諾言，以土地的形式（亦即提馬爾）發放薪俸。此外，戰爭結束後政府也必須解編多餘士兵，導致許多有作戰經驗的軍人組成武裝幫派在鄉間流竄。

根據一篇寫於一六三六年的早期文獻，曾有農民從比托拉地區逃往山區加入土匪幫派（亦即俠盜集團），這些幫派支持他們拒絕為匈牙利的鄂圖曼軍隊提供物資的行為。[652]這些幫派在鄂圖曼統治期間的任何一個階段都存在著，但到了十七世紀，這些幫派已經散布整個巴爾幹地區，不過他們主要集中在像馬其頓這種能為幫派提供適當地形和大型莊園的地區。當鄂圖曼帝國正在作戰時，政府會加徵稅賦，並將地方上的部隊調往前線，此時那些幫派的活動也會變得更為頻繁，以此回應帝國政府的集權政策。俠盜集團經常和外部的敵人合作，尤其在鄂圖曼與哈布斯堡交戰期間（一五八六年至一六〇六年，以及一六八三年至一六九九年），他們會以全面游擊戰的方式騷擾補給線，並攻擊幾個孤立的鄂圖曼據點。然而，當時很少出現以推翻鄂圖曼帝國為目標的大規模武裝起義，而且因為他們缺乏武器、經驗和組織，這種大規模行動也難以成功。653

和阿拉伯帝國從伊比利半島撤出的過程相比，鄂圖曼帝國沿著北部邊境撤退所留下的衝突和暴力問題更為持久。這主要是因為鄂圖曼帝國的撤退在歷史上發生得較晚，過程拖得較久，撤退的步伐也不太一致，而且就本質上來說，鄂圖曼帝國並沒有真的完全撤出那些地區。十九世紀初期到中葉的這段期間，各種傳統的社會抵抗和抗議形式，亦即農民叛亂、宗教衝突、大規模逃亡等，都逐漸演變成了民族獨立運動。民族運動之所以會擴散，除了一部分是受到西方的影響，還有部分也是因為地方上的知識分子體認到，用民族主義動員人民抵禦外侮的做法非常有效。在此我們必須格外謹慎，因為在帝國瓦解、各個民族獨立之後，那些來自新的繼承國、抱持民族主義立場的歷史學家，經常會主張那些民族主義運動發生得比實際年份還要早，誇大民族運動的規模，或是把這些運動追求自治的呼聲直接看作是在宣布獨立。

政權核心明顯出現的式微，在某個程度上，則由胡拉尼所稱的「權貴政治」來彌補。654隨著「提馬爾制度」的瓦解，而自給自足的經濟模式又於十七世紀中末期開始出現，鄂圖曼帝國的財政和行政基礎開始出現一場巨變：貨幣體系開始取代舊有體系，收稅的工作則轉由地方上的權貴負責，包括那些曾經以參軍換取土地、後來在城鎮落腳的「西帕昔」，以及烏拉瑪、商人和放貸人。以世襲莊園的方式持有土地的地方菁英，則成為另一平行的權力中樞，負責徵兵、訓練，並將人力社會化，以便讓他們為國家服務。他們以家戶為單位組織起來，建立了恩庇侍從網絡，讓他們可以在國家的官僚體系之中升遷。這兩種群體有著不少共同點，因而願意支援彼此，並逐漸合而為一。[655]

在有著多元文化的鄂圖曼帝國裡，各個省分界定「權貴人士」的方式並不一致。舉例來說，在摩爾達維亞和瓦拉幾亞這兩個自治公國裡，法納爾人作為源自伊斯坦堡法納爾區的希臘裔東正教基督徒，從十七世紀晚期到一八二一年的希臘革命期間，都是政府中的統治菁英。在地方上，他們藉由和羅馬尼亞的波雅爾家族通婚來維持地位；而在伊斯坦堡，則是透過翻譯官（亦即鄂圖曼帝國和歐洲強權、歐洲軍事團體接觸的媒介）的制度，設法進入恩庇網絡。[656]

在阿拉伯省分裡，權貴的核心則由地方上的烏拉瑪、軍隊指揮官，以及藉著行政職責和傳統社會地位發揮影響力的非宗教人物或家族所組成。在敘利亞和漢志地區的城鎮裡，大家族的菁英限制了地方官員的權力；而在埃及，則有早期統治菁英的後代所組成的馬木路克家族，在控制著稅收和地方官員。胡拉尼認為，伊斯坦堡當局之所以容忍這些家族的存在，是因為他們正好位在邊界上，而帝國中央又需要效忠王室的軍隊和收稅官。[657]在土耳其歷史學家芭琪看來，一直到十九世紀，鄂圖曼帝國能否維持穩定，都取決於帝國中央如何看待地方省分的「阿揚」；她將帝國對地方省分的態度定義為「一種實用而具彈性的管理方式，讓他們可以處理帝國內部的多樣性，而邊界則是可移動的標誌，標注著各種文化的差異性」。[658]每當帝國遇上外部威脅，或是正好有較為孱弱的素檀在位時，「阿揚」便可以在地方上穩定局勢。舉例來說，奧地利曾於一七三七年入侵鄂圖曼帝國的波士尼亞省，當時在波士尼亞的鄂圖曼官員便高度仰賴來自當地、由不同族群組成的民兵進行抵抗。由於他們的財源來自鄂圖曼帝國和當地人所簽訂的協議，「因此波士尼亞人與帝國中央政府擁有一系列的共同利益」。[659]

帝國中央政府和「阿揚」的結盟與協定，也有不甚光彩的一面。「阿揚」藉由收稅和徵兵工作建立了自己的影響力，滲透進地方的行政機構，導致中央指派來的官員威信岌岌可危。當游牧式的生活方式正值復興之際，「阿揚」在地方上也和各部族的領袖結盟。[660]到了十八世紀末和十九世紀初，鄂圖曼帝國在邊境地帶的角力之中敗給俄國，導致鄂圖曼邊陲地區的穆斯林難民開始進行大規模的移民。就在政府努力安置難民、情況混亂之際，地方的部族也趁機爭取自己的自由，希望擺脫帝國的控制。與此同時，「阿揚」也看到了大好機會，可以趁機獲得新的人力和牲畜的供應來源。和部族聯盟結盟的有力家族，則將自身的影響力和權力拓展至整個省分，並抵抗帝國中央的改革計畫。對此，政府則以出兵進行回應，分別於一八三〇年代、一八四〇年代和一八五〇年代，對主要由穆斯林定居的東部和南部邊境地區發動軍事行動。此外，政府也對游牧民族進行調查和統計，以便為瓦解地方部族、破壞「阿揚」勢力的計畫做準備。克里米亞戰爭結束後，據估計有多達九十萬名的穆斯林難民大量湧入，迫使政府和部族領袖進行協商，以便在安置難民的過程中獲得他們的合作。土耳其歷史學家卡薩巴曾指出，就在一八七七年至一八七八年間的俄土戰爭「對稍早在十九世紀建立的秩序提出了致命的一擊」之際，政府也開始在掃除游牧生活方式、以及安置難民的工作上獲得了一些進展。[661]帝國官員不得不依賴那些他們原本想要控制的對象。為了不讓帝國四分五裂，他們只能退讓，然而這麼做的代價卻是破壞了帝國的完整性。

如果帝國的衰退並非驟然或不斷發生的，那麼逐漸衰退仍然削弱了帝國在邊境地帶的力量（儘管帝國偶爾還是能夠阻止這個頹勢）。鄂圖曼帝國在全盛時期過後，其領土範圍並非普遍，也不是快速地就出現萎縮的現象。過去曾經出現的領土擴張潮偶爾仍會爆發，比如十七世紀中葉雖然短暫，但聲勢依然浩大的復興時期。在柯普呂律家族的幾位首相治下，他們奪回了南高加索和烏克蘭的部分地區，留住了外西凡尼亞這個附庸國，同時還征服了克里特島。然而鄂圖曼軍隊卻再次於一六八三年在維也納遭到擊敗，並在此後永遠失去了匈牙利的大部分地區，以及整個烏克蘭。

十八世紀期間，帝國原本穩定而繁榮的樣貌開始出現陰影。內部秩序的崩解、財政上的問題，和西北部、北部、東部邊界地帶上沉重的國防需求脫不了關係，顯示出不祥的徵兆。鄂圖曼軍隊在一七三九年攻下貝爾格勒之後，便沒有再贏過任何一場和哈布斯堡或俄國的主要戰爭（除非把主要是英軍和法軍在進行作戰的克里米亞戰爭也算進來）。造成鄂圖曼帝國軍事衰退、不斷失去領土的原因，一直都是各方熱切爭論的課題。有些研究引用了鄂圖曼帝國的文獻，推翻了保守的伊斯蘭教阻礙科技創新的這個說法，原因實際上更為複雜。軍力上的相對衰退，和其他鄂圖曼帝國的制度變革一樣，其過程都非常漫長，而且極不規則。到了十六世紀晚期，禁衛軍已經從一支素檀的菁英部隊，變成不再可靠、漫無紀律且反對帝國進行軍事改革的軍隊。禁衛軍最重要的功能之一，一直都是戍守邊疆的據點；大約有百分之三十到六十的禁衛軍在邊境服役，其餘則駐紮在伊斯坦堡。雖然禁衛軍的人數在整個十七世紀裡有所增長，但他們供應的戰鬥部隊人數和戰鬥能力卻大不如前。[662]在遠離首都的地區裡，禁衛軍逐漸有了自己的集體認同，將自己和當地的人口區隔開來。禁衛軍允許結婚之後，他們的後代也開始有機會繼承他們的職位。由於鄂圖曼帝國急需更多士兵在幾個邊境地區作戰，又要急起直

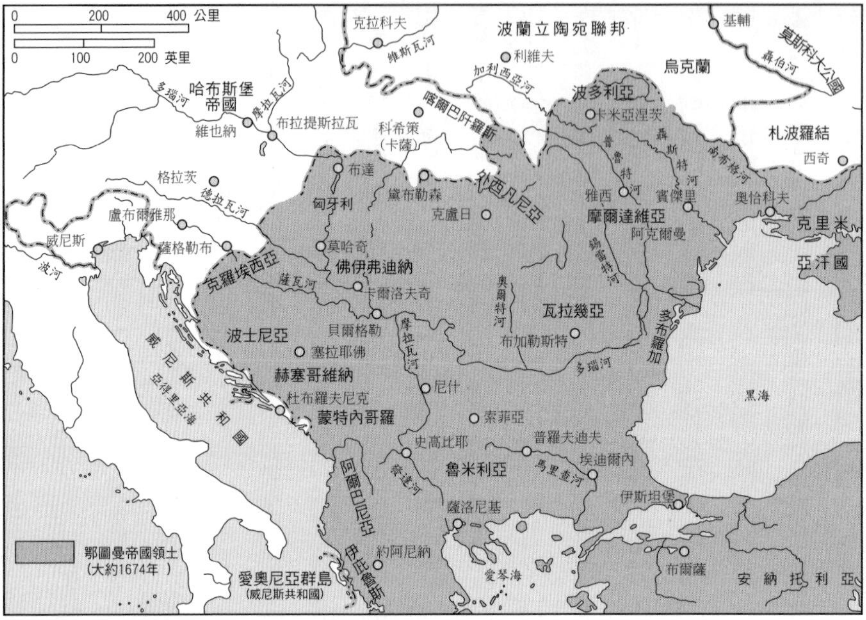

地圖 3.2　鄂圖曼在歐洲擴張的顛峰（一六七四年）

追以趕上奧地利的龐大軍力，政府不得不開放非基督徒入伍服役，同時也接受一些三教九流的基督徒自願參軍。由白銀流入造成的通貨膨脹，也迫使禁衛軍從事工匠或商業活動來貼補收入。在地方省分裡，許多禁衛軍放棄了自己的軍職，轉當農夫；他們獲得了一些土地，卻也自恃自己曾是軍人的身分，理當也是毋須繳稅的統治階級的一分子，所以拒絕繳稅。他們利用自己受過的軍事訓練來恐嚇當地商人，逼得這些商人開始向首都抱怨自己遭遇到不公平的競爭。禁衛軍的解編為社會帶來了許多不滿情緒，同時也降低了軍事效能，並讓他們更加抗拒任何形式的軍事創新。[663]甚至，他們對素檀的忠誠也隨著時間消逝，逐漸成了無法無天之徒，在戰場上的行為也經常難以預測。[664]他們對於變革的抗拒，究竟對鄂圖曼帝國在軍事上的成敗造成了哪些影響？對於人民來說，戰爭的花費是否過於沉重？

一位鄂圖曼帝國的觀察家曾在十八世紀早期這樣評論：「敵軍使用了我軍還沒引進的某些軍事物資，以及新型的武器和大砲，已經開始占了上風。」[665]近期也有研究提到，當時鄂圖曼軍隊已經在軍事科技上趕上對手，但財政管理依舊一塌糊塗。[666]不過所有這些情況，很快就會出現變化。

已經有人敏銳地辨識出鄂圖曼軍隊的弱點，而且並非沒有人嘗試解決那些問題。直到十七世紀末，主張對鄂圖曼軍隊進行改革的人，主要採取的方法被歷史學家利維稱為「回復性措施」，亦即恢復早已頹為衰敗的舊制度。這個策略為他們提供了掩護，讓他們得以從異教徒那裡引進武器上的創新，卻也讓他們無法引進太多技術。[667]鄂圖曼帝國後來在戰爭中兩次慘敗給哈布斯堡王朝，迫使他們必須重新思考改革的類型和步伐。鄂圖曼帝國和其他國家的談判協商，於一六九九年的《卡洛維茨條約》達到顛峰，而這也是素檀首次被迫加入歐洲的國家體系，接受邊界是藉由協商而非藉由征戰產生的這個全新的法律概念。外交活動需要受過訓練，可以和歐洲外交官平起平坐的人員，因此也讓歐洲的治國概念開始傳進鄂圖曼帝國。[668]一七一六年和一七一七年間，鄂圖曼帝國第二次戰敗，並拱手讓出了貝爾格勒；鄂圖曼的統治菁英從此對歐洲文化愈來愈感興趣，不只引進了鬱金香的種植，也帶來了影響深遠的軍事改革。在所謂的「鬱金香時期」，重要措施包括：達瑪德・易卜拉欣帕夏這位首相派遣了五名特使前往維也納、莫斯科、波蘭以及巴黎，要求他們特別對軍事、技術等領域提交報告，為十八世紀迸發的三次軍事改革中的首次行動埋下了伏筆。[669]

三、重啟改革浪潮

馬哈茂德一世（一七三〇年至一七五四年在位）和他的顧問團聘請了改信伊斯蘭教的法國軍官波恩瓦爾，實驗性地引進西方最新的技術，以全面重組軍隊。然而禁衛軍再次擋下了所有主要的改革計畫。同樣改信伊斯蘭教的馬札爾人穆提費里卡，則是最早公開主張需要從敗給基督徒的經驗中汲取教訓的人。一七三一年，他創建了鄂圖曼帝國第一座穆斯林印刷工坊，最初出版的十六本書，全都和政治與軍事相關。他以彼得大帝的改革為例，宣稱只要採納敵人的軍事技術，便可以讓鄂圖曼帝國再次偉大，因為鄂圖曼人有伊斯蘭律法和聖戰的傳統，在道德上更為優越。[670]然而諷刺的是，鄂圖曼帝國於一七三八年和一七三九年擊敗哈布斯堡軍隊，重新取得波士尼亞和塞爾維亞（包括貝爾格勒）之後，軍事改革的壓力反而消失了。帝國隨後進入了長達三十年的和平時期，而和平狀態顯然也讓他們鬆懈了下來，誤以為帝國的處境非常安全。然而鄂圖曼帝國和俄國於一七六八年再次爆發的戰爭，卻讓穆斯塔法三世素檀（一七五七年至一七七四年在位）無法繼續志得意滿下去。

鄂圖曼帝國在一七六八年至一七七四年的戰爭中慘敗給俄國之後，穆斯塔法的下一任素檀阿布杜拉哈密德一世（一七七四年至一七八九年在位）積極地挑選受過專業訓練、受薪的官員擔任高階國策顧問，這些官員在當時已經愈來愈像歐洲的官員。歷史學家亞克珊曾指出，在砲兵團的編列、新的野戰砲單位的招募和訓練，以及其他哈布斯堡和俄國軍隊早在七年戰爭時就已取得的技術創新之中，法國技術人員帶來的影響經常被過於誇大。[671]新上任的鄂圖曼官員開始從歐洲採購軍事設備，掃除禁衛軍中的混亂現象，並在海軍引入改善措施。他們試圖控制地方權貴的勢力，並在中央的行政體系裡引入更有效率的方法，卻仍無法將軍隊和官僚體系徹底轉型；而箇中原因，主要和不斷增加的財政限制、戰爭成本，以及帝國境內愈來愈高漲的反對聲浪有關。不過這些反對聲浪大多並非來自宗教界的保守派，而是來自軍隊和烏拉瑪團體中的既得利益者，因為他們認為改革計畫會威脅到他們這些傳統統治菁英的地位。[672]

第三波改革運動則爆發於塞里姆三世統治期間（一七八九年至一八〇七年），而起因則同樣是在戰爭中敗給由哈布斯堡和俄國所組成的聯盟。[673]塞里姆三世是所有素檀之中最具野心的一位。雖然法國在革命初期發生的事件為他帶來不少影響，但改革的急迫性仍再次於一七八七年至一七九二年與俄國交戰期間再次浮現；這場戰爭最後導致土俄雙方簽訂《雅西和約》。早在敗局底定之前，他就已經開始要求親信提出改革計畫。大部分的計畫都和軍事改革的需求有關：在列出改革事項時，他們參照的是俄國經驗，但在制定方法的時候，卻是以法國作為範例。在改革派官員的先鋒之中，雷斯米以他的學識為改革帶來了不少啟發。作為一名經驗豐富的外交官，他在俄土戰爭期間是第二指揮官，層級僅次於首相。他詳盡地解析了戰敗的原因，提出鄂圖曼軍隊的十大弱點，其中包括組織、戰術以及後勤補給。他也是鄂圖曼帝國裡，最早對邊境地帶角力進行深入分析的人。他以成吉思汗和蘇萊曼一世為例，警告鄂圖曼帝國不應過度擴張，將領土延伸至難以防禦的邊境地區。他甚至還預言俄國最後也會有相同的結局。他認為爭端應該透過協商來解決，同時反對伊斯蘭世界可以無限擴張的邊界概念，並認為鄂圖曼帝國應該融入歐洲的國家體系，才能確保邊界穩定。[674]但他的想法仍舊像風中的稻草般孱弱，而地方權貴的勢力也依然如疾風般強大。

正如亞克珊的觀點，塞里姆的軍事改革必須被放在「鄂圖曼社會的氣氛和改革呼聲」的脈絡之中看待。鄂圖曼帝國的改革運動包含新的三大面向，分別是：官僚化、將新的菁英吸收進帝國的權力中樞，以及對帝國和宗教的意識形態進行改造。[675]眼見「西帕昔」和禁衛軍在戰場上亂無章法、漫無紀律，塞里姆於是建立了一支全新的軍隊，名為「新制軍」。新制軍接受的是歐式訓練，有獨立財源，士兵是來自安納托利亞的土耳其男丁，而軍官則畢業自塞里姆創建的技術學校，大砲技術的發展也持續受到重視。然而許多舊軍隊的成員，或是巴爾幹地區的「阿揚」，都認為新制軍會威脅到他們的既得利益，因而反對新制軍的成立；不過塞里姆終究不像彼得大帝那樣冷酷無情，沒有剷除這些既得利益分子。烏拉瑪則譴責塞里姆和異教徒過從甚密，而塞里姆也未能解決烏拉瑪對他的反對態度。因此他唯一的盟友，就只剩下非穆斯林的居民了。但問題還不只如此。鄂圖曼帝國缺少技術方面的字彙，導致技術移轉難以進行，而除了少數非穆斯林之外，大部分的統治菁英對西方的思想又不夠熟悉。[676]

在塞利姆的統治之下，內部的改革行動開始和國際關係的綿密網絡交纏在一起，而這張國際關係的網絡，是在拿破崙帝國的年代裡，由不斷變動的同盟關係組成的。塞里姆在各強權之間來回遊走；為了抵禦俄國人，也為了獲取軍事顧問和技術移轉，他有時和英國走得較近，有時又和法國結盟。然而到了最後，由於有些人反對他的徵兵制度，帝國內部因而發生了叛亂事件，導致他於一八〇七至一八〇八年間遭到拘禁，他的改革行動也一併遭到終止。

這場叛亂後來將馬哈茂德二世（一八〇八年至一八三九年在位）推上了王位；馬哈茂德二世和地方權貴簽署了協約之後，這場叛亂才終於落幕。這份協約有時又被稱作鄂圖曼版本的大憲章：它奠定了帝國公共法律的基礎，同時也明定地方權貴必須提供士兵保衛帝國，並恢復了包稅制，以確保地方權貴能在財政上為中央提供協助。這份協約除了讓素檀和他的幕僚得以放手重啟改革行動之外，最重要的是，還讓他們得以打破一八二六年改革的傳統模式，首次廢除了禁衛軍這個既存制度，而非像過去的素檀一樣，只是在領導方式和組織架構上做些無關痛癢的修補。但他必須仰賴當時已遭解散的新制軍的殘黨，從割讓出去的領土中遭驅逐的士兵，以及地方上各種「沒有主子」的三教九流，來加入他的軍隊。官方還發布公告，指控禁衛軍已遭到異教徒的染指。改革派人士接著在遜尼派烏拉瑪的幫助之下反制拜克塔什道團；傳統上，該道團一直在精神上支持禁衛軍。儘管拜克塔什道團的領導人物後來遭到處決，道團的財產也遭到充公，不過要在邊疆省分完全消滅禁衛軍，仍非一蹴可幾之事。677

馬哈茂德二世對禁衛軍的打擊，常常被拿來和彼得大帝壓迫舊禮儀派所支持的火槍隊一事作比較。但兩者之間，還是有很重要的不同之處，因為鄂圖曼帝國的社會比俄羅斯要複雜許多。彼得大帝可以透過結構重組、對統治菁英進行西化、實施政教分離，以及禁止讓牧首成為統治權力的替代來源等方式，來建立一支新的軍隊，而不用擔心城鎮菁英，或是地方上不受控制的權貴挑戰他的權威。在俄羅斯帝國裡，大部分人口仍是俄羅斯人和東正教徒，而韃靼穆斯林則集中在內陸省分，距離容易出事的邊境非常遙遠。相較之下，鄂圖曼帝國有半數人口不是穆斯林，而且都居住在邊境地區。因此，俄羅斯那些有利於統治者集中權力的條件，並不存在於鄂圖曼帝國。

然而，我們仍可以將馬哈茂德二世的改革行動，看作他「以更嚴格的國民定義（亦即只有突厥人和穆斯林是國民）創造一個絕對的鄂圖曼概念」，藉此將帝國打造成一個民族國家、讓軍隊轉型成為民族軍隊的第一步。[678]對於統治者來說，「突厥人」一詞在逐漸被賦予意識形態上的意義，尤其在軍隊之中，「突厥人」一詞率先不再帶有「鄉巴佬」或「土包子」之類的舊意涵，不過這種意涵仍在軍事以外的領域存續了很長一段時間。在一定程度上，這也是因為在邊境地區，地方上的權貴擁有自己的民兵組織，導致軍隊在這些地區進行徵兵時遭遇許多困難，因此在兵源上只能愈來愈仰賴來自巴爾幹鄰近首都的地區、以及高加索邊境上的安納托利亞「突厥裔」農民。此外，非穆斯林居民的民族意識逐漸高漲，而西歐也開始支持原本由鄂圖曼政府保障的權利，為鄂圖曼帝國帶來了不小壓力，讓他們不得不做出回應。當時正在埃及執行重大經濟和軍事改革的埃及總督穆罕默德・阿里，以及他的兒子（同時也是軍隊的指揮官）易卜拉欣帕夏，還有許多駐紮在多瑙河地區前線和希臘叛軍作戰的軍事將領，也都體認到了「突厥」士兵的價值。[679]

鄂圖曼軍隊和行政體系若要進行全面而有效的重組，將會面臨到兩個主要的障礙。第一，財政危機不斷復發，而此時通貨膨脹的問題又已經失去控制，其規模前所未見。[680]第二，始於素檀的家父長體系，藉由徇私偏袒和派系對立不斷擴張，在統治菁英之中帶來了貪汙腐敗和密謀私通的現象。這兩個障礙，也反映出了深埋在帝國統治結構之中的斷層。但無可否認的是，我們仍然可以看到才幹十足的新血不斷加入官僚體系，而鄂圖曼帝國也建立了新的軍隊取代禁衛軍。[681]只不過，新的軍隊被命名為「穆斯林必勝軍」，基督徒看了肯定不會覺得親切，況且他們還得繳交新的稅賦支持這支軍隊。此外，邊境地區仍在地方權貴的統領之下，由民兵組織進行防衛。穆斯林必勝軍最大的弱點則是他們的基層軍官：馬哈茂德二世直到一八三四年，才創立了軍官的訓練學校，比俄國的青年軍校晚了足足一百多年。[682]馬哈茂德二世後來於一八二七年打著聖戰的旗幟和俄國進行戰爭，雖然展現出了鄂圖曼軍隊在作戰能力上的大幅提升，但軍事組織和戰略計畫依舊是他們的弱點。[683]軍隊改革的下一個重大進展，則是一八三四年鄂圖曼帝國以普魯士的國防民兵為範本，建立了一支民兵隊，和平時期可以維持鄉間的秩序，戰時又可以充當正規軍的儲備兵源。然而鄂圖曼帝國一直要到引入全面改革之後，才終於實現全民徵兵制度。

四、坦志麥特時期

新一波以「坦志麥特」或「光榮重組」為名的改革浪潮，發生於一八三九年至一八七六年期間，由馬哈茂德二世的繼承者發起，其構想主要來自一小群歐化的官員。在阿布杜拉馬基德一世（一八三九年至一八六一年在位）和阿布杜拉阿齊茲一世（一八六一年至一八七六年在位）統治期間，改革最重要的目標，便是為所有人民建立一個鄂圖曼國族的身分，讓他們擁有平等的權利和義務，並在這個新的基礎之上建立一支帝國軍隊。雷希德帕夏是改革初期的關鍵人物，他一路在官僚體系之中往上爬，最後獲得了極高的權位。作為一位修習英文和法文的學生，他在歐洲的旅行經驗帶給他非常多的啟發。早在一八三九年，他便說服素檀頒布《花廳御詔》，這道御詔承諾將會建立一套新的制度，確保所有子民都能在伊斯蘭的旗幟下擁有生命安全、榮耀、財產以及穩固的稅制。《花廳御詔》的第三個基本原則，即是實施「一個固定的徵兵體制和服役年限」，「為了保衛祖國，兵役是所有人民都不能逃避的義務」。[684]在接下來的三十年裡，政府都在試圖努力實現鄂圖曼主義的概念，而該主義的定義是在承認伊斯蘭教崇高地位的同時，仍賦予所有人平等權利的一種國民概念。改革者依循中央集權和理性化的原則，建立了在功能上等同於政府部會的機構，取代過去許多管轄權限重疊的混亂情況。官僚制度也進行了重組，使得鄂圖曼的官僚體制得以更接近歐洲模式，但又毋須去除原本專制武斷的特性。[685]

米德哈特帕夏是改革第二階段的關鍵人物，執行了鄂圖曼青年團的憲政計畫。他早期曾在亞洲地區的省分服務，在帝國邊境地區獲得不少經驗，接著又被派往大馬士革和阿勒坡解決紛爭；但真正讓他扶搖直上的，則是他在多瑙河邊境地區的經驗。在難以控制的尼什省擔任總督時，為了阻止保加利亞民族主義繼續擴散，他與當地的穆斯林和基督徒權貴階級都有合作；從帝國內的塞爾維亞、羅馬尼亞等自治省分滲透進來的組織，當時不斷在助長著這類民族意識。素檀子民（亦即鄂圖曼人）皆平等的原則也啟發了他，讓他嘗試實施一種族裔混合的教育體系，以雙語教學為基礎，讓穆斯林和保加利亞的東正教徒都願意上學。然而此舉卻讓東正教會和保加利亞民族主義分子非常不滿；他們堅稱，教育是宗教社群（米列）才能擁有的特權。[686]

米德哈特也協助起草了一場針對行政體系的改革運動，在地方的民選議會裡同時引入穆斯林和非穆斯林的代表，不過這場改革同樣未能成功。當他於一八六四年在擴大後的多瑙河（突納）省實施這項改革時，也遇到了類似的問題：上千名韃靼人和切爾克斯人因為克里米亞戰爭而流離失所後，被政府安置在多瑙河地區，他們除了可以保衛邊疆、避免塞爾維亞人入侵，可能也被用來制衡保加利亞蠢蠢欲動的情勢，但他們與當地居民融合得並不順利，因而讓該地區的問題變得更加複雜。當他非常厭惡的伊格納提耶夫伯爵在擔任俄國駐伊斯坦堡的大使期間，不斷嘗試要破壞鄂圖曼帝國的團結，米德哈特卻在努力嘗試將帝國各地的人民團結在一起。他的下一個任務則位於巴格達，使得他身陷另一個情況不穩的邊境省分之中。他在巴格達同樣實施了行政改革，同時還協助一些游牧的貝都因人定居下來。後來鄂圖曼帝國陷入了大規模的騷亂，他於是被召回首都，榮升為首相。

米德哈特有許多強勁的對手要對付。鄂圖曼帝國的高層官員分裂成好幾個彼此敵對的派系，而伊格納提耶夫則在積極地密謀對抗他。然而他依舊成功地在一年之內罷黜了兩位無能的素檀，擁護阿布杜拉哈密德二世登上王位。他接著負責憲法起草工作，這是一個他考量已久的計畫。儘管戰爭的不祥陰影仍籠罩在帝國上空，但憲法的起草工作進行得還算順利；其他參與起草的人還有作家奈米克・凱末爾、其他鄂圖曼青年團的成員，以及一小群基督徒。在那些基督徒之中，有一位米德哈特的幕僚來自亞美尼亞，他同時也是為亞美尼亞起草米列憲法的作者之一。[687]然而阿布杜拉哈密德二世一掌權後，卻決定要保有他身為素檀的特權。憲法發布沒多久之後，阿布杜拉哈密德二世便對改革派發動了政變，於一八七六年開除了米德哈特帕夏的職位。到了俄土戰爭末期，他雖然沒有正式廢除憲法，但已在實質上暫停行憲。自此之後，他的統治方式便變得愈來愈獨裁專制。

坦志麥特期間，軍事改革的其中幾個目標，是改善軍令傳達上的重大缺陷，以及之前導致敗戰的財源問題。阿布杜拉阿齊茲一世對軍事特別有興趣；在他的統治期間，戰爭部長阿夫尼進行了一八三〇年代之後的第一場大型軍事改革。阿夫尼曾經參與過征服克里特島的戰爭；在改革過程中，他採用普魯士的模式，除了降低士兵役期，也建立了隨時可以投入戰爭的後備兵源，而從外國引進的現代化武器，也增加了作戰的效率。在外交部長福阿德帕夏看來，鄂圖曼帝國的士兵需要楷模引導他們。一八六〇年，他對被派往敘利亞鎮壓教派衝突的士兵進行精神喊話；套用現代歷史學家的說法，福阿德帕夏希望那些士兵成為「鄂圖曼帝國現代性、理性和民族主義的先鋒」。[688]雖然軍隊後來在俄土戰爭中戰敗了，但在伊格納提耶夫伯爵看來，鄂圖曼軍隊的表現其實不差。[689]

雖然改革的過程是漸進而謹慎的，但仍遇上了過去常見的結構性障礙和政治上的反對聲音，導致改革最後以失敗收場，而策劃改革的人也難逃厄運。軍中有愈來愈多人對於要和「異教徒」幕僚合作感到憤慨，而烏拉瑪也非常不滿非穆斯林竟然可以獲得同等的權利。到了一八七〇年代，改革派之中出現了新的一波伊斯蘭復興主義。這波伊斯蘭復興主義之所以出現，有部分是因為出身伊朗的泛伊斯蘭主義傳奇人物賈邁勒丁·阿富汗尼，當時正好在整個歐洲和穆斯林世界裡傳播他影響力十足（儘管可能有些晦澀模糊）的伊斯蘭現代主義思想。[690]從邊境地帶逃出的難民，往往也會把一些故事一起帶到鄂圖曼帝國境內，比如俄國人在征服外裏海地區時曾經殘暴對待當地突厥人的行徑，以及阿古柏在清帝國新疆地區領導的穆斯林起義等，而這些故事傳聞，也助長了賈邁勒丁·阿富汗尼對西方勢力的攻擊行動。[691]

若要創建一支真正的帝國軍隊，鄂圖曼帝國還有第二個障礙，因為帝國境內其實有非常大比例的人口是不需要服兵役的。直到一八五六年之前，非穆斯林人口都不在徵兵的名單之內，而實際上他們一直到一九〇九年為止，也都未曾被真正徵召過。此外，來自游牧部族的人也不需要服兵役。其他同樣被免除兵役的群體，還包括宗教學校中的神職人員和學生、大多數專業人員，甚至低階的公務員也無需服役（至少在和平時期的確如此）。還有許多特例個案，可以透過家族關係或繳納費用等方式來免除兵役義務。這些現象意味著，直到鄂圖曼青年團發動革命之前，鄂圖曼帝國的軍隊大部分都是由鄉村農民組成的；而就士兵人數以及士兵占全體人口的比例而言，鄂圖曼軍隊也都比哈布斯堡和俄國要小得許多。[692]改革所需的財源，則是第三個主要障礙。

五、經濟狀況

一如過去的其他改革，坦志麥特能否成功也取決於鄂圖曼帝國的經濟表現。一直到十八世紀，鄂圖曼帝國繁榮的貿易活動，似乎都掩飾了衰退的景象。鄂圖曼帝國大幅擴張的年代，為他們創造了一個廣闊而穩定的貿易腹地，囊括了從幼發拉底河至多瑙河流域、從克里米亞到突尼西亞之間的地區。更重要的是，除了國際貿易之外，鄂圖曼帝國自己的市場也生產了無數種類的商品。雖然突厥人控制著船隻的承租業務，但在和歐洲的貿易之中，希臘人和亞美尼亞人也逐漸取得了重要的地位。[693]

鄂圖曼帝國也成功地適應了新的國際貿易模式，讓他們得以在歐洲和伊朗之間東西向的商品交易之中，擔任中介者的角色長達兩個世紀，並和俄國發展出南北向的貿易路線，甚至和西歐國家在東印度地區進行競爭。一直到十八世紀，他們在東地中海、黑海、紅海和波斯灣等海域都非常活躍，同時還控制著穿越安納托利亞中部和美索不達米亞的傳統陸上路線，這讓他們擁有特殊的地位。藉由對黑海的掌控，鄂圖曼人也開啟了和東歐大草原，以及更北方的莫斯科之間的直接貿易。[694]儘管西歐的商船和戰艦已經深入了印度洋，但丹麥歷史學家史汀嘉爾德認為，鄂圖曼帝國和薩法維王朝、蒙兀兒帝國一樣，直到十八世紀都仍能維持對亞洲貿易的控制。[695]對於遭到征服的地區內的經濟菁英而言，融入國際體系除了為他們帶來不少好處之外，也能讓他們從鄂圖曼帝國的國內政策之中獲得不少好處。事實證明，擴大宗教寬容政策、鼓勵帝國境內所有族裔和宗教背景的商人都能進行貿易等做法，在好幾個世紀以來都是明智且有利可圖的政策，而且還能有效預防西歐的商人搶走優勢。中央政府、地方官員以及當地菁英（包括烏拉瑪和商人）因為擁有共同利益，因此可以確保社會穩定，也讓帝國能夠維持高水準的農業產量。國家也對城鎮中各個職業的行會進行保護，刺激了手工業的產量。帝國的經濟法規包羅萬象，成為了鄂圖曼帝國用來強化中央和地方之間連結的政策特徵之一。帝國政府尤其重視對糧食的販售、物流以及儲藏進行管控，藉此預防物價哄抬或供給短缺。[696]

然而同樣地，看似蓬勃發展的經濟，其實也有灰暗的一面。這些政策雖然有助於維持社會穩定，但仍有不少隱藏成本，比如讓企業家缺少誘因，阻礙現代公司組織的發展，因而難以和外國資本家競爭。鄂圖曼帝國的商人面臨到的障礙，包括國家的管控以及伊斯蘭的繼承法，都使得他們被迫要將活動限制在國內市場，或是只能站在外國強權的保護傘下。到了十八世紀末，諸如伊斯坦堡、薩洛尼基，以及伊茲密爾等主要港口，都已經「在由歐洲主導的世界經濟之中屈居下風」。外國強權則不斷藉由商業條約和領事的特權地位介入鄂圖曼帝國的內政，尤以英國和俄國為甚。[697]如此看來，鄂圖曼帝國其實前景堪憂。

從十七世紀末開始實施的包稅制，到了十八世紀末開始自然地逐漸式微；政府曾嘗試取消包稅制，卻因為缺乏受過訓練的官員而遲遲無法實行。然而事實證明，長期以來的結構性問題更為嚴重。

土耳其的地主在適應市場條件，將財產轉化成為資本主義企業等方面的反應較為緩慢，而國家也未能將生產剩餘投資在具有生產力的活動之中。這些改變帶來的影響無法立即顯現出來。貿易活動和國內市場依然相當活絡。但到了十八世紀末，鄂圖曼帝國菁英對於歲收的需求增加，讓他們必須將愈來愈多的企業移交給西方商人，也預示了他們對西方的依賴將會持續加重。

十九世紀期間，鄂圖曼帝國開始限制商品進口，試圖藉此解決貿易赤字，卻因為已經與外國政府和企業簽訂了協約而無法徹底執行。到了坦志麥特時期的初期，外國商人已經開始大量湧入鄂圖曼帝國，與資本化水準不足的鄂圖曼商人競爭，最後淘汰掉他們。戰敗則使得鄂圖曼帝國從一七七五年開始必須對俄國支付鉅額賠償金，一直持續到拿破崙時期，為他們帶來了龐大的支出，也迫使政府必須增稅，在國內債台高築，必須向國外借款。財政預算有很大一部分，是用來維持官僚體系、軍隊，以及宮廷揮霍的生活支出。[698]

將鄂圖曼帝國從初步的農業經濟，轉變成為一個更為均衡（先不說工業化）的經濟體的計畫，馬上就遇到了西方海洋強權的反對。塞里姆三世雖有意改善國內生產軍事設備和武器的水準[699]，但大部分的產品仍然是從外國進口的。一八三八年，鄂圖曼政府在英國的壓力之下簽署了一份商業條約，被迫放棄所有國家獨占事業以及進出口的管制。[700]就經濟層面而言，該條約是英國席捲全球的間接帝國主義的一部分，當時英國也正在試圖瓦解清帝國南部沿海城市的關稅壁壘。就政治層面而言，英國則有兩個目的：第一，埃及的穆罕默德．阿里帕夏雖然是素檀的手下，卻桀驁不遜，背後還有法國在撐腰，因此英國希望能藉條約削弱他的勢力；第二，不讓俄國有理由可以進行單方面的介入，支持鄂圖曼素檀的政權。該條約簽訂的時間點，正好是政府要開始推動工業化的時候，也是坦志麥特的改革在軍事領域的延伸，這種延伸非常合乎邏輯，但時間點卻不太適當。一八四〇年代期間，大部分產品的消費者都是軍隊和宮廷。然而結構性障礙卻拖慢了工業化的進程，而克里米亞戰爭造成的大量歐洲貸款，以及鄂圖曼帝國愈來愈糟的債務狀況，都讓帝國政府只能終止工業化的計畫。[701]坦志麥特的改革派對於財政事務並不在行，他們當時面臨著一個經典難題：為了耗費不貲的改革計畫，他們到底是要從已被稅賦壓得喘不過氣來的人民那裡取得財源，還是要以超高利率向國外借款，最終卻可能使自己連周轉的錢都要拿去還錢？這道難題，他們從來沒有真正解決過。最後的結果是，雖然改革浪潮並沒有在十九世紀晚期完全消失，卻也像以前一樣，仍然無法達到改革的終極目的。

伊朗

作為在邊境地帶角力的參與者，伊朗的統治者和鄂圖曼帝國、俄羅斯帝國的統治者一樣，也面臨到了一些持續存在的因素；這些因素可以被解讀成三個矛盾之處，但它們背後連結的都是同一個課題。第一，伊朗是一個從古延續至今的文明，已經存在超過兩千年，比任何一個歐亞帝國的歷史都還要悠久（除了中國之外）；然而從最早期的阿契美尼德王朝開始，廣大的伊朗高原就一直存在著非常多元的族群和文化。因此，認為伊朗總是由某個政權核心掌控的想法一直都是有問題的，他們其實不斷在遭受地方上某些實體的挑戰，不論這些實體被定義為「薩特拉普」*、省分、部族領地，或是邊境地帶。[702]強勁的分離勢力不時在威脅著伊朗，但波斯文化中的王權概念（亦即國王）一直到了二十世紀都仍未消失。第二，伊朗人口最為密集、經濟最為富庶的地區，位於邊緣的高原之上，使得伊朗在地理上的核心地帶，反而是人口稀少、相對貧瘠的地區（除了曾經是首都的伊斯法罕之外）。[703]第三，伊朗的行政架構從最早期開始，就仰賴一群訓練有素的官僚菁英在妥善運作，和中國極為類似；接下來的突厥和阿拉伯征服者，則將波斯的官僚組織和方法納入到他們各自的帝國政權之中。[704]然而薩法維王朝和接下來的卡加王朝，卻不像塞爾柱人那樣可以成功完成官僚體系的轉型工作，改變游牧的生活方式或克服部族聯盟對帝國中央的抵抗。存在於歐亞大陸地緣文化基礎之中，一統性和多元性特徵之間的拉扯，便是在伊朗歷史敘事之中不斷出現的共同主題。

一、薩法維王朝的改革

創建薩法維王朝的伊斯瑪儀國王，之所以會獲得建國者的封號，是因為他將突厥游牧民族菁英士兵的文化和波斯的官僚文化結合在一起；後者提供了他們從豐富經驗中提煉出來的行政知識。[705]在他之後繼位的國王之中，最傑出的當屬阿拔斯（一五八七年至一六二九在位），他發起了薩法維王朝歷任統治者之中最具野心、最精巧的計畫，試圖將帝國政權收歸由中央掌控。和同時期的伊凡四世沙皇一樣，阿拔斯實際上將國家區分為兩個領域，將政權建立在城鎮和定居農業人口的基礎之上，同時又

＊譯按：波斯語，為伊朗帝國各省分中代表君主的總督職位。

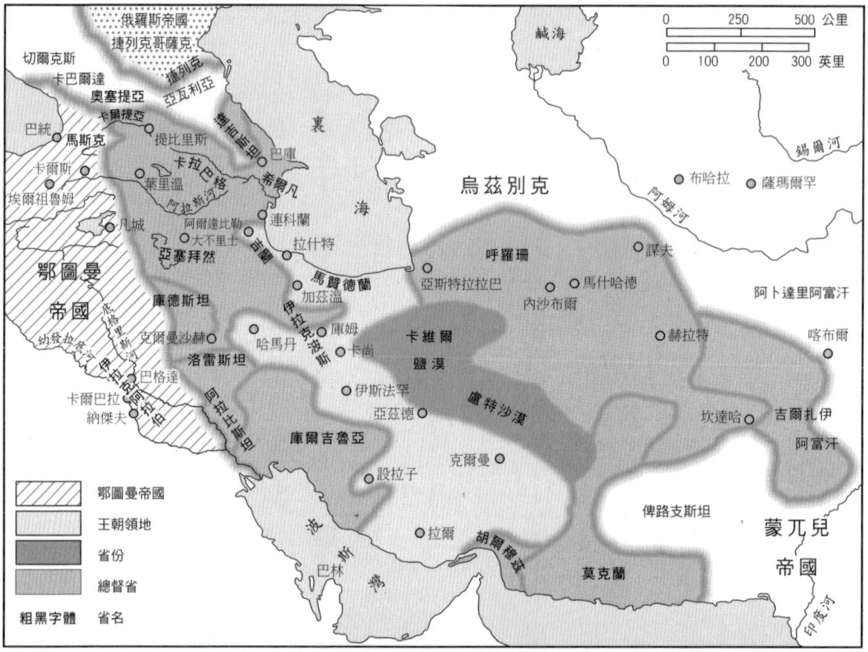

地圖 3.3　顛峰時期的薩法維帝國（一六六〇年）

讓各部族自食其力，藉此減弱他們的勢力。他在因為挫敗而感到灰心時，據說曾經感嘆道：「統治波斯人豈止是件不可能的任務，根本就是荒謬至極。」[706]

阿拔斯的遷都決定，是他將權力收歸中央的政策中的一部分。在此之前，許多城市都曾經充當過國王的移動首都，而這種帝國核心位置的多重性，也反映出了伊朗承襲自過去的去中心化傳統游牧部族體系。然而由於鄂圖曼帝國可能會從西方進攻，因此大不里士便顯得太過脆弱，而加茲溫又暴露在北方游牧民族的威脅之中，阿拔斯於是將權力中心遷往重建後的伊斯法罕，讓首都盡可能地遠離奇茲爾巴什游牧民族的傳統領域。

奇茲爾巴什幫助薩法維王朝成立之

後，逐漸獲取了統治菁英的職能，並根據他們的部族和宗教原則，對伊朗的牧民、農民和城鎮人口進行統治。但他們未能為伊朗帶來穩定的局勢。相反地，他們的反覆無常曾在前一個世紀讓整個國家陷入兩次內戰（一五二四年至一五三六年，以及一五七一年至一五九〇年），導致薩法維王朝幾乎亡國。阿拔斯將軍隊裡和民間的奴隸制度化，任命喬治亞奴隸（亦即古拉姆）擔任官員和道團財產的管理人，使得薩法維王朝境內的高階行政職位，有高達百分之二十的比例由奇茲爾巴什擔任。[707]與此同時，他也嘗試打破奇茲爾巴什在軍隊中的主導地位，徵召改信伊斯蘭教的切爾克斯人、亞美尼亞人和喬治亞奴隸，並讓他們組成特別的騎兵隊、火槍兵隊以及砲兵隊。到了最後，他們的人數占了軍隊整體的三分之一。喬治亞奴隸逐漸成為伊朗軍隊的支柱，他們以驍勇善戰著稱。一如波斯諺語所說的：「和阿富汗人相比，波斯人就像女人；但如果和喬治亞人相比，那麼就連阿富汗人也像是女人了。」[708]

阿拔斯延續了薩法維王朝早期統治者的政策，要求國外提供武器和專業知識，以便跟上鄂圖曼帝國的軍事改革，同時也透過外交途徑，在歐洲尋找反鄂圖曼帝國的盟友。到了一五九〇年代，由於和伊斯坦堡結盟的克里米亞韃靼人不斷侵擾俄國，導致俄國成為伊朗大使館獲得武器的中介，有時甚至還會直接供應武器給他們。諷刺的是，伊朗人大部分的軍事裝備，都是透過投誠的鄂圖曼士兵、貿易商隊，以及跨越鬆散邊境的走私等方式取得的。[709]

為了填補新式軍隊的支出，阿拔斯將絲綢貿易收歸國營，並將一部分原本由奇茲爾巴什管治的省分改為直隸省分，由改信伊斯蘭教的喬治亞奴隸進行管治。他改變了分封土地的政策，以便減少封建權貴手中持有的土地，並增加國家、皇室手中，以及由宗教組織信託管理（「瓦克夫」）的土地。他的經濟政策又被稱為「家父長式的國家資本主義」，因為政府掌控商業和產業活動，其中包括造橋鋪路、郵政服務，以及維持貿易驛站等事業。類似地，他也試圖重啟東西方的貿易路線，鼓勵歐洲購買伊朗的商品和原物料，藉此控制對外的貿易活動。在他的統治之下，諸如伊斯法罕、大不里士，以及卡尚等舊有的城鎮中心，都多少恢復了過去的榮景。隨著王朝將權力收歸中央，貿易和手工業也一如過去拜占庭的行會，受到了國家的控制，而商人則幾乎成為國王的官僚代理人。[710]儘管奇茲爾巴什極力反對，但阿拔斯仍然得以實施改革計畫，不過他也依然十分仰賴奇茲爾巴什提供的服務。研究薩法維王朝的專家沙弗里認為，他們不只對國家秩序提供了精神上的基礎，還「以部族強烈的團隊精神為基礎，為王朝提供了鬥志，讓他們成為中東地區唯一一支能讓鄂圖曼禁衛軍肅然起敬的軍隊」。[711]

雖然阿拔斯國王在位的期間很長，但他並未能夠將伊朗轉化成為一個中央集權的官僚國家。除了軍隊和地方行政體系之中存在於新舊陣營之間的永久張力之外，伊朗經濟的結構性弱點也開始浮現。在南高加索地區和外裏海地區進行的戰爭耗盡了國庫，同時他也未能重建某些城鎮中心，比如亞塞拜然地區的傑爾賓特。在亞美尼亞商人的合作之下，他試圖複製在核心省分實行的政策，讓貿易活動幾乎由國家獨占經營，並藉由強徵苛稅來應付占領邊境地區所需的開銷；然而這些政策卻在後來的國王統治期間激起了反抗，而邊陲地區的部族也開始出現叛亂事件。由於局勢平息了好一段時間，經濟終於開始復甦，但大型的財政危機還是在十七世紀中葉再次爆發了。

這些問題，有一部分源於伊朗對絲綢貿易過度依賴，另一部分則源於和十七世紀的世界性危機有關的通貨膨脹現象。伊朗大部分的強勢貨幣，都來自出口至歐洲的絲綢貿易。然而到了一六六〇年，伊朗的絲綢產量已經到達顛峰，並開始逐漸下滑。此外，和西方貿易順差所帶來的利潤，也因為伊朗從荷蘭和英國在東方的殖民地進口棉花、香料和藥物而消耗殆盡。此外，伊朗和鄂圖曼帝國進行的陸上絲綢貿易，也讓他們難以倖免於全球性的通貨膨脹壓力。到了十七世紀後半葉，皇室後宮的開銷也出現了指數型的增長。根據一份史書記載，素檀胡笙的後宮曾住有五百名妻妾和女兒，以及四千五百名女奴隸。他對於建造花園、皇宮和清真寺的奢侈喜好掏空了國庫。[712]

對此，政府採取了短期的緊急措施，卻只是進一步傷害了國王和統治菁英的威信。販賣官位的醜聞不斷出現，而包稅制所造成的貪汙腐敗隨處可見。由奇茲爾巴什部族首領管治的國家土地，被移交到帝國官員手中；這些帝國官員往往是喬治亞奴隸，他們都是花了鉅資才買到官位，因而貪汙問題十分嚴重，也經常剝削地方上的居民。雖然國王的收入增加了，但地方省分的軍隊卻失去了收入的主要來源。一七二二年，當伊朗首都遭到阿富汗部族圍攻之際，他們並未伸出援手。

為了彌補奇茲爾巴什部族不斷減少的稅收，國王阿拔斯一世的新式軍隊需要國庫投入一定程度的預算，並由統治菁英緊密監控，因為王朝的權力中樞很難對軍隊維持監控。王室和後宮都將軍隊視作一種儲蓄。薩法維王朝的統治者都放任軍隊弱化，只有阿拔斯二世（一六四二年至一六六六年在位）是例外，他曾經短暫地恢復了軍隊的作戰能力，並讓伊朗人最後一次奪回位於東北邊境地區的坎達哈。學者羅姆爾以一種普遍的觀點對此做了總結：「這支軍隊拿來閱兵還行，但上了戰場就跟廢物沒兩樣。」[713]

在超過兩百年的時間裡，薩法維王朝試著建立一個強健、集權的行政和財政體系，但始終無法克服派系間的敵對問題。舉凡「部族封建制度」、烏拉瑪的矛盾態度，以及邊境地區的地方利益，都是導致薩法維王朝瓦解的原因。一如鄂圖曼帝國，薩法維王朝宣稱自己擁有所有土地，但他們無法控制那些在伊朗社會中仍然擁有半自治地位的部族，以及城鎮裡的權貴階級（尤其是在亞塞拜然）。軍隊內部分裂成奇茲爾巴什、喬治亞人和伊朗人幾個派系，但波斯的官僚體系卻沒有強大到可以平衡各地的地方勢力，國家也被迫要和這些強勢的封地領主進行協商，沒辦法強迫他們協助維持國家的體制。

薩法維王朝野心十足的帝國政策，有很大一部分是由伊斯蘭律法中的救世主義所造成的；這些政策在西部和東部邊界地區，遇上了同樣狂熱的遜尼派的反抗，導致邊境地帶不斷發生戰爭，最後造成帝國滅亡。誠然，薩法維王朝於十八世紀初日薄西山之際，中央政府的確曾將部族集結起來，置於無足輕重的汗王底下，藉此預防地方部族形成聯盟，危及王朝的存續。[714]然而與其這麼做，其實還不如讓他們融合進一個穩定的定居社群。

人類學家塔柏爾曾指出，在伊朗，「部族組織和游牧生活方式，可以被視為他們為了反抗國家、或因為遭國家冷落而做出的政治或社會回應，不只是經濟上或生態上的一種適應途徑而已。」雖然薩法維王朝的統治者曾經成功讓一些部族對他們俯首稱臣、為國家提供服務，但這種屈從的行為都是自願發生，而且通常是有附帶條件的。儘管阿拔斯國王和其他人努力想要強化城鎮網絡，但在半游牧的社會之中，城鎮依然像是一個個孤島。不論在薩法維王朝或卡加王朝期間，伊朗帝國都未曾能夠解決他們身為一個混種國家的狀態，而這也反映在伊朗軍隊的特性之中。[715]一直到十八世紀，伊朗的幾個王朝都在北方和東北方開放的邊界上，持續面臨著游牧民族的侵略威脅。他們因為疏忽，並未將城鎮修建成有城牆包圍的堡壘，而是繼續依賴可移動的軍隊前往邊境作戰。就在他們最後一次征服了東部更為兇殘的阿富汗部族之後，伊朗帝國的災難也正要降臨。

二、失敗與撤退

對於伊朗政府而言，部族叛變總是禍害的來源。十八世紀初，遜尼派的吉爾札伊人（阿富汗人）於一七一六年至一七一七年間發起叛亂，而庫德人和列茲金人，則是在一七一九年至一七二〇年間發動叛變，導致出現在國家政權上的幾道裂縫也變得愈來愈大。此外，波斯灣的海盜以及來自俾路支地區的土匪，也讓帝國的南部和東南部陷入混亂。一七二二年，東北部的邊境淪陷，導致阿富汗人在帝國境內四處流竄，對伊斯法罕發起圍攻和劫掠；從此之後，伊斯法罕這座偉大城市的光彩樣貌和經濟地位，便再也未曾恢復過。伊斯法罕衰退，王朝瓦解之後，伊朗的軍事力量只有零星恢復過幾次，而首都則再次被遷往西北部更為安全的地方。之所以會將新首都定在德黑蘭，有部分是因為這座城市比較靠近卡加王朝在古爾岡地區的發源地，同時也更靠近亞塞拜然這個邊境省分；自從薩法維王朝於十六世紀初立國時，亞塞拜然就是伊朗人最可靠的兵力來源。發生這些事件的時候，正好也是彼得大帝統治的俄國初次占領伊朗北方的亞塞拜然省和吉蘭省之際。到了二十世紀，伊朗的國力將會再次衰退，而俄國人也會再度三次進出伊朗北部。

四面受敵的薩法維王朝最後終於滅亡，並在接下來的五年之內，分別被阿富汗和土耳其人所占領。在幾位極富領袖魅力的統治者領導之下（比如納迪爾國王〔一七三六年至一七四七年〕在位和杜蘭尼王朝的阿赫馬德國王），伊朗曾經短暫地復興過。眼見伊朗歷經了十四年的無政府狀態，納迪爾國王為了重建伊朗帝國，便試著將薩法維軍隊內的幾個不同群體融合在一起，比如喬治亞奴隸、奇茲爾巴什，以及波斯皇家軍隊。納迪爾國王來自突厥部族，他在地方上任命汗王，組成聯盟，試圖藉此將各部族團結起來，而他軍隊裡的士兵，大多也都來自這些部族。他的戰功輝煌，曾將大伊朗地區的領土擴張至前所未見的範圍，將鄂圖曼帝國趕出南高加索地區，將阿富汗人驅逐出伊朗，攻陷德里，打敗烏茲別克人，並迫使烏茲別克人接受以阿姆河作為布哈拉汗國與伊朗之間的邊界。

然而在嘗試重建一個有效的行政架構時，納迪爾國王面臨到的問題就複雜多了。阿富汗人入侵，伊斯法罕遭到劫掠，以及歷經連年戰爭之後，很大一部分的伊朗財政紀錄都已不復存在。昔日的波斯官員仍然堅守崗位，盡可能地為像納迪爾國王這樣的篡位者提供服務。然而由於缺乏進一步的制度改革，納迪爾國王於一七四七年過世之後，他的帝國戛然瓦解。除了納迪爾國王，伊朗就只剩下另一位優秀的領導人有能力將各個部族統合在一起，這個人便是杜蘭尼王朝的阿赫馬德國王＊。他是伊朗地區最後一個極具領袖魅力的帝國建造者。作為一名阿富汗部族的領導人，他曾為納迪爾國王效力，後來在伊朗和印度之間打造了最後一個偉大的部族國家，但他之後的統治者卻無能維繫，於是由他所建立的國家再次分崩離析。阿赫馬德離世後，部族軍隊的輝煌時期也隨之結束。[716]到了十八世紀末，地方部族再次崛起，進一步侵蝕了伊朗社會的城鎮基礎。根據當時的文獻記載，諸如伊斯法罕、加茲溫、亞茲德等主要城市都在浩劫之中損失了三分之二的人口。[717]不論統治者在軍事上多有能耐，想在族裔組成複雜、教派高度分歧的外裏海邊境地帶進行軍事征服和國家建構計畫，仍然都太過艱難。

從一七九四年至一九二五年間，亦即卡加王朝的統治者在位期間（即使他們並非總是實際掌權的統治者），伊朗重新進入了另一個其實並不穩固的政治穩定時期。在前一次的內部鬥爭時期（一七二六年至一七七九年）期間，卡加王朝已經重組了納迪爾國王的部分軍隊。在阿迦·穆罕默德汗的領導之下，占主導地位的卡加家族終結了內部對立，讓他們得以打敗主要對手，或爭取到對手的支持。他的成功，有賴於他嫻熟的軍事組織能力（他的統治方式似乎不過是一連串的戰爭），以及無情的壓迫政策。他用國庫的資金供養士兵，因而能夠在進入十九世紀之際擁有一支由三萬五千名騎兵、一萬五千名步兵，以及喬治亞和亞美尼亞砲兵隊所組成的龐大軍隊。但他也知道，由於「俄軍擁有強大的火力，以及頑強的士兵」，他的軍隊在正面衝突時仍然不會是俄軍的對手。[718]然而阿迦·穆罕默德汗過世之後的其他統治者，並不像他一樣擁有如此洞見。

除了沿襲自薩法維王朝的宮廷服飾之外，阿迦·穆罕默德汗和他的繼任者都未曾真正嘗試過恢復中央集權的官僚帝國，而是仰賴處理部族政治，並和烏拉瑪維持一種不穩定的和睦關係。那些烏拉瑪經常質疑，如果什葉派傳統的隱遁（在背後密切控制政權）的伊瑪目不復存在，那麼國家的存在是否仍有正當性。[719]協商的過程隱含著一個源自伊斯蘭律法和傳統習俗的價值體系。一如前述，國王的責任是保護什葉派伊斯蘭教，並擔任什葉派的「守護者」；如果他未能履行這個義務，他便會失去統治

＊編按：杜蘭尼王朝，又稱阿富汗帝國，領土面積包括了今日的阿富汗、伊朗東北部、巴基斯坦以及印度旁遮普地區。是十八世紀下半葉僅次於鄂圖曼的伊斯蘭政權。阿赫馬德國王是王朝的創建者，被視為阿富汗的國父。

的正當性，遭到別人挑戰。有兩種方式可以對他構成最有力的挑戰：清真寺教士的訓誡，以及市集（Bazaar）的關閉；後者也是對國家進行抵制的一種形式。[720]在伊朗，維持內部局勢的穩定，就和維持外部的國防安全一樣，總是岌岌可危。

三、卡加王朝的改革者

卡加王朝的政權主要仰賴的是卡加部族，偶爾也仰賴亞塞拜然地區的突厥部族。和薩法維王朝不同的是，喬治亞地區的邊境落入俄國掌控之後，卡加王朝便無法再把喬治亞奴隸當作士兵的來源。卡加王朝的軍隊由以下幾種士兵組成：國王自行領軍的一小批騎兵部隊（直到一八二〇年代，這些騎兵仍由之前的喬治亞奴隸組成，並由伊朗貴族擔任軍官）、部族領袖不定期供應的騎兵（但不見得是可靠的兵源），以及城鎮和鄉村地區供應的地方民兵。和俄軍這樣的軍隊相比，卡加軍隊顯然完全不是對手。因此對於十九世紀的改革者來說，解決伊朗軍隊的弱點便是他們的主要目標。[721]

在帝國權力的核心，以及皇室、軍隊和官僚體系之中，原本可能成為改革者的人卻遇到了各種阻礙和挫敗，最後甚至因為三個彼此關聯的問題而遭到徹底剷除，這些問題分別是：愈來愈受外國利益團體掌控的虛弱經濟，家族和派系間的鬥爭，以及英俄這兩個彼此敵對的強權對伊朗國內事務的干預，將伊朗從一個邊境地帶角力中的競爭者，削弱成一個幾乎必須依賴他國的國家。在整個十九世紀期間，國家的實質歲收不斷萎縮，導致政府經常面臨破產危機，而包稅制、賣官行為和貪汙問題，又不斷在榨乾國家的財源。伊朗政府曾嘗試透過增稅來增加收入，卻總是遭到地方權貴的反對。第二次俄土戰爭結束後，伊朗和俄國簽訂了《一八二八年土庫曼查宜條約》，導致伊朗必須承擔賠款的沉重壓力，還要賦予俄國商人各種特權，而這些特權後來也遭到擴展，適用於英國和其他歐洲強權。[722]一如我們即將會在第五章討論到的，到了十九世紀末，伊朗對外國勢力的各種讓步，在國內激起了大眾和烏拉瑪的憤怒，導致多起暴力事件爆發，並在憲政革命之中達到高潮。在漫長的十九世紀期間，伊朗曾有過三次大型改革，試圖讓帝國從兩次對俄國戰敗的心理創傷和財政危機中復原，並抵抗英國和俄國對伊朗政治的干預。法特赫·阿里國王在位期間（一七九七年至一八三四年），他最有幹勁的兒子阿拔斯王儲擔任大不里士的行政長官；他決定記取第一次和俄國作戰（一八〇五年至一八一三年）戰敗的教訓。當時，伊朗將南高加索地區產絲的珍貴邊境地帶割讓給了俄國。為了將軍隊現代化，阿拔斯以鄂圖曼帝國作為改革的範本。雖然他也採用歐洲模式，但他用來支撐改革行動的理由，依然是在伊斯蘭歷史中找尋的。他聘請的外國顧問，起初是從俄國投誠而來的人，接著則有法國軍官。英國顧問也補助了一些資金，讓他可以購買現代化的武器，並從亞塞拜然召募到一萬兩千名步兵，建立一支體面的軍隊（亦即伊朗新軍）。然而他的另一個更具野心的計畫，亦即在一八三〇年之前實施徵兵制度，最後卻未能如預期完成。

阿拔斯非常有遠見，他是第一個將學生送往國外學習歐洲技術的伊朗領袖。雖然人數不多，但這些學生歸國後開始製造武器，建立伊朗的第一個印刷廠，將許多著作翻譯成波斯語（其中包含一本關於彼得大帝的歷史著作），引入內閣制度，並對孩童傳授貴族用語和外國語文。[723]他的兄弟對他的改革計畫持反對態度，並以宗教為由對這些異教徒帶來的影響提出抗議，導致他必須就《古蘭經》的詮釋問題和其他人進行論戰；參與論戰的雙方，也都希望獲得烏拉瑪的支持。[724]阿拔斯過世之後，軍隊又回復到傳統模式。現代化計畫此後仍不時出現，但沒有一個能夠真正站穩腳跟。地方部族重新控制了新軍，而對於部族首領的效忠，也變得比部隊紀律本身還重要。[725]第二場改革行動則發生在納賽爾丁國王（一八四八年至一八九六年在位）的統治初期，由亞塞拜然軍隊的另一個軍事將領發起，這位將領最為人知的稱號是「卡比爾」。他全權控制著由歐洲人訓練的新軍，是伊朗從一八四八年至一八五二年間的實質統治者。他早期在俄國，以及在鄂圖曼帝國居留三年的經驗給予他不少啟發，讓他決定發起改革計畫。和之後其他統治者試圖由上而下帶來變革的做法不同，他理解歐式教育的重要性，而埃及的穆罕默德．阿里，當時就已經在實施這種歐式教育了。由卡比爾於一八五一年創立的德黑蘭技術學院，其教職員來自法國、義大利和奧地利，在接下來的半個世紀內為伊朗培養了一批領導人。卡比爾也將學生送往俄國進行技術訓練。他設立了第一批工廠，生產小型武器、紡織品和玻璃，也成立了伊朗的第一間報社。在他的命令下，王室也進行了改革，而宗教上的少數族群也獲得了更多保護。由於國王擔心卡比爾會日漸坐大，卡比爾在宮中的對手因而得以利用國王的疑懼，導致卡比爾最後也和其他追隨者一樣，不敵對手的陰謀。[726]

第三次改革行動的領導人則是胡笙汗王子，他曾被賜封「政府祕書長」（Moshiral-Daula）的頭銜。他的父親是首批被送往國外的學生之一，後來成為帝國的高階官員。和卡比爾一樣，他在國外的經驗為他帶來了深遠的影響：他先是以外交官的身分在俄國待了三年，然後又以部長和大使的身分，於坦志麥特期間在伊斯坦堡待了十二年。他說服國王出訪鄂圖曼帝國的伊拉克地區；該地區當時正好由他的好友米德哈特帕夏統治，而米德哈特帕夏正好就是改革派的首要人物之一。被召回德黑蘭後，他成為首相，並開始實施一些他曾在鄂圖曼帝國看過的行政改革措施，設立高等法院，並引進內閣制度。他還曾試圖將宗教法庭和世俗法庭區隔開來。[727]儘管烏拉瑪強烈反對，他仍為國王安排了初次出訪歐洲的行程（一共去了三次）。一八七二年，他有點做過頭地賦予路透男爵前所未見的經濟利權；這起事件，可能是任何一個主權國家對外國人所賦予的所有特權之中最可觀的一次，其內容包含鐵路建設、礦業，以及國家銀行體系的獨占利權。除了俄國對此提出了強烈的反對之外，伊朗國內的烏拉瑪和宮廷也聯手迫使納賽爾丁國王免除胡笙汗王子的首相職位。不過胡笙汗王子很快又轉任了戰爭部長和軍隊司令，除了聘請奧地利顧問重整軍隊，也草擬法案將地方省分的行政權和軍事指揮權區隔開來。[728]

一直到十九世紀晚期，改革派幾乎都遭到了孤立，也很容易被既得利益者擊敗。但到了納賽爾丁國王統治期間，新一代的伊朗知識分子也逐漸成熟茁壯。他們通常因為擔任公職而有機會出訪歐洲、鄂圖曼帝國以及俄國，並在那些地方取得關於改革和憲政主義的知識。大眾輿論媒體的增長，也讓這些「纏著頭巾」的知識分子，以及那些順應「當時伊朗的特定社會宗教氣氛」的「毛拉」，得以將改革訴求包裹在伊斯蘭教的修辭之中。他們後來在一九〇六年的憲政革命期間成了運動的領導人物。[729]

對於如何整體評價納賽爾丁國王在位期間的改革措施，現代觀察家和歷史學家的意見相當分歧。在如此龐大的結構性障礙之下，要打造一個現代化、中央集權的官僚國家本就非常困難，因此他最大的成就，或許是維持了國家的完整性和獨立性，並未再喪失任何一塊領土。在當年歐洲外交官和軍事家的眼中，他的官員貪汙腐敗、軍隊不堪一擊，而國王本人則是一個教養極差卻又過度自負的統治者。

這些由西方旅行家和外交官所宣揚的東方主義式觀點，今日已經獲得修正。可上溯至塞爾柱時期的傳統波斯官僚體系，不論其傳統模式隨著時間減損了多少，至少在維持國家領土完整這件事情上仍有不少功勞。官僚體系持續成功的地方在於，他們透過協商，與部族和烏拉瑪的派系都取得了和解。透過協商來解決政治問題的做法，已經深入至伊朗社會的每個階層之中，因而有助於政權維持穩定。帝國中央不太過問商貿、教育、公共衛生和福利等領域，這些都由各個社群自行規範管理。[730]只要政府（尤其是國王）能夠在宗教上展現出些許虔誠，便能避免和烏拉瑪發生正面衝突。然而俄國和英國對伊朗經濟的影響力仍然愈來愈大，並在十九世紀晚期、二十世紀初期到達了高峰；對於官員來說，這才是更難克服的問題。

讓他們能夠維持國家統一的技術創新，最重要的或許便是納賽爾丁國王統治初期設置的電報和郵政系統。到了他在位末期，所有城市和主要城鎮都設有電報系統，為國王提供了可靠的通訊和控制途徑。但就和教育一樣，電報系統也是一把雙面刃。一九〇七年的憲政運動期間，電報系統就落入了叛軍的手中，使得革命的訊息得以散布出去。[731]

但作為一個改革者，納賽爾丁國王和同時期的法蘭茲·約瑟夫、亞歷山大二世，以及阿布杜拉哈密德相比，卻又遜色不少。如果他在政策上真有什麼前後一貫之處，就是他對軍隊和官僚的改革行動似乎總是會讓反對者危害到他的政權。反對的聲音一方面可能來自俄國或英國，另一方面則可能來自地方的權貴階級或烏拉瑪。由於他生性怯懦，反對的聲音不需要多強烈就能夠讓他退縮。但即便如此，他還是能技巧性地維持自己世襲家父長式的統治權力。他將他的職權視為私人的財產，並以鐵腕方式管治官員。在和地方權貴打交道的過程中，他也承認他們家父長式的權威。他需要取得地方權貴和部族領袖的支持才能穩定帝國的政權，因此他的統治方式愈來愈趨向於和這些人進行協商，但這也意味著他的權力將難以施展到邊陲地區。[732]到了納賽爾丁國王統治的末期，他變得愈來愈保守，容易受到宮廷內部的迷惑，甚至整天忙著從事一些幼稚的嗜好。[733]

納賽爾丁國王第二個嚴重的弱點，則是他缺乏財源來進行他支持的少數改革計畫。在發現大量石油之前，伊朗是個非常貧窮的國家。卡加王朝的經濟持續以家父長制的國家資本主義為基礎，大多數的製造業都掌握在國家手中，比如利潤豐厚的絲綢貿易，就是由國家壟斷經營的事業。絡繹不絕的貿易商，和國王的半官僚買辦一起賺進了不少財富，但俄國人和英國人進入伊朗市場之後便摧毀了伊朗的製造業，進一步導致城鎮和稅收的衰退。[734]

軍隊是受部族首領反抗以及資本匱乏影響最深的國家機構。但事實證明，英國人和俄國人的默許（反正代價是伊朗自己要承擔），是讓伊朗之所以進行了這場失敗的軍事改革的關鍵原因。納賽爾丁國王曾於一八七九年，亦即他第二次訪歐期間接觸到哥薩克人，從此便對哥薩克人非常著迷；俄國人後來利用了這點，主動為他提供一個軍事代表團和一小支哥薩克人部隊，後來這支部隊被稱作「哥薩克旅」。這支部隊由俄國軍官統領，並且完全由俄國大使控制，在接下來數十年裡，都是伊朗境內最專業的一支軍隊。英國人對俄國帶來的影響力非常擔憂，於是把伊朗境內的部族當作制衡俄國的勢力。英國人與巴赫蒂亞里人及魯爾人等部族簽訂條約，並為他們提供現代化的武器，以確保伊朗南部能夠迅速變成受英國保護的領地。這讓伊朗軍隊只能看國王的心情行事，任由腐敗的部會首長和資深官員宰割。結果是，伊朗軍隊由烏合之眾組成的雜牌軍不但兵員不足，缺乏訓練（如果真的有在訓練的話），士兵的薪餉也非常低（如果真的有薪餉這回事的話），而且他們所配備的武器過時老舊，彈藥也相當匱乏。[735]

就在伊朗即將被俄國和英國瓜分前夕，憲政運動風起雲湧之際，伊朗糟糕的財政狀況迫使政府必須暫停支付士兵薪水，甚至包含哥薩克旅，而諷刺的是，哥薩克旅也已經成了所有外國利益的保護者。軍隊開始在混亂期間解體，導致大規模的叛逃行為：「原本是用來加強政府權威的工具，卻突然成為了和政府對抗的勢力。」[736]到了此時，伊朗早已失去了主動參與邊界地帶角力的能力。

清帝國

清朝期間，滿人不斷進行征服行動、鞏固政權，為中國在內亞邊境地帶的角力開啟了新的階段。東亞史學家狄宇宙曾說：「清朝在內亞地區的領土擴張和官僚制度，在中國史上都是前所未見的。」整個帝國建構計畫的軍事制度和文官制度，都深受他們征服、兼併邊境地帶的影響。[737]

一、軍隊

清朝的創建者努爾哈赤來自東北邊界地區的女真部族，他是一位極具領導魅力的年輕貴族，曾像成吉思汗一樣，成功地讓各部族團結成一個聯盟。雖然他擁有「汗」這個封號，卻似乎沒有太多帝國的野心。真正以「清」（字面上的意義有純粹或清澈之意）這個稱呼宣告新朝代誕生，並將部族的稱呼從女真改為滿洲的，是他的兒子皇太極。努爾哈赤創建的特殊軍事組織被稱為八旗，是滿人的國家基礎。每面旗幟都有不同的顏色，分別代表各個擔負軍事、社會和行政職能的戰士及其家族的血緣，各旗的領袖既是軍官也是家族首長。努爾哈赤如此設計的用意，似乎是要抹除各部族內部的效忠關係，同時保留女真社會的傳統宗族結構。在他們和明朝的早期幾場戰爭之中，他和他的軍隊指揮官展現出了強大的彈性，將滿人的戰術和軍事革命帶來的新技術完美地結合在一起。一如其他來自草原地區的半游牧入侵者，滿人擁有勇猛的氣質與強大的移動能力，但他們起初對於圍城式的戰役並不在行。他們無法和擁有先進武器的明朝軍隊競爭，因為早在十六世紀晚期，明朝就已經從鄂圖曼帝國和西方（主要是葡萄牙）那裡取得了大砲和火槍。一六二〇年代，明朝使用這些新式武器防禦受城牆環繞的城市，導致攻城的滿人弓箭手和持劍的士兵死傷慘重。但不出十年，皇太極便已經開始根據擄獲的歐洲武器鑄造攻城用的槍砲，還發展出各種新的戰術。[738]

在努爾哈赤的軍事行動過程中，他為了將蒙古人和漢人的軍事菁英吸納進來，也對八旗體系進行了擴張。東北邊界地區中血緣複雜的明朝軍隊被組織進新的部隊，稱作漢軍八旗。[739]他的兒子，也就是下一任統治者皇太極籌備了一個計畫，把貴族旗人教育成未來帝國的官員。一直到十八世紀，皇帝都將旗人作為制約官員的力量，或是安插在議政處這個帝國政權的主要決策單位之中，並填補邊境地帶的行政職缺。[740]旗人作為戍守邊疆的忠實戰士，將邊疆地區的個人特性和制度特性結合在一起，成為一個可以讓征服者菁英繼續處在動員狀態的架構中，而且旗人的軍隊和鄂圖曼帝國與伊朗軍隊不同，並不受地方權貴的影響。[741]如果要比較的話，他們的功能比較像鄂圖曼帝國早期的禁衛軍，以及彼得大帝時期的親衛隊。

十八世紀，當清朝皇帝正要對西北邊境地帶發動征戰之際，他們也必須克服過去所有類似的軍事行動都會遇上的老問題：要如何克服後勤補給的問題，並在距離如此遙遠，隔著乾旱或半乾旱地形，而且綠洲非常少見的情況之下，供應一支人數夠多的軍隊且維持夠久的時間，讓他們能夠打敗游牧民族？再說，那些游牧民族永遠都可以往草原深處撤退，而且當地的居民本來就已經窮到糧食不足果腹。對此，清朝的解決方法是在許多軍用庫房裡儲備物資，而這些庫房則由受保護的補給線連結在一起。歷史學家濮德培曾指出：「只有對十八世紀的整體經濟進行商業化，才能讓清朝官員在西北地區的開放市集中採購大量物資，並將它們運往新疆。」事實證明，清軍和同個時期的俄軍面臨的情形一樣，這些權宜之計在深入草原地區的遠征行動過程中至關重要，讓清朝得以打敗準噶爾汗國這個最後的大型半游牧帝國。[742]到了十八世紀中葉，八旗軍隊挾著高度發展的軍事技術，以及組織完善的後勤補給系統，讓清帝國得以將政權擴展到邊境地帶，而後來的民國和共產黨政權，也都認為那些清帝國兼併的邊境地帶屬於中國領土。

二、官僚體系

作為歐亞大陸上最古老的連續帝國，中國不意外是第一個發展出官僚體系規則的國家。但令人意外的是，這個幾乎已經存在兩千年的原始設計居然能夠如此穩定。雖然該體系誕生於孔子在世之前的年代，但中國的官僚體系後來卻是靠著以儒家經典為基礎的科舉制度在維持。在權力的金字塔頂端，皇帝親自任命所有官員。清朝的官僚體系充滿理性、科層化的特徵，而且因為內建管控機制而得以隨時保持機動，讓他們只以非常少的官員，就能夠對非常龐大的人口進行統治。到了十九世紀，中國大約有四億人口，但各階層的官員總數卻只有三到四萬人。[743]官員（有時被稱作士大夫）的權威來自於兩個彼此互補的來源。第一，有非常詳盡的行政規章和慣例，對官員進行規範；第二，一系列道德戒律帶來的道德權威，讓他們可以獲得相對於皇帝的獨立地位，並在皇帝和人民之間擔任中介的角色。經典文本的內容裡隱含著諸如禮儀、智慧、公正和誠實等崇高的價值，並透過地方官員、讀書人和商人，在整個中國的鄉村地區和城鎮中廣泛流傳，更多是透過身教和口耳相傳的方式，而非透過書面的形式傳播。他們被諄諄教誨著，要以老百姓的福祉和國內秩序為己任，隨時準備好在皇帝偶爾要求新想法的時候進行回應，讓自己「代表天意，傳達人民的心聲」。他們相信個人意志的力量，能讓他們在面對暴政時，仍然可以維護社會的道德理想。[744]然而針對官員的道德規範，並沒有辦法完全防止官員貪汙斂財。這種士大夫角色之所以如此複雜，最主要的問題便是他們必須忠於兩個對象：一方面，他必須忠於他所派駐的地方和當地的社會風俗，另一方面又必須效忠經常要求他們做出違心之舉的皇帝。[745]

如果說這些士大夫無法想像權力至高無上的皇帝不存在了會是什麼光景，那麼同樣地，皇帝如果沒了士大夫的話，也將不知道該如何進行統治，而這也是每個入主中原的游牧民族政權都曾學到的教訓。不論是就統治者的人數或是經驗來看，蒙古人和滿人都無法在沒有漢人官僚的幫助下，對領土如此廣大，人口如此稠密的定居型社會進行統治。[746]誠然，像忽必烈（一二七一年至一二九四年在位）這樣的新統治者，的確曾經嘗試要儘量使用蒙古人和西亞人擔任官員，但即便如此，他們也仍然必須識讀漢字，並且對漢人的官僚規則擁有一定程度的認識。忽必烈本人也非常推崇儒家思想。在中華帝國的歷史上，中央的統治制度曾經有過多次更動，也曾經發生過掃除異己官員、焚毀經書、重編經典的事件，然而支撐統治的主要架構卻沒有太大的變動，而且和科舉制度一樣，都在為帝國統治提供連續性。

清朝初年，漢人士大夫與滿人貴族之間曾關係緊張，因為皇帝對滿人貴族賜封了大片土地，但這些旗人作為行政官員的角色卻在十八世紀期間逐漸衰微，清朝的中央官僚體系於是逐漸恢復了他們的傳統權力。[747]為了處理中國社會複雜的地域結構，清廷發展出了一種雙層統治模式：上層是總體的超結構（overarching superstructure），下層則是以「多元統治單位所組成的母體」（matrix of diverse governing units）為基礎，而這些統治單位的型態則是因地制宜。這個體系能否成功，端視地方的經濟團體和權力團體與中央政權之間能否相互合作。這些地方上的團體存在於正式的官僚架構之外，而朝廷則透過非官方協議來延攬地方專家，快速有效率地解決糧食供應和水資源保護等問題。不可否認的是，商業城鎮中心之外（尤其是邊境地區）的地方團體不一定能夠滿足國家的需求；有鑑於此，朝廷中央不斷地在邊境地帶實驗各種間接的統治形式。然而當實驗失敗時，朝廷中央仍會使用殘酷的鎮壓手段，而這也可能激發大規模的抵抗運動。[748]

清朝持續對「內部」的漢地與滿洲，以及「外部」的內亞邊境地帶實行隔離統治。皇帝成功地保存了東北省分（滿洲）的行政自主權，並維持著他們藉以掌權的軍事組織的原貌。在滿洲與俄國交界地區的經驗，也影響了他們在西亞其他地區的統治方式。在東北的兩個省分裡，控制權掌握在軍事將領的手中，而瀋陽作為清朝實質上的第二首都，則統轄著最南邊的遼東省*。[749]

清朝創立了理藩院這個中央機構，以便在邊境地區建立秩序、收編地方菁英。該機構有時候又被翻譯為殖民署，而狄宇宙則稱其為「管理外部省分的機構」，後者似乎更為適當。[750]只有滿人和蒙古人可以擔任理藩院的官員，漢人則被排除在外；隨著清朝向內亞地區深入擴張，理藩院的功能也愈來愈重要。政府指派前去的帝國子民（通常是軍人）在地方上擔任第二層級的統治官員，民政事務和軍事業務都會交由他們來處理。隨著時間演進，另一個由「邊疆專家」組成的層級也出現了。在這個制度之下，蒙古和新疆的統治結構大不相同，也反映出這兩個地區的地方菁英和朝廷中央之間的關係。

蒙古人在滿清入關之前，就已經和滿人建立了盟友關係，自願臣服於清朝統治，因此清廷並未在蒙古進行軍事占領，而是允許蒙古人的部族在中國官員寬鬆的監視下，享有一定程度的自治權。世襲的諸王則掌管著蒙古旗人，他們對清廷宣示效忠，以換取朝廷向他們賞賜土地和各種補貼。清廷也對游牧的蒙古貴族授與封號。以實物徵收的稅賦也不那麼沉重。[751]清廷將蒙古人的習慣法編為《蒙古律例》，接著又將《蒙古律例》與漢人法律制度中標準化的官僚規章平等視之。[752]

＊審定注：遼東省為西方漢學家訛傳，清朝無遼東省，此處係指盛京將軍轄下區域，清末成為奉天省。

清朝平定新疆之後，軍隊的角色便隨著各地區的定居模式而有不同。清朝也改變了邊境地帶的傳統生活方式。他們徵用北方的獵人和漁夫進入八旗體系，駐紮在東北部的軍事據點，防範俄國入侵。他們還將草場分派給幾個部族，並將他們組織進八旗體系之中。[753]

清朝的統治菁英認為有必要對帝國財政進行重組，設法增加稅收，因為他們相信明朝就是因為經濟上過於孱弱，才導致軍力不足，無法平定內部的叛亂事件，也無法抵禦來自內亞地區的侵略。[754]清朝政府將收稅工作收歸中央負責，同時收緊稅務法規，活化利用皇室資產，並對像鹽這樣的大眾消費品，以及人參和珠寶之類的奢侈品實施帝國專賣制度。[755]如果沒有這些財源，清帝國的領土就不可能擴展得如此之多。但即使如此，像新疆這樣的邊境地區仍然對清帝國的財政造成了沉重的負擔，儘管政府已經十分努力地在鼓勵貿易活動，希望新疆地區能夠自給自足。[756]很顯然地，清廷在邊疆領土上的主要目的是戰略性的，而非經濟性的。

三、衰退問題

現在回看清朝在十八世紀末抵達顛峰之後開始衰退的現象，似乎來得非常突然。對於清朝為何無法在十九世紀中葉始自鴉片戰爭的一系列危機之中抵抗西方勢力的滲透，許多學者都曾嘗試給出解釋。費正清和他的學派將清朝的衰退，歸因於儒家學者的食古不化，這些學者把中國放在世界秩序的中心，並以朝貢體系作為和蠻族來往的主要策略。現在的學者則更為強調，大規模的內部叛亂事件為清朝帶來了許多災難性的效應，尤其是一七七〇年代的白蓮教叛亂事件，以及從一七八〇年代開始爆發的多起回民叛亂事件。十九世紀的上半葉，清朝就遭遇到四次起義事件，其中，太平天國之亂（一八五一年至一八六四年）和捻亂（一八五一年至一八六八年）都讓清朝幾乎滅亡。雖然社會動盪和許多因素有關，但發生在中國的叛亂事件，和發生在哈布斯堡王朝、鄂圖曼帝國、俄羅斯，以及伊朗帝國等通常帶有千禧年主義色彩的叛亂事件不太相同。[757]對於統治菁英來說，快速增長的人口問題愈來愈難處理，而民怨又在鴉片問題和英國要求保護鴉片貿易的推波助瀾下遭到放大。發生於一八三九年至一八四二年之間的中英鴉片戰爭，是中國與西方第一次發生正面衝突，最後以慘敗收場。

漢學家魏斐德主張，太平天國之亂尤其損害了清帝國的統治基礎，不只歷時漫長，又對財政帶來了巨大負擔，迫使朝廷只能求助於地方菁英，然而這些地方菁英的仇外心態，卻又導致了清帝國和軍力更為強大的英國發生衝突。[758]濮德培指出，造成清帝國挫敗的因素有四個，而所有這些因素也都顯示出，那些在內亞邊疆地區推行的政策雖然頗為成功，但套用在沿海邊境地帶時卻會帶來災難性的後果。第一，清帝國在打敗西北地區頑強的準噶爾汗國之後，犯下了一個嚴重的錯誤，亦即低估了英國在沿海地區所帶來的威脅；而在西北地區的勝利，也強化了他們從好幾個世紀以來的經驗中獲得的想法，亦即帝國政權最大的威脅來自北方的蠻族。第二，在內亞邊境地區獲得軍事經驗的官員，無法將對抗游牧民族的策略，用於抵禦英國這樣的海上強權。第三，和地方菁英進行協商斡旋，而不強化中央官僚體系的策略，雖然禁得起歷史的考驗、在北方地區可以成功分化蠻族，但用來對付海上強權時就顯得毫無用處，因為那些海上強權都願意接受英國的領導。最後，沿海城市在商貿上的發展，也弱化了沿海地區和帝國中央的連結，使得西方的海上強權得以和當地的商業利益團體形成同盟關係。[759]

面對十九世紀中葉的各種危機，清朝官員的回應方式是進行制度改革；他們將這種改革稱為「變法」，借用的是前幾個朝代在面臨類似變革時所使用的詞彙。另一個在改革派知識分子之間相當受歡迎的詞彙則是「自強」，該詞彙由曾國藩創造於一八六〇年代，他主張的是一種折衷的儒家思想。他認為清帝國需要發動一次技術革命，但他提出的教育改革計畫，卻只不過是重新建立一套嚴格的儒家思想課程而已。就很多方面而言，他的計畫和俄羅斯的大改革、鄂圖曼帝國的坦志麥特，以及哈布斯堡王朝的《折衷協議》有些類似，但這些改革運動的步伐、深度和成敗，顯然都不盡相同。

在由鴉片戰爭戰敗以及太平天國標記的一系列危機爆發後，中國進入了三個改革期。第一個階段從十九世紀初一直延續到一八七〇年代的同治中興期間，主要關注的是如何讓軍隊實力趕上西方強權的水準，並引進西方的外交技巧。然而大多數情況下，這些改革都仍深受儒家式世界觀的影響。此外，針對太平天國之亂進行的軍事行動雖然成效不錯，卻都是由地方省分而非朝廷中央組織進行的。曾國藩這位湖南省的官員，便籌建了一支擁有十二萬兵力的軍隊；他以現代版本的儒家倫理激勵士兵，拔擢地方上的年輕學者擔任軍官。[760]類似的情況還有，總理衙門（相當於中國的外交部）和海軍部的創立，很大程度上都是幾個士大夫個人努力的成果，他們對傳統的儒家主義進行重新詮釋，藉此獲得創新的正當性。相較之下，朝廷中央卻沒有遠見，也沒有意願支持一個全面的整合性改革計畫，也不願在財政上對新制度提供必要的支持。[761]

相對保守的官員則有皇太后慈禧在背後支持，他們反對對官職進行專業細分，也反對一切可能危及他們特權的變革。慈禧是一位野心十足、才智過人而且極為獨裁的人物，她從一八六一年到一九〇八年都在垂簾攝政。起初她是為她的兒子同治皇帝，亦即清朝最後一位合法正統的皇帝進行攝政，接著又違反皇位繼承的基本原則，安排了自己的外甥登基。在她的介入之下，持續時間較為短暫的第二次變法（百日維新）被迫提前結束。百日維新這場改革運動，是為了回應中國在一八九四年至一八九五年間慘敗給日本，也是因為西方列強於一八九八年再次要求獲得經濟和定居上的權利，導致清帝國陷入「列強瓜分的危機」。中國當時剛萌芽的大眾媒體也呼應改革派文人的警告，他們認為中國正在步入波蘭和鄂圖曼帝國的後塵，並對彼得大帝和日本明治天皇實施的重要改革讚譽有加。[762]年輕的光緒皇帝當時也努力試圖擺脫慈禧的箝制，分別就教育、經濟、軍事和官僚體系等領域，發布了四項重要的法令，而這些法令也呼應了早前自強運動所提出的訴求。然而慈禧卻發起了一場宮廷政變，將皇帝軟禁在宮中，並處決了皇帝身邊的幾位親信。直到一九〇〇年的庚子拳亂再次衝撞體制，慈禧對於舊體制的信心才終於開始有所動搖。

四、最後一波改革運動

「新政」是清朝最後一次的大型改革運動，也是將近一個世紀以來合理化清帝國統治的高潮。中國的結構改革和鄂圖曼帝國的改革運動模式有些類似，通常都是對西方壓力的回應，而這些回應也會以主流的意識形態進行合理化，切合統治菁英的利益。新政也不例外。新政的第一步，便是重組總理衙門，讓這個機構完全轉型成為西式的外交部。和俄國和鄂圖曼改革派有些類似的是，清朝也派遣了改革委員會前往西歐、俄國和日本考察不同的政府型態。考察團回國後建議清廷不要採取俄國的獨裁體系，而應該參考日本的憲政體系。其中的許多想法，都再次呼應了早期改革者的提議——尤其是康有為的構想。

就在時序邁入二十世紀之際，康有為引用了他所受的傳統訓練，主張孔子並不否認社會變革或進步思想能帶來的好處（不過類似觀點也早已有人提出過）。他的論點如果稍經修正，簡直就和賈邁勒丁·阿富汗尼當年認為伊斯蘭教和理性的進步改革可以相容的觀點非常類似。一八九五年，康有為聯合許多舉人起草萬言書上書皇帝，呼籲清朝進行全面性的改革行動，並由創建西式軍隊、全面為工農業引進科技創新等措施開始做起。在他的眾多提議之中，他還主張透過大規模的移民計畫開墾邊疆地區，藉此幫助貧窮的農民。他曾被任命為軍機處的大臣*，因而有機會再次上書皇帝。他著手撰寫了兩份歷史分析報告，以波蘭的命運為借鑑，而日本的明治維新則被他視為模範。慈禧政變之後，康有為雖然被迫流亡海外，卻仍持續主張清帝國必須轉型成為一個君主立憲國，由光緒繼續統治。他代表的是溫和改革派的立場，卻逐漸遭到反對清政府的民族主義者及共和派的排擠；這些民族主義者及共和派的代表人物，便是孫中山。[763]

為了挽救清朝，慈禧做出最後的一搏：她於一九〇六年發布了詔令，根據西歐模式對中央官僚制度進行了改革，並廢除了滿人官員和漢人官員在職位上的差別待遇。她的改革方案有兩個值得注意的疏漏：政府依舊沒有內閣制度，而地方官員的權力也並未受到制衡。[764]她的計畫雖然野心不小，但似乎仍來得太晚，而且也太過仰賴外國人的幫助。儘管計畫將對中央部會進行重組，並將權力下放至地方省分，但這些改革方案在面對激進改革派日增的壓力時仍顯得太過無力，而傳統的官僚體系也無法駕馭憲政改革。一如其他多文化帝國，這些改革計畫也為清帝國種下了滅亡的種子。

比較與結論

和帝國的意識形態一樣，在藉由征服、兼併邊境地區來建構多元文化帝國的過程中，帝國的制度也在不斷演變。帝國政權混合了家父長式、官僚式以及領袖魅力等元素，而事實也證明，當他們在邊境地帶的角力之中不斷面臨威脅內部秩序和外部安全的挑戰時，其實是出人意料地極富彈性的。自上而下發起的改革和地方菁英進行協商以及宗教寬容政策，都和強迫與同化政策交替出現。統治菁英對各種中央集權和權力下放的做法進行了實驗，但卻無法完全消除內部的抵抗，也無法讓邊界保持穩定。邊境地區如果發生叛亂，偶爾還可能引發外國勢力介入；而邊界上的戰爭，也可能觸發國內的叛亂事件。因此當以農業為基礎的定居型國家，開始克服游牧民族長期以來在軍事上的優勢、彼此交手時，他們仍處在國家建構和國家重建的早期階段。也因此，一如本書稍後會提到的，這種不穩定的現象，會一直持續到帝國統治結束，甚至是帝國瓦解之後。

帝國官僚體系對外部威脅和內部危機的回應，則展現出大多數衰退理論的謬誤之處。在歐亞大陸各個國家的漫長歷史裡，危機總是不斷交替出現。所謂的軍事技術革命和組織革命，其實是他們在對

＊審定注：康有為未曾擔任軍機大臣，而是以總理衙門章京上行走的身分，得上書光緒皇帝。

邊境戰爭需求不斷進行調整的過程中，幾次迸發而出的結果。歐亞大陸各個多文化帝國的軍隊之間的相似之處，隨著時間演進也變得愈來愈少，因為武器、募兵、訓練方式和戰術上的變革，也需要在社會、文化和財政結構上出現相應的改變。然而在十六和十七世紀，軍隊仰賴的依然是農業和半游牧的經濟基礎，以及一個僵化的世襲階級系統，而這個階級系統則將軍人和社會上的其他人區隔開來。當我們在追溯歐亞大陸各軍隊的技術創新與戰術創新的源頭時，可能會誇大了直接從西方引進的這個說法。技術的轉移經常在敵對的歐亞國家之間發生，而俄國和鄂圖曼帝國往往是這些技術的中介者。

十八世紀，這些彼此競爭的國家之間的相對實力出現了顯著的變化。哈布斯堡和俄國軍隊以更嚴格的紀律為基礎，將更多指揮權收歸中央，並引進了各種創新的戰術。第一支大規模的國民兵出現於法國大革命期間，但這種全民皆兵的模式在一八一五年之後便遭到保守派政府廢除，因為他們更偏好的是一支長期服役的專業軍隊。哈布斯堡和俄羅斯帝國接著則分別於一八六七年以及一八七四年率先實施徵兵制度。他們的軍備工業，起步得也比其他歐亞大陸帝國來得早。和俄軍相比，鄂圖曼帝國的軍隊則是為了彌補愈來愈有限的財政資源，以及「阿揚」在地方上漸增的勢力，因而進入了「軍事退化」的時期。[765]鄂圖曼帝國和中國軍隊的技術變革與組織轉型，一直到十九世紀末都落後於哈布斯堡王朝和俄國。伊朗則是從未建立過一支以現代化方式訓練的專業軍隊，也沒有成立過大規模的國民軍隊。

雖然就韋伯的定義來看，帝國政權的官僚功能以及對官僚的規範都被常規化了，但官員仍和知識分子、文人以及宗教思想家共用同一套教育體系，導致他們深受各種統治倫理思想的影響，這些倫理可以是來自古代的王權概念、《古蘭經》、《論語》、基督教的神學理論，或世俗的開明人文主義。不過管治多文化社會時的各種實際需求也會影響他們的行動。然而，當開明的政府官員發起政治改革計畫時，往往也會遭到其他人的反對，因為這些人擔心原本讓他們擁有地位和權力的基礎制度可能會遭到削弱。將權力收歸中央的改革計畫，必須和在地方層級或是圍繞著其他權力來源所組織起來的頑強分子周旋、抗衡，不論這些人是哈布斯堡王朝裡擁有土地的莊園主、俄羅斯帝國境內的哥薩克人和波蘭土地貴族、鄂圖曼帝國的「阿揚」和烏拉瑪、伊朗的部族聯盟，或是中國的各種地方運動。雖然這些群體沒有辦法癱瘓政府或加速帝國的瓦解（遭瓜分前的波蘭境內的波蘭土地貴族是個例外），但他們仍常常阻礙或削弱了軍事改革者的進展。

行政改革和軍事改革問題的表面之下，其實還藏著財政上的壓力。這些歐亞大陸上的國家主要仍是農業社會，只有幾座工業孤島散布在廣袤的農業地區之中，和西歐相比仍顯得相對落後。哈布斯堡和俄羅斯帝國在工業發展上比其他三個帝國要來得相對先進，其財政制度也比其他帝國更能支持軍隊的運作。

至於西方思想對帝國政權帶來的挑戰，那就完全是另一個層級的問題了。這種挑戰帶來了一個問題：他們應該如何合理化這些在文化上似乎非常具有破壞性的變革呢？雖然帝國官僚體系之中有不少人都在嘗試調和這些矛盾，卻沒有人能真正成功。此外，由於草原民族文化根深柢固的制度相對較少，因此和吸收複雜的西方文化相比，要吸收或調整成草原民族的文化其實容易許多。

注釋

第一章　帝國空間

1 Rudolph Kjellen, *Grundriss zu einem System der Politik* (Leipzig: S. Hirzel, 1920), p. 40.

2 Nicholas Spykman, *The Geography of the Peace* (New York: Harcourt Brace, 1944); Michael P. Gerace, "Between MacKinder and Spykman. Geopolitics, Containment and After," *Comparative Strategy* 10(4) (1991): 347–64; Randall Bennett Woods, *Fulbright. A Biography* (Cambridge University Press, 2006), p. 141. Spykman 與 MacKinder 的著作，於冷戰的最後幾年依舊在美國軍官教育中占有一席之地。請參見 Department of Geography, *Readings in Military Geography* (West Point: United States Military Academy, 1981). 至於地緣政治取徑，請參見 Dominic Lieven, *Empire. The Russian Empire and its Rivals from the Sixteenth Century to the Present* (London: Pimlico, 2003), 尤其是第六章; John LeDonne, *The Russian Empire and the World, 1700–1917. The Geopolitics of Expansionism and Containment* (Oxford University Press, 1997); 以及 Milan Hauner, *What is Asia to Us? Russia's Asian Heartland Yesterday and Today* (London: Routledge, 1992).

3 Walter LaFeber, *The New Empire. An Interpretation of American Expansion, 1860–1898* (Ithaca, NY: Cornell University Press, 1963), on Turner, pp. 62–72, 95–101. 關於 Turner 對 Woodrow Wilson 的影響，請參見 William A. Williams, "The Frontier Thesis and American Foreign Policy," *Pacific Historical Review* (November 1955): 379–95.

4 Cf. Gerry Kearns, *Geopolitics and Empire. The Legacy of Halford Mackinder* (Oxford University Press, 2009).

5 Nicholas V. Riasanovsky, "The Emergence of Eurasianism," *California Slavic Studies 4* (1967): 39–72; Ilya Vinkovetsky and Charles Schlacks, Jr. (eds.), *Exodus to the East. Forebodings and Events. An Affirmation of the Eurasians* (Idyllwild, CA: Charles Schlacks, 1996); and Ilya Vinkovetsky, "Classical Eurasianism and its Legacy," *Canadian–American Slavic Studies*

34(2) (Summer 2000): 125–40. The revival began even earlier with the work of Lev Gumilov, Iz istorii Evrazii (Moscow: Issskustvo, 1993) and Drevnaia Rus' i velikaia step' (Moscow: DI-DIK, 1997). See also Aleksandr Dugin, Misterii Evrazii (Moscow: Arktogeia, 1996) and the journal *Vestnik Evrazii*.

6 S. V. Tsakunov, "NEP: evoliutsiia rezhima i rozhdenie natsional-bolshevisma," in Iu. N. Afanas'ev (ed.), *Sovetskoe obshchestvo. Vozniknoveniie, razvitie, istorichestkii final*, 3 vols. (Moscow: RGGU, 1997), vol. I, pp. 100–12.

7 可參見的文獻很多，例如 Thomas Masaryk, *The Spirit of Russia*, 2 vols. (London: Allen & Unwin, 1919); Hans Kohn, *Pan Slavism. Its History and Ideology* (South Bend, IN: Notre Dame University Press, 1953); Carl J. *Friederich and Zbigniew Brzezinski, Totalitarian Dictatorship and Democracy* (Cambridge, MA: Harvard University Press, 1956); James Billington, *The Icon and the Ax* (New York: Knopf, 1966).

8 Paul Vidal de la Blache, *Tableau de la géographie de la France* (Paris: Librairie Hachette, 1903, reprinted 1979 and 1994) and André-Louis Sanguin, *Vidal de la Blache. Une génie de la géographie* (Paris: Belin, 1993), pp. 327–33. 關於由社會學家進行的類似分析，請參見 Martina Löw, *Raumsoziologie* (Frankfurt am Main: Suhrkamp, 2001).

9 Lucian Febvre, *La terre et l'évolution humaine* (Paris: A. Michel, [1922] 1949), p. 339. 並請參見 Carl O. Sauer 的著作：他在一九四〇年美國地理學家協會的主席致辭中，對他的作品進行了總結："Foreword to Historical Geography," available at: www.colorado.edu/geography/giw/sauer-co/1941_fhg/1941_fhg.html.

10 Michel Foucher, *Fronts et frontières. Un tour du monde géopolitique*, new edn (Paris: Fayard, 1991), pp. 77–79.

11 Cf. Frederik Barth (ed.), *Ethnic Groups and Boundaries. The Social Organization of Culture Differences* (Boston, MA: Little Brown, 1969), 該研究強調邊界在維持族裔單元的穩定性和連續性上的重要性。

12 Cf. Benedict Anderson, *Imagined Communities. Reflections on the Origin and Spread of Nationalism*, rev. edn (New York: Verso, 1991).

13 由於種族、宗教和語言的複雜性，歐亞大陸上的邊境破碎區域，在西歐沒有任何區域可以比擬；後者的邊境區域，幾乎總是只有兩個語族群體交鋒，例如阿爾薩斯、什勒斯維希、薩瓦、伊斯特拉、法蘭德斯或蘇格蘭高地。關於類似的觀點，請參見 Omer Bartov and Eric D. Weitz (eds.), *Shatterzone of Empires. Coexistence and Violence in the German, Habsburg, Russian and Ottoman Borderlands* (Bloomington, IN: Indiana University Press, 2013), 該研究太晚出

版，使得我來不及好好利用其豐富的內容。

14 Owen Lattimore, *Inner Asian Frontiers of China*, 2nd edn (New York: Capitol Publications, 1951), esp. pp. 113–14, 158–63, 450–54.

15 Owen Lattimore, *Studies in Frontier History. Collected Papers* (London: Oxford University Press, 1962), p. 248. 並請參見 Joseph Fletcher, "The Mongols: Ecological and Social Perspectives," *Harvard Journal of Asiatic Studies* 46(1) (1986): 11–52; and Peter Perdue, *China Marches West. The Qing Conquest of Central Eurasia* (Cambridge, MA: Belknap Press), pp. 30–32.

16 Rhoads Murphey, "Some Features of Nomadism in the Ottoman Empire. A Survey Based on Tribal Census and Judicial Appeal Documentation from Archives in Istanbul and Damascus," *Journal of Turkish Studies* 8 (1984): 190–92.

17 Robert Taafe, "The Geographical Setting," in *The Cambridge History of Early Inner Asia* (Cambridge University Press, 1990), pp. 23–27.

18 Heerlee G. Cree, *Studies in Early Chinese Culture* (Baltimore, MD: Waverley Press, 1937), pp. 195–96; Lattimore, *Inner Asian Frontiers*, pp. 465–66; 特別是 William Hardy McNeill, *The Pursuit of Power. Technology, Armed Force and Society since A.D. 1000* (University of Chicago Press, 1982), pp. 15–21.

19 Anatoly Khazanov, *Nomads and the Outside World*, 2nd edn (Cambridge University Press, 1994), pp. 28–40, 44–53, 69–72.

20 René Grousset, *The Empire of the Steppes. A History of Trans Caspia* (New Brunswick, NJ: Rutgers University Press, 1970), pp. xxii, 39–41, 48–52, 95–98, 引用段落位於 p. 22; Thomas T. Allsen, *Culture and Conquest in Mongol Eurasia* (Cambridge University Press, 2001), pp. 10–13.

21 Isenbike Togan, "Inner Asian Muslim Merchants at the Closure of the Silk Routes in the Seventeenth Century," in Vadime Elisseff (ed.), *The Silk Roads. Highways of Culture and Commerce* (New York: Berghahn, 2000), pp. 247–63.

22 Morris Rossabi, "The 'Decline' of the Trans Caspian Caravan Trade," in James Tracy (ed.), *The Rise of the Merchant Empires. Long Distance Trade in the Early Modern World, 1350–1750* (Cambridge University Press, 1990), pp. 351–70. 並請參見 S. A. M. Adshead, *Central Asia in World History* (London: St. Martin's Press, 1993), pp. 178–79; Niels Steensgaard, *Carracks, Caravans and Companies. The Structural Crisis in the European– Asia Trade in the Early Seventeenth Century*

(Lund: Studentenlitteratur, 1973), p. 170; Janet Abu-Lughod, *Before European Hegemony. The World System A.D. 1250–1350* (New York: Oxford University Press, 1989); and André Gunder Frank, *The Centrality of Trans Caspia* (Amsterdam: V.U. University Press, 1992). 關於文獻的探討，請參見 André Gunder Frank, "Trans Caspia's Continuing Role in the World Economy to 1800," in Michael Gervers and Wayne Schlepp (eds.), *Historical Themes and Current Change in Central and Inner Asia. Toronto Studies in Central and Inner Asia*, No. 3 (Toronto: University of Toronto Press, 1998), pp. 14–38.

23 Sechin Jagghid and Van Jay Symons, *Peace, War, and Trade Along the Great Wall* (Bloomington, IN: Indiana University Press, 1989), pp. 172–73.

24 匈人在德意志人的神話裡，是「上帝的禍害」，但在匈牙利人的神話裡，卻是政體的模範。H. de Boor, *Das Attilabild in Geschichte, Legende und der heroisches Dichtung* (Darmstadt: Wissenschaftliche Buchgesellschaft, 1963), vol. II, p. 8; and Winder McConnell, *The Lament of the Niebelungen* (Columbia, SC: Camden House, 1994).

25 中國人的關內、關外概念，可以上溯到遠古時期。Liensheng Yang, "Historical Notes on the Chinese World Order," in John K. Fairbank (ed.), *The Chinese World Order* (Cambridge, MA: Harvard University Press, 1968), p. 21.

26 Arthur Waldron, *The Great Wall of China* (Cambridge University Press, 1990), pp. 68–69, 84, 110, 120–39; Richard N. Frye, *The Golden Age of Persia* (London: Phoenix Press, 2000), p. 14; C. R. Whittaker, *Frontiers of the Roman Empire. A Social and Economic Study* (Baltimore, MD: Johns Hopkins University Press, 1994); Brian J. Boeck, "Containment vs. Colonization. Muscovite Approaches to Settling the Steppe," in Nicholas B. Breyfogle, Abby Schrader, and Willard Sunderland (eds.), *Peopling the Russian Periphery. Borderland Colonization in Eurasian History* (London: Routledge, 2007), pp. 41–60.

27 Khazanov, *Nomads*, pp. 44–53, 149–52, 164 ff.

28 Donald Ostrowski, *Muscovy and the Mongols. Cross-Cultural Influences on the Steppe Frontier, 1304–1589* (Cambridge University Press, 1998), "Introduction" and pp. 244–45.

29 Charles J. Halperin, "The Tatar Yoke and Tatar Oppression," *Russia Mediaevalis* 5 (1984): 25. See also Stephen Kotkin, "Mongol Commonwealth? Exchange and Governance in Post Mongol Space," *Kritika* 8(3) (2007): 487–531.

30 David Christian, *A History of Russia, Central Asia and Mongolia* (Malden, MA: Blackwell Publishers, 1998), vol. I, esp. pp.

412–18.

31 Thomas Barfield, *The Perilous Frontier. Nomadic Empires and China*, 221 BC to AD 1757 (Cambridge, MA: Harvard University Press, 1989), p. 197.

32 請參見 David Sneath (ed.), *Imperial Statecraft. Political Forms and Techniques of Governance in Inner Asia, Sixth–Twentieth Centuries* (Bellingham, WA: Center for East Asian Studies, Western Washington University, 2006) 內的文章，尤其是 Thomas T. Allsen, "Technologies of Governance in the Mongolian Empire: A Geographic Overview," pp. 117–39, 引用段落位於 pp. 135, 138.

33 較為平衡的觀點已經出現，可以參見的文獻很多，例如 Larry Moses, *The Political Role of Mongol Buddhism* (Bloomington, IN: Indiana University Press, 1977), pp. 1–82, 該研究強調蒙古的宗教寬容政策，以及Charles J. Halperin, *Russia and the Golden Horde* (Bloomington, IN: Indiana University Press, 1985), 一般而言，尤其是 pp. 21–43，強調極富技巧性的外交和行政措施。

34 Thomas T. Allsen, "The Rise of the Mongolian Empire and Mongolian Rule in North China," in Herbert Franke and Denis Twitchett (eds.), *The Cambridge History of China, vol. 6: Alien Regimes and Border States, 907–1368* (Cambridge University Press, 1994), pp. 359–64, 引用段落位於p. 362; and David O. Morgan, "Mongols," in H. A. R. Gibb et al. (eds.), *The Encyclopedia of Islam*, new edn (Leiden: Brill, 1993), vol. VII, p. 232.

35 Frederick W. Mote, "Chinese Society under Mongol Rule, 1215–1368," in *Cambridge History of China*, vol. 6, pp. 644–48.

36 儘管北方復原較快，但草原地區荒廢的城鎮仍持續受到游牧民族的侵擾。Cf. M. N. Tikhomirov, *The Towns of Ancient Rus'* (Moscow: Foreign Languages Publishing House, 1959), 該研究強調其毀滅性的面向；and R. A. French, "The Urban Network of Later Medieval Russia," in George Demko and Roland J. Fuchs (eds.), *Geographic Studies on the Soviet Union. Essays in Honor of Chauncey D. Harris* (University of Chicago Press, 1984), 該研究提供了數據，指出十三世紀末俄羅斯東北部有四十座新城鎮。兩者不一致的地方，則由 J. L. I. Fennel, *The Crisis of Medieval Russia, 1200–1304* (London: Longman, 1983), pp. 86–89 提供了調和；該研究主張蒙古人帶來的毀滅雖然嚴重，但在地理上並非均勻分布。

37 A. Bruce Boswell, "Territorial Division and the Mongol Invasion, 1202–1300," in W. F. Reddaway (ed.), *The Cambridge History of Poland from the Origins to Sobieski* (to 1696) (Cambridge University Press, 1950), pp. 92–93.

38 Peter Jackson, *The Mongols and the West* (Harlow: Longmans, 2004), pp. 68–70, 202–5, 212. 從這時開始，匈牙利人便將自己視為「前線國家」，在抵抗從東邊來的蠻族，ibid., p. 200.

39 Pal Engel, "The Age of the Angevins, 1301–1382," in Peter Sugar (ed.), *A History of Hungary* (Bloomington, IN: Indiana University Press, 1990), p. 48; László Kuntler, *Millennium in Central Europe. A History of Hungary* (Budapest: Atlantisz, 1999), pp. 80–81; András Pálóczi Horváth, *Pechenegs, Cumans, Iasians* (Budapest: Corvina, 1989), pp. 54–61.

40 Hayrapet Margarian, "The Nomads and Ethnopolitical Realities of Transcaucasus in the 11–14th Centuries," in *Iran and the Caucasus* (Leiden: Brill, 2001), vol. V, pp. 75–78; Cyril Toumanoff, "Armeno-Georgian Marchlands," in *Studies in Christian Caucasian History* (Washington, DC: Georgetown University Press, 1963), pp. 437–84.

41 Peter B. Golden, "The Turkic Peoples and Caucasia," in Ronald Grigor Suny (ed.), *Transcaucasus, Nationalism and Social Change. Essays in the History of Armenia, Azerbaijan and Georgia,* rev. edn (Ann Arbor, MI: University of Michigan Press, 1996), pp. 62–66; Angus David Stewart, *The Armenian Kingdom and the Mamluks. War and Diplomacy during the Reign of Het'um II* (The Hague: Mouton, 2001), pp. 43–46.

42 W.E. D. Allen, *A History of the Georgian People from the Beginning to the Russian Conquest in the Nineteenth Century* (New York: Barnes & Noble, 1971), pp. 125–27, 137–39; Ronald Grigor Suny, *The Making of the Georgian Nation* (Bloomington, IN: Indiana University Press, 1994), pp. 40–46.

43 Luc Kwanten, *Imperial Nomads. A History of Central Asia, 500–1500* (Philadelphia, PA: University of Pennsylvania Press, 1979), pp. 118–20.

44 Morgan, "Mongols," p. 231; John A. Boyle (trans.), *The Successors of Ghengis Khan* (New York: Columbia University Press, 1971); and Berthold Spüler, *Die Mongolen in Iran. Politik, Verwaltung und Kultur de Ilchane-Zeit*, 1220–1350 (Berlin: Academie Verlag, 1955).

45 Thomas T. Allsen, "Mongol Princes and their Merchant Partners, 1200–1260," *Asia Major,* 2nd series, 2 (1989): 83–125; and E. Endicott-West, "Merchant Associations in Yuan China. The Ortoy," *Asia Major,* 3rd series, 2 (1989): 127–45.

46 Robert L. Canfield, "Introduction: The Turko-Persian Tradition," in *Turko-Persia in Historical Perspective* (Cambridge University Press, 2001); Reuven Amitai-Preiss and David Morgan (eds.), *The Mongol Empire and its Legacy* (Leiden: Brill,

2000), 尤其是 Amitai-Preiss and Ann K. S. Lambton 所寫的文章; Thomas T. Allsen, *Mongol Imperialism. The Policies of the Grand Qan Mōngke in China, Russia and the Islamic Lands, 1251–1259* (Berkeley, CA: University of California Press, 1987).

47 Peter B. Golden, "'I Will Give the People Unto Thee.' The Činggisid Conquests and their Aftermath in the Turkish World," *Journal of the Royal Asiatic Society*, 3rd series, 10(1) (April 2000): 21–41.

48 N. Oikonomides, "The Turks in the Byzantine Rhetoric of the Twelfth Century," in C. E. Farah (ed.), *Decision Making and Change in the Ottoman Empire* (Kirksville, MO: Thomas Jefferson Press, 1993), pp. 140–60.

49 Halil Inalcık, "Ottoman Methods of Conquest," *Studia Islamica* 2 (1954): 103–29.

50 Antonina Zhelyazkova, "Islamization in the Balkans," in Fikret Adanir and Suraiya Faroqui (eds.), *The Ottomans and the Balkans. A Discussion of Historiography* (Leiden: Brill, 2002), pp. 231–35. Cf. Omar Barkan, "Déportation comme méthode de peuplement et de colonisation dans l'empire Ottoman," *I˙stanbul Üniversitesi I˙ktisat Fakültesi Memuası (1946–1950)*, vol. XI, pp. 524–69; vol. XIII, pp. 56–79; vol. XV, pp. 209–329.

51 Res¸at Kasaba, *A Moveable Empire. Ottoman Nomads, Migrants and Refugees* (Seattle, WA: University of Washington Press, 2009).

52 Rudi Paul Lindner, *Nomads and Ottomans in Medieval Anatolia* (Bloomington, IN: Indiana University Press, 1983), p. 109.

53 Halil Inalcik, "Istanbul," *Encyclopedia of Islam*, 2nd edn, vol. IV, pp. 224–48.

54 Anton Minkov, *Conversion to Islam in the Balkans* (Leiden: Brill, 2004), pp. 43–61, 195–98. 有些觀點認為，索菲亞地區存在著大規模的改宗行為，而這也意味著巴爾幹東部地區的其他地方，也在發生同樣的事情；關於對這種觀點的批判，請參見 Géza Dávid, "Limitations of Conversion: Muslims and Christians in the Balkans in the Sixteenth Century," in Eszter Andor and István György Tóth (eds.), *Frontiers of Faith. Religious Exchange and the Constitution of Religious Identities 1400–1750* (Budapest: European Science Foundation, 2001), pp. 149–54. 穆罕默德四世（一六四八年至一六八七年）將自己個人的虔誠，和他在軍事上的驍勇善戰結合在一起；在他的治下，改宗行為甚至擴散到了克里特島和波蘭波多利亞的邊境地區。甚至有傳說指出，就連他的狩獵行動，也會在牧民之間帶來改宗的行為。Marc David Baer, *Honored by the Glory of Islam. Conversion and Conquest in Ottoman Europe* (New York: Oxford University Press,

2008), pp. 160–61, 177–78.

55 Fikret Adanir, "The Formation of a Muslim Nation in Bosnia-Hercegovina. A Historiographic Discussion," in Fikret Adanir and Suraiya Faroqui (eds.), *The Ottomans and the Balkans. A Discussion of Historiography* (Leiden: Brill, 2002), pp. 267–304, 引用段落位於 p. 295.

56 John V. A. Fine, "The Medieval and Ottoman Roots of Modern Bosnian Society," in Mark Pinson (ed.), *The Muslims of Bosnia and Hercegovina. The Historic Development from the Middle Ages to the Dissolution of Yugoslavia* (Cambridge, MA: Harvard University Press, 1996), pp. 13, 16.

57 Milo Bogović, *Katolic̆ka crkva i pravoslavlje u Dalmaciji za vrijeme mletac̆ke vladavine* (Zagreb: Kršćanska sadašnjost, 1993); Josip Buturac, *Katolic̆ka crkva u Slavoniji za turskoga vladanja* (Zagreb: Kršćanska sadašnjost, 1982). 我想感謝Drago Roksandic，是他引起了我對這些文獻的注意。

58 István-György Tóth, "Les missionnaires franciscains venus de l'étranger en Hongrie au XVIIe siècle avant la période de reconquête catholique," *XVIIe siècle* 50 (1998): 222, 225–29; Ekrem Čaušević, "A Church of Bosnian Turkology. The Franciscans and the Turkish Language," in Markus Kaller and Kemal H. Karpat (eds.), *Ottoman Bosnia. A History in Peril* (Madison, WI: University of Wisconsin Press, 2004), pp. 241–53.

59 Paul Wittek, *La formation de l'empire ottoman* (London: Valorium Reprints, 1982). See also Halil Inalcik (a student of K.prülü), "The Impact of the Annales School on Ottoman Studies and New Findings," *Journal of the Fernand Braudel Center* 1(3/4) (1978): 69–96. 對於Wittek的批判和辯護，Cemal Kafadar, *Between Two Worlds. The Construction of the Ottoman State* (Berkeley, CA: University of California Press, 1995), pp. 35–59 進行了評論; Colin Heywood, "The Frontier in Ottoman History: Old Ideas and New Myths," in Daniel Power and Naomi Standen (eds.), *Frontiers in Question. Eurasian Borderlands, 700–1700* (New York: St. Martin's Press, 1999), pp. 228–50.

60 Heath W. Lowry, *The Nature of the Early Ottoman State* (Albany, NY: State University of New York Press, 2003), pp. 142–43; Linda T. Darling, "Contested Territory: Ottoman Holy War in Comparative Context," *Studia Islamica* (2000): 133–63. 並請參見 Kafadar, *Between Two Worlds*; Colin Imber, *Studies in Ottoman History and Law* (Istanbul: Isis,1996).

61 Colin Imber, "The Legend of the Osman Gazi," in E. Zachariadou (ed.), *The Ottoman Emirate (1300–1389)* (Rethymnon:

University of Crete Press, 1993), pp. 67–75; Heywood, "The Frontier," pp. 233–35.

62 Kafadar, *Between Two Worlds*, p. 152.

63 Virginia H. Aksan, "Locating the Ottomans among Early Modern Empires," *Journal of Early Modern History* 2 (1999): 110.

64 Cf. Rifaat A. Abou-el-Haj, "The Formal Closure of the Ottoman Frontier in Europe: 1699–1703," *Journal of the American Oriental Society* 89(3) (July–September 1969): 467–70.

65 Wolf-Dieter Hüteroth, "Ecology of the Ottoman Lands," in Suraiya N. Faroqui (ed.), *The Cambridge History of Turkey*, vol. 3: The Later Ottoman Empire, 1603–1839 (Cambridge University Press, 2006), pp. 32–35.

66 Halil Inalcik, *The Ottoman State, Economy and Society, 1300–1600* (Cambridge University Press, 1994), pp. 24, 32, 40, 96, 165–66; Inalcik, "Military and Fiscal Transformation in the Ottoman Empire, 1600–1700," *Archivum Ottomanicum* VI (1980): 284–87.

67 Rudi Matthee, "The Safavid–Ottoman Frontier. Iraq-i Arab as seen by the Safavids," Kemal Karpat with Robert W. Zens (eds.), *Ottoman Borderlands. Issues, Personalities and Political Changes* (Madison, WI: University of Wisconsin Press, 2003), pp. 170–71.

68 Anthony Bryer, "The Last Laz Risings and the Downfall of the Pontic Derebeys, 1812–1840," in *Peoples and Settlements in Anatolia and the Caucasus, 800–1900* (London: Variorum Reprints, 1988), pp. 191–99.

69 Lindner, *Nomads and Ottomans*.

70 Carl Max Kortepeter, *Ottoman Imperialism during the Reformation. Europe and the Caucasus* (New York University Press, 1972); B.A. Gardanova et al. (eds.), *Narody Kavkaza*, 2 vols. (Moscow: Akademiia nauk, 1962), vol. II, p. 376.

71 Richard Tapper, *Frontier Nomads of Iran. A Political and Social History of the Shahsevan* (Cambridge University Press, 1997).

72 Lois Beck, "Tribes and the State in Nineteenth and Twentieth Century Iran," in *Philip Khoury and J. Kostiner, Tribes and State Formation in the Middle East* (Berkeley, CA: University of California Press, 1990), p. 201.

73 Hamid Algar, "Religious Forces in Eighteenth and Nineteenth Century Iran," in *The Cambridge History of Iran* (Cambridge University Press, 1991), vol. 7, pp. 705–31; Lawrence Lockhart, *The Fall of the Safavid Dynasty and the Afghan Occupation*

of Persia (Cambridge University Press, 1958), pp. 11–12, 102.

74 Nikki R. Keddie, *Qajar Iran and the Rise of Reza Khan, 1796–1925* (Costa Mesa, CA: Mazda, 1999), pp. 32–33.

75 iroozeh Kashani-Sabet, *Frontier Fictions. Shaping the Iranian Nation, 1804–1946* (Princeton University Press, 1999), pp. 15–16, 19, 22–23.

76 Alastair Iain Johnston, Cultural Realism. *Strategic Culture and Grand Strategy in Ming China* (Princeton University Press, 1995), p. ix. Cf. Peter C. Perdue, "Culture, History and Imperial Chinese Strategy. Legacies of the Qing Conquests," in Hands van de Ven (ed.), *Warfare in Chinese History* (Leiden: Brill, 2000), pp. 252–87.

77 F. W. Mote, *Imperial China, 900–1800* (Cambridge, MA: Harvard University Press, 1999), p. 397.

78 Mote, *Imperial China*, p. 559.

79 Owen Lattimore, "Inner Asian Frontiers. Chinese and Russian Margins of Expansion," in *Studies in Frontier History*, pp. 134–45. 引用文句出自 "The Geographic Factor in Mongol History," ibid., p. 257.

80 Owen Lattimore, "Chinese Colonization in Manchuria," in *Studies in Frontier History*, pp. 308–11.

81 Paul A. Cohen, *Discovering History in China. American Historians Writing on the Recent Chinese Past* (New York: Columbia University Press, 1984). Cf. Maurice Rossabi, "The Tea and Horse Trade with Inner Asia during the Ming," *Journal of Asian History* 42 (1970): 136–68, 他的更廣泛論述可見於*China and Inner Asia. From 1368 to the Present Day* (New York: Pika Press, 1975).

82 Peter C. Perdue, "Manchu Colonialism," International History Review 2 (1998): 255–62; Peter C. Perdue, "Empire and Nation in Comparative Perspective. Frontier Administration in Eighteenth Century China," *Journal of Early Modern History* (2001): 282–304. 也許，第一個提出邊疆地帶會對中國的行政治理產生交互影響的是 Joseph Fletcher, "Ch'ing Inner Asia c. 1800," in John K. Fairbank and Dennis Twitchet (eds.), *The Cambridge History of China,* vol. 10: Late Ching, 1800–1911 (Cambridge University Press, 1978), p. 378.

83 Joseph Fletcher, "China and Trans Caspia, 1368–1884," in John K. Fairbank (ed.), *The Chinese World Order. Traditional China's Foreign Relations* (Cambridge, MA: Harvard University Press, 1968); Joseph Fletcher, "The Mongols. Ecological and Social Perspectives," *Harvard Journal of Asiatic Studies* 6 (1986): 11–50; Barfield, *The Perilous Frontier*; Sechin

Jagchid and Van Jay Symons, *Peace, War and Trade along the Great Wall. Nomadic–Chinese Interaction through Two Millennia* (Bloomington, IN: Indiana University Press, 1989).

84 Jagchid and Symons, *Peace, War and Trade*, pp. 13–15.

85 Robert H. G. Lee, *The Manchurian Frontier in Ch'ing History* (Cambridge University Press, 1970), pp. 8–11, 39–40.

86 Lattimore, *Inner Asian Frontiers*, pp. 115–17, 157, 171.

87 Owen Lattimore, *Nationalism and Revolution in Mongolia* (New York: Oxford University Press, 1955), pp. 6–7, 他有鑑於虛幻的團結假象，戳破了蒙古的「民族主義」神話，並指出「他們既沒有緊緊跟隨著滿人，像一個團結的民族一樣，也沒有以民族之姿抵抗外敵的方式拒絕滿人的統治」。

88 O. V. Zotov, *Kitai i vostochnyi Turkestan v XV–XVIII vv. Mezhdugosudarstvennye otnosheniia* (Moscow: Nauka, 1991), pp. 102–3, and I. Ia. Zlatkin, *Istoriia Dzhungarskogo Khanstva* (Moscow: Nauka, 1983), pp. 97–100.

89 這引起了蘇聯（現在的俄羅斯）和中國歷史學家之間，在史學領域的長期爭論：蒙中關係是否屬於主權－隸屬關係或是「政府間」的關係。關於這場辯論的概要，請參見 Zotov, Kitai i vostochnyi Turkestan, 特別是其中的史學概論，以及第116-121頁，其以更精巧的方式捍衛著蘇聯的舊傳統。

90 I. S. Ermachenko, *Politika man'chzhurskoi dinastii Tsin v Iuzhnoi i Severnoi Mongolii v XVII v.* (Moscow: Nauka, 1974), pp. 102–4.

91 此段主要係根據Perdue, *China Marches West*, chs. 6 and 7.

92 G. William Skinner, "Urban Development in Imperial China," and "Cities and the Hierarchy of Local Systems," in *The City in Late Imperial China* (Stanford University Press, 1977), pp. 3–31 and 211–49. 並請參見 Piper Rae Gaubatz, *Beyond the Great Wall. Urban Form and Transformation on the Chinese Frontiers* (Stanford University Press, 1996), 該篇文章解釋了 Skinner 的文章。

93 G. William Skinner, "The Structure of Chinese History," *Journal of Asian Studies* 44(2) (February 1985): 271–92

94 關於間接證據，請參見 Jonathan Spence, *The Search for Modern China*, 2nd edn (New York: W.W. Norton, 1999), pp. 174（太平天國）, 183（捻軍）, 188（回亂）。

95 Pamela Kyle Crossley, *The Manchus* (Oxford University Press, 1997); Pamela Kyle Crossley, *A Translucent Mirror. History*

and Identity in Qing Imperial Ideology (Berkeley, CA: University of California Press, 1999); Evelyn S. Rawski, *The Last Emperors. A Social History of Qing Institutions* (Berkeley, CA: University of California Press, 1998); James A. Millward, *Beyond the Pass. Economy, Ethnicity and Empire in Qing Trans Caspia, 1759–1864* (Stanford University Press, 1998).

96 Mote, *Imperial China,* pp. 376, 393–97, 405, 457, 559, 605–8, 844–50, 867–69, 874–75; Crossley, *The Manchus; Rawski, The Last Emperors*, esp. chs. 1 and 2.

97 Peter C. Perdue, "Empire and Nation in Comparative Perspective. Frontier Administration in Eighteenth Century China," *Journal of Early Modern History* 4 (2001): 283–88, 293. 該比較也可被延伸到其他歐亞大陸的帝國。

98 S. A. M. Adshead, *China in World History*, 3rd edn (New York: St. Martin's Press, 2000), pp. 320–21.

99 可以參見的文獻很多，例如 Evelyn S. Rawski, "Presidential Address. Reenvisioning the Qing: The Significance of the Qing Period in Chinese History," *Journal of Asian Studies* 55(4) (November 1996): 829–50; Ping-Ti Ho, "In Defense of Sinicization: A Rebuttal of Evelyn Rawski's 'Reenvisioning the Qing,'" *Journal of Asian Studies* 57(1) (February 1998): 123–55.

100 Marc C. Elliott, *The Manchu Way. The Eight Banners and Ethnic Identity in Late Imperial China* (Stanford University Press, 2001).

101 Lee, *The Manchurian Frontier*, esp. ch. 5.

102 Mei-hua Lan, "China's 'New Administration' in Mongolia," in Stephen Kotkin and Bruce A. Elleman (eds.), *Mongolia in the Twentieth Century. Landlocked Cosmopolitan* (Armonk, NY: M.E. Sharpe, 2000), pp. 39–45.

103 Joanna Waley-Cohen, *Exile in Mid-Qing China. Banishment to Xinjiang (1758–1820)* (New Haven, CT: Yale University Press, 1991), pp. 23–29.

104 L. J. Newby, "The Begs of Xinjiang: Between Two Worlds," *Bulletin of the School of Oriental and African Studies* 61(2) (1998): 296.

105 Fletcher, "Ch'ing Inner Asia," pp. 36–41, 48, 65; Perdue, *China Marches West*, ch. 9.

106 Paul W. Knol, "The Most Unique Crusader State. The Teutonic Order in the Development of the Political Culture of Northeastern Europe during the Middle Ages," in Charles W. Ingrao and Franz A. J. Szabo (eds.), *The Germans and the East*

(West Lafayette, IN: Purdue University Press, 2008), pp. 37–48; Raisa Mazeika, "An Amicable Enmity. Some Peculiarities in Teutonic–Balt Relations in the Chronicles of the Baltic Crusades," in Ingrao and Szabo (eds.), *The Germans and the East*, pp. 49–63.

107 Wolfgang Wipperman, Der "Deutsche Drang nach Osten." *Ideologie und Wirklichkeit eines politischen Schlagworts* (Darmstadt: Wissenschaftliche Buchgesellschaft, 1981); Franz A. J. Szabo and Charles Ingrao, "Introduction," in Ingrao and Szabo (eds.), *The Germans and the East*, pp. 3–5.

108 Alexander Demandt (ed.), *Deutschlands Grenzen in der Geschichte* (Munich: Beck, 1990); 並請參見 Ingrao and Szabo, The Germans and the East 裡的文章，尤其是 Jan M. Piskorski, "Medieval Colonization in East Central Europe," pp. 27–36.

109 Martin Rady, "The German Settlement in Central and Eastern Europe during the High Middle Ages," in Roger Bartlett and Karen Schonwalder (eds.), *The German Lands and Eastern Europe. Essays on the History of their Social, Cultural and Political Relations* (Basingstoke: Macmillan, 1999), pp. 11–47; Karin Friedrich, "Cives Patriae: 'German' Burghers in the Polish–Lithuanian Commonwealth," in Bartlett and Schonwalder (eds.), *German Lands and Eastern Europe*, pp. 48–71.

110 Cited in Larry Wolff, *Inventing Eastern Europe. The Map of Civilization on the Mind of the Enlightenment* (Stanford University Press, 1994), pp. 65–66, 186–89, 307, 335, 340–41.

111 Paul Knoll, "The Polish–German Frontier," in Robert Bartlett and Angus MacKay (eds.), *Medieval Frontier Societies* (Oxford: Clarendon Press, 1989), pp. 159–62.

112 N. Vasilenko, "Pravo Magdeburgskoe," in F. A. Brokgaus and I. A. Efron (eds.), *Entsiklopedicheskii slovar'* (St. Petersburg: I. A. Efron, 1898), vol. XXXXVIII, pp. 893–96.

113 Benedykt Zientara, "Melioratio terrae: The Thirteenth Century Breakthrough in Polish History," in J. K. Fedorowicz (ed.), *A Republic of Nobles. Studies in Polish History to 1864* (Cambridge University Press, 1982), pp. 34–35.

114 Martyn C. Rady, *Medieval Buda. A Study of Municipal Government and Jurisdiction in the Kingdom of Hungary* (Boulder, CO: East European Monographs, 1985), pp. 106–7, 162–64.

115 Robert Nemes, *The Once and Future Budapest* (De Kalb, IL: Northern Illinois University Press, 2005), pp. 71–76, 177–78.

116 Tomáš Knoz, "Die Konfiskationen nach 1620 in (erb)l.nderübergreifender Perspektive. Thesen zu Wirkungen, Aspekten und

Prinzipien des Konfiskationprozesses," in *Petr Mat'a and Thomas Winkelbauer (eds.), Die Habsburgermonarchie 1620 bis 1740* (Stuttgart: Franz Steiner, 2006), esp. pp. 112–14 and 124–26.

117 Elizabeth Wiskemann, *Czechs and Germans. A Study of the Struggle in the Historic Provinces of Bohemia and Moravia* (Oxford University Press, 1938), pp. 4–10.

118 William O'Reilly, "The Historiography of the Military Frontier, 1521–1881," in *Ellis and Esser, Frontiers*, pp. 229–44.

119 Wynar Lubomyr (ed. and intro.), *Habsburgs and Zaporozhian Cossacks. The Diary of Erich Lassota von Steblau, 1594* (Littleton, CT: Ukrainian Historical Association, 1975), pp. 41–46; Volodimir Mil'chev, *Zaporozhtsi na Viis'komu Kordoni Avstriis'koi imperii, 1785–1790* (dosidzheniia ta materiali) (Zaporozhe: Tandem-U, 2007).

120 Karl A. Roider, *The Reluctant Ally. Austria's Policy in the Austro-Turkish War, 1737–1739* (Baton Rouge, LA: Louisiana State University Press, 1972), pp. 6–7, 根據 Theodore von Stefanovic-Volovsky, *Belgrad unter der Regierung Kaiser Karls VI, 1717–1739* (Vienna: Holzheusen, 1908), pp. 23–30.

121 匈牙利人對蒂薩河與穆列什河邊界的持續存在極為不滿，而該邊界也導致帝國當局和塞爾維亞格林人無止境的紛爭，直到特蕾西亞女王統治期間，才終於在奧地利皇位繼承戰爭中廢除了該邊界，以作為對匈牙利人的讓步。Kurt Wesseley, "The Development of the Hungarian Military Frontier until the Middle of the Eighteenth Century," *Austrian History Yearbook 9/10* (1973/4): 70–80, 100–1.

122 Iu. V. Kostiashov, *Serby v avstriiskoi monarkhii v XVIII veke* (Kaliningrad: Kaliningradskii gosudarstvennyi universitet, 1997), pp. 26–36.

123 Thomas Cohen, "The Anatomy of a Colonization Frontier in the Banat of Temesvar," *Austrian History Yearbook* 19/20(2) (1983/4): 10–11; Wesseley, "The Development," pp. 95–98, 但也請參照最全面的討論：N. L. Gaćesa, *Agrarna reforma i kolonizacija u Bačkoj, 1918–194*1 (Novi Sad: Matica srpska, Odeljanye za društvene nauke, 1968), pp. 7–28.

124 Ernest Schimsche, *Technik und Methoden der Theresianischen Besiedlung des Banats* (Baden bei Wien: Rohrer, 1939); Sonja Jordan, *Die Kaiserliche Wirtschaftspolitik im Banat in 18. Jahrhündert* (Munich: Oldenbourg, 1967); Karl A. Roider, *Austria's Eastern Question, 1700–1790* (Princeton University Press, 198

125 Günter Wollstein, *"Das Grossdeutschland" der Paulskirke Nationale Zielein der bürgerlichen Revolution, 1848–49*

(Dusseldorf: Droste, 1977), pp. 266–335, 引用段落位於 p. 304.

126 Mack Hewitson, *Nationalism in Germany, 1848–1866* (London: Palgrave Macmillan, 2010), p. 60.

127 關於德意志第二帝國實際上是一個帝國的有力主張，請參見 Philip Ther, "Imperial instead of National History: Positioning Modern German History on the Map of European Empires," in Alexei Miller and Alfred J. Rieber (eds.), *Imperial Rule* (Budapest: CEU Press, 2004), pp. 47–68.

128 A. Ia. Degtiarev, Iu.F. Ivanov, and D. V. Karev, "Akademik M.K. Liubavskii i ego nasledie," in M. K. Liubavskii (ed.), *Obzor istorii russkoi kolonizatsii s drevneishikh vremen i do XX veka* (Moscow: Izd. Moskovskogo universiteta, 1996), pp. 42–43. 這篇重要的文章寫於一九三〇年代早期，但在蘇聯統治期間從未出版。

129 David Moon, "Peasant Migration and the Settlement of Russia's Frontiers, 1550–1897," *Historical Journal* 40(4) (December 1997): 883–84.

130 Willard Sunderland, "The 'Colonization Question.' Visions of Colonization in Late Imperial Russia," *Jahrbücher für Geschichte Osteuropas* 48 (2000): 22–31; Boris Mironov, *Sotsial'naia istoriia Rossii period imperii (XVII–nachalo XX v.) Genezis lichnosti, demokraticheskoi semi, grazhdanskogo obshchestva i pravovogo gosudarstva*, 2 vols. (St. Petersburg: Dmitrii Bulanin, 1999), vol. I, p. 23, 呈現了殖民行為不甚平均的地區分布。

131 "Russian Colonization. An Introduction," in Nicholas B. Breyfogle, Abby Schrader, and Willard Sunderland (eds.), *Peopling the Russian Periphery. Borderland Colonization in Eurasian History* (London: Routledge, 2007), pp. 1–18.

132 S. V. Bakhrushin, *Ocherki po istorii kolonizatsii Sibiri v XVI i XVII vv.* (Moscow: M. & S. Sabashnikovy, 1928).

133 Raymond H. Fisher, *The Russian Fur Trade, 1550–1700* (Berkeley, CA: University of California Press, 1943); Richard Pierce, *Siberia in the Seventeenth Century. A Study in Colonial Administration* (Berkeley, CA: University of California Press, 1943).

134 Willard Sunderland, "Peasants on the Move. State Peasant Resettlement in Imperial Russia, 1805–1830s," *Russian Review* 52 (1993): 472–84.

135 Bakhrushin, *Ocherki*; George Lantzeff and Richard A. Pierce, *Eastward to Empire. Exploration and Conquest in the Russian Open Frontier to 1750* (Montreal: McGill and Queens University Press, 1973); Valerie Kivelson, *Cartographies of Tsardom. The Land and its Meanings in Seventeenth Century Russia* (Ithaca, NY: Cornell University Press, 2006); Anatolii Remnev,

"Rossiiskaia vlast' v Sibir i na dal'nom vostoke," in *Imperium inter pares: Rol' transferov v istorii Rossiiskoi imperii* (1700–1917) (Moscow: Novoe literaturnoe obozrenie, 2010), pp. 150–81.

136 François-Xavier Coquin, *La Sibérie. Peuplement et immigration paysanne en XIXe siècle* (Paris: Institut d'études slaves, 1969), p. 77.

137 Michael Khodarkovsky, "From Frontier to Empire. The Concept of the Frontier in Russia, Sixteenth–Eighteenth Centuries," *Russian History* 1–4 (1992): 115–28; Michael Khodarkovsky, *Russia's Steppe Frontier. The Making of a Colonial Empire, 1500–1800* (Bloomington, IN: Indiana University Press, 2002).

138 Liubavskii, *Obzor istorii*, pp. 547–50.

139 Michael Khodarkovsky, *Where Two Worlds Met. The Russian State and the Kalmyk Nomads, 1600–1771* (Ithaca, NY: Cornell University Press, 1992); Khodarkovsky, *Russia's Steppe Frontier*, pp. 8–11 以及全部。諾蓋人的後續歷史進一步說明了他們為了生存而進行的複雜而持久的鬥爭。俄羅斯帝國政府一再試圖將他們變成農業民族，但最後無法成功；後來他們分別在十九世紀的三次移民浪潮中離開俄羅斯，前往鄂圖曼帝國。N. V. "Nagai," *Entsiklopedicheskii slovar'* (St. Petersburg, 1897), vol. XXXIX, pp. 421–22.

140 Abou-el-Haj, "Formal Closure," pp. 474–75.

141 Boris Nolde, *La formation de l'empire russe. Études, notes et documents,* 2 vols. (Paris: Institut des études slaves, 1952), vol. I, p. 230.

142 Roger Bartlett, *Human Capital. The Settlement of Foreigners in Russia, 1762–1804* (Cambridge University Press, 1979), pp. 81 ff, 126 ff; Isabel de Madariaga, *Russia in the Age of Catherine the Great* (New Haven, CT: Yale University Press, 1981), pp. 361–66; Marc Raeff, "The Style of Russia's Imperial Policy and Prince G. A. Potemkin," in Gerald N. Grob (ed.), *Statesmen and Statecraft of the Modern West. Essays in Honor of Dwight E. Lee and H. Donaldson Jordan* (Barre, MA: Barre Publishing, 1967), pp. 1–51.

143 Willard Sunderland, *Taming the Wild Field. Colonization and Empire on the Russian Steppe* (Ithaca, NY: Cornell University Press, 2004), ch. 2.

144 Sunderland, *Taming the Wild Field*, p. 365; de Madariaga, *Russia in the Age of Catherine,* pp. 363–67; Khodarkovsky,

Russia's Steppe Frontier, pp. 172, 216–17

145 Khodarkovsky, *Russia's Steppe Frontier*, pp. 131–34.

146 George F. Jewsbury, *The Russian Annexation of Bessarabia, 1774–1828* (Boulder, CO: East European Monographs, 1976), pp. 66–73; Detlef Brandes, *Von den Zaren adoptiert. Die deutschen Kolonisten und die Balkansiedler in Neurussland und Bessarabien 1751–1914* (Munich: R. Oldenbourg, 1993), pp. 114–20, 129–33.

147 I. L. Babich et al., "Kavkazskie gortsy i kazaki na granitsakh imperii," in V. O. Bobrovnikov and I. L. Babich (eds.), *Severny Kavkaz v sostave Rossiiskoi imperii* (Moscow: Novoe literaturnoe obozrenie, 2007), pp. 70–76.

148 The following is based on V. V. Bartol'd, *Izucheniia vostoka v Evrope i Rossii* (Leningrad: Leningradskii vostochnyi institut, 1925), pp. 150–69, and Jeff Sahadeo, *Russian Colonial Society in Tashkent, 1825–1923* (Bloomington, IN: Indiana University Press, 2007), especially chs. 2 and 4.

149 Alexei Miller, "The Empire and the Nation in the Imagination of Russian Nationalism," in Miller and Rieber (eds.), *Imperial Rule*, pp. 9–26.

150 Cf. Ussama Makdisi, "Ottoman Orientalism," *American Historical Review* 107(3) (June 2002): 1–32; David Schimmelpennick van der Oye, *Russian Orientalism. Asia in the Russian Mind from Peter the Great to the Emigration* (New Haven, CT: Yale University Press, 2010); Mary Ferenczy, "Chinese Historiographers' Views on Barbarian–Chinese Relations (14–16th Centuries)," *Acta Orientalia Academiae Scientarum Hungaricae* 21(3) (1968): 353–62.

151 關於遷都的洞見，請參見 Edward L. Farmer, *Early Ming Government. The Evolution of Dual Capitals* (Cambridge, MA: Harvard University Press, 1968); Eckart Ehlers, "Capitals and Spatial Organization in Iran. Esfahan, Shiraz, Teheran," in C. Adle and B. Hourcade (eds.), *Teheran. Capitale bicentenaire* (Paris: Institut français de recherche en Iran, 1992), pp. 155–61. 關於君士坦丁堡和埃迪爾內之間的緊張關係，請參見 Kafadar, *Between Two Worlds*, pp. 148–50.

152 Anthony D. Smith, *The Ethnic Origin of Nations* (Oxford University Press, 1986). Cf. John Armstrong, *Nations Before Nationalism* (Chapel Hill, NC: University of North Carolina Press, 1984). 關於對 Smith 的批判，請參見 John Breuilly, "Approaches to Nationalism," in Gopal Balakrishnan (ed.), *Mapping the Nation* (London: Verso, 1996), pp. 146–74, 以及 Smith的回應：*Nationalism and Modernism. A Critical Survey of Recent Theories of Nations and Nationalism* (London:

Routledge, 1998), esp. pp. 170–98.

153 Key texts are Charles F. Keyes (ed.), *Ethnic Change* (Seattle, WA: University of Washington Press, 1981); C. Carter Bentley, "Theoretical Perspectives on Ethnicity and Nationality," *Sage Race Relations Abstracts* 8(2) (1983): 1–53; C. Carter Bentley, "Ethnicity and Practice," *Comparative Studies in Society and History* 29 (1987): 24–55; T. Hyland Eriksen, *Ethnicity and Nationalism. Anthropological Perspectives* (London: Pluto, 1993); Walter Connors, *Ethnonationalism. The Quest for Understanding* (Princeton University Press, 1994).

154 對於這些取徑被套用在外裏海邊境地區時的有用總結，請參見 Jo-Ann Gross (ed.), "Introduction: Approaches to the Problem of Identity Formation," in *Muslims in Trans Caspia. Expressions of Identity and Change* (Durham, NC: Duke University Press, 1992), pp. 1–26.

155 Breuilly, "Approaches."

156 Gabor Agoston, "A Flexible Empire. Authority and its Limits on the Ottoman Frontiers," in Kemal Karpat with Robert W. Zens (eds.), *Ottoman Borderlands. Issues, Personalities and Political Changes* (Madison, WI: University of Wisconsin Press, 2003), pp. 15–32; Nicola di Cosmo, "Qing Colonial Administration in Inner Asia," *International History Review* 20(2) (June 1998): 287–309.

157 所有製造這種神話的人當中，最有影響力者有三位波蘭詩人：密茨凱維奇、斯沃瓦茨基、克拉辛斯基，以及浪漫的歷史學家萊萊韋爾，他所宣稱的斯拉夫人的自由（wolnosc）和公民權（obywatelstwo）原則，由波蘭人發展得最為透徹。Manfred Kridl, *A Survey of Polish Literature* (New York: Columbia University Press, 1956), ch. 8; Joan S. Skurnowicz, *Romantic Nationalism and Liberalism. Joachim Lelewel and the Polish National Idea* (New York: East European Monographs, 1981), esp. ch. 7.

158 Oscar Halecki, *Borderlands of Western Civilization. A History of East Central Europe* (New York: Ronald Press, 1952).

159 István Bibó, *A kelet-európai kisállamok nyomorúsága* (Budapest: Argumentum, [1946] 2011)，很可惜並未翻譯成英文，and Jenö Szücs, "The Three Historical Regions of Europe. An Outline," *Acta Historica Academiae Scientiarum Hungaricae* 29(2–4) (1983): 131–84.

160 Lowell Tillet, *The Great Friendship. Soviet Historians on the Non-Russian Nationalities* (Chapel Hill, NC: University of

North Carolina Press, 1969).

161 David Slater, "Spatial Politics/Social Movements. Questions of (B)orders and Resistance in Global Times," in Steve Pile and Michael Keith (eds.), *Geographies of Resistance* (London: Routledge, 1997), pp. 259–60.

162 Cf. Frederick Cooper and Ann L. Stoler, "Tensions of Empire: Colonial Control and Visions of Rule," *American Ethnologist* 16 (1989): 608–10.

163 Sherry Ortner, "Resistance and the Problem of Ethnographic Refusal," *Journal of Comparative Studies of Society and History* 10 (2005): 175.

164 James C. Scott, *Weapons of the Weak. Everyday Forms of Peasant Resistance* (New Haven, CT: Yale University Press, 1985), pp. 24–26, 246–47, 324–25; Michel de Certeau, *The Practice of Everyday Life* (Berkeley, CA: University of California Press, 1984), pp. xiii, 31–32, 提及了在地的原生居民，他們「在制度中依然是他者；他們同化了制度，也在表象上被制度給同化了。」並請參見 Michel Foucault, *Discipline and Punish* (New York: Pantheon, 1977).

165 許多關於哈布斯堡王朝同化現象的文獻，都是討論猶太人的。這類文獻很多，比如 Marsha I. Rozenblit, The Jews of Vienna, 1867–1914. Assimilation and Identity (Albany, NY: State University of New York Press, 1983), pp. 3–12 的實用分析；Peter Hanak, "Problems of Jewish Assimilation in Austria Hungary," in P. Thane et al. (eds.), *The Power of the Past* (Cambridge University Press, 1984); William O. McCagg, *A History of Habsburg Jews, 1670–1918* (Bloomington, IN: Indiana University Press, 1992).

166 Alfred J. Rieber, "Sotsial'naia identifikatsiia i politicheskaia voliia: russkoe dvorianstvo ot Petra i do 1861 g.," in *P.A. Zaionchkovskii, 1904–1983 gg. Stat'i, publikatsii i vospominaniao nem* (Moscow: Rosspen, 1998), pp. 273–314; Khodarkovsky, *Russia's Steppe Frontier*, pp. 202–6.

167 L. E. Gorizontov, *Paradoksy imperskoi politiki: Poliaki v Rossii i russkie v Pol'she* (Moscow: Indrik, 1999), esp. Pt. 1, ch. 1 and Pt. 2, ch. 2.

168 Chantal Lemercier-Quelquejay, "Cooptation of Elites of Kabarda and Daghestan in the Sixteenth Century," in Marie Bennigson Broxop (ed.), *The North Caucasus Barrier. The Russia Advance Toward the Muslim World* (New York: St. Martin's Press, 1992), pp. 18–44.

169 Dov B. Yarshevskii, "Empire and Citizenship," in Daniel R. Brower and Edward J. Lazzerini (eds.), *The Russian Orient. Imperial Borderlands and Peoples, 1750–1917* (Bloomington, IN: Indiana University Press, 1997), pp. 58–79; Michael Stanislawski, *Tsar Nicholas I and the Jews. The Transformation of Jewish Society in Russia, 1825–1855* (Philadelphia, PA: Jewish Publication Society of America, 1983), pp. 13–42.

170 Adeeb Khalid, *The Politics of Muslim Cultural Reform. Jadidism in Central Asia* (Berkeley, CA: University of California Press, 1998), p. 235 以及全部。

171 Alfred J. Rieber, *Merchants and Entrepreneurs in Imperial Russia* (Chapel Hill, NC: University of North Carolina Press, 1982), pp. 52–73; Halil Inalcik with Donald Quataert (eds.), *An Economic and Social History of the Ottoman Empire, vol. 2: 1600–1914* (Cambridge University Press, 1994), pp. 518–19, 705, 837–41; Josef Mentsel and Gustav Otruba, Österreichische Industrielle und Bankiers (Vienna: Bergland Verlag, 1965). But cf. David Good, "National Bias in the Austrian Capital Market before World War I," *Explorations in Entrepreneurial History* 14 (1977): 141–66.

172 相關文獻很多，比如 Drago Roksandic, "Religious Tolerance and Division in the Krajina. The Croatian Serbs of the Habsburg Military Border," *Christianity and Islam in Southeastern Europe, Occasional Papers* (Washington, DC: Woodrow Wilson Center, East European Studies, 1997), p. 47; Robert Crews, "Empire and the Confessional State. Islam and Religious Politics in Nineteenth Century Russia," *American Historical Review* 108(1) (February 2003): 50–83.

173 John Klier, *Russia Gathers Her Jews. The Origins of the Jewish Question in Russia, 1772–1825* (De Kalb, IL: Northern Illinois University Press, 1986); John Klier, *Imperial Russia's Jewish Question, 1855–1881* (Cambridge University Press, 1995).

174 Selim Deringil, "Redefining Identities in the Late Ottoman Empire. Policies of Conversion and Apostasy," in Miller and Rieber (eds.), *Imperial Rule*, pp. 107–32.

175 Scott, *Weapons of the Weak*, esp. pp. 29, 37–41, 289–300.

176 Fredrik Barth (ed.), *Ethnic Groups and Boundaries. The Social Organization of Cultural Difference* (London: Allen Unwin, 1969), pp. 14–15. Cf. Guy Herau, L'Europe des ethnies (Paris: Presses d'Europe, 1963), p. 58.

177 James de Nardo, *Power in Numbers. The Political Strategy of Protest Rebellion* (Princeton University Press, 1985).

178 關於「反叛的十七世紀」對於引發「文化革命」的作用，請參見 A. M. Panchenko, "Buntashnyi vek," in *Iz Istorii*

russkoi kul'tury, 3. XVII–nachalo XVIII veka (Moscow: Iazyki russkoi kul'tury, 2000), pp. 11-24.

179 Simon Kézai et al. (eds.), *Gesta Hungarorum (The Deeds of the Hungarians),* ed. and trans. László Veszprémy and Frank Schaer (Budapest:CEUPress, 1999), 尤其是 Jenö Szücs 的批判性文章。

180 László Kontler and Balázs Trencsényi, "Introduction," in *Hungary. De-Composing the Political Community* (Budapest: CEU Press, 2007).

181 Serhii Plohii, *The Origins of the Slavic Nations. Premodern Identities in Russia, Ukraine and Belarus* (Cambridge University Press, 2006), pp. 339–443.

182 Khodarkovsky, *Russia's Steppe Frontier,* esp. ch. 2. 至少從長遠來看。在塞爾維亞，一如歐亞大陸邊疆的其他地方，貿易行為通常可以減少衝突。可以參見的文獻很多，比如 Yurii Malikov, *Tsar, Cossacks and Nomads. The Formation of a Borderland Culture in Northern Kazakhstan in the Eighteenth and Nineteenth Centuries* (Berlin: Klaus Schwarz Verlag, 2011).

183 Nolde, *La formation,* pp. 208–35. 穆斯林的神職人員也參與其中，但他們參與的程度則不得而知。

184 Dmitrije Djordjevic and Stephen Fischer-Galati, *The Balkan Revolutionary Tradition* (New York: Columbia University Press, 1981), pp. 31–32, 42. 他們在匈牙利被稱作 hajdús，是新教徒兵團中四處遊蕩的兵團。Pál Fodor, "The Ottomans and their Christians in Hungary," in Andor and Tóth (eds.), *Frontiers of Faith*, p. 146.

185 Eric Hobsbawm, *Primitive Rebels* (New York: Norton, 1959), but cf. Anton Blok, "The Peasant and the Brigand. Social Banditry Reconsidered," *Comparative Studies in Society and History* 14(4) (September 1972): 494–503; Bistra Cvetkova, "Mouvements antiféodaux dans les terres bulgares sous domination ottomane du XVIe au XVIIIe siècles," Études historiques 2 (1965): 146–68; Dennis N. Skiotis, "Greek Mountain Warriors and the Greek Revolution," in Vernon J. Perry and Malcolm E. Yapp (eds.), *War, Technology and Society in the Middle East* (London: Oxford University Press, 1976), pp. 308–29; Christopher Boehm, *Montenegrin Social Organization and Values. Political Ethnography of a Refuge Area Tribal Adaptation* (New York: AMS Press, 1983), pp. 132–33.

186 Hobsbawm, *Primitive Rebels*, p. 35.

187 Alfred J. Rieber (ed.), "Repressive Population Transfers in Central, Eastern and Southeastern Europe. A Historical Overview," in *Forced Migration in Central and Eastern Europe, 1939–1950* (London: Frank Cass, 2000), pp. 1–27; Nick

Baron and Peter Gatrell, "Population Displacement, State-Building and Social Identity in the Lands of the Former Russian Empire, 1917–23," *Kritika* 4(1) (Winter 2003): 51–101.

188 Barbara Jelavich, *History of the Balkans. Eighteenth and Nineteenth Centuries* (Cambridge University Press, 1983), 依然被公認為是最權威的調查。並請參見 Djordjevich and Fischer-Galati, *The Balkan Revolutionary Tradition.*

189 Jonathan N. Lipman, *Familiar Strangers. A History of Muslims in Northwest China* (Seattle, WA: University of Washington Press, 1997).

190 Frye, *The Golden Age of Persia*, pp. 112–15, 119.

191 John Walton and Geza Seddon, *Free Markets and Food Riots. The Politics of Global Adjustment* (Oxford University Press, 1994), ch. 2; James Hughes, "Re-evaluating Stalin's Peasant Policy in 1928–30," in Judith Pallot (ed.), *Transforming Peasants. Society, State and Peasantry, 1861–1930* (London: St. Martin's Press, 1998), pp. 238–42. Cf. Leslie Anderson, *The Political Ecology of the Modern Peasant. Calculation and Community* (Baltimore, MD: Johns Hopkins University Press, 1994), pp. 5–18.

192 Quataert, "The Age of Reforms," pp. 876–83.

193 Teodor Shanin, *Russia 1905–07. The Revolution as a Moment of Truth,* 2 vols. (New Haven, CT: Yale University Press, 1986), vol. II, pp. 66–70; Abraham Ascher, *The Revolution of 1905,* 2 vols. (Stanford University Press, 1988), vol. I, pp. 152–60. 並請參見 L. M. Ivanov, A. M. Pankratova, and A. L. Sidorov (eds.), *Revoliutsiia 1905–1907 gg. v natsional'nykh raionakh Rossii* (Moscow: Gosudarstvennoe izdatel'stvo politicheskoi literatury, 1955).

194 Sue Naquin and Evelyn Rawski, *Chinese Society in the Eighteenth Century* (New Haven, CT: Yale University Press, 1987), 特別是228頁的圖表。

195 Philip Kuhn, *Rebellion and its Enemies in Late Imperial China. Militarization and Social Structure, 1796–1864* (Cambridge, MA: Harvard University Press, 1970), esp. pp. 6–15, 29–30, 88.

第二章　帝國意識形態：文化實踐

196 研究政治神學理論的主要學者，關注的是宗教的象徵符號如何被運用在二十世紀的專制政權或自由主義之上。Cf.

Carl Schmitt, *Political Theology. Four Chapters on the Concept of Sovereignty*, trans. George D. Schwab (University of Chicago Press, [1922] 2005); Eric Voegelin, "The Political Religious," in Modernity without Restraint, in *Collected Works of Eric Voegelin*, 34 vols. (Columbia, MO: University of Missouri Press, 1999), vol. V, pp. 27–71; Langdon Gilkey, "The Political Dimensions of Theology," *Journal of Religion* 59(3) (1979): 154–68.

197 關於鄂圖曼帝國的王位繼承，請參見 Hakan T. Karateke, "Who is the Next Ottoman Sultan?Attempts to Change the Rule of Succession during the Nineteenth Century," in Itzchak Weismann and Fruma Zachs (eds.), *Ottoman Reform and Muslim Regeneration. Studies in Honour of Butrus Abu-Manneh* (London: Tauris, 2005), pp. 37–53.

198 David Cannadine, "Introduction: Divine Rites of Kings," in David Cannadine and S. Price (eds.), *Ritual of Royalty. Power and Ceremonial in Traditional Societies* (Cambridge University Press, 1987), pp. 1–19; Geoffrey Hosking and George Schöpflin (eds.), *Myths and Nationhood* (London: Routledge, 1997)，特別是 George Schöpflin 的文章，"The Function of Myth and a Taxonomy of Myths," pp. 19–35, and Anthony D. Smith, "The Golden Age and National Renewal," pp. 36–59. See also Ernst Kantorowicz, *The King's Two Bodies. A Study of Medieval Political Theology* (Princeton University Press, 1959), for similar views of royalty in western Europe.

199 Norbert Elias, *The Civilizing Process. Sociogenetic and Psychogenetic Investigations*, revised edn (Oxford: Blackwell, 2000), esp. pp. 389–97. Elias 更強調統治者和菁英之間的協商過程·，關於她的批判，請參見 Jeroen Duindam, *Myths of Power. Norbert Elias and the Early Modern European Court* (Amsterdam University Press, 1990); John Adamson (ed.), *The Princely Courts of Europe. Ritual, Politics and Culture under the Ancient Regime, 1500–1750* (London: Weidenfeld & Nicolson, 1998).

200 Richard Wortman, *Scenarios of Power, Myth and Ceremony in the Russian Monarchy*, 2 vols. (Princeton University Press, 1995, 2000); J. P. Bled, Franz Joseph (Oxford: Blackwell, 1992), pp. 220–21, based on P. Promintzer, "Die Reisen Kaiser Franz Joseph (1848–1867)," PhD dissertation, University of Vienna, 1967.

201 Hugh Murry Baillie, "Etiquette and Planning of State Apartments in Baroque Palaces," *Archéologie* 101 (1967): 169–89; Felix Driver and David Gilbert (eds.), *Imperial Cities. Landscape Display and Identity* (Manchester University Press, 1999). See also Randolph Starns, "Seeing Culture in a Room for a Renaissance Prince," in Lynn Hunt (ed.), *The New Cultural*

History (Berkeley, CA: University of California Press, 1989), pp. 205–32.

202 從不同的角度來看，帝國文化可以說是高度分化，被爭奪的，在面對變局時也顯得非常脆弱。Cf. William H. Sewell Jr., "The Concepts of Culture," in Victoria E. Bonnell and Lynn Hunt (eds.), *Beyond the Cultural Turn* (Berkeley, CA: University of California Press, 1999), pp. 51–55.

203 Alexei Miller, "The Romanov Empire and the Russian Nation," in Alexei Miller et al. (eds.), *Internal Colonization. Russia's Imperial Experience* (Cambridge: Polity Press, 2011).

204 Andrew Wheatcroft, *The Habsburgs. Embodying Empire* (New York: Viking, 1995).

205 M. Tanner, *The Last Descendent of Aeneas. The Habsburgs and the Mythic Image of the Emperor* (New Haven, CT: Yale University Press, 1993). 雖然加冕典禮不斷讓觀禮者留下深刻印象，比如歌德就是其中之一，但加冕典禮仍然被「開明專制」的君主約瑟夫二世視為不合時宜的；這可以說是一個早期的徵兆，顯示出歷任奧地利皇帝對於如何界定帝國元首這件事情莫衷一是。請參見 D. Beales, *Joseph II. In the Shadow of Maria Theresa, 1741–1780*, 2 vols. (Cambridge University Press, 1987), vol. I, pp. 111–15.

206 F. A. Yates, "Charles Quint et l'idée d'empire. Fêtes et cérémonies au temps de Charles Quint," *11e congrès des historiens de la Renaissance* (Paris, 1960); John M. Headley, "The Habsburg World Empire and the Revival of Ghibellinism," *Medieval and Renaissance Studies* 7 (1978): 93–127.

207 Peter Urbanitsch, "Pluralist Myth and Nationalist Realities. The Dynastic Myth of the Habsburg Monarchy: A Futile Exercise in the Creation of Identity?" *Austrian History Yearbook* 35 (2004): 109–11.

208 Robert Bireley, SJ, "Confessional Absolutism in the Habsburg Lands in the Seventeenth Century," in Charles Ingrao (ed.), *State and Society in Early Modern Austria* (West Lafayette, IN: Purdue University Press, 1994), pp. 36–43; Karl Vocelka, "Public Opinion and the Phenomenon of Sozialdisziplinierung," in Ingrao (ed.), *State and Society*, pp. 119–40, 其強調耶穌會講學、布道、言語溝通的角色，以及警察法規對於道德和行為模式的管控。關於皇室如何支持天主教成為國教，以及如何在波希米亞對天主教貴族授與土地，請參見 Karin J. MacHardy, *War, Religion and Court Patronage in Habsburg Austria. The Social and Cultural Dimensions of Political Interaction*, 1521–1622 (Basingstoke: Palgrave Macmillan, 2003).

209 Jiří Mikube, "Baroque Absolutism (1620–1740)," in Jaroslav Pánek et al. (eds.), *A History of the Czech Lands* (Prague: Karolinium Press, 2009), pp. 240–42.

210 Jean Berenger, Léopold Ier (1640–1705). *Fondateur de la puissance autrichienne* (Paris: Presses universitaires de France, 2004), pp. 116–26.

211 Christian Hoffmann, Das Spanische Hofzeremoniell von 1500–1700 (Frankfurt: Peter Lang, 1985). 關於哈布斯堡王朝早期如何使用建築來建構專制政權，請參見 Hubert Ch. Erhalt, *Ausdrucksformen absolutischen Herrschaft. Der Wiener Hof in 17. und 18. Jahrhundert* (Munich: R. Oldenbourg, 1980).

212 Maria Goloubeva, *The Glorification of Emperor Leopold I in Image, Spectacle and Text* (Mainz: Verlag Philipp von Zahern, 2000).

213 Michael E. Yonan, "Modesty and Monarchy. Rethinking Empress Maria Theresa at Schonbrunn," Austrian History Yearbook 35 (2004): 25–47, 引用自第43頁。該書對於這些強烈吸引著馬札爾貴族勇士的再現形式，有極具技巧的探討。

214 Hans Sturmberger, "Turkengefahr und Osterreichische Staatlichkeit," *Sudostdeutsches Arkhiv* 10 (1967): 139. 關於查理五世的參謀賈帝納拉的作品中的聖戰起源，請參見 Headley, "The Habsburg World Empire," p. 66.

215 Robert A. Kann, "The Dynasty and the Imperial Idea," in *A Study in Austrian Intellectual History from Late Baroque to Romanticism* (New York: Praeger, 1960), p. 49.

216 Peter Hanak, "Problem der Krise de Dualismus," in V. Sandor and Peter Hanak (eds.), *Studien zum Geschichte der öesterreichisch-ungarnischen Monarchie* (Budapest: Akadémiai Kiadó, 1961), pp. 338–85.

217 A. Novotny, "Der Monarch und seine Ratgeber," in A. Wanbruszka and P. Urbanitsch (eds.), *Die Habsburgermonarchie, 1848–1918. Verwaltung und Rechtwesen* (Vienna: Österreichische Akademie der Wissenschaften, 1975), vol. II, pp. 64–65.

218 Urbanitsch, "Pluralist Myth," pp. 107–8.

219 Marsha L. Rozenblit, *Reconstructing a National Identity. The Jews of Habsburg Austria during World War I* (Oxford University Press, 2001), pp. 23, 28–31; *Robert S. Wistrich, The Jews of Vienna in the Age of Franz Joseph* (Oxford University Press, 1989), pp. 175–81. 關於和俄羅斯的比較，請參見 Benjamin Nathans, *Beyond the Pale. The Jewish Encounter with Late Imperial Russia* (Berkeley, CA: University of California Press, 2002), pp. 371–73.

220 H. Dollinger, "Das Leitbild des Burgerkonigtums in der europaischen Monarchie des 19. Jahrhunderts," in K. F. Werner (ed.), *Hof, Kultur, und Politik im 19. Jahrhundert* (Bonn: L. Röhrscheid, 1985), pp. 337–43. 關於約瑟夫二世是否真的開明，請參見 D. Beales, "Was Joseph II an Enlightened Despot?" in R. Robertson and E. Timms (eds.), *The Austrian Enlightenment and its Aftermath* (Edinburgh University Press, 1991), pp. 1–21. Beales 直接將約瑟夫二世歸類為官房主義的開明專制君主，同時也提到了他愈來愈專制的傾向。

221 H. M. Scott (ed.), "The Problem of Enlightened Absolutism," in *Enlightened Absolutism. Reform and Reformers in Later Eighteenth Century Europe* (Basingstoke: Palgrave Macmillan, 1990), pp. 18–19; Marc Raeff, *The Well-Ordered Police State. Social and Intellectual Change through Law in the Germanies and Russia, 1600–1800* (New Haven, CT: Yale University Press, 1983).

222 Berenger, Léopold Ier, pp. 180–89; Kann, *A Study in Austrian Intellectual History*, pp. 174–87.

223 對奧地利官房主義最全面的研究，是 Louise Sommer, *Die österreichischer Kameralisten in dogmengeschichtler Darstellung*, 2 vols. (Vienna: C. Konegen, [1920–26] 1967). 並請參見 Gunther Chaloupek, "Justi in Austria. His Writings in the Context of Economic and Industrial Policies of the Habsburg Empire in the Eighteenth Century," in J. G. Backhaus (ed.), *The Beginnings of Political Economy. Johann Heinrich Gottlob von Justi* (New York: Springer, 2009), pp. 147–56.

224 Ulrich Adam, *The Political Economy of J. H.G. Justi* (Bern: Peter Lang, 2006), pp. 107–17, 135–38.

225 Adam, *Political Economy of J. H. G. Justi,* pp. 138–41; Walter W. Davis, "China, the Confucian Ideal and the European Age of Enlightenment," *Journal of the History of Ideas* 44 (1983): 523–48.

226 Ernst Wangermann, "Joseph von Sonnenfels und die Vaterlandsliebe der Aufklärung," in *Helmut Reinalter (ed.), Joseph von Sonnenfels* (Vienna: Österreichische Akademie der Wissenschaften, 1988), pp. 157–69.

227 R. J. W. Evans, "Joseph II and Nationality. The Habsburg Lands," in Scott (ed.), *Enlightened Absolutism*, pp. 210–18. Maciej Janowski, "Justifying Political Power in 19th Century Europe. The Habsburg Monarchy and Beyond," in Miller and Rieber (eds.), *Imperial Rule*, pp. 69–82, 該研究指出了重要的一點，亦即帝國為自身統治賦予正當性的過程，混合了現代和傳統的元素，其中包括神賦的權力，以及人民主權、多元性和中央集權。

228 以下內容係根據 R. J. W. Evans, "Language and State Building. The Case of the Habsburg Monarchy," Austrian History

Yearbook 35 (2004): 1–24.

229 Evans, "Language and State Building," p. 9.

230 Gábor Klaniczay, "Le myth d'origine scythique et le culte d'Attilla du 19e siècle." 對於作者願意提供該篇文章出版前的初稿，我在此表達謝意。

231 Arnold Suppan, "'Germans' in the Habsburg Empire. Language, Imperial Ideology, National Identity and Assimilation," in Charles W. Ingrao and Franz A. J. Szabo (eds.), *The Germans and the East* (West Lafayette, IN: Purdue University Press, 2008), pp. 147–90.

232 Lászlo Peter, "The Holy Crown of Hungary, Visible and Invisible," *Slavonic and East European Review* 81(3) (July 2003): 421–507.

233 László Kontler, Millennium in Central Europe. A History of Hungary (Budapest: Atlantisz, 1999), pp. 285–90; Tibor Frank, "Hungary and the Dual Monarchy, 1867–1890," in Peter Sugar, Péter Hanák, and Tibor Frank (eds.), *A History of Hungary* (Bloomington, IN: Indiana University Press, 1994), pp. 254–58.

234 Evans, "Language and State Building," pp. 15–16, 21.

235 Daniel Unkowsky, "Reasserting Empire. Habsburg Imperial Celebrations after the Revolutions of 1848–1849," in Maria Bucur and Nancy M. Wingfield (eds.), *Staging the Past. The Politics of Commemoration in Habsburg Central Europe, 1848 to the Present* (West Lafayette, IN: Purdue University Press, 2001), pp. 13–45.

236 James Shedel, "Emperor, Church and People. Religion and Dynastic Loyalty during the Golden Jubilee of Franz Joseph," *Catholic Historical Review* 76(1) (1990): 71–92.

237 Urbanitsch, "Pluralist Myth," pp. 118–21.

238 Bled, *Franz Joseph*, pp. 220–21

239 Michael Cherniavsky, "Khan or Basileus. An Aspect of Russian Medieval Political Theory," *Journal of the History of Ideas* 20 (1959): 459–76; Michael Cherniavsky, "Ivan the Terrible as Renaissance Prince," *Slavic Review* 27 (1968): 195–211; I. Shevchenko, "Muscovy's Conquest of Kazan. Two Views Reconciled," Slavic Review 4 (1967): 541–47; E. Keenan, "Royal Russian Behavior. Style and Self-Image," in Edward Allworth (ed.), *Ethnic Russia: The USSR. The Decline of Dominance*

(New York: Pergamon Press, 1980), pp. 1–16.

240 Marc Szeftel, "The Title of the Muscovite Monarch up to the End of the Seventeenth Century," *Canadian–American Slavic Studies* 13 (1979): 59–81. 十六世紀諾蓋汗國將俄羅斯統治者稱作「白色沙皇」，明顯意味著他們將莫斯科當局視為欽察汗國的嫡脈之一。Michael Khodarkovsky, *Russia's Steppe Frontier. The Making of a Colonial Empire 1500–1800* (Bloomington, IN: Indiana University Press, 2002), p. 44 以及該處引用的文獻。

241 關於近期對於第三羅馬的新觀點，請尤其參見 Peter Nitsche, "Translatio imperii? Beobachtungen zum historischen Selbstverständnis im Moskauer Zartum um die Mitte des 16 Jahrhunderts," *Jahrbücher für Geschichte Osteuropas* 35 (1987): 321–38; Daniel Rowland, "Moscow. Third Rome or New Israel?" *Russian Review* 55 (1996): 59–88; Daniel Ostrowsky, *Muscovy and the Mongols. Cross-Cultural Influences on the Steppe Frontier*, 1304–1589 (Cambridge University Press, 1998), ch. 10.

242 最初對俄羅斯史上的政治神學進行探討的，是 Michael Cherniavsky, *Tsar and People. Studies in Russian Myths* (New Haven, CT: Yale University Press, 1961). A recent reevaluation is V. M. Zhivkov, *Razyskaniia v oblasti I predistorii russkoi kul'tury* (Moscow: Iazyki slavianskoi kul'tury, 2002).

243 Sergei Zenkovskii, *Russkoe staroobriadchestvo. Dukhovnye dvizheniia semnadtsatogo veka* (Munich: Fink, 1970), pp. 50–58. 這兩個西方教會體系對於東正教的爭奪，最遠延伸到了君士坦丁堡；在鄂圖曼帝國的幫助下，這些教會派出的代表人物曾在一五九五年至一六五七年之間，操控主教的任免超過四十次。Ibid., p. 57.

244 Paul Bushkovitch, *Religion and Society in Russia. The Sixteenth and Seventeenth Centuries* (Oxford University Press, 1992), stresses the internal causes. 關於外部影響，請參見 Cf. N. F. Kapterev, *Kharakter otnoshenii Rossii k pravoslavnomu vostoku v XVI–XVII stoletiiakh* (The Hague: Mouton, [1914] 1968).

245 Zenkovskii, *Russkoe staroobriadchestvo*, pp. 197–202. 關於泛東正教帝國的概念對於尼康的改革有多少影響，至今仍然未知。

246 Kapterev, *Rossiia i vostok*, pp. 368–82.

247 Gregory Freeze, "Handmaiden of the State? The Church in Imperial Russia Reconsidered," *Journal of Ecclesiastical History* 36(1) (1985): 82–102.

248 Peter Waldron, "Religious Toleration in Late Imperial Russia," in Olga Crisp and Linda Edmunson (eds.), *Civil Rights in Imperial Russia* (Oxford: Clarendon Press, 1989), pp. 103–19; Raymond Pearson, "Privileges, Rights and Russification," in Crisp and Edmunson (eds.), *Civil Rights in Imperial Russia*, pp. 85–102.

249 Robert Crews, "Empire and the Confessional State. Islam and Religious Politics in Nineteenth Century Russia," *American Historical Review* 108(1) (February 2003): 55–83.

250 Paul Werth, "Schism Once Removed: Brotherhoods, State Authority, and Meanings of Religious Toleration in Imperial Russia," in Miller and Rieber (eds.), *Imperial Rule*, pp. 83–105.

251 A. N. Grigor'ev, "Khristianizatsiia nerusskikh narodnostei kak odin iz metodov natsional'noi kolonial'noi politiki tsarizma v Tatarii," in *Materialy po istorii Tatarii* (Kazan: Tatgosizdat, 1948), pp. 226–28, 該書著重討論團結，或許反映出了反帝國主義的主題在蘇聯歷史學中的短暫重現。亦請參見 Chantal Lemercier-Quelquejay, "Les Missions orthodoxes en pays musulmans de moyenne-et basse-Volga," *Cahiers du monde russe et sovietique 8 (July–September 1967)*: 380–81.

252 Michael Khodarkovsky, "The Conversion of non-Christians in Early Modern Russia," in Robert P. Geraci and Khodarkovsky (eds.), *Of Religion and Empire. Missions, Conversions and Tolerance in Tsarist Russia* (Ithaca, NY: Cornell University Press, 2001), p. 121.

253 Michael Khodarkovsky, Russia's Steppe Frontier. *The Making of a Colonial Empire, 1500–1800* (Bloomington, IN: Indiana University Press, 2002), pp. 192–93; Michael Khodarkovsky, *Where Two Worlds Met. The Russian State and the Kalmyk Nomads,* 1600–1771 (Ithaca, NY: Cornell University Press, 1992), pp. 98, 145–46.

254 Paul Werth, *At the Margins of Orthodoxy. Mission, Governance and Confessional Politics in Russia's Volga–Kama Region*, 1827–1905 (Ithaca, NY: Cornell University Press, 2002), p. 22. 這些皈依基督教的人有許多是異教徒，他們的改宗行為並非發自內心的，後來甚至還拒絕承認。Khodarkovsky, *Russia's Steppe Frontier*, pp. 194–96.

255 Crews, "Empire and the Confessional State," pp. 50–83.

256 Theodore Weeks, "Religion and Russification. Russian Language and the Catholic Churches of the 'Northwest Provinces' after 1862," *Kritika* 2(1) (Winter 2001): 87–110; Werth, "Schism Once Removed," pp. 85–108.

257 John Doyle Klier, *Russia Gathers Her Jews. The Origins of the "Jewish Question" in Russia, 1772–1825* (De Kalb, IL:

Northern Illinois University Press, 1986), p. 75.

258 有些歷史學家強調，一八八一年發生的集體迫害，是導致俄羅斯的猶太人採取革命行動的關鍵事件。但也有其他歷史學家指出，早在集體迫害發生之前，猶太人就已經在從事抵抗活動了。關於猶太人抵抗活動的悠久傳統，請參見 Erich Haberer, *Jews and Revolution in Nineteenth Century Russia* (Cambridge University Press, 1995). 亦請參照 Nathans, *Beyond the Pale*, pp. 6–11 的討論。

259 John Doyle Klier, "State Policy and Conversion of the Jews in Imperial Russia," in Geraci and Khodarkovsky (eds.), *Of Religion and Empire*, pp. 95–96.

260 Alexander Martin, *Romantics, Reformers, Reactionaries. Russian Conservative Thought and Politics in the Reign of Alexander I* (De Kalb, IL: Northern Illinois University Press, 1997), pp. 185–86.

261 Stephen K. Batalden, "Printing the Bible in the Reign of Alexander I. Toward a Reinterpretation of the Imperial Russian Bible Society," in Geoffrey Hosking (ed.), *Church, Nation and State in Russia and Ukraine* (London: St. Martin's Press, 1991), pp. 65–78.

262 Nicholas V. Riasanovsky, *Nicholas I and Official Nationality in Russia, 1825–1855* (Berkeley, CA: University of California Press, 1952); Nicholas V. Riasanovsky, *A Parting of Ways. Government and the Educated Public in Russia, 1801–1855* (Oxford University Press, 1976), pp. 103–47, 上述是關於這個課題的最權威的幾個研究。將這個三合一方案稱為「官方民族」的做法，則是由後來的自由派評論者創造出來的。Riasanovsky, *A Parting of Ways*, p. 105. Cf. Cynthia A. Whittaker, *The Origins of Modern Russian Education. An Intellectual Biography of Count Sergei Uvarov* (De Kalb, IL: Northern Illinois University Press, 1984), 該研究將烏瓦羅夫呈現為一個溫和派，是個出於務實考量而行動的人。

263 Andrei Zorin, *Kormia dvuglavnogo orla. Literaturaia i gosudarstvennaia ideologiia v Rossii v poslednei treti XVIII–pervoi treti XIX veka* (Moscow: Novoe literaturnoe obozrenie, 2001).

264 關於猶太人，請參見 Klier, "State Policy," pp. 96–102; 關於東儀天主教徒，請參見 Theodore R. Weeks, "Between Rome and Tsargrad. The Uniate Church in Imperial Russia," in Geraci and Khodarkovsky (eds.), *Of Religion and Empire*, pp. 74–84; 關於窩瓦河流域的穆斯林，請參見 Werth, *At the Margins of Orthodoxy*, ch. 6.

265 Alfred J. Rieber (ed.), "The Politics of Imperialism," in *The Politics of Autocracy. Letters of Alexander II to Prince A. I.*

Bariatinskii 1857–1864 (The Hague: Mouton, 1966), pp. 69, 71; Firouzeh Mostashari, "Colonial Dilemmas. Russian Politics in the Muslim Caucasus," in Geraci and Khodarkovsky (eds.), *Of Religion and Empire*, pp. 234–38.

266 Manana Gnolidze-Swanson, "Activity of the Russian Orthodox Church among the Muslim Natives of the Caucasus in Imperial Russia," *Caucasus and Central Asia Newsletter* 4 (Summer 2003): 9–19.

267 Robert P. Geraci, *Window on the East. National and Imperial Identities in Late Tsarist Russia* (Ithaca, NY: Cornell University Press, 2001).

268 Laurie Manchester, *Holy Fathers, Secular Sons. Clergy Intelligentsia and the Modern Self in Revolutionary Russia* (Ithaca, NY: Cornell University Press, 2008), pp. 156–61.

269 Vera Shevzov, *Russian Orthodoxy on the Eve of Revolution* (Oxford University Press, 2004), pp. 258–59.

270 V. A. Tvardovskaia, "Tsarstvovanie Aleksandra III," in V. Ia. Grosul (ed.), *Russkii konservatizm XIX stoletii. Ideologiia i praktika* (Moscow: Progress-Traditsiia, 2000), pp. 331–39; Paul R. Valliere, "The Idea of a Council in Russian Orthodoxy in 1905," in Robert L. Nicholas and Theofanis George Stavrou (eds.), *Russian Orthodoxy under the Old Regime* (Minneapolis, MN: University of Minnesota Press, 1978), pp. 192–93.

271 Zenkovskii, Russkoe staroobriadchestvo, p. 15.

272 Wortman, *Scenarios of Power*, vol. II, pp. 384–90; Gregory Freeze, "Tserkov', religiia, I politicheskaia kul'tura na zakate starogo rezhima," in D. Geiger and V. S. Diakin (eds.), *Reformy ili revoliutsiia? Rossiia, 1861–1917* (St. Petersburg: Nauka, 1992), pp. 31–42.

273 關於尼古拉斯和亞歷山德拉的「民粹主義」，請參見 Dominic Lieven, Nicholas II. *Emperor of all the Russias* (London: John Murray, 1993), pp. 32–34, 127–28, 152–53, 164–67, 雖然它低估了拉斯普欽有害的影響力。這個觀點獲得了 V. I. Gurko, *Features and Figures of the Past. Government and Opinion in the Reign of Nicholas II* (Stanford University Press, 1939), pp. 551, 560, but cf. p. 579 的支持。

274 Eduard Winter, *Byzanz und Rom im Kampf um die Ukraine, 955–1939* (Leipzig: Otto Harrassowitz, 1942), pp. 85–90; Paul Bushkovitch, *Peter the Great. The Struggle for Power, 1671–1725* (Cambridge University Press, 2001), pp. 435–37; 統計數據則來自 K. V. Kharlampovich, *Malorossiiskoe vlianie na velikorusskuiu tserkovnuiu zhizn'* (The Hague: Mouton, [1914]

1968), vol. I, pp. 459–60, 636.

275 最完整的研究是 James Cracraft, *The Church Reform of Peter the Great* (Stanford University Press, 1971).

276 Wortman, *Scenarios of Power*, vol. I, p. 41.

277 Raeff, *The Well-Ordered Police State*, pp. 206–7; Lindsey Hughes, *Russia in the Age of Peter the Great* (New Haven, CT: Yale University Press, 1998), pp. 94–98, 145; Bushkovitch, *Peter the Great*, pp. 440–41.

278 Alfred J. Rieber, "Politics and Technology in Eighteenth Century Russia," *Science in Context* 8(2) (Summer 1995): 345–49, quotation on p. 345; Hughes, *Russia in the Age of Peter the Great*, pp. 309–12.

279 William Craft Brumfield, *A History of Russian Architecture* (Cambridge University Press, 1993), pp. 209–10, 213–15, 227, 引用段落位於 p. 227.

280 James Cracraft, *The Petrine Revolution in Russian Architecture* (University of Chicago Press, 1988); James Cracraft, *The Petrine Revolution in Russian Imagery* (University of Chicago Press, 1997), esp. pp. 136–47, 194–200; Wortman, *Scenarios of Power*, vol. I, pp. 6–7, 25, 42–51, 53.

281 Wortman, *Scenarios of Power,* vol. I, pp. 65–75, 405–6; Bushkovitch, *Peter the Great,* pp. 432–34; Hughes, *Russia in the Age of Peter the Great*, pp. 184–202, 398.

282 K. V. Chistov, *Russkie narodnye sotsial'no-utopicheskie legendy XVII–XIX vv*. (Moscow: Nauka, 1967).

283 N. D. Chechulin (ed.), "Nakaz Imperatritsy Ekateriny II, dannyi Kommissii o sochinenii proekta novogo ulozheniia," in *Pamiatniki russkogo zakonodatel'stva 1649–1832 gg* (St. Petersburg, 1907), pp. cxxix–cxl; Ia.Ia. Zutis, *Ostzeiskii vopros v XVIII veka* (Riga: n.p., 1946), pp. 288–97.尤斯提關於商賈貴族的研究，已經由 Denis Fonvizin 翻譯成俄文，書名為 *Torguiushchee dvorianstvo protivu polozhenoe dvorianstvo voenomu* (St. Petersburg, 1766).

284 Ulrich Adam, *The Political Economy of J. H. G.* Justi (Bern: Peter Land, 2006), pp. 128–41.

285 Wortman, *Scenarios of Power*, vol. I, pp. 41, 63, 71, 80–83.

286 Wortman, *Scenarios of Power. For the journeys*, 請參見 Catherine II, vol. I, pp. 139–42; Alexander I, vol. I, pp. 239–41; Alexander II, vol. I, pp. 362–69; Nicholas I, vol. I, pp. 306–8; Alexander III, vol. II, pp. 173, 282–83（在位沙皇唯一一次前往高加索地區出巡）；Nicholas II, vol. II, pp. 323–31（在位沙皇唯一一次前往俄羅斯遠東地區）(the only trip of a

reigning tsar to the Russian Far East). 至於加冕典禮，請參見 Catherine II, vol. I, pp. 114–16; Alexander II, vol. II, pp. 35–37; Alexander III, vol. II, pp. 215–17; Nicholas II, vol. II, pp. 351–52.

287 Richard Wortman, "Symvoly imperii: ekzoticheskie narody v Rossiiskoi imperii: ot etnicheskogo k prostranstvennomu podkhodu," in I. Gerasimov et al. (eds.), *Novaia imperskaia istoriia postsovetskogog prostranstva* (Kazan: Tsentr issledovaniii nationalizma I imperii, 2004), pp. 409–26.

288 可參見的文獻很多，例如 Andreas Kappeler, "The Ambiguities of Russification," *Kritika* 5(2) (Spring 2004): 291–98, 以及 Mikhail Dobilov 的文章, "Russification and the Bureaucratic Mind in the Russian Empire's Northwestern Region in the 1860s," *Kritika* 5(2) (Spring 2004): 245–72; Darius Staliūnas, "Did the Government Seek to Russify Lithuanians and Poles in the Northwest Territory after the Uprising of 1863–64?" *Kritika* 5(2) (Spring 2004): 273–90.

289 Alexei Miller, *The Ukrainian Question. The Russian Empire and Nationalism in the Nineteenth Century* (Budapest: CEU Press, 2003), pp. 19–48; Alexei Miller, "Russification or Russifications?" in *The Romanov Empire and Nationalism* (Budapest: CEU Press, 2008), pp. 45–66.

290 Alexander Etkind, *Internal Colonization. Russia's Imperial Experience* (Cambridge: Polity, 2011), esp. ch. 8; Olga Maiorova, *From the Shadow of Empire. Defining the Russian Nation through Cultural Mythology, 1855–1870* (Madison, WI: University of Wisconsin Press, 2010), pp. 26–52, 128–54.

291 Edward Thaden (ed.), "Introduction," in *Russification in the Baltic Provinces and Finland, 1855–1914* (Princeton University Press, 1981), pp. 7–9.

292 Martin, *Romantics,* pp. 25–38.

293 Riasanovsky, *A Parting of Ways*, p. 128.

294 Alexei Miller, "'Official Nationality'? A Reassessment of Count Sergei Uvarov's Triad inthe Context of Nationalism Politics," in *The Romanov Empire*, p. 153.

295 James T. Flynn, "Uvarov and the 'Western Provinces': A Study of Russia's Polish Problem," *Slavic and East European Review* 64(2) (April 1986): 212–36.

296 Miller, *The Ukrainian Question*, p. 109.

297 瓦魯耶夫寫給卡特科夫的信, July 16, 1864 引用自 Miller, *The Ukrainian Question*, p. 111.

298 Miller, *The Ukrainian Question*, p. 257.

299 Michael H. Haltzel, "Quarrels and Accommodations with Russian Officialdom," in *Thaden, Russification*, pp. 138–45.

300 關於對帝國史上這些認知的幾個面向上的調查，請參照 David Schimmelpennick van der Oye, *Russian Orientalism. Asia in the Russian Mind from Peter the Great to the Emigration* (New Haven, CT: Yale University Press, 2010); Vera Tolz, "Ex Tempore: Orientalism and Russia," *Kritika* 1(4) (2000): 691–727.

301 Anthony L. H. Rhinelander, *Prince Michael Vorontsov, Viceroy to the Tsar* (Montreal: McGill and Queens University Press, 1990), p. iii.

302 Rhinelander, *Prince Michael Vorontsov*, pp. 169–84.

303 Thomas M. Barrett, "The Remaking of the Lion of Daghestan. Shamil in Captivity," *Russian Review* 53(3) (July 1994): 353–66; Alfred J. Rieber, "Russian Imperialism. Popular, Emblematic, Ambiguous," *Russian Review* 53(3) (July 1994): 334.

304 Susan Layton, "Nineteenth Century Russian Mythologies of Caucasian Savagery," in Daniel Brower and Edward J. Lazzerini (eds.), *Russia's Orient. Imperial Borderlands and Peoples, 1700–1917* (Bloomington, IN: Indiana University Press, 1997), 與其更廣泛的論述, Susan Layton, *Russian Literature and Empire. Conquest of the Caucasus from Pushkin to Tolstoy* (Cambridge University Press, 1994). Cf. Katya Hokanson, "Literary Imperialism, Narodnost' and Pushkin's Invention of the Caucasus," *Russian Review* 53(3) (July 1994): 336–52, 該文章更強調普希金對俄羅斯向外征戰的矛盾態度。

305 主要根據 Francis Maes, *A History of Russian Music. From Kamarinskaya to Babi Yar* (Berkeley, CA: University of California Press, 2002), pp. 80–83, 193; Schimmelpennick van der Oye, *Russian Orientalism,* pp. 203–11.

306 當作曲家（從格林卡算起）開始將俄羅斯民俗音樂融入到他們正式的編曲中時，他們也懷有同樣的預設。一如純粹的當地音樂，一直到二十世紀，純粹的民俗音樂都被當成民族學的研究材料。

307 "'Entailing the Falconet': Russian Musical Orientalism in Context," *Cambridge Opera Journal* 4 (1992): 253–80.

308 Austin Jersild, *Orientalism and Empire. North Caucasus Mountain Peoples and the Georgian Frontier, 1845–1917* (Montreal: McGill and Queens University Press, 2002), ch. 4. 這個傳統由蘇聯的民族學者延續下去，也導致了類似的結果。請參見 Francine Hirsch, Empire of Nations. Ethnographic Knowledge and the Making of the Soviet Union (Ithaca, NY: Cornell

University Press, 2005). 並請參見 Vera Tolz, "European, National and (Anti-)Imperial. The Formation of Academic Oriental Studies in Late Tsarist and Early Soviet Russia," *Kritika* 9(1) (2008): 53–81.

309 Mark Bassin, *Imperial Visions. Nationalist Imagination and Geographical Expansion in the Russian Far East, 1840–1865* (Cambridge University Press, 1999), pp. 203–4.

310 Daniel R. Brower, "Imperial Russia and its Orient. The Renown of Nikolai Przhevalsky," *Russian Review* 53(3) (July 1994): 367–81; Daniel R. Brower, *Turkestan and the Fate of the Russian Empire* (London: Routledge-Curzon, 2003), pp. 49–51. Vereshchagin 本人就是軍人，他曾經因為和布哈拉的埃米爾對戰，而獲得眾人夢寐以求的聖喬治十字。

311 這並沒有阻止西歐的警鐘不時響起。早在一八四一年，知名的俄羅斯編輯 N. Nadezhdin 在柏林就曾寫道：「對於被神祕地稱作泛斯拉夫主義的恐懼、謠言、猜忌、警醒。」*Letter to Moskvitianin*, No. 6 (1841): 515–25, 引用於 Nikolai P. Barsukov, *Zhizn' i trudy M. P. Pogodina*, 22 vols. (St. Petersburg: M. M. Stasiulevich, 1892), vol. VI, p. 139.

312 對此，最權威的研究至今仍是 Hans Kohn, *Pan-Slavism. Its History and Ideology* (South Bend, IN: Notre Dame University Press, 1953), 但該研究對俄羅斯採取敵對態度。若想參考觀點相對平衡的研究，請參見 Michael Boro Petrovich, *The Emergence of Russian Panslavism 1856–1870* (New York: Columbia University Press, 1956).

313 Robert Byrnes, *Pobedonostsev. His Life and Thought* (Bloomington, IN: Indiana University Press, 1968), esp. ch. 6.

314 Byrnes, Pobedonostsev, pp. 220–24.

315 比方說 N. V. Ignat'ev 的活動，他在斯拉夫慈善會幕後從事自己的泛斯拉夫議程；他的行動低調到有些學者甚至將泛斯拉夫主義稱為「幽靈」。S. Harrison Thomson, "A Century of a Phantom. Pan Slavism and the Western Slavs," *Journal of Central European Affairs* 11 (1951): 57–77. 由駐聖彼得堡的哈布斯堡外交人員傳回的報告，對於這個觀點進行了補充。當個別俄羅斯人為了反抗哈布斯堡王朝而表現出了泛斯拉夫的情緒，這些外交人員表達了惱怒之情，並由維也納轉達給了俄羅斯政府。但俄羅斯的外交部向他們再三保證，這些只是個人的意見，而不是政府的。Eduard Winter, *Der Panslawismus nach den Berichten der österreichisch-ungarischen Botshafter in St. Petersburg* (Prague: Dt. Akademie der Wissenschaften, 1944), pp. 16, 21–22, 60–63, 88–90.

316 Paul Vyšný, *Neo-Slavism and the Czechs, 1898–1914* (Cambridge University Press, 1977).

317 Louise McReynolds, *The News under Russia's Old Regime* (Princeton University Press, 1991), pp. 74–78.

318 也許很少有人可以和 P. B. Struve 匹敵，他參加過一九〇八年的泛斯拉夫會議，一再為第一次世界大戰期間巴爾幹地區的泛斯拉夫運動辯護。他的觀點獲得了雜誌《Slovo》的共鳴：*Slovo*. Richard Pipes, *Struve. Liberal on the Right, 1905–1944* (Cambridge, MA: Harvard University Press, 1980), pp. 92, 170, 180, 210. 莫斯科商界中的進步勢力，以及溫和進步黨（Moderate Progressive）的創始人，也於巴爾幹戰爭和第一次世界大戰期間，在他們辦的報紙《Utro Rossii》上強力支持泛斯拉夫觀點。Rieber, Merchants, pp. 297, 318–19.

319 Vyšný, *Neo-Slavism*, ch. 5.

320 Vyšný, *Neo-Slavism*, pp. 187–88.

321 David M. McDonald, *United Government and Foreign Policy in Russia*, 1900–1914 (Cambridge, MA: Harvard University Press, 1992), pp. 122, 127, 147–48.

322 這當然是偽裝成俄羅斯外表的泛斯拉夫主義。請見*Russian Diplomacy and Eastern Europe, 1914–1917* (New York: King's Crown Press, 1963) 的文章; A. Iu. Bakhturina, *Okrainy rossiiskoi imperii. Gosudarstvennoe upravlenie i national'naia politika v gody pervoi mirovoi voiny (1914–1917)* (Moscow: Rosspen, 2004), 下面則是第六章。

323 沃特曼將此稱作「不考慮歷史變化的模式」（synchronic mode），以便呈現出統治者企圖和官方的時間框架決裂；在官方的時間框架之中，統治者塑造了歷史，偏好神話式的過去，換句話說，就是偏好沙皇和人民據稱在信仰上仍然團結一致的十七世紀。*Scenarios*, vol. II, pp. 235–36.

324 G. Freeze, "Subversive Piety. Religion and the Political Crisis in Late Imperial Russia," *Journal of Modern History* 3 (June 1996): 312–28; G. Friz [G. Freeze], "Tserkov', religiia I politicheskaia kultura na zakate starogo rezhima," in Geiger and Diakin (eds.), *Reformy ili revoliutsiia?*, pp. 31–42.

325 Joseph Fletcher, "The Turko-Mongolian Monarchic Tradition in the Ottoman Empire," *Harvard Ukrainian Studies* 3/4 (1979/80): 236–51. 蒙古和鄂圖曼的邊境政策在兩個方面非常類似：兩者皆斷絕地方部族人口舊時的效忠行為，並且皆試圖在權力分化的草原民族傳統，以及中央集權的定居民族傳統之間維持平衡。但鄂圖曼帝國的政策更為成功：其藉由擁抱伊斯蘭教將「世界秩序」的概念轉變為現實，也因此能夠將這兩個傳統之間的張力降到最低。Isenbike Togan, "Ottoman History by Inner Asian Norms," in Halil Berktay and Suraiya Faroqui (eds.), *New Approaches to State and Peasant in Ottoman History* (London: Frank Cass, 1992), pp. 185–210.

326 關於鄂圖曼帝國宗教寬容的討論，請參見 Benjamin Braude and Bernard Lewis, "Introduction," in *Christians and Jews in the Ottoman Empire. The Functioning of a Plural Society. The Central Lands* (London: Holmes & Meier, 1982), vol. I, pp. 6–9, 以及特別是 Selim Deringil, *Conversion and Apostasy in the Late Ottoman Empire* (Cambridge University Press, 2012).

327 Halil I˙nalcik, "The Status of the Greek Orthodox Patriarch under the Ottomans," in *Essays in Ottoman History* (Istanbul: Eren, 1998), pp. 196–97.

328 Bruce Masters, "Christians in a Changing World," in Suraiya N. Faroqui (ed.), *The Cambridge History of Turkey, vol. 3: The Later Ottoman Empire, 1603–1839* (Cambridge University Press, 2006), pp. 186–208.

329 Kemal Karpat, *An Inquiry into the Social Foundations of Nationalism in the Ottoman State. From Social Estates to Classes, From Millets to Nations* (Princeton University Press, 1973), pp. 88–91; Paraskevas Konortas, "From Tâ'ife to Millet. Ottoman Terms for the Ottoman Greek Orthodox Community," in Dmitri Gondicas and Charles P. Issawi (eds.), *Ottoman Greeks in the Age of Nationalism. Politics, Economy and Society in the Nineteenth Century* (Princeton, NJ: Darwin Press, 1999), pp. 169–79.

330 Albert Hourani, *A History of the Arab Peoples* (Cambridge, MA: Harvard University Press, 1991), pp. 142–44, 220–21. Halil I˙nalcik, "Comments on 'Sultanism.' Max Weber's Typification of the Ottoman Polity," in *Princeton Papers in Near Eastern Studies* (1992): 49–72. 作者提到：「透過地方上土生土長的官僚，以及知識分子將薩珊王朝大臣對國王的獻策諫言文獻譯成阿拉伯文的行為，伊朗的國家傳統得以傳播到了鄂圖曼帝國。」然而這三種傳統各自在鄂圖曼帝國所占的比重，至今仍未有定論，主要是因為這些比重會隨著時間改變。Nicholas Iorga 則為我們闡明了，在將拜占庭做法傳播給摩爾達維亞和瓦拉幾亞聯合公國的過程中，鄂圖曼帝國如何扮演了過濾器的角色。請參見他的著作 Byzantium after Byzantium (Ias¸i/Portland: Center for Romanian Studies, 2000) (introduction by Virgil Cândea and translated by Laura Treptov from the original French published in Paris, 1935), esp. pp. 89–90, 106–8, 138–40.

331 Gu̇̈lru Necipoğ lu, *Architecture, Ceremonial and Power. The Topkapi Palace in the Fifteenth and Sixteenth Centuries* (Cambridge, MA: Harvard University Press, 1991), p. 248.

332 Necipoğ lu, *Architecture, Ceremonial and Power*, pp. 15, 68, 245.

333 替代性首都所代表的象徵符號，在此之後又延續了許久，主要是用來連結偉大但衰頹已久的「加齊」傳統，最終導致土耳其共和國將首都由君士坦丁堡遷往安卡拉。Cemal Kafadar, *Between Two Worlds. The Construction of the Ottoman State* (Berkeley, CA: University of California Press, 1995), pp. 148–49.

334 Cited in Necipoğ lu, *Architecture, Ceremonial and Power*, p. 12.

335 Edhem Eldem, "Istanbul," in Edhem Eldem, Daniel Goffman, and Bruce Masters, *The Ottoman City between East and West, Aleppo, Izmir and Istanbul* (Cambridge University Press, 1999).

336 Çiğ iten Kafescioğ lu, *Constantinopolis/Istanbul. Cultural Encounter, Imperial Vision and the Construction of the Ottoman Capital* (University Park, PA: Penn State University Press, 2009), pp. 128–29.

337 Necipoğ lu, *Architecture, Ceremonial and Power*, pp. 91–93.

338 Suraiya Faroqhi, "Crisis and Change, 1590–1699," in Suraiya Faroqhi et al. (eds.), *An Economic and Social History of the Ottoman Empire, vol. 2: 1600–1914* (Cambridge University Press, 1994), pp. 609–20; Marc David Baer, *Honored by the Glory of Islam. Conversion and Conquest in Ottoman Europe* (Oxford University Press, 2008), pp. 25–31, 180–203, 該研究對於易卜拉欣素檀導致自己被推翻的道德草率行為，以及他的繼任者穆罕默德四世英勇獵捕動物和皈依者的行為做了比較。

339 Ahmet Yas¸ar Ocak, "Islam in the Ottoman Empire.A Sociological Framework for a New Interpretation," in Kemal Karpat with Robert W. Zens, *Ottoman Borderlands. Issues, Personalities and Political Changes* (Madison, WI: University of Wisconsin Press, 2003), pp. 187–94.

340 D. Sourdel, "Khalifa," *Encyclopedia of Islam*, new edn (Leiden: Brill, 1986), vol. IV/2, pp. 946–50; Colin Inber, *The Ottoman Empire, 1300–1650* (London: Palgrave, 2002), pp. 116, 125–27; Sir Thomas Walker Arnold, *The Caliphate* (New York: Barnes & Noble, 1965), pp. 120–26.

341 Christine Woodhead, "Perspectives on Süleynab," in Metin Kunt and Christine Woodhead (eds.), *Süleyman the Magnificent and His Age. The Ottoman Empire in the Early Modern World* (London: Longman, 1995), pp. 164–67.

342 Halil I˙nalcik, "Suleiman the Lawgiver and Ottoman Law," *Archivum Ottomanicum 1 (1969)*: 105–38.

343 S¸. Tufan Buzpınar, "The Question of the Caliphate under the Last Ottoman Sultans," in Weismann and Zachs, *Ottoman Reform*, pp. 18–19 and n. 6, p. 31.

344 Roderic H. Davison, "'Russian Skill and Turkish Imbecility.' The Treaty of Kuchuk- Kainardji Reconsidered," *Slavic Review* 35(3) (September 1976): 463–83. Davison 的分析，是以該條約的義大利語版本作依據，雙方皆認同該版本是正式的文件。

345 可參見的文獻很多，例如 John LeDonne, *The Russian Empire and the World, 1700–1917. The Geopolitics of Expansionism and Containment* (Oxford University Press, 1997), p. 107.

346 女王對多瑙河以外，可能遠到黑海的地區進行了特赦；該條約也明定，素檀也會撤回那些拒絕接受女王特赦的札波羅結哥薩克人。Gabriel Noradoughian (ed.), *Recueil d'actes internationaux de l'empire Ottoman* (Paris: Pichon, 1897), pp. 338–44.

347 這是 Baron Brunnow 在對於未來的尼古拉一世的俄羅斯外交政策的評論中所提出的意見。"Aperçu des transactions politiques du Cabinet de Russie," *Sbornik imperatorskogo russkogo istoricheskogo obshchestva* 31 (1880): 210. 他總結，「如果一個條約真的是要致力於和平，就應該盡可能地解決交戰國此前的爭端，而非故意為雙方打開未來糾紛的大門。」

348 Roderic H. Davison, "The Treaty of Kuchuk Kaynardja. A Note on its Italian Text," *International History Review* 10(4) (November 1988): 611–21. 若要參考俄羅斯方面的詮釋，請參見 E. I. Druzhinina, *Kiuchuk-Kainardzhiiskii mir 1774 goda. Ego podgotovka I zakliuchenie* (Moscow: Nauka, 1955), pp. 278–307.

349 關於對導致克里米亞戰爭的爭議段落的詮釋辯論，請參見 David Goldfrank, "Policy Traditions and the Menshikov Mission of 1853," in Hugh Ragsdale (ed.), *Imperial Russian Foreign Policy* (Washington and Cambridge: Woodrow Wilson Center and Cambridge University Press, 1993), pp. 119–58; V. N. Vinogradov, "Personal Responsibility of Emperor Nicholas I for the Coming of the Crimean War. An Episode in the Diplomatic Struggle in the Eastern Question," in Ragsdale (ed.), *Imperial Russian Foreign Policy,* pp. 159–72.

350 Roderic H. Davison, *Reform in the Ottoman Empire, 1856–1876* (Princeton University Press, 1963), pp. 52–55; Niyazi Berkes, *The Development of Secularism in Turkey* (Montreal: McGill University Press, 1964), pp. 148–53.

351 Frederick Anscombe, "Islam and the Age of Ottoman Reform," *Past and Present* 208 (August 2010): 183–85.

352 Berkes, *The Development of Secularism,* p. 201.

353 Thomas A. Meininger, *Ignatiev and the Establishment of the Bulgarian Exarchate, 1864–1872. A Study in Personal Diplomacy* (Madison, WI: University of Wisconsin Press, 1970).

354 Berkes, *The Development of Secularism*, pp. 208–22, 該研究將 Nemık Kemal 描述為是這些爭辯中的關鍵人物，並請參見 Şerif Mardin, *The Genesis of Young Ottoman Thought. A Study in the Modernization of Turkish Political Ideas* (Princeton University Press, 1962).

355 Davison, *Reform in the Ottoman Empire*, p. 387.

356 Kemal Karpat, "The Social and Political Foundations of Nationalism in South East Europe After 1878," in *Studies on Ottoman Social and Political History. Selected Articles and Essays* (Leiden: Brill, 2002), pp. 352–84.

357 Kemal Karpat, *The Politicization of Islam. Reconstructing Identity, State, Faith and Community in the Late Ottoman State* (Oxford University Press, 2001), pp. 107–13, 引用段落出自 p. 111.

358 Buzpınar, "The Question of the Caliphate," pp. 26–30.

359 Jacob M. Landau, *The Politics of Pan-Islam. Ideology and Organization* (Oxford University Press, 1990), esp. pp. 13–72.

360 E. D. Sokol, *The Revolt of 1916 in Russian Central Asia* (Baltimore, MD: Johns Hopkins University Press, 1954), pp. 59–64. 針對一九〇九年突厥斯坦狀況進行報告的議員 K. K. Pahlen，指出了由阿布杜拉哈密德的特務所建立的幾個宣傳泛伊斯蘭思想的祕密組織。*Mission to Turkestan, 1908–09. Being the Memoirs of K. K. Pahlen*, ed. Richard A. Pierce (London: Oxford University Press, 1964), pp. 46–52. 公共安全與秩序保衛部一直到羅曼諾夫王朝結束時，持續在對可能的泛伊斯蘭活動進行監控。Sokol, *The Revolt of 1916*, pp. 74–77.

361 Selim Deringil, *The Well-Protected Domains. Ideology and the Legitimization of Power in the Ottoman Empire, 1876–1909* (London: Tauris, 1998), pp. 17–42.

362 Karpat, *The Politicization of Islam*, pp. 199–205.

363 Selim Deringil, "Legitimacy Structures in the Ottoman State. The Reign of Abdulhamid II (1876–1909)," in *The Ottomans, the Turks and World Power Politics* (Istanbul: Isis Press, 2000), pp. 86–87. 關於阿布杜拉哈密德提倡對其他宗教少數團體積極進行改宗，請參見Selim Deringil, "The Transformation of the Public Image of the State in the Hamidian Period. Ideological Challenges and Responses (1876–1908)," in *The Ottomans, the Turks*, pp. 147–64.

364 Richard N. Frye, *The Golden Age of Persia* (London: Phoenix Press, 2000), pp. 8–9, 13–15.

365 Richard N. Frye, "The Political History of Iran under the Sasanians," in *The Cambridge History of Iran* (Cambridge University Press, 1983), vol. 3, pp. 136–48.

366 Homa Katouzian, *Iranian History and Politics. The Dialectic of State and Society* (London: Routledge Curzon, 2003), 尤其是〈Arbitrary Rule. A Comparative Theory of State, Politics and Society in Iran〉這篇文章。

367 此為由 Mehmed Fuad K.prulu̇, *Islam after the Turkish Invasion* (Prolegomena), trans. and ed. Gary Leiser (Salt Lake City, UT: Brigham Young University Press, 1993) 建立的觀點，作者認為奇茲爾巴什是源於外裏海地區、和較古老的千禧年主題和什葉派符號有關的混合型宗教文化；不過這個觀點受到 Ahmet T. Karamustafa, *God's Unruly Friends. Dervish Groups in the Islamic Later Middle Period, 1200–1550* (Salt Lake City, UT: Brigham Young University Press, 1994)的挑戰。

368 I. P. Petrushevskii, "Gosudarstva Azerbaizhana v XV v," in *Sbornik statei po istorii Azerbaizhana* (Baku: Akademiia Nauk Azerbaizhanskoi SSR 1949), vol. I, pp. 197–210.

369 J. Aubin, "Études Safavides. Shah Isma'il et les notables de l'Iraq persan," *Journal of the Economic and Social History of the Orient* 2(1) (January 1959): 37–81; J. Aubin, "Études Safavides. L'avénement des Safavides reconsideré," *Moyen Orient et Océan Indien* 5 (1988): 1–130.

370 納各胥班迪道團和遜尼派的鄂圖曼人有關聯，而要將像納各胥班迪道團這樣的蘇非兄弟會消滅需要一些時間。Dina Le Gall, *A Culture of Sufism. Naqshebandi in the Ottoman World, 1450–1700* (Albany, NY: State University of New York, 2005), pp. 24–26, 131, 133.

371 Rudi Matthee, "The Safavid–Ottoman Frontier: Iraq-i Arab as Seen by the Safavids," in *Kemal Karpat with Robert W. Zens (eds.), Ottoman Borderlands. Issues, Personalities and Political Changes* (Madison, WI: University of Wisconsin Press, 2003), pp. 157–66.

372 Roy Mottahedeh, *The Mantle of the Prophet. Religion and Politics in Iran*, new edn (Oxford University Press, 2000), p. 97.

373 Kathryn Babayan, "Sufis, Dervishes and Mullas. The Controversy over Spiritual and Temporal Dominion in Seventeenth Century Iran," *Pembroke Papers* 4 (1996): 117–19. 作者也表明，不論是奇茲爾巴什或傳統的烏拉瑪，他們在信仰上並不統一，反而有著顯著的差異。

374 Ann K. S. Lambton, "Social Change in Persia in the Nineteenth Century," in *Qajar Persia. Eleven Studies* (Austin, TX: University of Texas Press, 1987), pp. 194–95.

375 Charles Melville, "The Pilgrimage to Mashad in 1601," in *Safavid Persia. The History and Politics of an Islamic Society* (London: Tauris, 1996), pp. 192–99, 218–20. 另一個薩法維王朝青睞、能收團結之效的儀式，則是為了紀念侯賽因伊瑪目（Imam Hosein）：這種儀式有自我鞭笞的人列隊前進，至今仍存留在大眾的民謠之中，而且「和現代什葉派紀念殉教者的方式非常接近」。Mottahedeh, *The Mantle of the Prophet*, p. 175.

376 Heidi A. Walcher, "Between Paradise and Political Capital. The Semiotics of Safavid Isfahan," *Middle Eastern Natural Environments. Lessons and Legacies*, Bulletin 103 (1998): 330–45.

377 Necipoğ lu, *Architecture, Ceremonial and Power*, pp. 253–56.

378 Sussan Babaie, "Launching from Isfahan. Slaves and the Construction of the Empire," in Sussan Babaie et al. (eds.), *Slaves of the Shah. New Elites of Safavid Iran* (London: Tauris, 2004), pp. 80–88.

379 Babaie, "Launching from Isfahan," pp. 95–99.

380 Hamid Algar, "Religious Forces in Eighteenth and Nineteenth Century Iran," in *Cambridge History of Iran*, vol. 7, pp. 708–9.

381 G. Hambly, "Aga Muhammad Khan and the Establishment of the Qajar Dynasty," in *Cambridge History of Iran*, vol. 7, p. 107.

382 A. Reza Sheikholeslami, *The Structure of Central Authority in Qajar Iran, 1871–1896* (Atlanta, GA: Scholars Press, 1997), pp. 1–8, quotation on p. 3.

383 E. Abrahamian, "Oriental Despotism. The Case of Qajar Iran," *International Journal of Middle East Studies* 5 (1974): 3–31; Hamid Algar, *Religion and State in Iran, 1785–1806. The Role of the Ulama in the Qajar Period* (Berkeley, CA: University of California Press, 1969).

384 Malise Ruthven, *Islam in the World* (London: Oxford University Press, 1984), pp. 221–26; Nikki R. Keddie (ed.), *Scholars, Saints and Sufis. Muslim Religious Institutions since 1500* (Berkeley, CA: University of California Press, 1972)，作者主張，中世紀歐洲出現的宗教－國家二元分立，在十九世紀的伊朗也出現了類似的版本，而宗教上的統治者會宣稱，而且通常也的確會維持自己比國家統治者更優越的地位。

385 Lambton, "Social Change," p. 197.

386 Mangol Bayat, *Iran's First Revolution. Shi'ism and the Constitutional Revolution of 1905–1909* (New York: Oxford University Press, 1991), p. 21.

387 Algar, "Religious Forces," pp. 710–15; Mehrdad Kia, "Inside the Court of Naser od-Din Qajar, 1881–1896. The Life and Diary of Mohammad Hasan Khan E'temad os-Saltaneh (Iran)," *Middle Eastern Studies* 37(1) (January 2001): 14.

388 Kashani-Sabet, *Frontier Fictions*, pp. 62–63.

389 Abbas Amanat, *Pivot of the Universe. Nasir Al-Din Shah and the Iranian Monarchy, 1831–1896* (Berkeley, CA: University of California Press, 1997), pp. 19–20.

390 Amanat, *Pivot of the Universe*, pp. 64–70.

391 D. M. Farquhar, "Emperor as Bodhisattva in the Governance of the Ch'ing Empire," *Harvard Journal of Asiatic Studies* 1 (June 1978): 5–34.

392 F. W. Mote, *Imperial China, 900–1800* (Cambridge, MA: Harvard University Press, 1999), pp. 98–99, 296.

393 Mote, *Imperial China,* p. 644. 在明朝創建之前，於一三九九年至一四〇二年內戰期間，未來的明朝皇帝明成祖，試圖宣稱「這是家務事」，而將自己推翻正統統治者（亦即他的姪子）的篡位行為合理化，實際上也等同於宣稱他的王朝無干國家。反對他的詮釋的人，都被毫不留情地殺害了。同上，p. 589.

394 Mote, *Imperial China*, pp. 867–88, 916.

395 Jonathan Spence, *Ts'ao Yin and the K'ang-hsi Emperor* (New Haven, CT: Yale University Press, 1966); Silas H. L. Wu, *Passage to Power. K'ang-hsi and His Heir Apparent* (Cambridge, MA: Harvard University Press, 1979).

396 Jonathan Hay, "The Diachronics of Early Qing Visual and Material Culture," in Lynn Struve (ed.), *The Qing Formation in World Historical Time* (Cambridge, MA: Harvard University Press, 2004), pp. 310–16.

397 Ronald G. Knapp, *China's Walled Cities* (Oxford University Press, 2000), pp. 2, 9, 54–66.

398 Alison Dray-Novey, "Spatial Order and Police in Imperial Beijing," *Journal of Asian Studies* 52(4) (November 1993): 890–91; Susan Naquin, Peking. *Temples and City Life, 1400–1900* (Berkeley, CA: University of California Press, 2001).

399 Pamela K. Crossley, "An Introduction to the Qing Foundation Myth," *Late Imperial China* 14(1) (1985): 13–36.

400 Pamela K. Crossley and Evelyn S. Rawski, "A Profile of the Manchu Language in Ch'ing History," *Harvard Journal of*

Asiatic Studies 53(1) (1993): 63–102; Evelyn S. Rawski, "The Qing Formation in the Early-Modern Period," in Struve (ed.), *The Qing Formation,* pp. 226–32.

401 Pamela Kyle Crossley, *A Translucent Mirror. History and Identity in Qing Imperial Ideology* (Berkeley, CA: University of California Press, 1999), pp. 256–59.

402 D. McMullen, "Bureaucrats and Cosmology. The Ritual Code of T'ang China," in *Cannadine and Price (eds.), Rituals of Royalty*, pp. 181–236.

403 Mote, Imperial China, pp. 144–49, 679–81, 931–35.

404 Arthur T. Wright (ed.), *The Confucian Persuasion* (Stanford University Press, 1962); Thomas A. Metzger, *Escape from Predicament. Neo-Confucianism and China's Evolving Political Culture* (New York: Columbia University Press, 1977); Jonathan Spence, *Emperor of China. Self-Portrait of K'ang-hsi* (New York: Vintage Books, 1974).

405 Jonathan Spence, *The Search for Modern China*, 2nd edn (New York: W.W. Norton, 1999), pp. 60–65, 引用段落出自 p. 92. 並請參照 Mary C. Wright, *The Last Stand of Chinese Conservatism. The T'ung Chich Restoration, 1862–1874* (Stanford University Press, 1957), ch. 12; K-W. Chow, *The Rise of Confucian Ritualism in Late Imperial China. Ethics, Classics and Lineage* (Stanford University Press, 1994).

406 Marie-Claire Bergère, *Sun Yat-sen*, trans. Janet Lloyd (Stanford University Press, 1998), pp. 392, 410; Spence, *The Search*, pp. 356–57.

407 Pamela Kyle Crossley, "Manzhou Yuanli Kao and Formalization of the Manchu Heritage," *Journal of Asian Studies* 46(4) (1987): 761–90; Caroline Humphrey, "Shamanic Practices and the State in Northern Asia. Views from the Center and Periphery," in Nicholas Thomas and Caroline Humphrey (eds.), *Shamanism, History and the State* (Ann Arbor, MI: University of Michigan Press, 1996), pp. 191–228.

408 Crossley, *A Translucent Mirror*, pp. 41–44, 該研究對俄羅斯沙皇的分析，近似於 Cherniavsky, *Tsar and People*, pp. 80–81, 93, and 99.

409 Wright, The Last Stand 主要關注保守派。關於修正派的研究繁多，讀者可以參見 Hao Chan, *Liang Ch'i-ch'ao and Intellectual Transition in China, 1890–1907* (Cambridge, MA: Harvard University Press, 1971), pp. 7–34; Shen Chen Han-

yin, "Tseng Kuo-fan in Peking, 1840–1852. His Ideas on Statecraft and Reform," *Journal of Asian Studies* 27(1) (November 1967): 61–80; Peter Mitchell, "The Limits of Reformism. Wei Yüan's Reaction to Western Intrusion," *Modern Asian Studies* 6(2) (April 1972): 175–204.

410 Peter Zarrow, "The Reform Movement, the Monarchy and Political Modernity," in Rebecca E. Karl and Peter Zarrow (eds.), *Rethinking the 1898 Reform Period. Political and Cultural Change in Late Qing China* (Cambridge, MA: Harvard University Press, 2002), pp. 20–21, 44.

411 Spence, *The Search*, p. 228.

412 Julia C. Strauss, "Creating Virtuous and Talented Officials for the Twentieth Century. Discourse and Practice in Xinzheng China," *Modern Asian Studies* 37(4) (2003): 834–37, 848–49.

413 R. Solomon, *Mao's Revolution and Chinese Political Culture* (Berkeley, CA: University of California Press, 1970), p. 92. 該書有很大一部分篇幅致力於論證，菁英和農民之間在共產主義出現之前由來已久的文化連結。

414 請參見 Crossley, *A Translucent Mirror*, pp. 342–52 ff; Pamela Kyle Crossley, *Orphan Warriors. Three Manchu Generations and the End of the Qing World* (Princeton University Press, 1990); Michael Gasster, *Chinese Intellectuals and the Revolution of 1911. The Birth of Chinese Radicalism* (Seattle, WA: University of Washington Press, 1969).

415 Oscar Halecki, A. Bruckner, and W. Tatarkiewiez in *The Cambridge History of Poland to 1696 remain useful surveys* 相關的章節。But cf. Andrzej Wyrobisz, "The Arts and Social Prestige in Poland between the Sixteenth and Eighteenth Centuries," in J. K. Fedorowicz (ed.), *A Republic of Nobles. Studies in Polish History to 1864* (Cambridge University Press, 1982), pp. 153–78，該研究主張，由於人文主義的散播，波蘭土地貴族開始以羅馬共和國作為公民德行的模範，甚至開始將自己的祖先上溯到薩爾馬提亞人，雖然後者從未被羅馬人征服。不過這個矛盾之處，似乎並沒有為他們造成太多困擾。

416 Robert I. Frost, "Obsequious Disrespect. The Problem of Royal Power in the Polish–Lithuanian Commonwealth under the Vasas, 1587–1668," in Richard Butterwick (ed.), *The Polish–Lithuanian Monarchy in European Context c. 1500–1795* (New York: Palgrave, 2001), pp. 159–68, 引用段落出自第167與168頁。

417 由於缺乏一個廣受認同的薩爾馬提亞意識形態，因此對其在波蘭歷史中重要性的詮釋也各不相同。關於薩爾馬提亞意識形態所帶來的強大全面影響力，代表性的研究可以參見 Maria Boguska 的著作，尤其是 The Lost World of the "Sarmatians." Custom as the Regulation of Polish Social Life in the Early Modern Times (Warsaw: Academy of Sciences, Institute of History, 1996). 對於Andrzej Walicki而言，波蘭十六世紀的自由，係指古代集體決策的共和傳統，而不是現代個人權利的自由：“The Political Heritage of the Sixteenth Century and its Influence on the Nation-Building Ideologies of the Polish Enlightenment and Romanticism,” in Samuel Fiszman (ed.), *The Polish Renaissance in its European Context* (Bloomington, IN: Indiana University Press, 1988), pp. 34–38. 對他而言，關鍵是波蘭土地貴族的「道德團結」（moral unity），讓他可以以精神上的方式捍衛自由否決權（liberum veto）。

418 Stanisław Cynarski, “The Shape of Sarmatian Ideology in Poland,” *Acta Poloniae Historica* 9 (1968): 5–17, 對該問題提供了平衡公允的觀點。

419 Jerzy Michalski, “Le Sarmatisme et le problème d’Europésation de la Pologne,” in Vera Zimányi (ed.), *La Pologne et la Hongrie* (Budapest: Akadémiai Kiadó, 1981), pp. 113–20; Andrzej Walicki, *Poland between East and West. The Controversies over Self-Definition and Modernization in Partitioned Poland* (Cambridge, MA: Harvard University Press, 1994), pp. 9–11.

420 聯邦制度最初是基於皇室權威，但到了十六世紀，則是因為波蘭土地貴族和神職人員為了捍衛自己的特權而形成的。到了十八世紀，這個制度被證明容易受外界影響，並被俄羅斯人利用來保持波蘭的弱勢。但一七六八年至一七七二年的巴爾聯盟的功能卻恰恰相反，其目的是反對外國勢力的控制。Michal Wielhorski, *Sur la restoration du gouvernement* (Paris, 1775). 自由否決權的使用，也經歷了類似的演變。

421 Jerzy Jedlicki, *A Suburb of Europe. Nineteenth Century Approaches to Western Civilization* (Budapest: CEU Press, 1999), ch. 1, 引用段落來自第三十三頁。

422 Andrzej Walicki, *Philosophy and Romantic Nationalism. The Case of Poland* (Oxford University Press, 1982), 尤其是 Pt. 3, chs. 2 and 3。Walicki 明確地區分了各種不同的彌賽亞主義。

423 Andrzej Nowak, “Between Imperial Temptations and Anti-imperial Function in Eastern European Politics. Poland from the Eighteenth to the Twenty-First Century,” in Kimitaka Matsuzato (ed.), *Emerging Meso-Areas in the Former Socialist Countries. Histories Revived or Improvised?* (Sapporo: Slavic Research Center, Hokkaido University, 2005), p. 250.

424 Orzechowski 將波蘭人在邊境地帶的成功，以下面的方式和薩爾馬提亞神話連結在一起：「除了自由，波蘭有其他可能征服那些古老，而且人數更為眾多的民族，例如羅斯人嗎？」同上。其引用 Stanislaw Orzechowski, *Wybor pism*, ed. J. Starnawski (Wroclaw: Zakład Narodwy im. Ossoliń skich, 1972), pp. 99–114.

425 M. V. Dmitriev, *Mezhdu Rimom i Tsargradom. Gnezis Brestskoi tserkovnoi unii* (Moscow: Izd. Moskovskogo Universiteta, 2003), pp. 265–73.

426 Dmitriev, *Mezhdu Rimom i Tsargradom*, p. 283.

427 Serhii Plokhy, *The Cossacks and Religion in Early Modern Ukraine* (Oxford University Press, 2001). 直到一六一〇年代，哥薩克人才開始積極介入宗教鬥爭，並站在東正教這邊。同上，pp. 100–13.

428 Frank Sysyn, "The Problem of Nobilities in the Ukrainian Past. The Polish Period, 1569–1648," in Ivan L. Rudnytsky (ed.), *Rethinking Ukrainian History* (Edmonton: Canadian Institute of Ukrainian Studies, University of Alberta, 1981), pp. 36–41, 52–59, 63.

429 正如人們可以預期的那樣，傳統上，波蘭和俄羅斯歷史學家在與東儀天主教會創建有關的各種問題上立場不同。這兩種立場各自的代表人物，可以在 S. M. Solov'ev 較舊的記述中找到：*Istoriia Rossii s drevneishikh vremen* (Moscow, n.d.), vol. X, pp. 1408–409; 相關文獻的全面回顧，另請參見 Oscar Halecki, *Borderlands of Western Civilization. A History of East Central Europe* (New York: Ronald Press, 1952), pp. 181–85. Cf. Dmitriev, *Mezhdu Rimom i Tsargradom*, pp. 7–29, for a comprehensive review of the literature.

430 Robert I. Frost, *After the Deluge. Poland–Lithuania and the Second Northern War 1655–1660* (Cambridge University Press, 1993), p. 7.

431 關於這些改革主義者的推力，更適合在接下來關於帝國制度的章節中討論。

432 可參見的文獻很多，例如 N. R. Keddie, "Pan-Islam as Proto-Nationalism," *Journal of Modern History* 1 (March 1969): 17–28.

433 Andrew Whiteside, *The Socialism of Fools. Georg Ritter von Schönerer and Austrian Pan- Germanism* (Berkeley, CA: University of California Press, 1975).

434 B. H. Sumner, *Russia and the Balkans, 1870–1880* (Hamden, CT: Archon Books, 1962), ch. 2; David MacKenzie, *The Serbs*

and Russian Pan-Slavism, 1875–1878 (Ithaca, NY: Cornell University Press, 1967).

435 泛伊斯蘭主義是一種難以歸類的概念，其與鄂圖曼帝國的其他「泛……運動」（包括鄂圖曼主義，以及泛突厥主義），在許多重要面向上有所不同；後者儘管沒有脫離宗教道德的基底，但更強調世俗方面的改革。請參見 Landau, *The Politics of Pan-Islam*, esp. ch. 1, and Mardin, *The Genesis of Young Ottoman Thought*.

436 Armenius Vámbéry, *Travels in Central Asia. Being an Account of a Journey from Teheran Across the Turkomen Desert at the Eastern Shore of the Caspian to Khiva, Bokhara and Samarkand Performed in the Year 1863* (New York: Praeger, [1864] 1970), pp. 435–36, 該研究斷定，鄂圖曼帝國喪失了在高加索和中亞邊境地區成為霸主的機會：「以土耳其王朝的特質來說，鄂圖曼王室原本可以藉由共同語言、宗教和歷史等因素將不同親族連結在一起，創建一個從亞得里亞海岸延伸至中國的帝國，這個帝國將會比偉大的羅曼諾夫王朝的帝國還強大；後者不只必須採用武力，還必須狡猾地將最分散的元素湊在一起。安納托利亞人、亞塞拜然人、土庫曼人、烏茲別克人、吉爾吉斯人和韃靼人，他們各自都可能成為強大的土耳其強人崛起的來源，並且都比我們今日看到的土耳其，更能夠和北方的競爭者抗衡。」恩維爾帕夏可能說得比這個更好嗎？

437 Landau, *The Politics of Pan-Islam*, pp. 146–56; Edward Lazzerini, "The Jaˉdid Response to Pressure for Change in the Modern Age," in Jo-Ann Gross (ed.), *Muslims in Central Asia. Expressions of Identity and Change* (Durham, NC: Duke University Press, 1992), pp. 151–66.

438 Adeeb Khalid, *The Politics of Muslim Cultural Reform. Jadidism in Central Asia* (Berkeley, CA: University of California Press, 1998), p. 93. 賈迪德的適應策略最成功的時刻，出現在一九二〇年代蘇聯治下期間；該策略是本地化這個整體趨勢中的一部分，但很快就遭到史達林的撲殺。Ibid., pp. 297–300.

439 Michael Reynolds, "Buffers, not Brethren. Young Turk Military Policy in the First World War and the Myth of Panturanism," *Past and Present* 203 (May 2009): 137–79.

第三章　帝國制度：軍隊、官僚體系與菁英

440 Max Weber, *Economy and Society. An Outline of Interpretive Sociology*, eds. Guenther Roth and Claus Wittich, 2 vols. (Berkeley, CA: University of California Press, 1978), vol. II, p. 1007, 引用段落出自 p. 1013.

441 Cf. Edward Shils, "Charisma, Order and Status," *American Sociological Review* 30 (April 1965): 201.

442 Weber, Economy and Society, vol. I, pp. 223, 229; vol. II, pp. 1006–13, 1028, 1112–121, 1136, 1149.

443 Norbert Elias, The Court Society (Oxford University Press, 1983), pp. 117–29.

444 Victor Lieberman (ed.), "Transcending East–West Dichotomies. State and Culture Formation in Six Ostensibly Disparate Areas," in *Beyond Binary Histories. Re-Imagining Eurasia to c. 1830* (Ann Arbor, MI: University of Michigan Press, 1999), pp. 71–75.

445 Marshall G. S. Hodgson, *The Venture of Islam*, 3 vols. (University of Chicago Press, 1974), vol. III, pp. 13, 18, 25–26. 關於鄂圖曼帝國的案例，請參見 Rhoades Murphey, *Ottoman Warfare 1500–1700* (New Brunswick, NJ: Rutgers University Press, 1999); 關於清帝國，請參見 Nicola di Cosmo, "Did Guns Matter? Firearms and the Qing Formation," in Lynn A. Struve (ed.), *The Qing Formation in World Historical Time* (Cambridge, MA: Harvard East Asian Center, 2004), pp. 121–44.

446 Geoffrey Parker, "The Military Revolution 1560–1600. A Myth?" Journal of Modern History 48 (1976): 195–214; Geoffrey Parker, The Military Revolution. Military Innovation and the Rise of the West, 1500–1800 (Cambridge University Press, 1988).

447 關於這場辯論的回顧，請參見 T. F. Arnold, "War in 16th Century Europe. Revolution and Renaissance," in Jeremy Black (ed.), *European Warfare, 1453–1815* (New York: St. Martin's Press, 1999), pp. 23–44. 關於對這個概念整體進行的批判，請參見 John Childe, *Warfare in the 17th Century* (London: Cassell, 2001). 至於這些變革，是否真的讓哈布斯堡軍隊比鄂圖曼軍隊還要優越，Parker, *The Military Revolution* 的研究對此問題持肯定態度，而 Murphey, *Ottoman Warfare* 則認為直到一六八〇年之前，其實兩者之間並沒有太大差異。Jeremy Black, "Military Organizations and Military Change in Historical Perspective," *Journal of Military History* 62 (October 1998): 871–93. Cf. Paul Kennedy, *The Rise and Fall of the Great Powers* (New York: Random House, 1987), ch. 1; William Hardy McNeill, *The Pursuit of Power. Technology, Armed Forces and Society since A.D. 1000* (University of Chicago Press, 1982), ch. 4. 歐亞大陸帝國在技術上的「滯後」，很有可能源於戰爭性質的差異：在歐洲，戰爭形式以圍城為主，並大量仰賴步兵戰術；但在歐亞大陸的草原地區，移動戰才是主流。請參見 V. J. Parry, "La manière de combattre," in V. J. Parry and M. E. Yapp (eds.), *War, Technology and Society in the Middle East* (London: Oxford University Press, 1975), pp. 218–56; Colin Imber, "Ibrahim Pecevi on War. A Note on the European Military Revolution," in Colin Imber et al. (eds.), *Frontiers of Ottoman Studies.*

State, Provinces and the West (London: Tauris, 2005), vol. II, pp. 7–22，該研究強調奧地利的步兵防禦戰術比鄂圖曼的騎兵還優越，後者仍不出草原地區的戰爭傳統。但 cf. Michael Hochedlinger, *Austria's Wars of Emergence. War State and Society in the Habsburg Monarchy, 1683–1797* (London: Pearson Education, 2003), p. 127 指出，鄂圖曼軍隊其實比哈布斯堡軍隊更早採用優越的燧發槍（至少土耳其禁衛軍是如此），雖然這個事實並沒有在一六八三年至一六九九年的戰爭為鄂圖曼軍隊帶來多少幫助。

448 McNeill, *The Pursuit of Power,* pp. 158–84.

449 關於鄂圖曼帝國的情況，請參見 Halil Inalcik with Donald Quataert (eds.), *An Economic and Social History of the Ottoman Empire*, 2 vols. (Cambridge University Press, 1994), vol. II, pp. 525–26, 531–42, 572–73; 關於中國（明朝）的情況，請參見 Frederic Wakeman, Jr., "China in the Seventeenth Century Crisis," *Late Imperial China* 7 (1986): 1–26; Evelyn S. Rawski, "Was the Early Qing 'Early Modern'?" in Struve (ed.), *The Qing Formation*, pp. 211–13. 關於匈牙利，請參見 Vera Zimanyi, *Economy and Society in Sixteenth and Seventeenth Century Hungary (1526–1650)* (Budapest: Akadémiai Kiadó, 1987), pp. 27–37, 77–85.

450 Fernand Braudel, *Civilization and Capitalism, 15–18th Century, vol. III: The Perspective of the World* (New York: Harper & Row, 1984), pp. 441–55.

451 Walter Pintner, "The Burden of Defense in Imperial Russia, 1725–1914," *Russian Review* 43 (1984): 15–35; Walter Pintner, "The Nobility and the Officer Corps in the Nineteenth Century," in Eric Lohr and Marshall Poe (eds.), *The Military and Society in Russia, 1450–1917* (Leiden: Brill, 2002), pp. 243–45.

452 McNeill, *The Pursuit of Power*, pp. 223–61.

453 Jörn Leonhard and Ulrike von Hirschhausen (eds.), "Multiethnic Empires and the Military. Conscription in Europe between Integration and Disintegration, 1860–1918," in *Comparing Empires. Encounters and Transfers in the Long Nineteenth Century* (Göttingen: Candenhoeck & Ruprecht, 2011).

454 尤其請參見 Andrzej Wyczanski, "The Problem of Authority in Sixteenth Century Poland. An Essay in Reinterpretation," in J. K. Fedorowicz (ed. and trans.), *A Republi of Nobles. Studies in Polish History to 1864* (Cambridge University Press, 1982), pp. 91–108; Robert I. Frost, *After the Deluge. Poland–Lithuania and the Second Northern War 1655–1660* (Cambridge

University Press, 1993).

455 關於波蘭土地貴族進行了哪些努力的總結，請參見 Jerzy Lukowski, *Liberty's Folly. The Polish–Lithuanian Commonwealth in the Eighteenth Century* (London: Routledge, 1991), esp. pp. 9–25, 86–109.

456 Wyczanski, "The Problem of Authority," pp. 98–100; Antoni Maczak, "The Structure of Power in the Commonwealth of the Sixteenth and Seventeenth Centuries," in Fedorowicz (ed.), *A Republic of Nobles,* pp. 118–19.

457 Cf. Almut Blues, "The Formation of the Polish–Lithuanian Monarchy in the Sixteenth Century," in Richard Butterwick (ed.), *The Polish–Lithuanian Monarchy in European Context c. 1500–1795* (New York: Palgrave, 2001), pp. 63–67; Harry E. Dembkowski, *The Union of Lublin. Polish Federalism in the Golden Age* (Boulder, CO: East European Monographs, 1982), pp. 213–20.

458 Lukowski, *Liberty's Folly*, pp. 109–13.

459 Norman Davies, "The Military Tradition of the Polish Szlachta, 1700–1864," in Béla Király and Gunther E. Rothenberg (eds.), *War and Society in East Central Europe, vol. I: Special Topics and Generalizations on the 18th and 19th Centuries* (New York: Brooklyn College Press, 1979), pp. 41–44.

460 Robert A. Kann, "The Dynasty and the Imperial Idea," in *Dynasty, Politics and Culture. Selected Essays* (Boulder, CO: East European Monographs, 1991), p. 50.

461 Charles W. Ingrao, *The Habsburg Monarchy, 1618–1825* (Cambridge University Press, 1994), p. 21.

462 R. J. W. Evans, "Introduction," in Charles Ingrao (ed.), *State and Society in Early Modern Austria* (West Lafayette, IN: Purdue University Press, 1994), Pt. 1, p. 3.

463 Karl A. Roider, *The Reluctant Ally. Austria's Policy in the Austro-Turkish War, 1737–1739* (Baton Rouge, LA: Louisiana State University Press, 1972); John A. Mears, "The Thirty Years War and the Origins of a Standing Army in the Habsburg Monarchy," *Central European History* 21 (1988): 125–39.

464 Hochedlinger, *Austria's Wars*, pp. 98–111.

465 Thomas M. Barker, "Absolutism and Military Entrepreneurship. Habsburg Models," in *Army, Aristocracy, Monarchy. Essays on War, Society and Government in Austria, 1618–1780* (New York: Social Science Monographs, 1982), pp. 14–17.

466 Fritz Redlich, "The German Military Enterprise and Work Force," *Vierteljahrsschrift für Sozial-und-Weltgeschichte* 47 (1964).

467 Azar Gat, *The Origins of Military Thought from the Enlightenment to Clausewitz* (Oxford University Press, 1989), pp. 13–24; Derek McKay, Prince Eugène of Savoy (London: Thames & Hudson, 1977).

468 Jean Berenger, *Léopold Ier (1640–1705). Fondateur de la puissance autrichienne* (Paris: Presses universitaires de France, 2004), ch. 10.

469 Christopher Duffy, *The Army of Maria Theresa. The Armed Forces of Imperial Austria, 1740–1780* (North Pomfret, VT: David Charles, 1977), pp. 43, 46, 208–9, 218; Hochedlinger, Austria's Wars, pp. 303–16.

470 Herman Freudenberger, "Introduction," in Charles Ingrao (ed.), *State and Society in Early Modern Austria* (West Lafayette, IN: Purdue University Press, 1994), P*t. 3, pp. 141–45; P. G.M. Dickson, Finance and Government under Maria Theresa, 1740–1780*, 2 vols. (Oxford University Press, 1987), vol. II, p. 117.

471 J. C. Allmayer-Beck, "Das Heerwesen unter Joseph II," in Karl Gutkas (ed.), *Österreich zur Zeit Kaiser Josephs II. Mitregent Kaiserin Maria Theresias, Kaiser und Landesfürst* (Vienna: Niederösterreichische Landesausstellung, 1980), pp. 42–43.

472 Gunther E. Rothenberg, "Archduke Charles and the 'New' Army," in Béla Király and Albert Nofi (eds.), *East Central War Leaders. Civilian and Military* (Boulder, CO: Atlantic Research and Publishing, 1988), pp. 187–95，此處引用的是卡爾大公一八〇四年的回憶錄，出自本書 p. 191.

473 Alan Sked, *The Survival of the Habsburg Monarchy. Radetzky, the Imperial Army and the Class War, 1848* (London: Longman, 1979), p. 49.軍隊面臨的主要問題是財源不足。Ibid., Pt. 1.

474 Gunther E. Rothenberg, "The Habsburg Army and the Nationality Problem in the Nineteenth Century, 1815–1914," *Austrian History Yearbook* 3(1) (1967): 71–73.

475 Lawrence Sondhaus, *In the Service of the Emperor. Italians in the Austrian Armed Forces, 1814–1918* (Boulder, CO: East European Monographs, 1990), p. 42.

476 István Deak, *The Lawful Revolution. Louis Kossuth and the Hungarians, 1848–1849* (New York: Columbia University Press, 1979). 但也請參見 László Péter, "Old Hats and Closet Revisionists. Reflections on Domokos Kosáry's Latest Work on the

1848 Hungarian Revolution," *Slavic and East European Review* 80(2) (April 2002): 296–319.

477 László Kontler, *Millennium in Central Europe. A History of Hungary* (Budapest: Atlantisz, 1999), pp. 251, 279, 290, 295, 300; István Deak, *Beyond Nationalism.ASocial and Political History of the Habsburg Officer Corps, 1848–1918* (New York: Oxford University Press, 1990), p. 55.

478 Scott W. Lackey, *The Rebirth of the Habsburg Army. Friedrich Beck and the Rise of the General Staff* (Westport, CT: Greenwood Press, 1995).

479 Rothenberg, "The Habsburg Army," pp. 77–78.

480 根據 Tibor Hajdu, *Tisztikar és középosztály 1850–1914. Ferenc József Magyar tisztjei* (Budapest: MTA Történettudományi Intézet, 1999) 的計算，從一八九五年至一九一〇年，德意志軍官在各民族聯合組成的軍隊之中，占比在百分之七十七至百分之八十之間，該資料被引用在 Gergely Romsics, *Myth and Remembrance. The Dissolution of the Habsburg Empire in the Memoir Literature of the Austro-Hungarian Political Elite* (Boulder, CO: Social Science Monographs, 2006), p. 216, n. 3.

481 Péter Hanák, "Hungary in the Austro-Hungarian Monarchy: Preponderancy or Dependency?" in *Austrian History Yearbook* 3(1) (1967): 296–98.

482 Daniel L. Unowsky, *The Pomp and Politics of Patriotism. Imperial Celebrations in Habsburg Austria, 1848–1916* (West Lafayette, IN: Purdue University Press, 2005), pp. 97–104, 引用段落位於 p. 99.

483 Christa Hämmerle, "Die Allgemeine Wehrpflicht in der multiethnischen Armee der Habsburgermonarchie," *Journal of Modern European History* 5(2) (September 2007): 227–35.

484 Holger H. Herwig, *The First World War. Germany and Austria-Hungary, 1914–1918* (London: Arnold, 1997), pp. 12–13.

485 Robert Kann, "The Social Prestige of the Officer Corps in the Habsburg Empire from the Eighteenth Century to 1918," in Király and Rothenberg (eds.), *War and Society*, pp. 113–37.

486 引用段落出自Rothenberg, "The Habsburg Army," p. 79.

487 Romsics, *Myth and Remembrance,* pp. 14–15, 24, 27–29, 36–39.

488 Romsics, *Myth and Remembrance*, pp. 51–58, 101–10.

489 Z. A. B. Zeman, *The Breakup of the Habsburg Empire, 1914–1918. A Study in National and Social Revolution* (Oxford University Press, 1962), pp. 134–35, 139, 140, 143, 146, 引用段落位於 p. 219.

490 Herwig, *The First World War*, pp. 436–37.

491 Dickson, *Finance and Government,* vol. I, 第九至第十章有全面的介紹。

492 R. J. W. Evans, "The Habsburg Monarchy and Bohemia," in *Austria, Hungary and the Habsburgs. Essays on Central Europ*e, c. 1683–1867 (Oxford University Press, 2006), pp. 94–97.

493 Waltraud Heindl, "Bureaucracy, Officials, and the State in the Austrian Monarchy. Stages of Change since the Eighteenth Century," *Austrian History Yearbook* 37 (2006): 35–57, 該研究於第三十九頁將約瑟夫二世稱為「職業官僚制度的奠基者」。

494 E. Hanisch, *Österreichische Geschichte, 1890–1990. Der lange Schatten des Staates: Östereichische Gesellschaftsgeschichte im zwanzigsten Jahrhundert* (Vienna: Uberreuter, 1994), pp. 30–41.

495 Waltraud Heindl, "Beamtenum, Elitenbildung und Wissenschaftspolitik im Vormärz," in Hanna Schedl (ed.), *Vormärz. Wendepunkt und Herausforderung* (Vienna: Chölzl, 1983), pp. 56–60

496 Waltraud Heindl, *Gehorsame Rebellen. Bürokratie und Beamte in Österreich 1780 bis 1848* (Vienna: Böhlau, 1991), pp. 84–87.

497 J. W. Boyer, "Freud, Marriage and Late Viennese Liberalism. A Commentary from 1905," *Journal of Modern History* 2 (March 1978): 72–74.

498 Kontler, *Millennium*, p. 189.

499 Éva H. Balázs, *Hungary and the Habsburgs, 1765–1800* (Budapest: CEU Press, 1997), pp. 100–15; R. J. W. Evans, "The Habsburgs and the Hungarian Problem, 1790–1848," in *Austria, Hungary*, pp. 177–81.

500 Henrik Marczali, *Magyarország története II. József korában* (Budapest: Pfeifer F. Kiadása, 1885–1888), vol. II, p. 364, 引用於 Evans, "The Habsburgs," in *Austria, Hungary*, p. 205.

501 Evans, "The Habsburgs," in *Austria, Hungary*, pp. 204–11.

502 Kontler, *Millennium*, p. 210.

503 Kontler, *Millennium*, pp. 123–27.

504 Horst Haselsteiner, "Cooperation and Confrontation between Rulers and the Noble Estates, 1711–1790," in Peter Sugar,

Péter Hanák, and Tibor Frank (eds.), *A History of Hungary* (Bloomington, IN: Indiana University Press, 1994), pp. 149–51.

505 Balázs, *Hungary*, pp. 222–32.

506 George Barany, "The Age of Royal Absolutism, 1790–1848," in Sugar et al. (eds.), *A History of Hungary*, pp. 175–79.

507 Ernst Wangermann, *From Joseph II to the Jacobin Trials. Government Policy and Public Opinion in the Habsburg Dominions in the Period of the French Revolution* (Oxford University Press, 1959), p. 138.

508 Kontler, *Millennium*, pp. 220–22.

509 Alan Sked, *Metternich and Austria. An Evaluation* (Basingstoke: Palgrave Macmillan, 2008), pp. 107–19.

510 George Barany, *Stephen Széchenyi and the Awakening of Hungarian Nationalism, 1791–1841* (Princeton University Press, 1968), p. 223.

511 Barany, *Stephen Széchenyi*, pp. 124–33; George Barany, "The Széchenyi Problem," *Journal of Central European Affairs*, 20 (1960): 258. 並請參見 Kontler, *Millennium*, pp. 232–40.

512 Barany, *Stephen Széchenyi*, pp. 388, 404–6.

513 Barany, "Age of Royal Absolutism," pp. 202–5, 211–17.

514 Eva Somogyi, "The Age of Neo-Absolutism 1849–1867," in Sugar et al. (eds.), *A History of Hungary*, pp. 235–51, 而引用博伊斯特所述的內容，位於 p. 249; Evans, "The Habsburgs and the Hungarian Problem," pp. 173–92; Evans, "From Confederation to Compromise. The Austrian Experiment, 1848–1867," in *Austria, Hungary and the Habsburgs*, pp. 266–90, 而對法蘭茲．約瑟夫說法的引述，則位於 p. 290; R. J. W. Evans, "The Habsburg Monarchy and Bohemia," in *Austria, Hungary and the Habsburgs. Essays on Central Europe, c. 1683–1867*.

515 這個於 Louis Eisenmann, *Le compromis austro-hongrois de 1867. Étude sur le Dualisme* (Paris: Société nouvelle librairie et d'édition, 1904) 出現的陳述，至今依然非常重要。不過也請參見 Lázsló Péter, "The Dualist Character of the 1867 Hungarian Settlement," in György Ránki (ed.), *Hungarian History–World History* (Budapest: Akadémiai Kiadó, 1984), pp. 85–164.

516 András Gerö, *Emperor Francis Joseph, King of the Hungarians* (Wayne, NJ: Center for Hungarian Studies and Publications, 2001), p. 167.

517 George Barany, "Hungary. The Uncompromising Compromise," *Austrian History Yearbook* 2 (1966): 234.

518 關於接下來的段落，請參見 Ivan Rudnytsky, "The Ukrainians in Galicia under Austrian Rule," in Andrei S. Markovits and Frank Sysyn (eds.), *Nation Building and the Politics of Nationalism. Essays on Austrian Galicia (*Cambridge, MA: Harvard University Press, 1982), pp. 24–69; Piotr S. Wandycz, "The Poles in the Habsburg Monarchy," in Markovits and Sysyn (eds.), *Nation Building and the Politics of Nationalism*, pp. 69–92.

519 Larry Wolff, *The Idea of Galicia. History and Fantasy in Habsburg Political Culture* (Stanford University Press, 2010), pp. 14–19.

520 Jan Kozik, *The Ukrainian National Movement in Galicia, 1815–1849* (Edmonton: Canadian Institute of Ukrainian Studies, University of Alberta, 1986), p. 162, 其引用了一個當代魯塞尼亞知識分子的說法。

521 Kozik, *Ukrainian National Movement*, pp. 20–22, 164–65, 184–88.

522 John Paul Himka, *Religion and Nationality in Western Ukraine. The Greek Catholic Church and the Ruthenian National Movement in Galicia, 1867–1900* (Montreal: McGill and Queens University Press, 1999), pp. 6–8, 11.

522 Benjamin Goriely, "Poland in 1848," in Francois Fejto, *The Opening of an Era. 1848* (New York: Grosset & Dunlop, 1948), pp. 372–75.

524 James Shedel, "Austria and its Polish Subjects, 1866–1914. A Relationship of Interests," *Austrian History Yearbook* 19/20(2) (1983/4): 23–42; Wolff, *The Idea of Galicia*, pp. 200–2, 227–28.

525 Heindl, "Bureaucracy, Officials," p. 48.

526 Hanisch, *Öesterreichische Geschichte*, p. 232; 關於協商的案例研究，請參見 G. B. Cohen, *Education and Middle Class Society in Imperial Austria, 1848–1918* (West Lafayette, IN: Purdue University Press, 1996), pp. 108–26.

527 Richard Wortman, "Moscow and Petersburg. The Problem of Imperial Center in Tsarist Russia, 1881–1914," in Sean Wilentz (ed.), *Rites of Power. Symbolism, Ritual and Politics Since the Middle Ages* (Philadelphia, PA: University of Pennsylvania Press, 1985), pp. 244–71; James Cracraft, *The Petrine Revolution in Russian Architecture* (University of Chicago Press, 1988).

528 Richard Hellie, "The Petrine Army. Continuity, Change and Impact," *Canadian–American Slavic Studies* 8(2) (Summer 1974): 237–52; Richard Hellie, "Warfare, Changing Military Technology and the Evolution of Muscovite Society," in John A.

Lynn (ed.), *Tools of War. Instruments, Ideas and Institutions of Warfare* (Urbana, IL: University of Illinois Press, 1990), pp. 74–99。請尤其參見 Marshall Poe, "The Consequences of the Military Revolution in Muscovy. A Comparative Perspective," *Comparative Studies in Society and History* 38(4) (October 1996): 603–18.

529 關於衛隊，請參見 John L. H. Keep, *The Soldiers of the Tsar. Army and Society in Russia, 1462–1874* (Oxford University Press, 1985), pp. 96, 98, 121–22; Dietrich Beyrau, *Militär und Gesellschaft im vorrevolutsionären Russland* (Cologne: Böhlau, 1984), pp. 190–93.

530 Keep, *Soldiers of the Tsar*, Pt. 2; Elise Kimerling Wirtshafter, *From Serf to Russian Soldier* (Princeton University Press, 1990), ch. 5; John Bushnell, "Peasants in Uniform. The Tsarist Army as a Peasant Society," *Journal of Social History* 13 (1979/80): 565–76.

531 Walter M. Pintner, "Russia's Military Style, Russian Society, and Russian Power in the Eighteenth Century," in A. G. Cross (ed.), *Russia and the West in the Eighteenth Century* (Newtonville, MA: Oriental Research Partners, 1983), p. 265.

532 Richard Hellie, *The Economy and Material Culture of Russia, 1600–1725* (University of Chicago Press, 1999), p. 536; John L. H. Keep, "The Origins of Russian Militarism,"

533 Arcadius Kahan, *The Plow, the Hammer and the Knout. An Economic History of Eighteenth Century Russia* (University of Chicago Press, 1985), pp. 96–99, 111–12; Pintner, "The Burden of Defense," pp. 231–35.

534 Christopher Duffy, *Russia's Military Way to the West. Origins and Nature of Russian Military Power 1700–1800* (London: Routledge & Kegan Paul, 1981).

535 L. G. Beskrovnyi, "Voennye shkoly v pervoi polovine XVIII v.," *Istoricheskie zapiski* 42 (1953): 285–300; Max J. Okenfuss, "Education and Empire. School Reform in Enlightened Russia," *Jahrbücher für Geschichte Osteuropas* 27 (1979): 59，則對軍校裡的教學品質提出了批評。

536 Marc Raeff, "L'état, le gouvernement et la tradition politique en Russie impériale avant 1861," *Revue d'histoire moderne et contemporaine* 9 (October–December 1962): 302; Marc Raeff, *The Origins of the Russian Intelligentsia. The Eighteenth Century Nobility* (New York: Harcourt, Brace & World, 1966), pp. 48–50; Keep, *The Soldiers of the Tsar*, pp. 239–45. Cf. Iurii Lotman, "Dekabrist v poslevoenoi zhizni: bytovoe povedenie kak istoriko-psikhologicheskaia kategoriia," in V. G.

Bazonov and V. E. Vatsuro (eds.), *Literaturnye nasledie dekabristov* (Leningrad: Nauka, 1975), pp. 25–74.

537 "Ob opastnosti v 1856 g. voennykh deistvii," *Istoricheskii arkhiv* 1 (January–February 1959): 206–8, 並請參見 Alfred J. Rieber (ed.), *The Politics of Autocracy. Letters of Alexander II to Prince A. I. Bariatinski, 1857–1864* (Paris: Mouton, 1966), pp. 23–40, 59–60 裡的討論。

538 Alfred J. Rieber, "Alexander II. A Revisionist View," *Journal of Modern History* 43(1) (March 1971): 42–58, 以及 Rieber, The Politics of Autocracy, pp. 18–19 的討論。

539 P. A. Zaionchkovskii, *Voennye reformy 1860–1870 gg. v Rossii* (Moscow: Izd. Moskovskogo universiteta, 1952). 並請參見 Forrestt A. Miller, *Dimitri Miliutin and the Reform Era in Russia* (Nashville, TN: Vanderbilt University Press, 1968).

540 Fuller, *Civil–Military Conflict*, p. 32.

541 Stephen Velychenko, "The Size of the Imperial Russian Bureaucracy and Army in Comparative Perspective," *Jahrbücher für Geschichte Osteuropas* 49(3) (2001): 357–59.

542 Joshua A. Sanborn, *Drafting the Russian Nation. Military Conscription, Total War and Mass Politics* (DeKalb, IL: Northern Illinois University Press, 2003).

543 George Katkov, *Russia, 1917. The February Revolution* (New York: Harper & Row, 1967), pp. 306–58; Tsuyoshi Hasegawa, *The February Revolution. Petrograd, 1917* (Seattle, WA: University of Washington Press, 1981), pp. 487–507.

544 Marc Raeff, *The Well-Ordered Police State. Social and Institutional Change through Law in the Germanies and Russia, 1600–1800* (New Haven, CT: Yale University Press, 1983), esp. pp. 181–218; E. V. Anisimov, *The Reforms of Peter the Great. Progress through Coercion in Russia, trans. and introduction John T. Alexander* (Armonk, NY: M. E. Sharpe, 1993), pp. 217–43.

545 B. V. Anan'ich et al. (eds.), *Vlast' i reformy ot samoderzhavnoi k sovetskoi Rossii* (St. Petersburg: Dmitrii Bulanin, 1996), pp. 120–51. 本段落為 E. V. Anisimov.所作。

546 尤其請參見 V. V. Cherkesov et al. (eds.), *Institut general-gubernatorstva i namestnichestva v Rossiiskoi imperii* (St. Petersburg: Izd. St. Peterburgskogo Universiteta, 2001), pp. 11–16, 25，引用獲得了 Paul Miliukov 的權威研究的支持：*Khozaistvo Rossii v pervoi chetverti XVIII stoletiia i reforma Petra Velikogo* (St. Petersburg: M. M. Stasiulevich, 1905).

547 B. Plavsic, "Seventeenth Century Chanceries and their Staffs," in W. M. Pintner and D. K. Rowney (eds.), *Russian Officialdom. The Bureaucratization of Russian History from the Seventeenth to the Twentieth Century* (Chapel Hill, NC: University of North Carolina Press, 1980), pp. 19–45.

548 Nancy S. Kollmann, *Kinship and Politics. The Making of the Muscovite Political System, 1345–1547* (Stanford University Press, 1987), pp. 14–19. Cf. Paul Bushkovich, *Peter the Great. The Struggle for Power, 1671–1725* (Cambridge University Press, 2001).

549 George Yaney, *The Systematization of Russian Government. Social Evolution in the Domestic Administration of Imperial Russia, 1711–1905* (Urbana, IL: University of Illinois Press, 1973); Robert E. Jones, *The Emancipation of the Russian Nobility, 1762–85* (Princeton University Press, 1973).

550 S. Frederick Starr, *Decentralization and Self-Government in Russia, 1830–1870* (Princeton University Press, 1972).

551 John P. LeDonne, *Ruling Russia. Politics and Administration in the Age of Absolutism, 1762–1796* (Princeton University Press, 1984), pp. 4–6 and passim; David Ransel, *The Politics of Catherinian Russia. The Panin Party* (New Haven, CT: Yale University Press, 1975).

552 Marc Raeff, "Uniformity, Diversity and the Imperial Administration in the Reign of Catherine I," *Osteuropa in Geschichte und Gegenwart, Festschrift für Gunther Stokl zum 60. Geburtstag* (Cologne: Böhlau, 1977), pp. 97–113; LeDonne, *Ruling Russia*, esp. Pt. 5.

553 邊區這個說法，最早被使用在親斯拉夫的 Iuri Samarin 的論述之中，他使用這個詞彙來專門討論波羅的海（Ostzei）省分的特殊性，但在之後卻逐漸被納入官方的論述之中。Cherkesov, *Institut general-gubernatorstva*, vol. I, pp. 186–87.

554 Isabel de Madariaga, *Russia in the Age of Catherine the Great* (New Haven, CT: Yale University Press, 1981), pp. 308–24; Zenon Kohut, *Russian Centralism and Ukrainian Autonomy. Imperial Absorption in the Hetmanate, 1760s–1830s* (Cambridge University Press, 1988).

555 Robert E. Jones, "Runaway Peasants and Russian Motives for the Partitions of Poland," in Hugh Ragsdale (ed.), *Imperial Russian Foreign Policy* (Washington and Cambridge: Woodrow Wilson Center and Cambridge University Press, 1993), pp. 103–16.

556 John LeDonne, "Frontier Governors General, 1772–1825," *Jahrbücher für Geschichte Osteuropas*, New Series, 1 (1999): 56–81; 2 (1999): 161–83; 3 (1999): 321–40; John LeDonne, "Russian Governors General 1775–1825. Territorial or Functional Administration?" *Cahiers du monde russe* 42(1) (2001): 5–30; M.D. Dolbilov, "Rozhdenie imperatoskikh reshenii. Monarkh, sovetnik i 'Vysochaishaia Volia' v Rossii XIX v.," *Istoricheskie zapiski* 9(127) (2006): 5–48.

557 Dmitri Kobeko, *Imperatorskii Tsarskosel'skii Litsei. Nastavniki i potomtsy, 1811–1843* (St. Petersburg: Tip. V. F. Kirshbauma, 1911), pp. 71–72, 80–81, 100–1.

558 Walter Pintner, "Civil Officialdom and the Nobility in the 1850s," in Pintner and Rowney (eds.), *Russian Officialdom*, pp. 227–49; Bruce Lincoln, *In the Vanguard of Reform. Russia's Enlightened Bureaucrats, 1825–1861* (De Kalb, IL: Northern Illinois University Press, 1982); Alfred J. Rieber, "Interest Group Politics in the Era of the Great Reforms," in Ben Eklof et al. (eds.), *Russia's Great Reforms* (Bloomington, IN: Indiana University Press, 1994), pp. 58–83.

559 Rieber, "Interest Group Politics," pp. 78–79.

560 Velychenko, "The Size of the Imperial Russian Bureaucracy," pp. 354–56.

561 B. V. Anan'ich and R. Sh. Ganelin, *Sergei Iul'evich Vitte i ego vremia* (St. Petersburg: Dmitrii Bulanin, 1999), p. 572，其引用的是當代的報紙。

562 D. A. J. Macey, *Government and Peasant in Russia, 1861–1906. The Prehistory of the Stolypin Reforms* (De Kalb, IL: Northern Illinois University Press, 1987), pp. 44–68.

563 Yaney, *The Systematization; Dominic Lieven, Russia's Rulers under the Old Regime* (New Haven, CT: Yale University Press, 1987) 便是這派觀點中的一個例子。

564 這派觀點的例子也很多，可以參見 Raeff, "The Bureaucratic Phenomenon"; Andrew M. Verner, *The Crisis of Russian Autocracy. Nicholas II and the 1905 Revolution* (Princeton University Press, 1990), pp. 52–55; Pintner and Rowney, "Officialdom and Bureaucratization. Conclusion," in Pintner and Rowney (eds.), *Russian Officialdom*, p. 379.

565 關於這些拉力，請參見以下例子：A. V. Remnev, *Samoderzhavnoe pravitel'stvo. Komitet ministrov v sisteme vysshego upravleniia Rossiiskoi imperii (vtoraia polovina XIX–nachalo XX veka)* (Moscow: Rosspen, 2010). 關於專制政權中政治空間的反思，請參見 Mikhail Dobilov, "The Political Mythology of Autocracy. Scenarios of Power and the Role of the

Autocrat," *Kritika* 2(4) (Fall 2001): 773–95.

566 Rieber, "Interest Group Politics," pp. 44–72; Alfred J. Rieber, "Patronage and Professionalism. The Witte System," in B. V. Anan'ich et al. (eds.), *Problemy vsemirnoi istorii. Sbornik statei v chest' Aleksandra Aleksandrovicha Fursenko* (St. Petersburg: Dmitrii Bulanin, 2000), pp. 286–97; David M. McDonald, "United Government and the Crisis of Autocracy, 1905–1914," in Theodore Taranovskii (ed.), *Reform in Modern Russian History. Progress or Cycle?* (Washington, DC and Cambridge: Woodrow Wilson Center Press and Cambridge University Press, 1995), pp. 208–12; Verner, *Russian Autocracy*, ch. 2.

567 Igor V. Lukoianov, "The Bezobrazovtsy," in John W. Steinberg et al. (eds.), *The Russia Japanese War in Global Perspective. World War Zero* (Leiden: Brill, 2005), pp. 78–83; David Schimmelpenninck, "The Immediate Causes of the War," in Steinberg et al. (eds.), *The Russia Japanese War in Global Perspective*, pp. 31–41.

568 "Iz dnevnika A. A. Polovtsov," *Krasnyi arkhiv* 3 (1923): 99, 引用於 Dominic Lieven, *Nicholas II. Emperor of All the Russias* (London: BCA, 1994), p. 109.

569 Don Karl Rowney, "Structure, Class and Career. The Problem of Bureaucracy and Society in Russia, 1801–1917," *Social Science History* 6(1) (Winter 1982): 87–109.

570 Cf. Rieber, "Alexander II," pp. 42–58; Alfred J. Rieber, "Bureaucratic Politics in Imperial Russia," *Social Science History* 2 (Summer 1978): 399–413; Alfred J. Rieber, "The Reforming Tradition in Russian and Soviet History. A Commentary," in Taranovskii (ed.), *Reform in Modern Russian History*, pp. 237–43; Daniel Orlovsky, *The Limits of Reform. The Ministry of Internal Affairs in Imperial Russia, 1802–1881* (Cambridge, MA: Harvard University Press, 1981).

571 Valentina G. Cherukha and Boris V. Anan'ich, "Russia Falls Back, Russia Catches Up. Three Generations of Russian Reformers," in Taranovskii (ed.), *Reform in Modern Russian History*, pp. 55–96; Daniel Field, "Reforms and Political Culture in Prerevolutionary Russia. Commentary," in Taranovskii (ed.), *Reform in Modern Russian History*, pp. 125–36.

572 Ia. Ia. Zutis, *Politika tsarizma v Pribaltike v pervoi polovine XVIII v.* (Moscow: Gosudarstvenoe sotsial'no-ekonomicheskoe izd., 1937), p. 18.

573 Claus Scharf, *Katharina II, Deutschland und die deutschen* (Mainz: Philip von Zabern, 1995), pp. 167–77.

574 Jones, *The Emancipation of the Russian Nobility*, pp. 177–78, 191–95, 引用段落出自 p. 178.

575 Edward C. Thaden, *Russia's Western Borderlands, 1710–1870* (Princeton University Press, 1984), pp. 98–99, 231.

576 Thaden, *Russia's Western Borderlands*, pp. 5–12, chs. 6 and 9.

577 Thaden, *Russia's Western Borderlands*, pp. 83–85.

578 A.Iu. Bakhturnina, *Okrainy rossiiskoi imperiii. Gosudarstvennoe upravlenie i natsional'naia politika v gody pervoi mirovoi voiny (1914–1917 gg.)* (Moscow: Rosspen, 2004), pp. 226–27, 232–81.

579 Marc Raeff, *Michael Speransky. Statesman of Imperial Russia, 1772–1839*, 2nd edn. (The Hague: Mouton, 1969), pp. 71–75, 引用段落出自pp. 73–74. 另請參見 Thaden, Russia's Western Borderlands, pp. 68–76.

580 Victor Taki, "Between Politzeistaat and Cordon Sanitaire. Epidemics and Police Reform during the Russian Occupation of Moldavia and Wallachia, 1828–1834," *Ab Imperio* 4 (2008): 82–89. 斯圖爾札作為波雅爾地主中的一員，是當時的地方長官。

581 Anthony Rhinelander, P*rince Michael Vorontsov, Viceroy to the Tsar* (Montreal: McGill and Queens University Press, 1990), pp. 67–93.

582 A. P. Zablotskii-Desiatovskii, *Graf P. D. Kiselev i ego vremia. Materialy dlia istorii imperatorov Aleksandra I, Nikolaia I, Aleksandra* II, 4 vols. (St. Petersburg: M. M. Stasiulevich, 1882), vol. I, pp. 348–57; N. M. Druzhinin, *Gosudarstvennye krest'iane i reformy*, 2 vols. (Moscow: Izd. Akademiia nauka SSSR, 1946), vol. I, pp. 257–63.

583 Taki, "Between Politzeistaat," pp. 74–101. Cf. Alexander Bitis, *Russia and the Eastern Question. Army, Government and Society, 1815–1833* (Oxford University Press, 2006).

584 Taki, "Between *Politzeistaat*," p. 99.

585 Kiselev to Orlov, June 18, 1833 in Zablotskii-Desiatovskii, Graf P. D. Kiselev, vol. IV, p. 111. 契謝廖夫體認到，在該地區的角力之中，鄂圖曼帝國一直到俄軍預定要撤出的日期為止，都在盡可能地嘗試延遲對《基本法》的承認。維也納對《基本法》則抱持反對的態度，首先是因為那會帶來商貿上的自由，以及政治上的優勢，這些不利於他們的影響力，其次則是因為一旦羅馬尼亞農民的處境獲得改善，這些農民便不再會有動機從瓦拉幾亞遷往奧地利，而外西凡尼亞和布科維納地區的人口也會被吸引過去。Kiselev to Nesselrode, March 8, 1832, *ibid.*, vol. IV, pp. 69–71.

586 Thaden, *Russia's Western Borderlands*, pp. 83–85.

587 N. S. Shil'der, *Imperator Aleksandr Pervyi. Ego zhizn' i tsarstvovanie*, 4 vols., 2nd edn (St. Petersburg: A. S. Suvorin, 1905), vol. IV, pp. 86–87.

588 Cited in Jerzy Jedlicki, *A Suburb of Europe. Nineteenth-Century Polish Approaches to Western Civilization* (Budapest: CEU Press, 1999), p. 16.

589 Jedlicki, *A Suburb of Europe*, pp. 13–16.

590 Norman Davies 針對波蘭政界中，對於俄羅斯統治的三種回應方式做出了極為珍貴的區分：他挪用了當代的波蘭語境，將這些回應方式分別稱作效忠派（Lojalizm）、反抗派（Poswstanie），以及和解派（Ugoda），這些稱呼必須放在波蘭特定的脈絡之中看待。他進一步指出，波蘭主要的政治人物會視情勢轉換立場。請參見 Norman Davies, *God's Playground. A History of Poland, vol. I: The Origins to 1795* (Oxford University Press, 1981), pp. 30–60.

591 Piotr Wandycz, *The Lands of Partitioned Poland, 1795–1918* (Seattle, WA: University of Washington Press, 1974), pp. 28–33.

592 Wandycz, *The Lands*, pp. 22–23.

593 A. M. Stanislavskaia, *Russko-angliskie otnosheniia i problemy sredizemnomor'ia, 1798–1807* (Moscow: Izd. Akademiia nauka SSSR, 1962), pp. 335–38, 該段落也批判地回顧了俄國和西方歷史學者對恰爾托雷斯基的記述。她正確地指出，俄國當時採用的是集體決策機制，所以當時的政策，並不能被簡單看作恰爾托雷斯基的個人觀點。

594 Stanislavskaia, *Russko-angliskie*, pp. 412–20. 恰爾托雷斯基的計畫有過幾個不同的版本，但全部都有他在非正式委員會裡的朋友的支持。亞歷山大當時的立場較為謹慎，但之後也部分採納了他的計畫，比如於一八一二年兼併比薩拉比亞地區，以及於一八一五年建立波蘭王國。

595 Marian Kukiel, *Czartoryski and the Unity of Europe, 1770–1861* (Princeton University Press, 1955); Patricia Grimstead, *The Foreign Ministers of Alexander I* (Berkeley, CA: University of California Press, 1969).

596 Davies, *God's Playground*, vol. II, p. 310; Frank W. Thackeray, *Antecedents of Revolution. Alexander I and the Polish Kingdom, 1815–1825* (Boulder, CO: East European Monographs, 1980), pp. 40–41, 99–100. 和其他貴族一樣，波托茲基家族內部的成員，也各自效忠不同的對象。效忠沙皇的有 Stanisław-Feliks Potocki，亦即塔戈維查聯盟（Targowica Confederation）的高級將領，他同時也是為波蘭立陶宛聯邦的所有權（mozhnovladstva）奠定理論基礎的人，曾在俄軍裡擔任將軍；而 Jan Potocki 起初則是反對俄羅斯帝國，曾經擔任五月四日瑟姆議會的議員，但和歐哲霍夫斯

基一樣，他也變換了立場，後來在俄羅斯帝國的外交部工作，曾經出版超過二十本歷史著作和民族誌（F. A. Brokgaus and I. A. Efron (eds.), *Entsiklopedicheskii slovar'* (St. Petersburg: I. A. Efron, 1898), vol. XXXVIII, p. 739）；此外還有 Stanisław-Szczęsny Potocki，他也是塔戈維查聯盟的一員，曾經宣稱：「波蘭人應該拋棄對祖國的一切記憶：我自己永遠都會是一個俄羅斯人。」（Davies, *God's Playground*, vol. II, p. 30.）

597 Irena Roseveare, "Wielopolski's Reforms and their Failure before the Uprising of 1867," *Antemurale*, 15 (Rome 1971): 114–15.

598 Jerzy Edlicki, "Industrial State Economy of Poland in the 19th Century," *Acta Poloniae Historica* 18 (1968): 221–37; Natalia Gasiorowska, "Les origines de la grande industrie polonaise au XIX siècle," in *La Pologne au VIe Congrès Internationale des Sciences Historiques* (Warsaw: Société polonaise d'histoire, 1930).

599 Davies, *God's Playground*, p. 169; *Entsiklopedicheskii slovar'*, vol. LXII, p. 536.

600 Alfred J. Rieber, *Merchants and Entrepreneurs in Imperial Russia* (Chapel Hill, NC: University of North Carolina Press, 1982), pp. 62–65.

601 Thackeray, *Antecedents*, pp. 25–26, 86–88, 116–19.

602 Bezborodko to Vorontsov, 2/13 July 1798, *Arkhiv kniazia Vorontsova*, 40 vols. (Moscow: A. I. Mamontova, 1870–1895), vol. XIII, p. 401.

603 Thackeray, Antecedents, pp. 7–12, 47–48. Speransky 關切波蘭會以什麼形式，在何時宣布復國。就連一些未來將會加入十二月黨的人，對此都並不滿意。Ibid., pp. 34–35, 49

604 Nicholas I to Konstantin Pavlovich, November 5 and 24, 1827, in "Imperator Nikolai I I Pol'sha v 1825–1831 gg.," ed. N. K. Shilder, *Russkaia starina* 101 (1900): 302.

605 Cf. Thackeray, *Antecedents*, pp. 132–44, and Kukiel, *Czartoryski*, pp. 140–50, 這兩位對於俄國的批判最嚴厲：R. F. Leslie, "Polish Political Divisions and the Struggle for Power at the Beginning of the Insurrection of November 1830," *Slavonic and East European Review* 31(76) (December 1952): 113–32 則提醒，將革命看作俄國管治不當造成的結果，其實是一個過於草率的結論。

606 Daniel Beauvois, *Le noble, le serf et le révizor* (Paris: Éditions archives contemporaines, 1984), p. 262.

607 James T. Flynn, "Uvarov and the 'Western Provinces.' A Study of Russia's Polish Problem," *Slavic and East European*

Review 64(2) (April 1986): 212–36.

608 Davies, God's Playground, vol. I, p. 348; R. F. Leslie, *Reform and Insurrection in Russian Poland, 1856–1865* (London: Athlone Press, 1963), pp. 49–50.

609 Roseveare, "Wielopolski's Reforms," p. 105.

610 Leslie, *Reform and Insurrection,* pp. 116–25, 132, 139–44; *Vospominaniia generala-fel'dmarshala grafa Dmitriia Aleksandrovicha Miliutina 1860–1862*, introduction L. G. Zakharova (Moscow: Studiia TRITE, RIO Rossiiskii arkhiv, 1999), pp. 81–110, 175.

611 Alexander II to Konstantin Nikolaevich, June 18/30, 1862, in "Perepiska Imperatora Aleksandra II-go s velikim kniazem Konstantinom Nikolaevichem za vremia prebyvaniia ego v dolzhnosti Namestnika Tsarstva Pol'skogo v 1862–1863 gg.," ed. A. A. Sivers, *Dela i Dni* 1 (1920): 123–24 (italics in original).

612 Wandycz, *The Lands*, p. 159.

613 請參見 Andrzej Walicki, "Alexander Herzen's 'Russian Socialism' as a Response to Polish Revolutionary Slavophilism," in *Russia, Poland and Universal Regeneration. Studies in Russian and Polish Thought of the Romantic Epoch* (South Bend, IN: University of Notre Dame Press, 1991), pp. 1–72.

614 Miliutin, *Vospominaniia*, 1863–1864, pp. 266–68, 304–9, 328–29, 404, 416–21, 502–3; *Dnevnik D. A. Miliutina, 1873–1875*, ed. P. A. Zaionchkovskii (Moscow: Biblioteka imeni V. I. Lenina, 1947), pp. 6–8, 233–34; *Dnevnik P. A. Valueva Ministra Vnutrennikh Del, 1861–1864*, ed. P. A. Zaionchkovskii (Moscow: Izd. Akademiia nauk SSSR, 1961), vol. I, pp. 23, 29–30, 336–42.

615 Miliutin, *Vospominaniia*, 1863–1864, pp. 505–6.

616 L. E. Gorizontov, *Paradoksy imperskoi politiki. Poliaki v Rossii i russkie v Pol'she* (Moscow: Indrik, 1999), p. 63; Patrice M. Dabrowski, "Russian–Polish Relations Revisited, or the ABC's of 'Treason' under Tsarist Rule," *Kritika* 4(1) (Winter 2003): 177–99.

617 Darius Staliūnas, "Between Russfication and Divide and Rule. Russian Nationality Policy in the Western Borderlands in mid-19th Century," *Jahrbücher für Geschichte Osteuropas*, New series, 55(3) (2007): 357–73。更廣泛的討論還有 Darius

Staliūnas, *Making Russians. Meaning and Practices of Russification in Lithuania and Belarus after 1863* (Amsterdam: Rodopi, 2007).

618 Jedlicki, *A Suburb of Europe*, esp. pp. 175–200. 並請參見 Maciej Janowski, *Polish Liberal Thought Before 1918* (Budapest: CEU Press, 2004), esp. pp. 147–88; Miliutin, *Vospominaniia*, pp. 505–6.

619 John Doyle Klier, *Russia Gathers Her Jews. The Origins of the "Jewish Question" in Russia, 1772–1825* (De Kalb, IL: Northern Illinois University Press, 1986), esp. pp. 60, 75–76, 140, 143.

620 Salo W. Baron, *The Russian Jew under Tsars and Soviets*, 2nd edn (New York: Macmillan, 1976), pp. 18, 32, 40, 68; Michael Stanislawski, *Tsar Nicholas I and the Jews. The Transformation of Jewish Society in Russia, 1825–1855* (Philadelphia, PA: Jewish Publications Society, 1983).

621 Heinz-Dietrich Löwe, *The Tsars and the Jews. Reform, Reaction and Anti-Semitism in Imperial Russia, 1772–1917* (Chur: Harwood Academic Publishers, 1993), p. 39.

622 Theodore R. Weeks, *From Assimilation to Antisemitism. The Polish Question in Poland 1850–1914* (DeKalb, IL: Northern Illinois University Press, 2006); Anthony Polonsky, "The New Jewish Politics and its Discontents," in Zvi Gitelman (ed.), *Modern Jewish Politics. Bundism and Zionism in Eastern Europe* (Pittsburgh, PA: University of Pittsburgh Press, 2003), pp. 40–41.

623 B. O. Bobrovnikov and I. L. Babich (eds.), *Severny Kavkaz v sostave Rossiiskoi imperii* (Moscow: Novoe literaturnoe obozrenie, 2007), pp. 189–94, 204–5; Daniel Brower, *Turkestan and the Fate of the Russian Empire* (London: Routledge Curzon, 2003), pp. 10–14, 32.

624 Cemal Kafadar, *Between Two Worlds. The Construction of the Ottoman State* (Berkeley, CA: University of California Press, 1995), p. 143.

625 Halil Inalcik, *The Ottoman State, Economy and Society, 1300–1600* (Cambridge University Press, 1994), pp. 305–7.

626 I. Metin Kunt, *The Sultan's Servants. The Transformation of Ottoman Provincial Government* (New York: Columbia University Press, 1983), pp. 7, 32.

627 Stanford Shaw, "The Ottoman View of the Balkans," in Charles Jelavich and Barbara Jelavich (eds.), *The Balkans in*

Transition. Essays in the Development of Balkan Life and Politics Since the Eighteenth Century (Berkeley, CA: University of California Press, 1963), pp. 69–70; C. Fleischer, *Bureaucrat and Intellectual in the Ottoman Empire* (Princeton University Press, 1986); Albert Hourani, *A History of the Arab Peoples* (Cambridge, MA: Harvard University Press, 1991), pp. 214–22.

628 Colin Imber, *The Ottoman Empire, 1300–1650. The Structure of Power*, 2nd edn (Basingstoke: Palgrave Macmillan, 2002), pp. 252–86.

629 Halil Inalcik, *The Ottoman Empire. The Classic Age, 1300–1600* (London: Phoenix, 1994), pp. 7–8, 21, 23.

630 Bruce Masters, *Christians and Jews in the Ottoman Arab World* (Cambridge University Press, 2000), p. 61.

631 Stanford Shaw, *History of the Ottoman Empire and Turkey, vol. I: Empire of the Gazis. The Rise and Decline of the Ottoman Empire, 1280–1808*, 2 vols. (Cambridge University Press, 1976), p. 280.

632 Ilhan S¸ ahin, Feridun M. Emecen, and Yusuf Halaçoğ lu, "Turkish Settlements in Rumelia (Bulgaria) in the 15th and 16th Centuries. Town and Village Population," *International Journal of Turkish Studie*s 4(2) (Fall/Winter 1989): 23–37.

633 Suraiya Faroqui, *Making a Living in the Ottoman Lands, 1480–1820* (Istanbul: Isis, 1995), pp. 275–90.

634 Halil Inalcik, "The Ottoman Economic Mind and Aspects of the Ottoman Economy," in M. A. Cook (ed.), *Studies in the Economic History of the Middle East from the Rise of Islam to the Present Day* (New York: Oxford University Press, 1970), pp. 207–18.

635 Gilles Veinstein, "La voix du mâitre à travers les firmans de Soliman le Magnifique," in *Soliman le Magnifique et son temps* (Paris: La documentation française, 1992), pp. 127–44; Halil Inalcik, "Decision Making in the Ottoman State," in C. E. Farah (ed.), *Decision Making and Change in the Ottoman Empire* (Kirksville, MO: Thomas Jefferson University Press, 1993), pp. 9–18.

636 Kafadar, *Between Two Worlds*; Serif Mardin, "Power, Civil Society and Culture in the Ottoman Empire," *Comparative Studies in Society and History* 11 (1969): 258–81; Kunt, The Sultan's Servants, pp. 7–9, 32–36.

637 然而，從 Caroline Finkel 的研究中，我們可以清楚看見，鄂圖曼軍隊一直到十七世紀末，士兵組成非常多樣，他們的財政來源也不盡相同，似乎是以高度隨興、無規則可循的方式取得資金。戰爭的成本，愈來愈多是以貨幣的形式進行支付，而這也意味著帝國必須對臣民徵收更多稅金，而財政官員的重要性也比軍隊來得高。Caroline Finkel, *The*

Administration of Warfare. The Ottoman Military Campaigns in Hungary, 1593–1606 (Vienna: VWGÖ, 1988), pp. 30 and passim.

638 Virginia Aksan, *An Ottoman Statesman in War and Peace. Ahmed Resmi Efendi, 1700–1783* (Leiden: Brill, 1995), p. xi.

639 Inalcik, "Decision Making in the Ottoman State," p. 11.

640 Inalcik, "Decision Making in the Ottoman State," pp. 14–15.

641 Şevket Pamuk, "Institutional Change and the Longevity of the Ottoman Empire, 1500–1800," *Journal of Interdisciplinary History* 35(2) (Autumn 2004): 225–47.

642 另一個這種衰退神話的來源，則是十七世紀的政治文獻，這些文獻哀悼蘇萊曼素檀治下的「黃金年代」已不復存。請參見 Rhoads Murphey, "Review Article: Mustafa Ali and the Politics of Cultural Despair," *International Journal of Middle East Studies* 21(2) (1989): 243–45，以及 Cornell H. Fleischer, "Response to Rhoads Murphey's 'Review Article' of Bureaucrat and Intellectual in the Ottoman Empire. The Historian Mustafa Ali, 1541–1600," *International Journal of Middle East Studies* 22 (1990): 127–28 之間，對於這個議題的辯論。

643 Douglas A. Howard, "Genre and Myth in the Ottoman Advice for Kings Literature," in Virginia H. Aksan and Daniel Goffman (eds.), *The Early Modern Ottomans* (Cambridge University Press, 2007), pp. 137–66, 該研究對這些文獻進行了回顧。請特別參見 Aziz Al-Azmeh, *Muslim Kingship. Power and the Sacred in Muslim, Christian and Pagan Polities* (London: Tauris, 1997).

644 Hourani, *A History of the Arab Peoples*, p. 249. 亦請參見 Fernand Braudel, *Civilization and Capitalism, 15th–18th Century, vol. III: The Perspective of the World* (New York: Harper & Row, 1984), p. 482

645 早期對衰退命題進行批判的學者，有 Albert Hourani, "Ottoman Reform and the Politics of Notables," in W.R. Polk and R. L. Chambers (eds.), Beginning of Modernization in the Middle East (University of Chicago Press, 1968)，以及 Roger Owen, "Introduction," in Thomas Naff and Roger Owen (eds.), Studies in Eighteenth Century Islamic History (Carbondale, IL: Southern Illinois University Press, 1977), Pt. II, pp. 133–51。

646 Linda Darling, *Revenue-Raising and Legitimacy. Tax Collection and Finance Administration in the Ottoman Empire, 1560–1660* (Leiden: Brill, 1996), 該研究於標題為 "The Myth of Decline," pp. 1–21 的簡介之中，對歷史觀進行了檢視。她在

結論處談到：「透過對地方政府的規則化和官僚化，以及為帝國臣民提供正義，財政部門的程序有助於維持帝國內部的穩定。」Ibid., pp. 303–4. 並請參照 Dina Rizk Khoury, *State and Provincial Society in the Ottoman Empire. Mosul, 1540–1834* (Cambridge University Press, 1997).

647 Halil Inalcik, "The Ottoman Decline and Its Effects upon the Reaya," *Actes du IIe congrès internationale des études de sud-est européen* (Athens: n.p., 1978), vol. III (Histoire), pp. 73–90.

648 Carter Vaughn Findley, "Political Culture and the Great Households," in Suraiya N. Faroqui (ed.), *The Cambridge History of Turkey. The Later Ottoman Empire 1603–1839* (Cambridge University Press, 2006), vol. III, pp. 66–68; *Jane Hathaway, The Politics of Households in Ottoman Egypt. The Rise of the Qazdağlıs* (Cambridge University Press, 1997).

649 Halil Inalcik, "Bursa and the Commerce of the Levant," *Journal of Economic and Social History of the Orient* 3(2) (1960): 131–47; Robert Mantran, "L'empire Ottoman et le commerce asiatique au XVIe et au XVIIe siècle," in D. S. Richards (ed.), *Islam and the Trade of Asia* (Philadelphia, PA: University of Pennsylvania Press, 1970), pp. 169–80. 就長期而言，鄂圖曼的經濟體系由於伊斯蘭律法而無法鞏固新的經濟資源、或無法為主要的基礎設施改善計畫累積資本，這些基礎設施的改善包含了十八世紀的工業化；和上述的這些相比，文中提到的白銀和價格問題，可能就沒這麼嚴重了。Halil Inalcik, "Capital Formation in the Ottoman Empire," *Journal of Economic History* 29(1) (March 1969): 97–140.

650 Kunt, *The Sultan's Servants*, pp. 80–85; Bernard Lewis, "Some Reflections on the Decline of the Ottoman Empire," *Studia Islamica* 9 (1958): 111–27, 此外還有進行一般性討論的 Bernard Lewis, *The Emergence of Modern Turkey* (London: Oxford University Press, 1961).

651 Pál Fodor, "Volunteers in the Ottoman Army," in Géza Dávid and Pál Fodor (eds.), *Ottomans, Hungarians and Habsburgs in Central Europe. The Military Confines in the Era of Ottoman Conquest* (Leiden: Brill, 2000), pp. 229–55, quotation on pp. 239–40.

652 Bistra Cvetkova, "Mouvements antiféodaux dans les terres bulgares sous domination ottomane du XVIe au XVIIIe siècle," *Études historiques à l'occasion du XIIe congrès internationale des sciences historiques, Vienne, August/September 1965*, vol. II, p. 153.

653 Karen Barkey, *Bandits and Bureaucrats. The Ottoman Route to State Centralization* (Ithaca, NY: Cornell University Press,

1994). 亦請參見 Karen Barkey, "In Different Times. Scheduling and Control in the Ottoman Empire, 1550–1659," *Comparative Studies in Society and History* 38 (1996): 460–83; Fikret Adanir, "Heiduckentum und Osmanische Herrschaft. Sozialgeschichtliche Aspekte der Diskussinon um das frühneuzeitliche Räuberwesen in Südosteuropa," *Südost-Forschungen* 41 (1982): 43–116.

654 Hourani, "Ottoman Reform," pp. 41–68.

655 Bruce McGowan, "The Age of the Ayans," in Halil Inalcik and Donald Quataert (eds.), *An Economic and Social History of the Ottoman Empire, vol. 1: 1600–1914* (Cambridge University Press, 1994), pp. 661–63; Rifaat Ali Abou-El-Haj, *Formation of the Modern State. The Ottoman Empire, Sixteenth to Eighteenth Centuries* (Albany, NY: State University of New York Press, 1991), pp. 18–52; Hathaway, *Politics of Households; Ariel Salzmann, Tocqueville in the Ottoman Empire* (Leiden: Brill, 2007), pp. 105–10.

656 Christine M. Philliou, *Biography of an Empire. Governing Ottomans in an Age of Revolution* (Berkeley, CA: University of California Press, 2011), pp. 5–37.

657 Philliou, *Biography of an Empire*, p. 51.

658 Karen Barkey, *Empire of Difference. The Ottomans in Comparative Perspective* (Cambridge University Press, 2008), p. 277.

659 Michael R. Hickok, *Ottoman Military Administration in Eighteenth Century Bosnia* (Leiden: Brill, 1997), p. 79. Hickok 認為，這個體系最後在十八世紀晚期瓦解，而當伊斯坦堡當局於十九世紀，在中央政府與地方政府之間設置中介時，更帶來了災難性的後果，同上，p. 98。

660 就這個部分而言，我仰賴的資料來源是 Reşet Kasaba, *A Moveable Empire. Ottoman Nomads, Migrants and Refugees* (Seattle, WA: University of Washington Press, 2009), esp. pp. 85–122.

661 Kasaba, *A Moveable Empire*, p. 118.

662 Gábor Ágoston, "Military Transformation in the Ottoman Empire and Russia, 1500–1800," *Kritika* 12(2) (Spring 2011): 303–8.

663 Halil Inalcik, "Military and Fiscal Transformation in the Ottoman Empire, 1600–1700," *Archivum Ottomanicum* 6 (1980); V. J. Parry, "La manière de combattre," in Perry and Yapp (eds.), *War, Technology and Society*, pp. 218–56; I. E. Petrosian,

"Ianicharskie garnizony v provintsiiakh osmanskoi imperii v XVI–XVII vv.," in G. G. Litavrin (ed.), *Osmanskaia imperiia i strany tsentral'noi, vostochnoi i iugo-vostochnoi Evropy v XVII v. Glavnye tendentsii politicheskikh zaimootnoshenii* (Moscow: Pamiatniki istoricheskoi mysli, 1998), Pt. 1.

664 Viginia Aksan, Ottoman Wars, 1700–1870. *An Empire Besieged* (Edinburgh: Longman, 2007), pp. 38–40, 53, 117.

665 Parry, "La manière," p. 241；關於必須納稅的人口，請參見 *The Ottoman Empire*, pp. 285–86, for the tax-paying population.

666 Murphey, *Ottoman Warfare*, pp. 50 and passim.

667 Avigdor Levy, "Military Reform and the Problem of Centralization in the Eighteenth Century," *Middle Eastern Studies* 18(3) (July 1982): 229–30.

668 Rifa'at 'Ali Abou-El-Haj, "Ottoman Attitudes towards Peace Making. The Karlowitz Case," *Der Islam* 51 (1974): 131–37; Secil Akgun, "European Influence on the Development of Social and Cultural Life of the Ottoman Empire in the Eighteenth Century," *Revue des études sud-est européenes* 21 (1983): 92.

669 Levy, "Military Reform," pp. 231–32.達瑪德帕夏出於經濟問題、對伊朗戰敗等於因素，於一七三〇年被禁衛軍推翻之前，並沒有時間實現他的新構想，而籠罩在反歐的氣氛之中。

670 Aksan, *An Ottoman Statesman*, pp. 186–88.

671 Virginia Aksan, "Breaking the Spell of the Baron de Tott. Reframing the Question of Military Reform in the Ottoman Empire, 1760–1830," *International History Review* 24(2) (June 2002): 258–63.

672 Levy, "Military Reform," pp. 235–38; *Aksan, Ottoman Wars,* pp. 198–202.

673 關於該塞里姆三世統治期間的舊文獻 *Between Old and New. The Ottoman Empire under Sultan Selim III (1789–1807)* (Cambridge, MA: Harvard University Press, 1973)，在很多方面都已經被 Aksan 的 *Ottoman Warfare* 所超越。接下來關於軍事改革的記述，主要都是根據後者的資料。

674 Aksan, *An Ottoman Statesman,* pp. 196–98，書中提到，戰爭實際上是由鄂圖曼帝國發起，因此他似乎並非真的主張以協商方式解決問題，但他後來在親自簽署《古屈克卡伊納加和約》時所感受到的屈辱，仍加強了他對協商模式的偏好。Ibid., p. 204.

675 Aksan, *Ottoman Warfare*, pp. 180–81. 作者指出，這和在莫斯科出現的軍事改革模式非常類似，對此，Marshall Poe, "The Consequences of Military Revolution in Muscovy in Comparative Perspective," *Comparative Studies in Society and History* 38 (1996): 603–18 亦抱持同樣觀點。

676 Shaw, *History of the Ottoman Empire*, vol. I, pp. 261–66; Aksan, *Ottoman Wars*, pp. 202–6 and ch. 6; Levy, "Military Reform," pp. 239–41. Aksan, *An Ottoman Statesman,* pp. 201–3 提到，雷斯米的許多想法，到了那時都已經成了改革論述中的一部分。關於十八世紀烏拉瑪在政府和外交上不斷擴張的角色，請參見 Madeline C. Zilfi 的分析："The Ottoman Ulama," in Suraiya N. Faroqui (ed.), *The Cambridge History of Turkey, vol. 3: The Later Ottoman Empire, 1603–1839* (Cambridge University Press, 2006), pp. 223–25。

677 Aksan, *Ottoman Warfare*, pp. 261–65; Uriel Heyd, "The Ottoman Ulama and Westernization at the Time of Selim III and Mahmud II," reprinted from *Studies in Islamic History and Civilization, in Scripta Hierusoly Mitana* IX (Jerusalem 1961).

678 Aksan, "Military Reform," 引用段落出自p. 258 以及 p. 274.

679 Virginia H. Aksan, "The Ottoman Military and State Transformation in a Globalizing World," *Comparative Studies of South Asia, Africa and the Middle East* 27(2) (2007): 257–70; Hakan Erdem, "Recruitment of the 'Victorious Soldiers of Muhammad' in the Arab Provinces, 1826–1828," in Israel Gershoni, Hakan Erdem, and Ursula Wokök (eds.), *Histories of the Modern Middle East. New Directions* (Boulder, CO: Lynne Rienner, 2002), pp. 198–200.

680 Mehemet Genç, "L'economie ottoman et la guerre au XVIIIe siècle," *Turcica* 27 (1995): 177–96, 請特別參見 S¸evket Pamuk, "Prices in the Ottoman Empire, 1469–1914," *International Journal of Middle East Studies* 36 (2004): 463.

681 Aksan, *Ottoman Warfare*, pp. 328–36.

682 Avigdor Levy, "The Officer Corps in Sultan Mahmud's New Ottoman Army, 1826–39," *International Journal of Middle East Studies* 2 (1971): 21–39.

683 Erik Jan Zürcher, "The Ottoman Conscription System, 1844–1914," *International Review of Social History* 43 (1998): 436–37.

684 J. C. Hurewitz, *The Middle East and North Africa in World Politics*, 2nd edn, 2 vols. (New Haven, CT: Yale University Press, 1975), vol. I, p. 270.

685 Shaw, *History of the Ottoman Empire*, vol. II, pp. 69 ff; Hourani, "Ottoman Reform," pp. 36–66; Aksan, *Ottoman Warfare*,

pp. 402–16; Carter V. Findley, *Bureaucratic Reform in the Ottoman Empire, 1789–1922* (Princeton University Press, 1980), pp. 16–87; Carter V. Findley, "The Legacy of Tradition to Reform. Origins of the Ottoman Foreign Ministry," *International Journal of Middle Eastern Studies* 1 (1970): 335–38.

686 Fikret Adanir and Hilmar Kaiser, "Migration, Deportation and Nation Building. The Case of the Ottoman Empire," in René Laboutte (ed.), *Migration et migrants dans une perspective historique. Permanences et innovations (*Bruxelles: Peter Lang, 2000), p. 277.

687 Roderic H. Davison, *Reform in the Ottoman Empire, 1856–1876* (Princeton University Press, 1963)，關於米德哈特在地方省分的官僚生涯，請參見 pp. 151–58 以及 pp.160–64；關於他草擬憲法過程的詳細記載，請參見 pp. 367–78。Maria Todorova, "Midhat Pasha's Governorship of the Danube Province," in Farah (ed.), *Decision Making and Change*, pp. 115–28, 則有較為批判的觀點。

688 Ussama Makdisi, "Ottoman Orientalism," *American Historical Review* 107(3) (June 2002): 12.

689 Davison, *Reform in the Ottoman Empire*, pp. 264–66.

690 Nikki R. Keddie, *Sayyid Jamal al-Din 'al-Afghani. A Political Biography* (Berkeley, CA: University of California Press, 1972).

691 Shaw, *History of the Ottoman Empire*, vol. II, p. 157.

692 Zürcher, "Ottoman Conscription," pp. 455–56.

693 Daniel Panzac, *Commerce et navigation dans l'Empire Ottoman au XVIIIe siècle* (Istanbul: Isis, 1996), pp. vii–viii, 212–14.

694 Inalcik, *The Ottoman Empire*, ch. 14.

695 Niels Steengaard, "The Indian Ocean Network and the Emerging World Economy c. 1500–1750," in Satish Chandra (ed.), *The Indian Ocean. Explorations in History, Commerce and Politics* (New Delhi: Sage, 1987), pp. 125–50. 亦請參見 Niels Steengaard, *Carracks, Caravans and Companies. The Structural Crisis in European–Asian Trade in the Early 17th Century* (Lund: Studentenliteratur, 1973).

696 Nikolai Todorov, *The Balkan City, 1400–1900* (Seattle, WA: University of Washington Press, 1983), pp. 59–60, 107, 123, 183. Cf. Ira M. Lapidus, *Muslim Cities in the Later Middle Ages* (Cambridge University Press, 1967)。後者主張，穆斯林社會並不允許城市自治，因而阻礙了資本主義的發展。

697 Suraiya Faroqui and Gilles Veinstein, "Introduction," in Suraiya Faroqui and Gilles Veinstein (eds.), *Merchants in the Ottoman Empire* (Louvain: Peeters, 2008), pp. xvi–xxiv。文中引用的句子出自 p. xix; and Murat Çizakçka and Macit Kenanoğ lu, "Ottoman Merchants and the Jurisprudential Shift Hypothesis," in ibid., pp. 195–213.

698 M. Şükrü Hanioğlu, *A Brief History of the Late Ottoman Empire* (Princeton University Press, 2008), pp. 19–24.

699 Shaw, *Between Old and New*, pp. 138–44.

700 關於《巴爾塔李曼條約》（*Balta Liman Convention*）條約的全文，請參見 J. C. Hurewitz, *Diplomacy in the Near and Middle East* (Princeton University Press, 1956), vol. I, pp. 110–11.

701 Edward C. Clark, "The Ottoman Industrial Revolution," *Journal of Middle East Studies* 5 (1974): 65–76; Çağlar Keyder, "Creation and Destruction of Forms of Manufacturing. The Ottoman Example," in Jean Batou (ed.), *Between Development and Underdevelopment. The Precocious Attempts at Industrialization of the Periphery, 1800–1870* (Geneva: Droz, 1991), pp. 157–79.

702 阿契美尼德王朝期間，軍隊和行政區都是依據地區的界線進行劃分的。A. T. Olmstead, *History of the Persian Empire* (University of Chicago Press, 1948), pp. 219–24, 239–47.

703 W. B. Fisher, "The Land of Iran," in *The Cambridge History of Iran* (Cambridge University Press, 1968), vol. 1, pp. 734–35; Richard N. Frye, *The Golden Age of Persia* (London: Phoenix Press, 2000), pp. 8–14.

704 Frey, *The Golden Age of Persia,* pp. 5, 17, 34–35, 62–64.

705 Jean Aubin, "Études Safavides. I. Shah Isma'il et les notables de l'Iraq persan," *Journal of the Economic and Social History of the Orient* 2(1) (January 1959): 37–81; Jean Aubin, "Études Safavides. III. L'avénement des Safavides reconsidéré," *Moyen Orient et Océan Indien* 5 (1988): 1–30.

706 Pierre Oberling, *The Qashqā'i Nomads of Fārs* (The Hague: Mouton, 1974), p. 113.

707 Sussan Babaie et al. (eds.), *Slaves of the Shah. New Elites of Safavid Iran* (London: Tauris, 2004), pp. 6–7.

708 Lawrence Lockhart, *The Fall of the Safavid Dynasty and the Afghan Occupation of Persia* (Cambridge University Press, 1958), p. 146.

709 Halil Inalcik, "The Socio-political Effects of the Diffusion of Firearms in the Middle East," in Parry and Yapp (eds.), *War,*

Technology and Society, pp. 207–8.

710 Ahmad Ashraf, "Historical Obstacles to the Development of a Bourgeoisie in Iran," in Cook (ed.), *Studies in the Economic History*, pp. 308–18.

711 Savory, *Iran under the Safavids,* p. 81.

712 John Foran, "The Long Fall of the Safavid Dynasty. Moving Beyond the Standard Views," *International Journal of Middle East Studies* 24 (1992): 282–86.胡笙素檀於一七〇六年至一七〇八年前往馬什哈德朝覲，當時他帶著整個後宮和六萬名奴婢一起上路，「不只耗盡了國庫，他所到之處也都慘遭蹂躪。」Father Judasz Tadeusz Krusinski, *The History of the Late Revolutions of Persia* (London: J. Ostborne, 1740), as quoted by Foran in ibid., p. 286.

713 H. R. Roemer, "The Safavid Period," in *The Cambridge History of Iran* (Cambridge University Press, 1986), vol. 6, p. 291.

714 Richard Tapper, *Frontier Nomads of Iran. A Political and Social History of the Shahsevan* (Cambridge University Press, 1997), p. 144. 亦請參見 Ann K. S. Lambton, "The Tribal Resurgence and the Decline of Bureaucracy in the 18th Century," in Naff and Owens (eds.), *Studies*, pp. 108–32.

715 Richard Tapper (ed.), "Introduction," in *The Conflict of Tribe and State in Iran and Afghanistan* (New York: St. Martin's Press, 1983), pp. 9–10, 45, 引用段落出自 p. 53 以及全文其他地方。

716 James J. Reid, "Rebellion and Social Change in Astarabad, 1537–1744," *International Journal of Middle East Studies* 13(1) (February 1981): 47–49, 他的研究，將納迪爾國王和普加喬夫這樣的邊境哥薩克叛亂分子做了比較。杜蘭尼王朝的軍隊也有類似的組成，混合了阿富汗（Abdali）的騎兵。Ganda Singh, *Ahmad Shah Durrani. Father of Modern Afghanistan* (New Delhi: Asia Publishing House, 1959).

717 Said Amir Arjomand, *The Turban for the Crown. The Islamic Revolution in Iran* (Oxford University Press, 1988), p. 19.

718 Arjomand, *The Turban for the Crown,* p. 136.

719 Edvard Abrahamian, "Oriental Despotism. The Case of Qajar Iran," *International Journal of Middle East Studies* 5 (1974): 3–31; Hamid Algar, *Religion and the State in Iran, 1785–1806. The Role of the Ulama in the Qajar Period* (Berkeley, CA: University of California Press, 1969). 對於各社群的派系之爭和階級問題，請參見 Mary Jo del Vecchio Good 的在地研究 "Social Hierarchy in Provincial Iran. The Case of Qajar Maragheh," *Iranian Studies* 10 (1977): 129–63.

720 Vanessa Martin, *The Qajar Pact. Bargaining, Protest and the State in Nineteenth Century Persia* (London: Tauris, 2005), pp. 183–87，簡要地總結了這種遊戲的規則，以及弱勢一方有哪些武器可以使用。

721 Gavin Hambly, "Iran During the Reigns of Fath' Ali Shah and Muhammed Shah," in *Cambridge History of Iran*, vol. 7, pp. 158–60.

722 關於《一八二八年土庫曼恰伊條約》，請參見 Hurewitz, *Diplomacy in the Near and Middle East*, pp. 96–102。關於英國和波斯於一八四一年十月簽訂的商貿條約，則請參見 pp. 123–24。

723 Hafez Farman Farmayan, "The Forces of Modernization in Nineteenth Century Iran. A Historical Survey," in R. Polk (ed.), *The Beginnings of Modernization in the Middle East* (University of Chicago Press, 1968), pp. 121–22.

724 Algar, *Religion and the State*, pp. 73–79.

725 Martin, *The Qajar Pact,* pp. 134–35.

726 Abbas Amanat, *Pivot of the Universe. Nasir Al-Din Shah and the Iranian Monarchy, 1831–1896* (Berkeley, CA: University of California Press, 1997); Nikki Keddie, "Iran under the Later Qajars, 1848–1922," in *Cambridge History of Iran*, vol. 7, pp. 174–77.

727 Mangol Bayat, *Iran's First Revolution. Shi'ism and the Constitutional Revolution of 1905–1909* (New York: Oxford University Press, 1991), pp. 36–39. 關於由下而上發起的改革行動，例如始於胡笙汗管治初期的新學校運動，請參見 Monica M. Ringer, *Education, Religion and the Discourse of Cultural Reform in Qajar Iran* (Costa Mesa, CA: Mazda Publications, 2001), ch. 5.

728 Keddie, "Iran," pp. 183–92; Farmayan, "The Forces of Modernization," pp. 129–32.

729 Bayat, *Iran's First Revolution*, pp. 40–44.

730 Martin, *The Qajar Pact.* 關於地方省分層級中，各個社會團體之間的複雜互動，請參見 del Vecchio Good 的個案研究 "Social Hierarchy in Provincial Iran," pp. 129–63.

731 Farmayan, "The Forces of Modernization," pp. 150–51.

732 請特別參見 A. Reza Sheikholeslami, *The Structure of Central Authority in Qajar Iran, 1871–1896* (Atlanta, GA: Scholars Press, 1997), pp. 7–13, 21–24, 107 ff, 209–13 的洞見。

733 國王身邊的高階官員之中，有人留下了珍貴的日記，裏頭記載著對國王的貼身描繪：Mehdrad Kia, "Inside the Court of Naser od-Din Shah Qajar, 1881–1896. The Life and Diary of Mohammed Hasan Khan E'temad os-Saltaneh (Iran)," *Middle Eastern Studies* 37(1) (January 2001), esp. pp. 101–17.

734 Ahmad Ashraf, "Historical Obstacles to the Development of a Bourgeoisie in Iran," in Cook, *Studies in the Economic History*, pp. 318–25.

735 Reza Ra'iss Tousi, "The Persian Army, 1880–1907," *Middle Eastern Studies* 24(2) (April 1988): 206–29, 該研究根據法國人和英國人的觀察報告，對這些慘況進行了描繪。亦請參見 Firouzeh Kazemzadeh, "The Origin and Early Development of the Persian Cossack Brigade," *American Slavic and East European Review* 15(3) (October 1956): 351–63.

736 Tousi, "The Persian Army," p. 226.

737 Nicola Di Cosmo, "Qing Colonial Administration in Inner Asia," *International History Review* 20(2) (June 1998): 287–309, 引用段落出自 p. 288.

738 Di Cosmo, "Did Guns Matter?" pp. 121–66.

739 Robert H. G. Lee, *The Manchurian Frontier in Ch'ing History* (Cambridge University Press, 1970), pp. 34–41; Mark C. Elliott, *The Manchu Way. The Eight Banners and Ethnic Identity in Late Imperial China* (Stanford University Press, 2001), pp. 29–31, 58.

740 Evelyn S. Rawski, "Presidential Address. Reenvisioning the Qing. The Significance of the Qing Period in Chinese History," *Journal of Asian Studies* 55(4) (November 1996): 832.

741 Roberto M. Unger, *Plasticity and Power. Comparative-Historical Studies on the Institutional Conditions of Economic and Military Power* (Cambridge University Press, 1987), p. 59.

742 Peter C. Perdue, *China Marches West. The Qing Conquest of Central Eurasia* (Cambridge, MA: Belknap Press, 2005), pp. 238, 522–23, see also pp. 397–400.

743 關於這個體系的起源，請參見 H. G. Creel, *The Origins of Statecraft in China. The Western Chou Empire* (University of Chicago Press, 1970); 關於該體系的顛峰，請參見 T. Metzger, *The Internal Organization of Ch'ing Bureaucracy. Legal, Normative and Communications Aspects* (Cambridge, MA: Harvard University Press, 1974). 認為科舉制度有助於社會流

動和提倡平等的迷思，已在 Benjamin A. Elman, "Political, Social and Cultural Reproduction via Civil Service Examinations in Late Imperial China," *Journal of Asian Studies* 50(1) (February 1991): 17–19 之中遭到破解。

744 T. Wei-ming, "The Enlightenment Mentality and the Chinese Intellectual Dilemma," in Kenneth Lieberthal et al. (eds.), *Perspectives on Modern China. Four Anniversaries* (Armonk, NY: M. E. Sharpe, 1991), pp. 109–12.

745 V. Shue, *The Reach of the State. Sketches of the Chinese Body Politic* (Stanford University Press, 1988), p. 87.

746 學界長久以來已經體認到，使用諸如滿人、蒙古人、漢人這類的詞彙來稱呼十七世紀中國的各個社會族群，其實在很大的程度上簡化了他們複雜的文化認同，尤其是在內亞邊境地帶。但創立清朝的統治者當時需要為各個「族群」（在此，「族群」（constituencies）借用的是柯嬌燕〔Pamela Kyle Crossley〕的稱法）進行命名、分類，以便有效地進行治理，而這些稱呼則滿足了他的目的。Pamela Kyle Crossley, *A Translucent Mirror. History and Identity in Qing Imperial Ideology* (Berkeley, CA: University of California Press, 1999), pp. 43–52.

747 F. W. Mote, *Imperial China, 900–1800* (Cambridge, MA: Harvard University Press, 1999), pp. 489–94, 892–96.

748 Robert J. Anthony and Jane Kate Leonard (eds.), "Introduction," *Dragons, Tigers and Dogs. Qing Crisis Management and the Boundaries of State Power in Late Imperial China* (Ithaca, NY: East Asian Program, Cornell University, 2002), pp. 16–19.

749 Lee, *The Manchurian Frontier*, pp. 59–77.

750 接下來的部分，將會大量引用 di Cosmo, "Qing Colonial Administration," p. 294 這篇文章，以及 Evelyn S. Rawski, "The Qing Formation in the Early Modern Period," in Struve (ed.), *The Qing Formation*, pp. 223–26; and L. J. Newby, "The Begs of Xinjiang. Between Two Worlds," *Bulletin of the School of Oriental and African Studies* 2 (1998): 278–97.

751 Dorothy Heuschert, "Legal Pluralism in the Qing Empire. Manchu Legislation for the Mongols," *International History Review* 20(2) (June 1998): 310–24.

752 Dorothy Heuschert, "Legal Pluralism in the Qing Empire. Manchu Legislation for the Mongols," *International History Review* 20(2) (June 1998): 310–24.

753 Rawski, "Presidential Address," p. 836.

754 Frederic Wakeman, Jr., "China and the Seventeenth Century Crisis," *Late Imperial China* 7(1) (1986): 1–26.

755 Rawski, "The Qing Formation," pp. 213–18.

756 Millward, *Beyond the Pass*, pp. 45–49, 59–66; Perdue, *China Marches West*, pp. 392–400.

757 舉例而言，請參看 Susan Naquin, *Millenarian Rebellion in China. The Eight Trigrams Uprising of 1813* (New Haven, CT: Yale University Press, 1976); Susan Naquin, *Shantung Rebellion. The Wang Lun Uprising of 1774* (New Haven, CT: Yale University Press, 1981); Jonathan Spence, *God's Chinese Son. The Taiping Heavenly Kingdom of Hong Xiuquan* (New York: W. W. Norton, 1996).

758 John K. Fairbank (ed.), *The Chinese World Order. Traditional China's Foreign Relations* (Cambridge, MA: Harvard University Press, 1968); Frederic Wakeman, Jr., *Strangers at the Gate. Social Disorder in South China, 1839–1861* (Berkeley, CA: University of California Press, 1966). 關於對這些觀點的批判，請參見 James M. Polacher, *The Inner Opium War* (Cambridge, MA: Harvard University Press, 1992)，該研究的立場是，官僚利益團體的政治（尤其是由一小群文人組成的利益團體）才是形塑清朝外交政策的決定性因素，而非意識形態或地方政治。

759 Perdue, *China Marches West*, pp. 552–65.

760 David B. Ralston, *Importing the European Army. The Introduction of European Military Techniques and Institutions into the Extra-European World, 1600–1914* (Chicago University Press, 1990), pp. 111–12.

761 David Pong, *Shen Pao Chen and China's Modernization in the Nineteenth Century* (Cambridge University Press, 1994), esp. pp. 315–37.

762 Jonathan Spence, *The Search for Modern China*, 2nd edn (New York: W. W. Norton, 1999), p. 227.

763 Jonathan Spence, *The Gate of Heavenly Peace. The Chinese and their Revolution, 1895–1980* (New York: Viking Press, 1981), pp. 32–56, 108–19.

764 Richard S. Horowitz, "Breaking the Bonds of Precedent. The 1905–6 Government Reform Commission and the Remaking of the Qing Central State," *Modern Asian Studies* 37(4) (2003): 775–97. 此次改革也對基層官僚的任用、薪俸、升遷管道進行了理性化。Luca Gabbiani, "The Xinzheng Reforms and the Transformation of the Status of Lower Level Central Administration," *Modern Asian Studies* 37(4) (2003): 827–29.

765 Ágoston, "Military Transformation," pp. 281–320.